D1263174

Le suicide français

Éric Zemmour

Le suicide français

Albin Michel

À mon père.

Introduction

La France est l'homme malade de l'Europe. Les économistes évaluent sa perte de compétitivité. Les essayistes dissertent sur son déclin. Les diplomates et les soldats se plaignent en silence de son déclassement stratégique. Les psychologues s'alarment de son pessimisme. Les sondeurs mesurent son désespoir. Les belles âmes dénoncent son repli sur soi. Les jeunes diplômés s'exilent. Les étrangers les plus francophiles s'inquiètent de la dégradation de son école, de sa culture, de sa langue, de ses paysages, de sa cuisine même. La France fait peur ; la France se fait peur. La France est de moins en moins aimable ; la France ne s'aime plus. La douce France vire à la France amère ; malheureux comme Dieu en France ?

Les Français ne reconnaissent plus la France. La Liberté est devenue l'anomie, l'Égalité, l'égalitarisme, la Fraternité, la guerre de tous contre tous. « Tout a toujours mal marché », disait, fataliste, l'historien Jacques Bainville. « C'était mieux avant », lui rétorque, nostalgique, l'écho populaire. Pourtant, rien n'a changé. Le pays est en paix depuis soixante-dix ans ; la Ve République fonctionne depuis cinquante ans ; les médias informent, les politiques s'affrontent, les acteurs et les chanteurs distraient, les grandes tables régalent, le petit noir est servi chaud au zinc des bistrots ; les jambes des Parisiennes font tourner les têtes.

La France ressemble à ces immeubles anciens, à la façade intacte, car elle est classée monument historique, mais où les intérieurs ont été mis sens dessus dessous pour se conformer aux goûts modernes et au souci des promoteurs de rentabiliser le moindre espace.

De loin, rien n'a changé, la rue a fière allure ; mais de près, tout est dévasté : rien n'est plus « dans son jus », comme disent les spécialistes. Tout est intact ; seule l'âme du lieu s'est envolée. Le président de la République préside, mais il n'est plus un roi ; les politiques parlent, mais ils ne sont plus entendus. Les médias ne sont plus écoutés. Les intellectuels, les artistes, les grands patrons, les éditorialistes, les économistes, les magistrats, les hauts fonctionnaires, les élus sont suspectés. Les mots eux-mêmes sont faisandés : on « fait Église », quand on n'y va plus ; on « fait famille », quand on divorce ; on « fait France », quand on ne se sent plus français. On exalte le « vivre ensemble », quand les communautés se séparent. On « déclare la guerre à la finance », pour s'y soumettre ; on « moralise le capitalisme », pour sauver les banques ; on « dégraisse le mammouth », en l'engraissant ; on impose la parité homme-femme en politique, quand elle devient subalterne dans le mariage. La République « une et indivisible » est plurielle et divisée comme jamais.

C'est la République-Potemkine. Tout est en carton-pâte. Tout est factice. Tout est retourné, renversé, subverti. L'Histoire est toujours notre code, mais c'est une Histoire altérée, falsifiée, dénaturée. Ignorée pour mieux être retournée. Retournée pour être mieux ignorée. Nous ne savons plus où nous allons, car nous ne savons plus d'où nous venons. On nous a appris à aimer ce que nous détestions et à détester ce que nous aimions.

Comment en sommes-nous arrivés là ?

Notre passion immodérée pour la Révolution nous a aveuglés et pervertis. On nous a inculqué que la France était née en 1789, alors qu'elle avait déjà plus de mille ans derrière elle. On ne cesse de nous répéter depuis quarante ans que Mai 68 fut une révolution manquée, alors qu'elle a vaincu. Il y a quarante ans, de Gaulle était le père de la nation, et Daniel Cohn-Bendit, un joyeux rebelle.

Aujourd'hui, de Gaulle est l'homme qui dit non, et Cohn-Bendit, l'icône de la nation. Dans l'imaginaire collectif de notre époque, il y a un avant et un après 1968, comme il y eut un avant et un après 1789 pour Michelet, et un avant et un après Jésus-Christ pour l'Église. Avant : une France en noir et blanc, patriarcale et xénophobe, repliée sur elle-même, enfermée dans ses frontières et ses préjugés, corsetée dans une morale rigoriste, confite en dévotion ; une France laborieuse et soumise, les corps étriqués, engoncés dans des vêtements austères et stricts, sous la férule toujours injuste et souvent cruelle du Père sur les Enfants, de l'Homme sur la Femme, du Blanc sur le Noir, et l'enrégimentement obscurantiste dans les Églises, catholique ou communiste. Après : une France en couleurs, de toutes les couleurs, et « que cent fleurs s'épanouissent », ouverte sur l'Europe et le Monde, libérée de ses chaînes ancestrales et de ses haines recuites ; une France hédoniste et égalitaire, une France de toutes les libérations, de toutes les insolences, de toutes les minorités, jusqu'à la plus petite minorité qui soit, l'individu, nouveau Roi-Soleil magnifié par tous les coryphées.

De nombreux ouvrages savants nuancèrent, interrogèrent, contestèrent cette vision manichéenne ; mais aucune subtilité mandarinale, aucune grille de lecture idéologique, marxiste ou libérale, aucun récit des origines, qu'il soit gaullien, communiste, encore moins chrétien, ne parvinrent à remettre en cause la suprématie des nouveaux Évangiles qui, véhiculés par la culture populaire à travers les médias de masse, télévision, cinéma, chanson, bercèrent les jeunes générations avec une efficacité incomparable.

Si l'Histoire est le récit laissé par les vainqueurs, on sait qui a gagné en Mai 68. Les contemporains se laissèrent abuser. Parce que la révolution n'avait pas réussi à conquérir le pouvoir, on en conclut qu'elle avait échoué. Les apparences furent trompeuses. L'hélicoptère du général de Gaulle ne fut pas arrêté à Varennes : il réussit à rejoindre Massu, quand Louis XVI ne parvint jamais à trouver l'armée des émigrés. Les enragés de Mai 68 affichaient fièrement la caricature du célèbre képi en effigie : « La chienlit, c'est lui » ; mais ils ne réussirent pas à renverser la Ve République. À Matignon, Georges Pompidou expulsa Cohn-Bendit et négocia avec le secrétaire général de la CGT, Georges Séguy. Il voulait éteindre l'incendie de la « grève générale », pendant qu'il philosophait sur « la crise de civilisation ». Avec le soutien du peuple (la fameuse manifestation du 30 mai sur les Champs-Élysées), le pouvoir gaulliste rétablit la situation. L'État fut sauvé, mais pas la Société. Personne ne s'en aperçut. De ce déchirement fondateur entre l'État, le Peuple et la Société, sont nés la schizophrénie, l'aveuglement, le désarroi propres à notre pays. Mai 68 n'a pas réussi à renverser le régime, mais a conquis la Société au détriment du Peuple. On connaît la célèbre phrase de Prévost-Paradol : « La Révolution a fondé une société, elle cherche encore son gouvernement. » Les soixante-huitards ont été plus habiles que les quarante-huitards ou même les conventionnels. Leur défaite politique les sauva malgré eux. La Ve République fut maintenue. Mais l'édifice était lézardé. Pourri de l'intérieur. Rendu peu à peu inopérant. Retourné. Comme Auguste transmua la République romaine en Empire sans toucher aux institutions de la sacro-sainte République, une « évolution des mentalités » menée tambour battant vida peu à peu de sa substance l'esprit de la République gaullienne, bien que fussent conservées intactes les apparences institutionnelles. La couronne du président lui fut ôtée, sans le renverser. Le suffrage universel, débranché pour se débarrasser du peuple. La République, exaltée sans cesse pour mieux abattre la France. 1789, sacralisé pour mieux imposer la revanche d'une contre-révolution libérale que n'aurait pas reniée Burke.

Car la France sortie de 1789 avait consacré la victoire du peuple contre les aristocrates, de la Nation contre les rois, de la Loi contre les juges (les parlements), de l'État contre les féodaux, des jacobins contre les girondins, de la raison contre la superstition, des hommes retrempés dans une virile vertu spartiate contre la domination émolliente des femmes dans les salons et à la cour.

La France sortie de Mai 68 sonnerait la revanche des oligarques sur le peuple, de l'internationalisme sur les nations, des nouveaux féodaux sur l'État, des girondins sur les jacobins, des juges sur la loi, de la féminité sur la virilité.

Sur le moment, les meilleurs esprits s'aveuglèrent. Mai 68 fut une révolution inédite et surprenante : pour la première fois dans l'Histoire, les habituels perdants l'emportaient. Les anarchistes prirent leur revanche sur les staliniens, les libertaires sur les autoritaires, Proudhon sur Marx, les communards sur les versaillais, les mencheviks sur les bolcheviks, les anarchistes espagnols sur les communistes. Cohn-Bendit repoussa au fond des cortèges de manifestants Georges Marchais et ces « chiens de communistes ». L'« anarchiste allemand » ridiculisa l'ancien STO de Messerschmitt. Dans les mémoires, le monôme étudiant supplanta la grève générale.

Les gardiens de la révolution avaient raison de se méfier. Les nouvelles revendications féministes et libertaires détruisirent de l'intérieur leurs rugueuses organisations sous le regard amusé des innombrables « indics » du ministre de l'Intérieur de l'époque, Raymond Marcellin. Les femmes des austères révolutionnaires se révoltèrent contre les ultimes représentants du patriarcat occidental qu'incarnaient ces révolutionnaires communistes : « Qu'est-ce qui est le plus long ? Cuire le steak d'un révolutionnaire ou celui d'un bourgeois ? » Dans son remarquable ouvrage, *Mai 68 ou l'héritage impossible*, Jean-Pierre Le Goff[1] expliquera que l'échec du militantisme gauchiste entre 1970 et 1973 « procède beaucoup moins des divergences politiques "objectives" qui opposent les discours des différents groupuscules [...] que d'un phénomène dont la portée fut largement sous-estimée : le développement du courant de libération du désir et l'irruption du féminisme ».

Sur le plan idéologique, la domination inédite des libertaires préparait le terrain aux libéraux. Les mouvements féministes annonçaient la fin du patriarcat ; le « il est interdit d'interdire », la mort du père et de toute autorité.

---

1. La Découverte, 2006.

L'influence communiste dans l'Éducation nationale avait converti les chères têtes blondes grandies dans les années 1960 à un internationalisme qui niait les nations.

Le triptyque soixante-huitard : Dérision, Déconstruction, Destruction, sapa les fondements de toutes les structures traditionnelles : famille, nation, travail, État, école. L'univers mental de nos contemporains devint un champ de ruines. Le succès intellectuel des sciences humaines détruisit toutes les certitudes. Comme l'avait deviné dès 1962 Claude Lévi-Strauss : « Le but dernier des sciences humaines n'est pas de constituer l'homme, mais de le dissoudre. » L'heure venue, le Marché s'emparera sans mal de ces hommes déracinés et déculturés pour en faire de simples consommateurs. Les hommes d'affaires sauront utiliser l'internationalisme de leurs adversaires les plus farouches, pour imposer la domination sans partage d'un capitalisme sans frontière.

Jean-François Revel, bien que porté par un anti-marxisme militant qui l'aveuglait souvent, fut un des rares intellectuels français à deviner ce qui se passait. Peut-être une affaire de génération : il était né vingt ans après les Sartre et Aron. Il n'avait pas leur vision traditionnelle de la révolution. Dans son livre qui le rendit célèbre dans le monde entier, *Ni Marx ni Jésus*[1], Revel eut la formidable intuition que la révolution ne viendrait pas de Moscou, de La Havane, de Pékin, ou même de Paris, mais qu'elle était partie de San Francisco. La révolution serait libérale ou ne serait pas. La révolution serait encore une fois américaine, même si, comme au XVIIIe siècle, la révolution française parvint à aimanter tous les regards. Revel vit dans Woodstock la révolution des individus ; et dans les mouvements noirs, féministes et gays, la révolution des minorités. Il comprit que la conjonction des deux forgeait, dans les universités américaines des années 1960, ce *politically correct* qui balaierait la société traditionnelle et patriarcale. Ni Marx : en France, les révolutionnaires de Mai 68 utilisaient

---

1. Robert Laffont, 1970.

la langue marxiste, pour accoucher d'une révolution capitaliste. Ni Jésus : la quasi-extinction de la pratique du culte catholique accoucha d'un postchristianisme, une sorte de millénarisme chrétien sans le dogme (« les fameuses idées chrétiennes devenues folles » de Chesterton) mariant un universalisme qui vira au « sans-frontiérisme » et un amour de l'autre poussé jusqu'à la haine de soi. Un pacifisme absolu, tiré encore des Évangiles, se dénatura en un refus absolu de toute guerre, de tout conflit, de toute violence, associés à la virilité, par ailleurs dénoncée par les féministes comme coupable de tous les maux.

Ces vagues de féminisation et d'universalisme postchrétien brisèrent les digues d'une France encore patriarcale, reposant sur l'imperium du père, à la maison comme à la tête de l'État.

La victoire de la révolution passait par la mort du père. De tous les pères. C'était la condition indispensable d'une révolution réussie. Déjà, en 1793, la condamnation à mort de Louis XVI, comme l'avait noté Balzac, avait guillotiné tous les pères. Mais Bonaparte, avec le Code civil, avait remis le père sur son trône. De Gaulle avait même réussi, au bout de cent cinquante ans de tâtonnements institutionnels, à le remettre à la tête de l'État. C'est ce travail séculaire de restauration qui a été saccagé.

Notre époque a été tout entière dessinée par Mai 68. Non les événements eux-mêmes, copie plutôt médiocre et souvent parodique des grandes heures révolutionnaires des XVIIIᵉ et XIXᵉ siècles ; mais le récit épique qui en a été forgé, les leçons qui en ont été tirées, les élites qui s'y sont révélées, les slogans qui y ont été scandés (« Il est interdit d'interdire », « CRS-SS », « Nous sommes tous des Juifs allemands », etc.), l'univers mental, culturel, idéologique qui en est sorti, ont façonné le nouveau visage de notre pays. Comme les révolutionnaires parisiens de 1789 imposèrent leurs foucades idéologiques successives à une province fascinée et passive, les Enragés de 68 ont enseigné leur vision du monde et de « ce pays », comme ils disent, à un peuple rétif mais résigné. Nous sommes tous les enfants de Mai 68, ou plutôt des quarante ans qui ont suivi. Les « événements » auront été nos « trompettes de Jéricho » : pendant quelques jours, les rebelles tournèrent autour des remparts qui, depuis lors, n'ont jamais cessé de s'effondrer. Et nous chérissons nos ruines davantage que les plus beaux édifices.

Maurras exalta jadis les quarante rois qui ont fait la France ; il nous faut désormais conter les quarante années qui ont défait la France.

Il est temps de déconstruire les déconstructeurs. Année après année, événement après événement, président de la République après président de la République, loi après loi, élection après élection, intellectuel après intellectuel, unes des médias après unes des médias, réforme scolaire après réforme scolaire, traité après traité, patron après patron, livre après livre, chanson après chanson, film après film, match de football après match de football. L'histoire totale d'une déconstruction joyeuse, savante et obstinée des moindres rouages qui avaient édifié la France ; histoire d'une dépossession absolue, d'une désintégration inouïe ; d'une dissolution dans les « eaux glacées » de l'individualisme et de la haine de soi.

1970-1983

« L'Histoire n'est pas notre code. »

Jean-Paul Rabaut Saint-Étienne

1970

La mort du père de la nation

Il pleut. Il pleut sur Paris. Il pleut sur la Boisserie. Il pleut sur l'Arc de triomphe, il pleut sur Notre-Dame, il pleut sur le minuscule cimetière de Colombey-les-Deux-Églises. Il pleut sur le char qui porte le cercueil ceint d'un drapeau tricolore. Il pleut sur les grands de ce monde et les petits anonymes qui se pressent. Il pleut sur les capelines des flics ruisselant au milieu des automobiles embouteillées. Il pleut sur les jeunes qui s'agrippent aux branches des lampadaires. Il pleut sur les Légions d'honneur, sur les héros de la Résistance, sur les anciens de la 2ᵉ DB. Il pleut sur l'Américain Richard Nixon, sur le Soviétique Nikolaï Podgorny, sur Anthony Eden et Harold Wilson, sur la reine Juliana et le prince Charles, sur Léopold Sedar Senghor, sur le grand uniforme kaki du roi d'Éthiopie, sur la toison blanche de Ben Gourion et sur le keffieh du frère du roi Hussein. Il pleut sur la DS noire du président Pompidou, sur la toque de fourrure de Mme Pompidou, sur André Malraux, Alain Peyreffite, Jacques Chaban-Delmas, Valéry Giscard d'Estaing, Edgar Faure.

Les 11 et 12 novembre 1970, Paris est la capitale du Monde. Pour la deuxième fois du siècle, après la signature en 1919 des traités de paix mettant fin à la Grande Guerre. La dernière fois.

Le général de Gaulle avait demandé un enterrement modeste dans son village, une tombe humble à côté de celle où reposait sa fille adorée, sans fleurs, surmontée d'une croix de bois et de quelques pierres. Ni président, ni ministre, ni bureau d'Assemblée, ni corps constitués... Une messe simple sans discours. Il n'y eut pas de discours. Sans doute la seule volonté qui fut respectée.

Mais on sait, depuis le testament de Louis XIV (cassé par le parlement de Paris au lendemain de la mort du Roi-Soleil), que les vivants ne se plient plus aux volontés du défunt, le plus puissant et prestigieux fût-il.

Le paisible village de Colombey est transformé en un gigantesque camping. Des dizaines de milliers de personnes ont pris d'assaut les routes et les trains spéciaux, et se sont déversées dans les rues du bourg, femmes et enfants en larmes, anciens décorés. Les hauts dignitaires du régime n'ont pas eu de passe-droit. André Malraux a joué des coudes pour se recueillir près de la tombe de son héros ; Alain Peyreffite n'a pu trouver place dans l'église ; le président Pompidou et son Premier ministre Jacques Chaban-Delmas, arrivés à 15 heures à la Boisserie, en sont repartis quatorze minutes plus tard.

Les fleuristes de Chaumont sont débordés. Des commandes arrivent du monde entier, des États-Unis et d'Arabie saoudite, de Grèce et du Vietnam, de Tananarive et de Dakar. Mao Tsé-toung a envoyé huit gerbes par camion spécial depuis l'ambassade de la République populaire de Chine à Paris : roses, dahlias, lys, chrysanthèmes se mêlent à des rubans violets couverts de caractères chinois.

À Paris aussi, à Paris surtout, on n'a pas respecté les dernières volontés de l'illustre défunt. On a fait semblant. Il n'y eut pas de catafalque à la croisée du transept de Notre-Dame. Pas de discours non plus, une simple messe, et une messe simple, célébrée par Mgr Marty, pour partie en latin selon l'ancien rite. Et un magnificat pour conclure la cérémonie. Le même magnificat qui avait été chanté à pleins poumons le 25 août 1944 pour célébrer, dans cette même Notre-Dame, la libération de Paris. La cathédrale ressemblait à l'Assemblée générale des Nations Unies des grands jours.

Cet hommage du monde entier était personnel puisque le Général avait quitté le pouvoir avant sa mort ; et qu'aucun régime protocolaire ne l'imposait.

Ils sont venus parce que c'était lui. Ils sont venus parce qu'ils avaient raté l'enterrement de Churchill, qu'ils n'avaient pu se rendre aux obsèques de Staline, que c'était le dernier géant de la Seconde Guerre mondiale. Le dernier géant tout court ; ils le sentaient confusément. Comme le peuple français, des jeunes, beaucoup de jeunes, s'extasiaient ébahis les journalistes – deux ans seulement après Mai 68 !

De Gaulle clôturait la glorieuse série des hommes providentiels français ouverte cent cinquante ans plus tôt par Bonaparte, spécialité nationale comme le camembert ou le gevrey-chambertin.

Napoléon était un enfant de Rousseau, fils de la Révolution qui avait répandu le Code civil dans toute l'Europe avec les bottes de ses soldats ; il était devenu empereur pour tenter d'obtenir – en vain – un « droit de bourgeoisie » des anciennes monarchies d'Europe, mais aurait été prêt à se convertir à l'islam s'il avait pu rester en Égypte, prendre Saint-Jean-d'Acre et marcher sur les traces d'Alexandre le Grand jusqu'aux rives de l'Indus. De Gaulle est un enfant de Maurras et de Péguy, mais chrétien de foi et non de raison, qu'un cardinal compara à sa mort à Saint Louis, qui s'était fait de la France une religion pour laquelle il était prêt à se sacrifier ; son respect sourcilleux de la souveraineté populaire était moins dû à une passion pour les immortelles fulgurances démocratiques et républicaines qu'au souci de fonder l'État sur le seul principe capable de remplacer un droit divin désuet. Dans l'Histoire moderne de notre pays, les deux hommes sont les seuls à planer à semblable altitude. De Gaulle est un lecteur de Bainville – « sauf pour la gloire, il aurait mieux valu que Napoléon n'existe pas » – qui jugeait toutefois que la gloire napoléonienne était éternelle et avait donné aux Français une haute image d'eux-mêmes, de leur valeur guerrière. « Quand la Grande Armée n'était composée que de Français, elle n'a jamais été vaincue », plastronnait-il. Sans doute songeait-il que la gloire napoléonienne ne serait pas de trop pour restaurer la flamme d'un peuple humilié, laminé, détruit par la défaite de 1940.

Napoléon était un homme du XVIIIᵉ siècle, rationaliste, qui ne croyait qu'au Dieu horloger de Voltaire, utile pour que son domestique ne le vole pas, et qui acheva sa route météorite lorsqu'il rencontra le romantisme nationaliste et superstitieux des deux peuples qui avaient le moins goûté l'enseignement de la froide raison des Lumières : l'Espagne et la Russie.

De Gaulle était un homme du XIXᵉ siècle qui avait connu l'héroïsme inouï des poilus de 1914 (« des lions conduits par des ânes », disaient les Allemands, admiratifs), et dirigea un peuple qui se voyait comme un ramassis de pleutres et de lâches. Les enfants de ce peuple humilié détruisirent son œuvre en traitant leurs pères de collabos. Il fut vaincu par l'époque qui s'annonçait. Comme l'Empereur.

Les caricaturistes français et étrangers dessinèrent pendant tout son règne un de Gaulle solitaire et hautain se réchauffant au soleil d'Austerlitz. L'émotion populaire et la grandeur de ses obsèques ne sont comparables qu'au retour, dans le froid, la neige et une bise glaciale, des cendres de l'Empereur en décembre 1840.

Les deux hommes ont tenté d'imposer la domination de la France à l'Europe et ont cru réussir, même si, comme le reconnaissait de Gaulle lui-même, le second ne disposait pas des mêmes moyens. Ils n'ont jamais cessé de croire que l'Angleterre était le seul ennemi héréditaire de la France. Furent diabolisés par la presse anglo-saxonne. Le retour du général de Gaulle au pouvoir fut un coup d'État légal qui réussit, un 18 brumaire qui n'aurait pas eu besoin d'un 19 et de Murat chassant les députés par la fenêtre. La Vᵉ République gaullienne fut un Consulat de dix ans, mandat imparti à Bonaparte. Napoléon crut terminer la Révolution que de Gaulle seul acheva enfin.

En 1814, Napoléon se désole : « Je ne trouve de noblesse que dans la canaille que j'ai négligée et de canaille que dans la noblesse que j'ai faite. »

En 1969, à Malraux qui lui demande ce qu'il aurait dit s'il avait dû prononcer le discours célébrant le bicentenaire de la naissance de Napoléon, de Gaulle rétorque : « Comme lui j'ai été trahi par des jean-foutre que j'avais faits et nous avons eu le même successeur : Louis XVIII ! »

Les deux hommes avaient dû restaurer le prestige de la puissance française après des défaites que l'on crut définitives (la guerre de Sept Ans en 1763 et celle de 1940) et un délabrement de l'État et des finances publiques que l'on jugeait irrémédiables (Directoire et IVᵉ République). Ils haïssaient la dette à l'égal du péché. Ils furent déclarés ennemis publics par la finance française et la City qui ne purent s'enrichir sur leur dos. Napoléon tonnait : « La bourse je la ferme, les boursiers je les enferme. » De Gaulle ajouta : « La politique de la France ne se fait pas à la corbeille », et nationalisa les banques. Les deux hommes furent vaincus par l'Argent. Ils furent admirés au-delà de tout par les chefs des puissances qu'ils combattirent. Waterloo n'empêcha jamais Wellington de glorifier « le maître des batailles ».

Dans l'avion qui le transportait à Paris le 11 novembre 1970, le président des États-Unis Richard Nixon confiait à quelques journalistes que de Gaulle était un des rares hommes du monde dont on pouvait dire qu'il était plus grand que le pouvoir qu'il représentait. Nixon avait connu Eisenhower, Churchill, Adenauer et de Gaulle. « Tous les quatre étaient également des géants, disait-il. Mais c'est probablement le général de Gaulle qui eut la tâche la plus difficile : la France n'était pas morte, mais son âme était virtuellement morte. De Gaulle a pris en main la destinée d'un peuple dont l'âme était virtuellement morte [...]. Seule sa volonté et sa détermination ont su garder cette âme en vie [...]. Le seul homme qui aurait pu sauver la France de la guerre civile entre 1958 et 1962 était Charles de Gaulle. La France n'existerait plus en tant que nation sans lui. »

Nixon, dans son admiration éperdue pour le grand homme français, voyait juste et loin.

La France était en train de mourir mais ne le savait pas encore. Elle n'existerait plus sans le général de Gaulle ; il s'était épuisé à la ressusciter. En vain. En 1945, déjà, François Mauriac parlait de « nation-Christ ». De Gaulle lui-même, quelques années plus tard, alors qu'il ne croit plus à son retour au pouvoir, imprudemment abandonné en 1946, soliloquait devant un Georges Pompidou qui n'est encore que le directeur anonyme de son cabinet : « La décadence française a débuté au milieu du XVIIIᵉ siècle. Depuis, il n'y a eu que des sursauts. Le dernier fut en 1914. Moi, j'ai bluffé, et en bluffant j'ai pu écrire les dernières pages de l'Histoire de France. »

On comprend mieux la ferveur des Français anonymes et le respect sincère, comme intimidé, de la planète accourue à Notre-Dame : avec de Gaulle, c'est la France qu'on enterre. Nixon voulait engager à son service l'homme qui avait écrit le message du président Georges Pompidou : « Le Général est mort, la France est veuve. Comme cela est beau et comme c'est très français ! » s'extasiait-il. On aurait pu écrire : de Gaulle était le veuf inconsolé de la France ; il finit par en mourir. C'est en Mai 68 qu'il saisit son échec à réveiller le corps défunt de sa bien-aimée. Cette jeunesse bourgeoise à qui il avait permis de vivre libre dans un pays riche, se vautrant dans un confort inédit dans l'Histoire d'un peuple français pauvre depuis mille ans, qu'il avait instruite et dorlotée, lui montrait sa reconnaissance en lui crachant au visage et en le comparant à Pétain. Churchill avait connu l'ingratitude des peuples libres ; lui subissait celle de ses enfants. Sa première réaction fut celle d'un homme du XIXᵉ siècle, de Bonaparte, de Cavaignac, de Thiers, de Clemenceau : il donna ordre de réprimer, quitte à tirer dans les jambes. On encense aujourd'hui le préfet Grimaud pour n'avoir pas fait couler le sang. C'est Pompidou qu'il faudrait remercier de s'être opposé au Général ; mais, en rouvrant la Sorbonne sans conditions, le futur président cédait et donnait à l'État une indélébile marque de faiblesse. Celui-ci ne s'en remit jamais. On le paye encore. Raymond Aron le comprit le premier, après avoir pourtant donné initialement raison au Premier ministre. Il fut le seul. « Politiquement, la nuit du 10 au 11 [mai 1968] constituait une catastrophe car elle cimentait l'unité factice des étudiants et de la majorité des enseignants contre la police et le gouvernement. M. Pompidou revient, il fait un pari et le perd. Il parie qu'en capitulant il mettra fin aux troubles. Je ne le condamne pas :

sur le moment j'ai été enclin à lui donner raison, mais rétrospectivement, je ne suis pas fier de moi-même. Historiquement, il a eu tort. Selon toute probabilité, on aurait dû faire des concessions avant la nuit de vendredi à samedi ; après cette nuit, la capitulation a relancé l'agitation et a créé la Commune estudiantine[1]. »

Pompidou avait ruiné dix ans de pédagogie gaullienne.

Tout le reste est mise en scène.

Le 30 mai, ses partisans descendaient en masse sur les Champs-Élysées pour le soutenir, tétanisant ses adversaires ; seul de Gaulle souffrit, en son for intérieur, de devoir le pouvoir à la rue – cette chienlit qu'il avait tant dénoncée – alors qu'il avait instauré la Ve République pour rétablir l'ordre et la souveraineté qu'il incarnait depuis le 18 juin 1940... « Le Général avait fort bien compris que cet extraordinaire succès... était la fin d'une certaine idée qu'il avait eue, lui, de la nation française. Au soir de cette manifestation qui nous avait paru grandiose, il y avait un homme heureux, Georges Pompidou, et un homme malheureux, Charles de Gaulle[2]. » Comme l'avait dit Marie-France Garaud : « À la fin de Mai 68, de Gaulle a repris la France en une nuit, et en est mort. »

De Gaulle ne fut plus jamais de Gaulle. Comme Napoléon revenu de l'île d'Elbe surprenait son entourage pendant les Cent Jours par des tergiversations et états d'âme auxquels il ne les avait pas habitués – jusqu'au champ de bataille de Waterloo où il ne fut que l'ombre de lui-même –, de Gaulle vira gauchiste. Il rêva d'autogestion à la yougoslave et le patron du PSU Michel Rocard confia à Peyrefitte qu'il aurait aimé trouver le mot de « participation » si de Gaulle ne l'avait pas préempté. Il est courant de glorifier un de Gaulle visionnaire et incompris. Et si le vieil homme recru d'épreuves avait perdu ses repères ? Et s'il était devenu sur le tard cet « homme de gauche qui va à la messe » que brocardait Paul

1. Raymond Aron, *La Révolution introuvable*, Fayard, 1968.
2. Alexandre Sanguinetti, *J'ai mal à ma peau de gaulliste*, Grasset, 1978.

Morand dès les débuts de son règne[1] ? On n'a pas assez remarqué que son référendum de 1969 portait sur la décentralisation, la régionalisation et la participation sociale – les thèmes qui deviendraient les fétiches de la gauche chrétienne, issue des rangs gauchistes de Mai 68 – cette deuxième gauche technocratique, libérale, atlantiste et européiste, qui défit tout ce que le Général avait fait.

On pourrait d'ailleurs noter que cette conjonction entre de Gaulle et la gauche moderniste nous ramène aussi à l'Ancien Régime, et à la tentation éphémère de Vichy d'en ressusciter les grands principes, avec le retour des provinces, appelées régions, et le mélange des élus et des syndicalistes dans un Sénat qui se rapprochait des corporations d'autrefois, suscitant la fureur compréhensible des héritiers des républicains de stricte obédience comme le président du Sénat d'alors, Gaston Monnerville. De Gaulle pouvait espérer achever son grand œuvre de la monarchie républicaine, plus monarchique que républicaine. Mais le Général disparu, il ne resta avec ses émules, comme Chaban-Delmas et sa « nouvelle société », que la soumission d'une partie de la droite gaulliste à l'esprit de Mai. La gauche put dès lors enclencher l'opération de récupération du Général – qu'elle avait traité de fasciste, de duce, de caudillo, de Badinguet – dès le lendemain de sa mort.

Les écrivains de gauche nettoyèrent avec soin le corps du grand homme de ses stigmates maurrassiens et conservateurs. Ils en firent un moderniste, un progressiste en rupture avec son milieu et sa classe, l'homme du « Non ». Ah, la belle escroquerie ! Ils en firent le chantre des droits de l'homme, lui qui n'avait exalté les principes de 1789 que dans la mesure où leur universalisme assurait à la France une influence planétaire. Ils en firent un grand décolonisateur amoureux des peuples du sud, alors qu'il était un anticolonialiste à la mode du XIXᵉ, un émule de cette droite traditionaliste et nationaliste qui n'avait jamais voulu des « vingt domestiques » pour remplacer les « deux enfants qu'elle avait perdus » (l'Alsace-Lorraine). Ils en

---

1. Paul Morand, Jacques Chardonne, *Correspondance*, t. I, Gallimard, 2013.

firent un ami des Arabes, sur la base du grand renversement d'alliances de 1967, lui qui aura bradé l'Algérie pour que son village ne devienne pas Colombey-les-Deux-Mosquées ; et pourtant, en avalisant la massive immigration venue du Maghreb – alors même qu'en 1945, au sortir de la guerre, de Gaulle avait tenté en vain d'imposer une immigration venue du nord de l'Europe –, il n'avait fait que retarder de cinquante ans l'invasion qu'il craignait.

Mai 68 consacra la paradoxale revanche des partisans de l'Algérie française contre la grande Zohra. L'Histoire a retenu que de Gaulle avait dû chercher des alliés de ce côté de l'échiquier en pardonnant et amnistiant ses anciens ennemis de l'OAS. Mais sa défaite fut bien plus profonde. L'autre motif principal de son abandon de l'Algérie tenait dans ces dix millions d'Arabes pauvres ; l'effort pour les mettre au niveau de la population française eût été colossal ; il eût entravé le développement économique de l'Hexagone ; à l'époque, les experts donnaient à de Gaulle l'exemple probant de la Hollande qui avait décollé depuis qu'elle s'était débarrassée du fardeau indonésien. De Gaulle choisit donc le progrès économique et social contre la grandeur impériale et la profondeur géostratégique ; la croissance contre la perspective caressée par un Debré d'une France de cent millions d'âmes ; les douceurs de la société de consommation à l'américaine contre les rigueurs d'une guérilla interminable – alors que, contrairement à l'Indochine, l'armée française avait gagné la bataille d'Alger. Il privilégia la jouissance hédoniste pour enterrer l'héroïsme chevaleresque ; le matérialisme consumériste à rebours d'une vision sacrificielle de l'existence, que lui avait rappelée l'armée, au nom de la geste gaullienne de 1940 : il y a des valeurs suprêmes au-dessus de tout. À l'opposé de tout ce qu'il était, au nom de ce qu'il pensait être l'intérêt supérieur de la France.

De Gaulle ne se doutait pas que la manne pétrolière puis gazière, découverte par les ingénieurs français sauvegarderait une Algérie corrompue et mal gouvernée des abîmes de la clochardisation, et aurait assuré à la France un destin royal d'émirat pétrolier, comparable à ce qu'avait été le charbon pour l'Angleterre au XIXe siècle. Il imaginait encore moins que les enfants de cette société de consommation, pétris de culture américaine et de haine de soi nationale, crieraient sous ses fenêtres : « La chienlit, c'est lui », et scanderaient : « Nous sommes tous des Juifs allemands », faisant basculer toute une génération – la plus nombreuse de l'Histoire de France – dans le camp d'un cosmopolitisme fossoyeur de l'indépendance nationale et fourrier d'une colonisation américaine qu'il avait combattue toute sa vie. Bientôt, les enfants les plus turbulents et les plus iconoclastes de cette génération viendraient cracher sur sa tombe : « Bal tragique à Colombey, 1 mort », titra, sarcastique, la une de *Charlie Hebdo*. Aussitôt interdit, aussitôt ressuscité.

« Le pouvoir, c'est l'impuissance », soliloquait de Gaulle devant Peyreffite. « J'ai tenté de dresser la France contre la fin d'un monde. Ai-je échoué ? » s'interrogeait-il devant Malraux qui lui rendait sa fausse interrogation à l'ultime page des *Chênes qu'on abat*[1] : « Seul à Colombey entre le souvenir et la mort, comme les grands maîtres des chevaliers de Palestine devant leur cercueil, il est encore le grand maître de l'Ordre de la France. Parce qu'il l'a assumée ? Parce qu'il a pendant tant d'années dressé à bout de bras son cadavre, en faisant croire au monde qu'elle était vivante ? »
J'imagine au fond de la Boisserie enneigée et mal chauffée un vieux général malheureux et désabusé seulement sauvé par l'espérance du chrétien.

Mais avant même la mort du général, une décision législative, prise le 4 juin, annonçait déjà que « de Gaulle avait été le dernier père, et qu'après lui viendrait le temps des papas poussette » (Philippe Murray).

---

1. Gallimard, 1971.

4 juin 1970

Mort du père de famille

Les débats parlementaires furent passionnés, parfois houleux. Cette assemblée d'hommes n'admettait pas qu'on supprimât d'un trait de plume législatif leur « puissance paternelle ». Le contraire de la puissance est l'impuissance, songeaient les plus égrillards ou les plus fragiles. Ces élus du peuple n'avaient aucune envie de faire descendre la démocratie dans l'arène privée. Ce « gouvernement collégial » de la famille leur rappelait les délices et poisons de la IVᵉ République. Ils refusaient que le juge mît son nez dans leurs affaires au nom de la conciliation des époux ; et dénonçaient d'avance un « ménage à trois, le mari, la femme et le juge », moins drôle que dans Feydeau. Cette majorité conservatrice, issue de la « grande peur » de Mai 68, ne comprenait pas que les meilleurs d'entre eux, à l'Élysée et à Matignon, satisfassent leurs ennemis enragés, gauchistes et féministes. Ils regrettaient déjà la grande ombre boudeuse de Colombey.

Les plus lettrés – ils étaient alors légion dans les travées de l'hémicycle – se souvenaient des homélies fatalistes de Joseph de Maistre et des corrosives fulminations d'Honoré de Balzac : la décapitation de Louis XVI avait annoncé la mort de tous les pères. L'Histoire recommençait : le général de Gaulle avait proclamé qu'avec la Vᵉ République, il réglait une question vieille de cent cinquante-neuf ans ! En remettant la tête d'un père suprême sur le corps de la nation, il avait rétabli celle de tous les pères. Mais il avait lui-même sapé son œuvre de rétablissement en laissant les femmes, avec la fameuse loi Neuwirth autorisant la pilule en 1967, s'emparer du « feu sacré » de la procréation, comme l'avait aussitôt compris la sociologue féministe Évelyne Sullerot. Après sa chute, le Général laissait l'Histoire reprendre son cours, politique et famille mêlées. Raymond Aron avait eu tort : cette « révolution introuvable » de Mai 68 l'emporterait en greffant son idéologie dissolvante au cœur de la famille.

Quand un député demanda ingénument à quel besoin répondait cette loi, le ministre de la Justice, René Pleven, répondit, non moins ingénument : « À introduire la notion de bonheur dans les familles. »

La prétention n'était pas mince. Si l'on en croyait l'impérieux ministre, toutes les familles du passé depuis que le monde est monde avaient été malheureuses. Toutes avaient vécu sous la tyrannie d'un Mirabeau, « ami des hommes », mais pas celui de son fils ! Tous les enfants élevés génération après génération dans des familles patriarcales avaient connu la froide inimitié de ces pères distants dont parle le prince de Ligne : « Mon père ne m'a jamais aimé ; je n'ai jamais compris pourquoi ; il ne me connaissait pas » ; et ceux si nombreux pourtant qui croyaient y avoir connu la douceur de vivre se trompaient, triste troupeau d'aliénés, malheureux sans le savoir. Toutes les épouses qui avaient adoré leur « seigneur et maître » en menant la maisonnée – mari compris – d'une main de maîtresse femme étaient de pauvres esclaves soumises. On oubliait que la famille n'avait jamais été conçue dans la nuit des temps comme le lieu privilégié de l'amour et du bonheur privés, mais comme l'institution matricielle qui permettrait de fonder un peuple, une société, une nation. Une fois encore, le souvenir de la Révolution revenait avec la fameuse formule de Saint-Just : « Le bonheur est une idée neuve en Europe. » Le père avait donc été l'obstacle au bonheur des familles depuis toujours. Affreuse responsabilité historique des hommes. Tous coupables. Ce n'étaient pas une féministe en colère ou un jeune rebelle hirsute qui mettaient ainsi en accusation la gent virile, mais un ministre chenu et cossu d'une majorité conservatrice.

Le coup venait de loin. On imaginait une lubie récente, jetée avec les pavés du boulevard Saint-Michel ; c'était un fil rouge qui courait tout au long du XXe siècle. On le croyait parti de la gauche, des progressistes, des humanistes ; il venait de la droite, des capitalistes, d'Amérique. Ce n'était pas un commencement, mais une fin. Un achèvement. Le monstre était déjà mort quand on le terrassait.

À peine quelques années plus tard, un Américain alors inconnu en France, Christopher Lasch, publiait un livre intitulé : *Un refuge dans ce monde impitoyable. La famille assiégée.* Il ne fut traduit que quarante ans après[1] ! L'auteur y retraçait d'une main sûre et iconoclaste l'histoire mouvementée de la destruction méthodique du père et de la famille. La volonté, dès la fin du XIXe siècle, des grands capitaines d'industrie d'arracher à leurs ouvriers leur autonomie, dans le cadre des usines taylorisées mais aussi dans celui de la famille, afin de les rendre plus productifs et plus dociles. Les sociologues prirent l'habitude d'expliquer que les conflits entre ouvriers et patrons n'étaient pas une lutte de classes mais des querelles personnelles, psychologiques. Les mêmes, alliés aux médecins, psychologues, psychanalystes, poursuivirent le pauvre mâle jusque dans son antre familial, militèrent pour une hygiène physique mais aussi mentale. Des rapports moins hiérarchisés, plus démocratiques ; on dirait bientôt *cool*. Le contrat d'association remplacerait l'imperium paternel. On arracherait les ultimes reliquats de la mentalité précapitaliste pour faire entrer dans la famille la rationalité du calcul économique. La consommation compenserait le sentiment de dépossession. L'intégration de la classe ouvrière à la société se ferait par la publicité et « son influence civilisatrice aux effets culturels comparables à ceux consécutifs aux grands progrès de l'Histoire ». La propagande consumériste mina la culture traditionnelle du patriarcat ; les publicitaires, sociologues, psychologues s'allièrent aux femmes et aux enfants contre les pères qui contenaient leurs pulsions consommatrices. Les mêmes, alliés aux féministes, firent campagne pour que les femmes aient un accès égalitaire aux dépenses du foyer. Aujourd'hui encore, lors du moindre débat sur les acquis du féminisme, on exhume ce fameux carnet de chèques auquel les femmes françaises n'avaient pas accès sans l'autorisation de leur mari avant 1965 !

---

1. *Haven in a Heartless World: The Family Besieged*, New York, Basic Books, 1977 ; trad. fr. François Bourin éditeur, 2012.

Et personne pour rappeler que, jusqu'à la mensualisation (décidée en France en 1969), l'affreux tyran sanguinaire qu'était l'ouvrier touchait sa paye hebdomadaire en billets de banque et la remettait au franc près à sa « bourgeoise ».

La rééducation des parents fut bientôt à l'ordre du jour. Les psychothérapeutes de tout poil expliquèrent que la recherche de l'épanouissement personnel devait être préférée à tout, y compris à la stabilité du mariage. Dès les années 1920, selon Christopher Lasch, la messe était dite. Aux États-Unis en tout cas. Le prêtre et le législateur avaient été écartés et remplacés par les médecins, sociologues, psychologues, publicitaires, qui imposèrent les normes nouvelles de la vie de la famille. Le plaisir sexuel devint une exigence, rarement assouvie, mais sans cesse réclamée. Peu à peu, eut lieu l'intégration espérée des femmes et de la jeunesse au marché, au prix d'une impatience et d'une insatisfaction perpétuelles. La quête du bonheur devint la grande affaire de tous. Le père en fut la victime expiatoire.

L'exportation en Europe de ce modèle de société ne fut qu'une question de temps et de circonstances. L'avilissement des soldats dans la boucherie de la Première Guerre mondiale – premier conflit de l'Histoire qui ne fabriquait pas de héros autres qu'anonymes – encouragea les hommes à jeter aux orties le fardeau qu'ils avaient entre les jambes. L'Amérique victorieuse en 1945 devint un modèle de société à suivre. Le rejet du nazisme après guerre poussa certains intellectuels allemands à rechercher et à trouver dans la famille souche allemande l'origine du nazisme et surtout de l'incompréhensible (à leurs yeux) soumission du prolétariat allemand au délire hitlérien. Soudain, les habituelles explications socio-économiques n'eurent plus cours ; seuls la famille et le père, ce tyran, étaient la cause de tout. C'était papa-SS avant le fameux CRS-SS que crièrent les insurgés germanopratins. L'aspiration mimétique des féministes de la bourgeoisie française (Simone de Beauvoir) à se parer des plumes de paon de la lutte des classes en associant le mari au patron fit le reste. Parfois, tout se mêlait, comme lors de cette célèbre manifestation, un jour d'août – « 1970 : Libération des femmes, année zéro », proclamait un tract du MLF ! – de quelques féministes sur la tombe du Soldat inconnu à l'Arc de triomphe, rappelant de manière potache « qu'il y a plus inconnu que le soldat inconnu : sa femme » ; négligeant seulement le fait – anecdotique il est vrai – que le soldat mourait au front pendant que sa moitié demeurait à l'arrière.

Lors des débats parlementaires, le rapporteur de la commission des lois, M. Tisserand, expliqua que « la jeune fille [qui] se mariait avait [jadis] le désir de trouver une protection lui permettant de fonder une communauté familiale et d'éduquer ses enfants. Désormais, la femme par son travail et par une connaissance plus étendue des choses de la vie due aux moyens d'information modernes a acquis l'égalité financière et d'information avec l'homme ; dès lors, il serait illogique et sans doute dangereux de maintenir la notion de protection comme motivation du mariage, il convient de lui substituer la notion d'association ».

Des gaullistes parlaient comme Simone de Beauvoir ! Ils reprenaient l'antienne économiste et matérialiste des féministes. Des libéraux anticommunistes rejoignaient des compagnons de route marxistes. Quarante ans après ces débats, on s'est aperçu que la demande de protection n'avait nullement disparu. Elle n'est plus avouée par les femmes mais obstinément recherchée. Elles y renoncent dans une souffrance d'autant plus douloureuse qu'elle doit être tue. Cette quête obstinée de protection est liée à la maternité et au besoin de protéger et d'éduquer ses petits, pas au travail ni à l'information. La vision d'une femme qui ne travaille pas est une déformation aristocratique ou bourgeoise. La femme a toujours travaillé et toujours réclamé la protection de son mari. La contractualisation du mariage de deux êtres égaux méconnaît la subtilité des rapports entre les hommes et les femmes. Le besoin des hommes de dominer – au moins formellement – pour se rassurer sexuellement. Le besoin des femmes d'admirer pour se donner sans honte. Aujourd'hui encore, les femmes épousent des hommes plus diplômés et pour la plupart mieux rémunérés qu'elles. Aux États-Unis, 70 % des femmes noires restent célibataires car elles ne trouvent pas d'hommes noirs plus diplômés qu'elles. Un

personnage d'Oscar Wilde dans *Le Portrait de Dorian Gray*
affirmait, sarcastique : « Nous les avons émancipées depuis
peu mais les femmes restent des esclaves se cherchant un
maître » Sacré Oscar Wilde ! Condamné par l'Angleterre
victorienne pour son homosexualité et encensé un siècle
plus tard pour le même motif, il aurait été ostracisé par
notre société pour ce qu'elle aurait appelé « sa misogynie ».
Pourtant, quelques décennies plus tard, Lacan reprenait la
même phrase et ajoutait : « Pour le dominer. » Et Christopher Lasch concluait cette passe d'armes : « La femme
moderne ne peut résister à la tentation de vouloir dominer
son mari ; et si elle y parvient, elle ne peut s'empêcher de
le haïr. »

C'est à partir de ces années 1970 que le pédopsychiatre
Aldo Naouri commença à voir les effets qu'avait sur les
enfants la disparition progressive des pères dans la famille
moderne. Revenant aux origines de l'humanité, Naouri prit
peu à peu conscience que le père était une invention
récente dans l'Histoire de l'humanité (trois mille ans, tout
au plus) ; invention capitale pour interdire l'inceste et
mettre un obstacle à la fusion entre l'enfant – être fait de
pulsions – et la mère – destinée à satisfaire ses pulsions. Mais
le père est une création artificielle, culturelle, qui a besoin
du soutien de la société pour s'imposer à la puissance mater-
nelle, naturelle et irrésistible. Le père incarne la loi et le
principe de réalité contre le principe de plaisir. Il incarne
la famille répressive qui canalise et refrène les pulsions des
enfants pour les contraindre à les sublimer.
Sans le soutien de la société, le père n'est rien. À partir du
moment où la puissance paternelle est abattue par la loi, le
matriarcat règne. L'égalité devient indifférenciation. Le père
n'est plus légitime pour imposer la loi. Il est sommé de devenir
une deuxième mère. « Papa-poule », chassé ou castré, il n'a
pas le choix. De Gaulle avait jadis écrit « qu'il n'y a pas d'autorité sans prestige ; et pas de prestige sans éloignement ».
L'« autorité parentale » issue de la loi de 1970 est un oxymore.
Le père est éjecté de la société occidentale. Mais avec lui, c'est
la famille qui meurt. Quarante ans plus tard, les revendications

en faveur de l'« homoparentalité » ne sont pas surprenantes : la famille traditionnelle l'instaure déjà puisqu'on ne prend plus en considération la différence sexuelle entre la mère et le père pour définir leurs fonctions et rôles respectifs.

La destruction de la famille occidentale arrive à son terme. Nous revenons peu à peu vers une humanité d'avant la loi qu'elle s'était donnée en interdisant l'inceste : une humanité barbare, sauvage et inhumaine. L'enfer au nom de la liberté, de l'égalité. L'enfer au nom du bonheur. Pascal nous avait prévenus : « Qui fait l'ange fait la bête. »

1971

16 juillet 1971

La trahison des pairs

Gaston Palewski n'avait pourtant rien d'un factieux. Il était de la noble race des héros de la Résistance qui hantèrent jusqu'à leur mort les couloirs du pouvoir sous la V⁰ République, comme les maréchaux de Napoléon étaient devenus les hauts dignitaires de la Restauration. Palewski avait d'ailleurs reçu la présidence du Conseil constitutionnel comme son bâton de maréchal. Il n'ignorait pas que le général de Gaulle et Michel Debré avaient forgé cette institution, presque inédite dans la longue Histoire constitutionnelle de la France, comme une muselière à neuf têtes pour protéger l'exécutif des morsures du chien méchant parlementaire ; et une sinécure pour les barons chenus du gaullisme. De Gaulle l'avait nommé à la tête du Conseil pour sa fidélité, pas pour ses compétences juridiques : « Je veux un homme absolument sûr. Peu importent ses ignorances du droit constitutionnel. »

Mais Gaston Palewski détestait Georges Pompidou. Vieux mépris du résistant pour le « planqué », du héros qui risque sa peau pour l'intellectuel aux mains blanches. Et ce mépris s'était depuis peu teinté d'une fureur inexpiable après que le nouveau président de la République ne lui avait pas accordé, pour des raisons encore mal élucidées, la grand-croix de la Légion d'honneur. Le président Pompidou avait été prévenu par Jean Foyer, à la suite du défilé militaire du 14 juillet 1971 : « Le Conseil constitutionnel va nous faire une saleté dans les quarante-huit heures. Je viens de rencontrer le président du Conseil constitutionnel, il est déchaîné contre vous. »

De Gaulle vivant, jamais Palewski n'aurait franchi le Rubicon. Mais le général de Gaulle était mort. Un air de Régence flottait sur la France. C'est dans l'Histoire de notre pays des périodes où les grands du royaume s'enhardissent et frondent, où les magistrats des parlements d'Ancien Régime se poussent du col en s'érigeant défenseurs des libertés du peuple ; jouent aux communes anglaises sans avoir jamais été élus.

Palewski renouerait avec cette tradition rebelle sans le vouloir, sans même le comprendre. Sa décision du 16 juillet 1971 resterait dans l'Histoire. Gravée en lettres d'or dans tous les ouvrages de droit. Enseignée à tous les étudiants en sciences politiques. Avec des trémolos dans les notes de bas de page, les juristes encenseraient les « sages du Palais-Royal ». Ils furent alors les seuls à apprécier à sa juste mesure l'inouï sacrilège. En France, personne ne s'intéresse au droit. C'est pourtant en ce jour du 16 juillet 1971 que nous avons abandonné sans le savoir les rivages de la République, fondée depuis 1789 sur le suffrage du peuple, et que nous sommes entrés, les yeux fermés, sur le chemin cahoteux du gouvernement des juges.

Les révolutions en France aiment l'été pour survenir.

Ce jour-là, le Conseil constitutionnel décida d'annuler une loi Marcellin (ministre de l'Intérieur) réglementant la liberté d'association (on est trois ans après Mai 68), car elle dérogeait, selon le Conseil, à un des principes fondamentaux tirés de la Déclaration des droits de l'homme et du citoyen de 1789. La noblesse de la référence dissimule à nos yeux désormais dessillés l'énormité de la transgression. Cette Déclaration se situait dans le préambule de la Constitution ; mais elle y était insérée (avec celle de 1946) comme une référence philosophique, pas comme un texte juridique. La manœuvre était habile et se révéla promise à un grand avenir : le juge pioche – et piochera – dans les déclarations de 1789 et de 1946 – plus tard dans les Conventions euro-péennes des droits de l'homme – des principes qu'il découvre, interprète, modèle, façonne tel un alchimiste doué. Longtemps méconnus – et pour cause –, le juge les consacre, les interprète, et les impose à un pouvoir qui n'y peut mais.

Au fil des années, tous ces beaux principes constitueront un « bloc » que le juge fera respecter comme s'il avait valeur constitutionnelle. Comme s'il venait de Dieu. C'est d'ailleurs l'idée originelle. Lorsque les premiers pèlerins débarquèrent en Amérique, ils s'identifiaient au peuple d'Israël de l'Ancien Testament entrant en Terre promise après avoir fui les miasmes corrupteurs de l'Europe des rois, leur Égypte des pharaons à eux. En Terre promise, les juges régentaient la vie du peuple élu au nom de la loi divine. Même quand les premiers rois, les Saul, David et Salomon, furent imposés par le peuple, les prophètes dénoncèrent sans relâche les méfaits des monarques au nom de la loi religieuse. Dans une Amérique imprégnée d'une religiosité fervente, la Constitution est la Bible, et les juges de la Cour suprême sont ses prophètes vétilleux.

Si, aux États-Unis, on a défendu la liberté religieuse contre l'État, en France, nos rois, nos empereurs et notre République ont au contraire farouchement combattu l'influence politique de l'Église. De Gaulle avait dit : « En France, la Cour suprême, c'est le peuple. »

Pour cette décision inaugurale du 16 juillet 1971, c'est Alain Poher qui, en tant que président du Sénat, avait déclen-ché l'opération. Ce démocrate-chrétien bon teint rameutait pour l'occasion le vieil esprit contestataire du christianisme des origines. Un air de sacristie flottait dans les couloirs du Palais-Royal.

Dès 1974, le président Giscard d'Estaing, à peine élu, don-nerait une première ampleur à la révolution des juges en autorisant soixante députés ou sénateurs à porter toute loi nouvelle devant le Conseil. La politique était saisie par le droit qui ne la lâcherait plus. La gauche l'utiliserait jusqu'en 1981, et la droite après, faisant ainsi prospérer de conserve le bloc de constitutionnalité. En 1985, le président Mitterrand nommait à la tête du Conseil Robert Badinter. L'ancien ministre de la Justice entra au Palais-Royal avec des rêves de Cour suprême plein la tête.

Avec prudence, mais avec une redoutable efficacité, il accepta que le Conseil devînt une arme de guerre politico-juridique contre les majorités de droite qui cohabitèrent par deux fois avec le président Mitterrand. Il s'opposa à Charles Pasqua au sujet de l'immigration. Le ministre de l'Intérieur avait l'ambition de rétablir la souveraineté de l'État français sur les mouvements de populations ; Badinter et le Conseil lui opposèrent le feu nourri des droits de l'homme. Les juges l'emportèrent. Pasqua tonna, menaça, céda. Il songea à porter la dispute devant les Français par référendum ; il aurait ainsi ressuscité en le démocratisant le fameux lit de justice qui voyait le roi en majesté passer outre les contestations et les oppositions des parlements. Il renonça. Capitula. Comme Louis XVI ramenant les parlements d'exil, après que son grand-père, Louis XV, les eut chassés. Son échec servit d'exemple. Les politiques de droite comme de gauche se tinrent cois. En 1985, le Conseil expliqua que la « loi votée n'exprime la volonté générale que dans le respect de la Constitution ». Sous cette formule badine, se dissimulait une révolution achevée : le Conseil passait d'un contrôle technique de la loi (conformité par rapport à une norme supérieure) à une censure politique de son contenu.

Depuis lors, les majorités anticipent la censure du Conseil et arrachent elles-mêmes les projets qui risquent de déplaire aux grands prêtres du droit. Le mode de désignation très politique des juges et leur prudence matoise ont permis à ceux-ci de ne pas abuser de leur pouvoir exorbitant et de le faire accepter en douceur par l'opinion. Mais leur inexpérience juridique les contraint à s'entourer de professionnels issus pour la plupart du Conseil d'État, qui prennent une influence déterminante autant que discrète. Tous les rapporteurs du Conseil constitutionnel sont des maîtres des requêtes détachés de la maison voisine ; le secrétaire général du Conseil constitutionnel est le plus souvent le

futur vice-président du Conseil d'État. Pas étonnant qu'au
fil des ans, la jurisprudence du Conseil constitutionnel se
soit sagement alignée sur celle du Conseil d'État. L'élite de
l'administration française s'adapte à toutes les situations
pour conserver son influence.

Les politiques eux-mêmes semblent désormais apprécier
leur licol, comme le chien de la fable son collier. Le loup
d'antan veut paraître libéral. En 2007, Nicolas Sarkozy crut
habile d'accorder aux simples citoyens le droit d'attaquer
une loi – n'importe quelle loi, même celles du passé –
devant le Conseil constitutionnel. De son siège cossu de
sénateur, Robert Badinter apprécia. C'était là une de ses
plus anciennes revendications que n'avait jamais satisfaite
François Mitterrand.

Dès qu'il était arrivé place Vendôme, le 2 octobre 1981,
aussitôt après qu'il eut envoyé la guillotine à la casse, il avait,
lui, décidé la reconnaissance par la France du recours individuel devant la Cour européenne des droits de l'homme.
Chaque Français pourrait désormais attaquer son propre
État devant une cour étrangère !

La gauche achevait ainsi le travail commencé par Valéry
Giscard d'Estaing. En 1974, c'est sous sa présidence que la
France avait ratifié la Convention européenne de sauvegarde
des droits de l'homme et des libertés fondamentales signée en
1950. Mais, contrairement à ce que laissèrent alors entendre
les inlassables contempteurs du « retard français », ce n'était pas
le contenu de ces libertés qui gênait ses prédécesseurs, mais
que le contrôle de son application fût confié à une cour européenne siégeant à Strasbourg, et dont la jurisprudence s'imposait aux États membres. Le ministre de la Justice de l'époque,
Jean Foyer, avait mis en garde le général de Gaulle contre le
risque de mettre ainsi la France sous tutelle des juges européens. Lors du Conseil des ministres qui suivit, après que le
ministre des Affaires étrangères, Maurice Couve de Murville,
eut exposé l'intérêt de ratifier la Convention, le général de
Gaulle conclut à l'intention de son garde des Sceaux : « J'ai lu
votre note. Vous m'avez convaincu. La Convention ne sera pas
ratifiée. La séance est levée. »

Tous les fils se raccordèrent peu à peu. Ce que les juristes appelaient la hiérarchie des normes. D'abord, il y a les lois, et puis les traités, et au-dessus la Constitution. Et il y a le juge constitutionnel qui l'interprète. Au nom des grands principes, chantait ironiquement Guy Béart, grand ami de Georges Pompidou, à la même époque...

Depuis le coup de force de Palewski, le garrot a été serré. Le Conseil d'État et la Cour de cassation ont reconnu la supériorité du droit européen sur les lois nationales. Et l'autorité des cours européennes sur leurs jurisprudences nationales. À l'occasion de l'adoption du traité de Maastricht, en 1992, le Conseil constitutionnel a estimé qu'on devait modifier la Constitution pour la mettre en conformité avec le traité européen. Le texte suprême n'était plus suprême. « Est souverain, celui qui décide de la situation exceptionnelle », avait dit Carl Schmitt. Cette solution n'était pourtant pas inéluctable. Le tribunal de Karlsruhe, la Cour suprême allemande, fit le choix inverse : modifier les traités européens pour les mettre en conformité avec la Constitution allemande.

Nos juges sont restés avant tout des prêtres. Ultramontains. Bruxelles (et Luxembourg) n'est pas éloignée de Rome. Et la Déclaration des droits de l'homme a pris la place des Saintes Écritures. Le souverain est de même enchaîné dans les fers dorés de l'immanence, du droit naturel, de la morale transformée en moraline, et d'un pouvoir clérical étranger à la nation et à ses intérêts. Courbe-toi, fier Sicambre ! Le général de Gaulle avait conçu les institutions de la Ve République comme un nouveau Consulat pour redonner sa liberté d'action – et son efficacité – à un État ficelé par les jeux des partis, factions et féodalités. « Souvenez-vous de ceci, avait-il prévenu. Il y a d'abord la France, ensuite l'État, enfin, autant que les intérêts majeurs des deux sont sauvegardés, le droit. » Depuis sa mort, nous avons retourné la pyramide : d'abord le droit, puis l'État, et enfin, quand elle n'est pas vouée aux gémonies, la France. Le culte germaniste de l'État de droit a supplanté la souverainiste raison d'État gaullienne, par l'intermédiaire de « la prééminence du droit » rappelée avec constance dans tous les traités européens. Les mots ont changé de sens. Au XVIIIᵉ siècle, l'« État de droit » était, selon le doyen Carbonnier, un État qui se donne des lois et des juges ; on attendait de lui la protection des libertés individuelles et le recul de l'arbitraire ; désormais, il est devenu tout au contraire « le droit qui se donne la personne-État pour instrument de communication et d'action ».

Mais le droit ne règne jamais sans son alter ego : le marché. Alors, sont revenus groupes de pression, lobbies, bureaucraties, corporatismes, communautés et mafias, que la révolution judiciaire ne tarda pas à ramener dans ses bagages, selon l'exemple tant admiré des Amériques. Le Gulliver étatique est plus que jamais ligoté. Jusqu'à sa mort, Pompidou ne parla plus que du « funeste Palewski ».

15 août 1971

La fin du pair

Les Américains n'avaient plus le choix. Ils étaient acculés. Leurs réserves d'or fondaient au soleil ; leur balance commerciale était pour la première fois déficitaire. Ils ne tarderaient pas à s'y habituer. L'Amérique devenait un monarque prodigue. La nouvelle de la fin de la convertibilité du dollar en or, annoncée un dimanche soir d'été à la télévision par Richard Nixon, foudroya les Américains et le reste du monde. Pourtant, le président américain avait pris ses précautions, comme un médecin qui ne veut pas brusquer un malade. Officiellement, ce n'était qu'une dévaluation du dollar ; la fin des accords de Bretton Woods ne fut entérinée qu'en 1976 par les accords de la Jamaïque. Mais l'irréparable avait été accompli : le dollar n'était plus *« as good as gold »*. Le roi dollar était mort.

On ne savait pas encore que c'était pour mieux ressusciter. Le général de Gaulle l'avait prophétisé dès 1965. Sur les conseils de Jacques Rueff, il avait alors dénoncé le « privilège exorbitant » de battre monnaie pour le monde, privilège octroyé à Bretton Woods en 1944, alors que l'Amérique avait gagné la guerre et détenait 80 % des réserves d'or du monde. Il avait proposé de revenir à un système fondé sur l'étalon-or. On l'accusa d'antiaméricanisme. Il fit rapatrier l'or français entreposé à New York pendant la guerre et ordonna à la Banque de France d'échanger ses devises contre des lingots. Jusqu'à un milliard de dollars ! Il suggéra à l'Allemagne de suivre son exemple. Elle refusa. Les troupes américaines occupaient encore son sol. Pourtant, à partir de 1968, gorgée de dollars par une Amérique qui en fabriquait d'abondance pour financer sa guerre au Vietnam, Bonn décida de laisser flotter le Deutsche Mark. Et de ne plus prendre les dollars. La France, cette fois, ne put s'aligner, déstabilisée par Mai 68. Mais le florin hollandais et le dollar canadien suivirent l'exemple germanique.

Les Américains comprirent le danger. En 1931, leur grande sœur britannique avait été découronnée dans les mêmes conditions. Dix monnaies s'étaient mises à flotter, dont la livre sterling. Alors, les Anglais avaient décidé, dans la foulée, un embargo sur l'or ; les Américains adoptèrent quarante ans plus tard la même mesure. C'était une forme sournoise mais brutale de dévaluation.

On a oublié aujourd'hui la frénésie qui s'empara des commentateurs, politiques et financiers. Les désaccords entre Français et Allemands. Le double marché inventé par le créatif ministre des Finances de la rue de Rivoli dirigé par Valéry Giscard d'Estaing. Les Européens en déduisirent qu'ils devaient rétablir une stabilité monétaire interne à l'Europe, indispensable à l'intensité des échanges commerciaux intracommunautaires et aux nécessités comptables de la politique agricole commune. Ce fut le début d'une longue réflexion qui conduisit l'Europe du serpent monétaire à l'euro. Une monnaie artificielle pour remplacer l'étalon-or.

Il est piquant de noter que, lors de sa célèbre conférence de presse de 1965, le général de Gaulle parla aussi de... réunification allemande. Comme si, par une prescience fulgurante, le Général tentait dans un ultime effort de rétablir un ordre monétaire universel, pour échapper à la domination de la France par un euromark, désormais notre lot.

Le Général n'avait en revanche pas prévu que la mort du roi dollar forgerait le règne du dollar tyran. Les Américains conservaient leur prééminence militaire ; et l'alliance de l'Arabie saoudite forgée par Roosevelt en 1945 leur garantissait que les puissances du Golfe continueraient d'exiger des dollars en paiement de leur pétrole. La prééminence du billet vert fut ainsi non seulement maintenue, mais renforcée.

La fin de l'étalon-or libérait en effet les Américains du souci de leurs déficits commerciaux puisqu'ils ne les finançaient plus que dans une monnaie qu'ils fabriquaient à volonté. Le privilège exorbitant cher à Jacques Rueff donnait sa pleine mesure. En 1982, la balance des paiements américaine devint à son tour déficitaire. Les Américains n'en avaient cure. Aux Européens qui se plaignaient de leur désinvolture, ils avaient pris l'habitude de répondre en reprenant la formule cynique de John Connally, le secrétaire au Trésor du président Nixon : « *The dollar is our currency, but your problem* » (« Le dollar est notre monnaie, mais c'est votre problème »).

Les politiques américains, de droite comme de gauche, accumulèrent les déficits budgétaires, la droite par la baisse des impôts, la gauche par les dépenses : les « déficits jumeaux ». Ce dérèglement généralisé provoqua la hausse des prix du pétrole ; le chômage et l'inflation rongèrent de conserve les économies européennes. Les économistes rejetèrent les recettes keynésiennes qui ne fonctionnaient plus pour adopter les thèses monétaristes et libérales de Milton Friedman. Les salariés devinrent un coût à éradiquer et non un futur consommateur à choyer. Le flottement généralisé des monnaies provoquait une renationalisation des politiques monétaires, une balkanisation de la planète monétaire au moment même où la technologie (internet, porte-conteneurs, monnaie électronique) et les négociations commerciales – sous la pression américaine – abattaient les frontières et imposaient un libre-échange international.

Les Américains avaient trouvé la pierre philosophale : ils l'utiliseraient à satiété ; dans les années 2000, le gouverneur de la Banque centrale américaine, Ben Bernanke – alors simple membre du Conseil – fut surnommé « Ben l'hélicoptère » car il déversait des dollars sur l'économie américaine sans contrôle ni limite.

Pourtant, la compétitivité de l'économie américaine ne se redressa pas : les Américains consommaient trop et n'épargnaient pas assez. Cette boulimie consumériste – et cette incapacité de mettre de l'argent de côté, si éloignée de l'éthique protestante des Wasp d'origine – coïncide symboliquement avec l'obésité qui déforme tant de corps outre-Atlantique. C'est une société malade, incapable de contrôler ses pulsions, sans cesse encouragée par la publicité à les assouvir ; jamais satisfaite non plus, toujours dans la frustration, la récrimination, le ressentiment. Des enfants à qui on ne dit jamais non, et qui en réclament toujours plus. Retournant l'argument avec une pétulante mauvaise foi, les Américains ont fait de leur intempérance une gloire, un service qu'ils rendent au reste du monde, dont ils absorbent les productions.

Les Français sont sans doute les plus proches de leurs grands protecteurs qu'ils aiment tant détester. Certes, leur épargne est sans commune mesure, mais leur consommation est devenue le seul moteur d'une croissance qui s'est raréfiée au fil des temps. Comme les Américains, les Français ne connaissent plus de budgets en équilibre depuis la chute du président Giscard. Depuis le début des années 2000, après l'instauration des 35 heures, notre balance commerciale et même notre balance des paiements accusent un déficit grandissant. Les commentateurs dénoncent sans relâche les médiocres résultats de la compétitivité française dans la mondialisation, le coût excessif du travail, etc. Or, contrairement à la plupart des économistes, Jacques Rueff voyait, lui, dans le déficit des paiements, non pas une faiblesse exportatrice, mais un manque d'épargne. Un excès de consommation. La France, comme l'Amérique, est en déficit extérieur car elle a désappris l'épargne. Et en particulier l'épargne publique. Les Français compensent par l'endettement public. Comme les Américains, nous sommes des enfants capricieux, insatiables, qui ne pouvons plus nous retenir, qui ne pouvons plus nous empêcher. Des enfants à qui jamais personne n'a jamais dit non.

Né en 1890, le général de Gaulle voulait sans doute revenir aux temps bénis de son enfance, avant les dérèglements monétaires de la guerre de 1914. Aux temps de l'ordre et de la stabilité, dans les monnaies comme dans les mots ou les familles.

Dans son roman *Les Faux-Monnayeurs*, Gide montrait les relations étroites entre la monnaie, la famille, la religion et la société. L'or est le référent suprême, comme le père dans la famille, comme Dieu. La mort du pair, c'est la mort du père et la mort de Dieu le père. C'est le temps des fils, des frères, du flottement des monnaies. Du désordre institutionnalisé. Le temps des faux-monnayeurs. « Les mots et les monnaies n'ont plus d'ancrage avec la réalité. Tout est artificiel, faux. Les mots sont comme des "billets à ordre" qui ont perdu leur valeur. Et comme on sait que la mauvaise monnaie chasse la bonne, celui qui offrirait au public de vraies pièces semblerait nous payer de mots. Dans un monde où chacun triche, c'est l'homme vrai qui fait figure de charlatan. »

Les Américains se rassurent à la manière protestante, en bénissant par la divinité leurs turpitudes affairistes : « *In God we trust.* » La fin de la parité entre le dollar et l'or a enterré les efforts déployés au cours de tout le XXe siècle pour rétablir l'ordre et la stabilité du XIXe siècle détruits par la Première Guerre mondiale. Le flottement des monnaies a englouti le monde industrialiste, colbertiste et protectionniste, ce monde si français des Trente Glorieuses. Richard Nixon ne s'en doutait pas, mais le 15 août 1971, il a, par sa décision tranchante, accouché de notre monde ouvert, fluide, sans ordre ni référence, dynamique mais inégalitaire, ce monde globalisé, libéral et libre-échangiste imposé par les puissances maritimes et marchandes et dominé par la finance, que tout au long de son Histoire la France a obstinément rejeté et combattu par le fer et par le feu : Louis XIV chassant les protestants et faisant la guerre aux Anglo-Hollandais ; Louis XV après la banqueroute de Law rejetant les thèses libérales des voltairiens et des anglomanes ; Napoléon avec le Blocus continental ; la IIIe République avec ses tarifs Méline ; jusqu'au général de Gaulle et son refus réitéré de laisser entrer le loup britannique dans la bergerie européenne.

Depuis le 15 août 1971, regimbant sans cesse comme un âne qui n'a pas soif, notre pays a été contraint de s'incliner, de céder, et de se soumettre à la nouvelle ère. La mort dans l'âme.

1972

28 février 1972

La semaine qui a changé le monde

Richard Nixon admirait de Gaulle ; Henri Kissinger aussi. Les deux hommes ont toujours regretté d'être arrivés trop tard au pouvoir, alors que le Général quittait la scène.

Mais son message n'a pas été perdu pour tout le monde ; les deux Américains l'ont entendu, écouté, copié.

Ils ont fini par achever cette guerre ingagnable du Vietnam, comme les exhortait le Français dans son célèbre discours de Phnom Penh en 1967.

Quelques mois avant, le général de Gaulle avait déjà surpris le monde entier en annonçant la reconnaissance officielle par la France de la République populaire de Chine alors ostracisée par le monde occidental sous injonction américaine. De Gaulle renouait alors avec une grande tradition de la diplomatie française, qui se joue des interdits idéologiques au nom des intérêts d'État, comme le firent en leur temps François Ier avec le Grand Turc musulman ou le cardinal Richelieu avec les princes protestants du nord de l'Europe.

En 1972, Nixon imitait le Général. Cet hommage au grand Français se révéla aussi un signe cruel du déclin historique de notre pays. Les conséquences du geste américain furent incomparables. La « Grande Nation » n'était plus la France mais les États-Unis. La « Nation mastodonte », comme disait de Gaulle en évoquant le temps glorieux où la France au XVIIe et au XVIIIe siècle était surnommée « la Chine de l'Europe », pour sa démographie exubérante, avait passé le relais à la vraie Chine.

De Gaulle avait la tête impériale, Nixon avait le corps.

En venant à Pékin, il coupait en deux l'Histoire du XXe siècle.

Il en est alors conscient, parlant de « la semaine qui a changé le monde ».

L'alliance de la Chine et des États-Unis constitue le grand renversement d'alliances du XXe siècle. Le voyage de Nixon marque le début de la fin de la guerre froide.

Il faudra une décennie pour que cette alliance donne sa pleine mesure. En 1979, Deng Xiaoping engage la modernisation de l'économie chinoise, qui rompt avec le collectivisme communiste ; en 1980, Ronald Reagan, élu président des États-Unis, inaugure une politique néolibérale qui marque la sortie historique du modèle rooseveltien du New Deal, les débuts de la dérégulation de la finance et des déficits budgétaires colossaux que les Chinois prendront l'habitude de financer grâce à leurs premiers excédents commerciaux. La machine se rode vite et bien. Les multinationales américaines délocalisent leurs usines en Chine pour profiter des salaires misérables des ouvriers chinois et exporter leurs produits dans le monde entier, au plus grand profit des nouveaux *condottieri* capitalistes, Bill Gates, Steve Jobs, etc. Pékin se sert de la cupidité des dirigeants des compagnies américaines pour ériger, à une vitesse unique dans l'Histoire, cette puissance industrielle dont Mao avait rêvé (il voulait, le petit joueur, rattraper la Grande-Bretagne !) ; et pour laquelle il avait sacrifié des dizaines de millions d'hommes.

Les théoriciens libéraux américains qui, à cette époque, autour de Milton Friedman, commencent à supplanter dans les universités d'outre-Atlantique la vieille garde keynésienne, expérimentent en grand leurs idées. Les fameux Chicago Boys se sont d'abord fait la main à partir de 1973 sur le Chili, après le renversement du socialiste Allende par les militaires. Les théoriciens de la « main invisible » et du moins d'État s'accommodent fort bien de dictateurs implacables, que ce soit le général Pinochet ou des hiérarques communistes chinois. Comme si la « main invisible » du marché avait besoin de la « main de fer » de la tyrannie pour s'imposer aux populations, brisant ainsi l'alliance séculaire entre la démocratie et le marché, entre libéralisme politique et libéralisme économique, que l'on croyait pourtant scellée dans le marbre depuis Adam Smith.

La guerre froide entre les États-Unis et l'URSS était symbolisée par le rideau de fer qui coupait Berlin en deux ; les frontières étaient surveillées, verrouillées, sacralisées. Le monde inauguré par le voyage de Nixon en Chine sera un monde ouvert, celui à venir d'internet et des porte-conteneurs (et des paradis fiscaux) qui abolira, niera, ridiculisera les frontières.

La fin du XXᵉ siècle retrouverait ainsi les couleurs de la fin du XIXᵉ siècle, qui avait connu une première mondialisation, favorisée là aussi par le creusement des grands canaux (Suez, Panama), le développement du commerce international, les nouvelles découvertes technologiques (téléphone, automobile, avion), l'extension du libre-échange, sous la houlette de la Grande-Bretagne, grande puissance impériale, industrielle, financière de l'époque, qui jouait alors le rôle de « gendarme du monde », tenu depuis 1945 par les États-Unis.

La comparaison avec le monde d'avant 1914 est édifiante pour un Français. En 1815, la puissance maritime dominante, la Grande-Bretagne, a vaincu sa rivale continentale, la France de Napoléon, grâce au soutien d'une autre puissance continentale ambitieuse, mais encore marginale, la Prusse. C'est Blücher qui sauve « Wellington acculé sur un bois » par Napoléon à Waterloo, pour que le combat change d'âme.

Toute l'Histoire du XIXᵉ siècle peut se résumer à la montée en puissance de la Prusse qui élimine l'Autriche, puis écrase la France, qui l'avait humiliée à Iéna, et finit, grâce à son dynamisme démographique et commercial, par menacer les positions impériales de la puissance maritime. Alors, la Grande-Bretagne s'allie à l'ancien ennemi français pour contenir la menace de la nouvelle puissance continentale : l'Allemagne. Cette lutte entraînera une guerre de trente ans (les deux guerres mondiales) et quelques millions de morts.

Un siècle plus tard, il faut remplacer l'Angleterre par les États-Unis, la France de Napoléon par l'URSS, et l'Allemagne par la Chine, l'empire du milieu... de l'Europe, par l'empire du Milieu. Mais c'est toujours le même affrontement entre la mer et la terre.

L'URSS vaincue en 1989 et détruite en 1991, la montée en puissance de la Chine finira par inquiéter les États-Unis. Et les voisins de la République populaire que les États-Unis s'efforceront de fédérer : Inde, Japon, Singapour, Australie.

Au début du XXe siècle, les Anglais avaient décidé d'affronter l'Allemagne après que celle-ci, jetant par-dessus bord les matoises prudences bismarckiennes, avait lancé une grande et ambitieuse politique de construction navale pour rivaliser avec la Royal Navy. La Chine, en 2012, a inauguré son premier porte-avions, et veut faire de la mer de Chine son arrière-cour maritime.

Napoléon reprochait déjà à l'Angleterre de le poursuivre de sa vindicte pour assouvir sa boulimie de dettes et enrichir sa chère City. Deux siècles plus tard, les Chinois reprochent aux États-Unis de crouler sous les dettes, et de développer un capitalisme casino qui sacrifie tout, jusqu'à la prospérité du monde, pour satisfaire la cupidité insatiable des financiers de Wall Street.

À la suite du geste d'ouverture de De Gaulle à destination de la Chine populaire les Français, toujours intellectuels en politique, ont inventé puis conceptualisé le monde multipolaire forgé par le voyage de Nixon en Chine en 1972. Mais nous ne parvenons pas à y trouver une place digne de notre passé.

6 avril 1972

Bruay-en-Artois :
coupable parce que bourgeois

Il est grand, le teint rougeaud, une calvitie prononcée. Hautain et arrogant. C'est un notable de province, un riche notaire ; il a hérité d'une fortune terrienne qu'il a fait fructifier. Il est membre du Rotary Club. C'est un bourgeois du Nord. Michel Bouquet aurait pu l'incarner dans un film de Claude Chabrol. Il vit encore à trente-sept ans chez sa mère, une catholique rigoriste. Il a une maîtresse, Monique Mayeur, en instance de divorce. Il a pris l'habitude de garer sa voiture rue de Ranchicourt, derrière la grande villa blanche où habite Monique, près d'un terrain vague qui la sépare de la brique sombre des corons, pour dissimuler à tous, et surtout à sa rugueuse mère, sa liaison. Il n'aurait jamais imaginé que cette crainte du qu'en-dira-t-on et des réactions de sa chère maman bouleverserait son existence.

Le juge d'instruction Henri Pascal est un rondouillard et sympathique quinquagénaire. Petit homme volubile, Méridional égaré chez les gens du Nord qui ont dans le cœur le soleil qu'ils n'ont pas dehors. Se révélera fort télégénique ; en fin de carrière, s'ennuie à Béthune. Il s'est toujours senti déclassé – brillant étudiant, mais fils de pauvres – au sein d'une profession d'« héritiers » qui « se considèrent le plus souvent comme des descendants de l'ancienne noblesse de robe » enfermés dans « leur tour d'ivoire ». Il est un militant de la première heure du Syndicat de la magistrature, né après Mai 68, qui a justement clôturé ses dernières assises sur le thème de « La justice et l'argent ».

Léon Dewèvre est un mineur des Houillères. Avec sa femme Thérèse, ils resteront dignes dans le malheur, comme des incarnations d'ouvriers chez Zola.

Le cadavre de leur fille Brigitte est découvert le 6 avril 1972 sous de vieux pneus par deux enfants jouant au ballon dans le fameux terrain vague. L'autopsie révélera qu'elle a été étranglée avec un foulard, frappée à coups de hache, mais pas violentée. Brigitte n'avait pas seize ans. La mort tragique de cette « enfant du peuple » sera annoncée dans un entrefilet de la presse locale.

Le jeudi 13 avril en revanche, l'arrestation du notaire déclenchera un hourvari médiatique jamais vu en France depuis l'affaire Dominici. C'est à Bruay-en-Artois que sont inaugurées les antennes mobiles qui permettent aux reporters de réaliser des interviews en direct. Le juge a allumé la mèche en laissant filmer par les caméras l'arrestation du notaire menotté. Lors de la reconstitution du crime, il lâche : « Je n'ai pas perdu mon temps. » Il alimente la presse pour « ne pas laisser courir les bruits les plus faux » et « faire connaître ses idées sur la justice ». Il théorise une justice transparente, au plus près des justiciables. Les journaux, radios, télévisions envoient d'innombrables reporters, sommés de fournir « infos et scoops » quotidiens, qui se transforment en Rouletabille, quêtant le moindre indice, l'inventant si nécessaire, refaisant les enquêtes, concurrençant police et justice, les bousculant, les harcelant, déchaînant les passions populaires, tour à tour acteurs et commentateurs de la tragédie qu'ils écrivent chaque jour.

Le juge Pascal n'a jamais présenté une preuve matérielle de la culpabilité du notaire. Il se fondera toujours sur son « intime conviction », traquant les contradictions, voire les mensonges du coupable qu'il s'est choisi.

Les juges rouges avaient forgé une théorie et une pratique de la justice révolutionnaire. La lecture de Marx leur avait appris que le droit était avant tout le produit du rapport de forces entre les classes sociales. Ils décidèrent de le mettre au service des défavorisés ; d'en faire l'instrument de la lutte des classes et de la révolution ; d'attaquer le puissant parce qu'il est puissant et même s'il est innocent ; de protéger le faible, le pauvre, le jeune, l'immigré, parce qu'il est une victime de la société, fût-il coupable.

L'affaire de Bruay-en-Artois est la première mise en pratique de leur théorie aveugle. Dans les années 1980, d'autres juges rouges, petits frères du juge Pascal, atteindront leur nirvana idéologique et médiatique avec l'arrestation toujours mise en scène de grands patrons, de politiques, de ministres même, au risque de délégitimer le juste combat contre la corruption croissante de nos élites.

Dans cette région marquée et meurtrie par l'industrialisation du XIXᵉ siècle – pendant cent vingt ans, jusqu'en 1979, Bruay-en-Artois fut le grand centre houiller du Pas-de-Calais –, le petit juge sera rejoint, soutenu, débordé par des militants maoïstes venus se frotter à cette classe ouvrière qu'ils idolâtrent et idéalisent, dans laquelle ils rêvent de s'immerger comme « un poisson dans l'eau ».

Un mineur, Joseph Tournel, mène l'opération sur place. Il a été recruté par Benny Lévy, alors patron des maoïstes de la Gauche prolétarienne, pour sa connaissance de la région ; il parle chti et incarne la figure prolétarienne. Il est secondé par un professeur de philosophie qui enseigne au lycée de Bruay, François Ewald. Ils sont tous deux sous la houlette du chef régional de l'organisation, qui porte le pseudonyme de Marc. Celui-ci est chargé de garantir la pureté idéologique de l'opération et de mettre en place une agence de presse locale pour concurrencer la presse bourgeoise. Marc s'appelle de son vrai patronyme Serge July. Son journal, *Pirate*, utilise les journalistes militants de l'Agence de presse Libération, créée neuf mois plus tôt sous le parrainage prestigieux de Jean-Paul Sartre et de Maurice Clavel.

Les jeunes maoïstes ont hérité dans leurs gènes idéologiques de réflexes terroristes, issus de 1793, de 1917 et de la révolution chinoise.

La Terreur robespierriste agissait au nom de la vertu ; les maoïstes sont des puritains qui vitupèrent contre « la vie cochonne des bourgeois » et lui opposent une morale ouvrière idéalisée. L'aristocrate était un vil débauché ; le bon bourgeois chabrolien aussi. Les nobles étaient des libertins cyniques à la manière de Valmont dans *Les Liaisons dangereuses* ; et leurs femmes, des catins hautaines. Dans les ruelles de Béthune, à l'ombre des austères corons, on glose sans se lasser sur « les orgies » qui avaient lieu – disait-on – derrière les fenêtres sans volets. La police judiciaire voit défiler toutes les prostituées et tenancières de « maisons » du département. Elles décrivent avec moult détails les exigences sexuelles du notaire, dressant le portrait d'un pervers monstrueux proche du marquis de Sade. Toutefois, convoquées par le petit juge qui croit tenir son coupable, ces dames avouent qu'elles ont parlé sous pression de la police. Se rétractent.

Le procureur demande alors que ces rétractations soient consignées par écrit ; et le ministre de la Justice, René Pleven, rappelle que « l'inculpé est présumé innocent ». Mais comme l'aristocrate était l'ennemi de la Révolution par naissance, le notaire de Bruay est coupable parce que bourgeois.

Le 1ᵉʳ mai 1972, *La Cause du peuple* publie une double page consacrée au crime, titrée : « Et maintenant ils assassinent nos enfants » ; et sous-titrée de manière explicite : « Le crime de Bruay : il n'y a qu'un bourgeois pour avoir fait ça ! »

Un comité Vérité-Justice est créé pour défendre le petit juge dessaisi le 13 juillet par la chambre criminelle de la Cour de cassation.

Les gardiens du temple maoïste embrigadent les parents Dewèvre, lancent des appels au lynchage contre les bourgeois. Dénoncent sans se lasser la « justice de classe », et réclament l'avènement de la « justice populaire ». Dans *La Cause du peuple*, on lit : « Un notaire qui mange des steaks d'une livre quand les ouvriers crèvent la faim ne peut être qu'un assassin d'enfant. » Retrouvant la verve exterminatrice du Père Duchesne de 1793, ils promettent : « Oui nous sommes des barbares. Il faut le faire souffrir petit à petit. Qu'on nous le donne, nous le couperons morceau par morceau au rasoir ! Je le lierai derrière ma voiture et je roulerai à cent à l'heure dans les rues de Bruay. Il faut lui couper les couilles ! [...] Barbares ces phrases ? Certainement, mais pour comprendre il faut avoir subi cent vingt années d'exploitation dans les mines. »

Lorsqu'un jeune camarade de Brigitte Dewèvre, Jean-Pierre, s'accuse du meurtre, ils le défendent avec véhémence. Un fils d'ouvrier ne peut pas être un assassin d'enfant. Le 2 juin 1973, *Libération* titre : « Bruay : Jean-Pierre n'est pas l'assassin. » Jean-Pierre revient sur ses déclarations. Sur les instances de Michel Foucault atterré, Jean-Paul Sartre, qui a d'abord soutenu sans relâche la lutte des maoïstes contre le salaud de bourgeois, s'efforce de calmer les ardeurs révolutionnaires dans un

LE SUICIDE FRANÇAIS

article intitulé « Lynchage ou justice populaire ? ». Mais la fraction alors proche de Benny Lévy lui répond : « Si Leroy (ou son frère) est confondu, la population aura-t-elle le droit de s'emparer de sa personne ? Nous répondons oui ! Pour renverser l'autorité de la classe bourgeoise, la population humiliée aura raison d'installer une brève période de terreur, et d'attenter à la personne d'une poignée d'individus méprisables, haïs. Il est difficile de s'attaquer à l'autorité d'une classe sans que quelques têtes de membres de cette classe ne se promènent au bout d'une pique. »

À Bruay-en-Artois, eut lieu la rencontre improbable et explosive de trois conceptions de la justice : la justice du peuple des maoïstes, la justice au service du peuple, ou plutôt du justiciable, du petit juge, et la justice médiatique des grandes rédactions parisiennes. Elles s'entrecroisèrent, se renforcèrent et parfois rivalisèrent.

Ce fut bien vite une affaire Dreyfus en miniature : la France va se couper en deux camps qui s'affrontent, s'insultent, se vouent aux gémonies. Des femmes du cru caillassent les voitures des enquêteurs. On vient visiter le fameux terrain vague par cars entiers, d'Amiens, de Lens, de Lille, et même de Belgique. Comme l'affaire Dreyfus est un acte de naissance du XXᵉ siècle, celle de Bruay-en-Artois fait le lien entre le XIXᵉ siècle et le XXIᵉ siècle. Les maoïstes ne le savent pas encore, mais derrière un décor de lutte des classes, ils préparent à leur profit la succession des élites. En 1789, la bourgeoisie avait pris appui sur le peuple pour raccourcir une aristocratie voltairienne et cosmopolite ; après 1968, la nouvelle bourgeoisie internationaliste et libertaire tient un discours ouvriériste marxiste pour déloger l'ancienne bourgeoisie catholique, conservatrice et patriote. On passe par la lutte des classes pour une efficace sélection des élites ; on passe par Marx pour arriver à Pareto. Serge July deviendra le patron de *Libération* et un des médiacrates les plus respectés et craints du Landerneau parisien ; au cours des années 1980, il troquera la défroque marxiste pour celle de l'Europe et de la démocratie libérale. François Ewald, après avoir été le secrétaire de Michel Foucault, s'associera à Denis Kessler pour défendre avec vigueur et talent les réformes néolibérales à la tête de la Fédération française des sociétés d'assurances (FFSA). Benny Lévy, après avoir renoncé au terrorisme à la suite des attentats de Munich contre les athlètes israéliens, et poussé par un Jean-Paul Sartre moribond à un retour spectaculaire vers Dieu, retrouvera le chemin de la religion juive la plus orthodoxe, finissant à Jérusalem une vie courte mais mouvementée. Nos ex-maoïstes n'ont jamais renoncé à la révolution ; ils ne la faisaient plus au service des travailleurs mais au service des marchés ; ils n'ont jamais cessé de soumettre la nation française à la domination d'un Empire, mais ont troqué le communiste, soviétique ou chinois, pour l'Empire libéral américain ; ont renoncé à leur religion prolétarienne pour celle des droits de l'homme. En quittant Bruay-en-Artois, ils abandonnaient les rives de la marginalité pour s'installer au cœur du pouvoir, d'où ils avaient au préalable expulsé les anciens maîtres, retrouvant ainsi l'inspiration de Danton : « On ne détruit que ce qu'on remplace. »

Le juge Pascal est mort en 1989, Maître Pierre Leroy en 1997, Léon Dewèvre en 2003. La ville de Bruay-en-Artois a été rebaptisée Bruay-la-Buissière en 1987. Les corons ont disparu du paysage. La mère de Brigitte attend toujours, entre espoir et résignation, qu'on découvre le meurtrier de sa fille.

Tous ont été les victimes d'une guerre qui les dépassait. Guerre de générations, de sexes, de classes. Guerre gagnée par le juge Pascal et les anciens de la Gauche prolétarienne. Le mâle blanc de la bourgeoisie française sera désormais le coupable à vie. Coupable de tout. Coupable absolu. Coupable à jamais.

23 avril 1972

L'Angleterre en cheval de Troie

Et Milord cessa de pleurer. Ce fut dix ans après que le général de Gaulle eut moqué sir Macmillan, Premier ministre anglais à qui il avait refusé l'entrée de la Grande-Bretagne dans le Marché commun, en lui chantonnant le refrain de la célèbre chanson d'Édith Piaf. En 1967, le Général avait réitéré son rejet sans chanson mais sans hésitation. On ne peut comprendre les raisons qui ont poussé Georges Pompidou à parrainer l'entrée de la Grande-Bretagne dans la CEE, si on ne connaît pas celles qui avaient incité le Général à leur claquer la porte au nez, car ce sont les mêmes, mais retournées comme un gant. Dans cette affaire, Pompidou agit en anti-de Gaulle.

Le Général considérait que les intérêts de l'Angleterre et du Marché commun étaient contradictoires. Les Britanniques ont l'habitude de s'approvisionner en produits venus du monde entier, alors que le Marché commun repose sur la politique agricole commune qui permet à l'agriculture française de nourrir ses voisins. Les Britanniques sont, depuis le milieu du XIXᵉ siècle, de farouches partisans du libre-échange, alors que le Marché commun est protégé par un tarif extérieur commun, symbole d'une préférence communautaire.

« Sans la PAC et le tarif extérieur commun, il n'y a plus d'Europe », précisait de Gaulle à Peyreffite. Or, Pompidou accepte que les Anglais conservent leurs échanges avec le Commonwealth ; et l'entrée de la Grande-Bretagne dans le Marché commun coïncide avec le début des grandes négociations commerciales qui abattront peu à peu toutes les barrières douanières de « la forteresse Europe ». Ces négociations, les Américains les appellent des *rounds*, comme en boxe. L'Europe en sortira K.-O.

Les Anglais furent bien le cheval de Troie américain que craignait de Gaulle. Churchill l'avait prévenu à la fin de la guerre : « Entre le grand large et le continent, nous choisirons le grand large. » Lord Macmillan avait averti de Gaulle, dès son retour au pouvoir en 1958 : « Ne faites pas l'Europe, ce sera comme le Blocus continental de Napoléon. Ce sera la guerre ! »

C'est en écho à cette phrase de Macmillan que Pompidou abolit le veto du Général. Il veut montrer que l'Europe n'est pas – n'est plus – le Blocus continental. Il veut instaurer une nouvelle Entente cordiale avec les Anglais. Il croit ainsi bénéficier des bonnes grâces de leur protecteur américain. Il sait la France affaiblie par Mai 68. Il s'est résolu à dévaluer le franc, ce que de Gaulle, par orgueil, avait refusé. Il souhaite apaiser les tensions avec les Anglo-Saxons pour pouvoir achever l'édification d'une grande puissance industrielle française. On peut comparer son projet à celui de Napoléon III, le dernier grand dirigeant industrialiste français avant lui qui, de même, chercha l'amitié anglaise. Pompidou est aussi dans la lignée du Régent, après la mort de Louis XIV en 1715, ou de Talleyrand, après la chute de Napoléon en 1815. À des périodes de tensions et de guerre, succède une pacification, avec, du côté français, de grands conciliateurs et négociateurs, qui privilégient le « doux commerce » sur le fracas des armes.

De Gaulle rêvait d'utiliser le « Marché commun » comme « le levier d'Archimède » de la puissance française, qui aurait restauré son imperium perdu à Waterloo. Une Europe des Six, mais dirigée par la France, troisième Grand aux côtés des USA et de l'URSS. Sa vision carolingienne de l'amitié franco-allemande est consacrée en grande pompe par le traité de 1962 et la messe avec Adenauer à la cathédrale de Reims. De Gaulle a une conception de l'amitié qui tient plus de Richelieu que d'Aristide Briand : « La France est le jockey et l'Allemagne, le cheval. » Le dernier à s'être référé à l'empire de Charlemagne s'appelait... Napoléon. Quand on évoque les relations entre la France et l'Angleterre, l'Allemagne n'est jamais loin. Richelieu qui se joue des divisions des princes allemands pour imposer la domination française sur le continent ; les troupes de Louvois qui brûlent le Palatinat à la fureur de Louis XIV ; les anciens alliés prussiens qui, sous Frédéric II, deviennent les bourreaux de Louis XV ; la victoire éclatante à Iéna de Napoléon qui s'empresse de rapporter en France l'épée de Frédéric II ; la fureur inlassable de Blücher, futur vainqueur à Waterloo, voulant brûler le pont d'Iéna dès qu'il entre à Paris ; l'avènement de l'Empire allemand dans la galerie des Glaces en 1871 ; jusqu'à Verdun en 1916, et la débâcle de juin 1940 : ce grandiose et meurtrier enchevêtrement séculaire, cette admiration-haine réciproque où René Girard a vu la plus terrible mise en œuvre historique de sa célèbre théorie du désir mimétique.

Le philosophe allemand Peter Sloterdijk a très bien saisi l'intention impériale de De Gaulle lorsqu'il explique que « la

surévaluation de la fonction présidentielle ne produit de sens
au bout du compte uniquement si l'on suppose que l'Élysée
voulait être une Maison Blanche européenne – ou encore pour
faire appel à des modèles plus proches, un objet intermédiaire
entre Versailles et Bayreuth ». Où l'élection du président au suffrage universel direct et l'arme atomique remplaçaient le sacre
à Notre-Dame et la Grande Armée. En revanche, Sloterdijk se
trompe lorsqu'il affirme que de Gaulle a la volonté d'interrompre le funeste enchevêtrement mimétique entre Français et
Allemands ; il ne cherche pas à séparer les combattants, mais
au contraire à imposer sa tutelle à une Allemagne vaincue et
divisée. Il a toujours considéré que les deux guerres mondiales
n'avaient été qu'un seul et même conflit, qu'une « guerre de
Trente Ans » perdue par l'Allemagne comme par la France.
Chacune son tour. Mais il était décidé à faire comme si la France
avait gagné puisque l'Allemagne avait été vaincue. De Gaulle
pose au tuteur d'une Allemagne fédérale amputée de sa partie
prussienne (devenue RDA), comme Napoléon fut le protecteur
de la Confédération germanique après qu'il eut détruit le Saint
Empire romain germanique et avant de dépecer la Prusse.

Konrad Adenauer, francophile né à Cologne, qui avait
jadis été membre des « jeunesses rhénanes » favorables au
rattachement à la France, se soumit de bonne grâce au
traité d'amitié. Mais le Bundestag, travaillé par les Américains, et leur homme lige, Jean Monnet, ajoutèrent en 1963
un préambule rappelant la prééminence de l'alliance américaine et de l'appartenance à l'OTAN. Les députés ouest-
allemands souhaitaient éviter de répéter l'erreur des
alliances « avec le plus faible », l'Autriche en 1914 et l'Italie
en 1940. Ils sonnèrent l'hallali contre « l'Europe des
grands-pères », et se donnèrent un jeune séducteur, Kennedy, venu leur chanter sa douce romance si télégénique :
« *Ich Bin ein Berliner.* » Fureur du général de Gaulle : « Les
Allemands se sont conduits comme des cochons ! Les traités, c'est comme les roses et les jeunes filles : ça dure ce
que ça dure. » Il se tourna alors vers les Russes pour ressusciter à son tour la vieille alliance de revers (de Tilsit
au traité franco-russe de 1892) qu'il maquilla en « détente,
entente, coopération ».

Pompidou met un terme à cette politique grandiose en estimant, non sans raison, qu'elle a échoué. Il s'entend mal avec le chancelier Willy Brandt. Il commence à craindre la menace de la puissance économique allemande, et cherche avec l'Angleterre un contrepoint. C'est le retour du classique équilibre des puissances cher à Talleyrand, qui succède comme en 1815 à la vision carolingienne du Général. Mais cet équilibre européen s'accompagne toujours de la domination, en surplomb, de la puissance impériale maritime, l'Angleterre jadis, l'Amérique désormais.

Pour les rallier à sa majorité présidentielle, le candidat Pompidou avait promis aux centristes l'entrée de la Grande-Bretagne dans l'Europe. Ces fédéralistes à tous crins s'en mordront les doigts, l'Angleterre se révélant soucieuse de ses seuls intérêts et accrochée à sa souveraineté.

Mais point d'anachronisme. En 1972, c'est une Angleterre certes liée aux Américains, et soumise à son grand allié, qui entre dans l'Europe, mais une Angleterre sociale-démocrate, et même affaiblie par des syndicats trop puissants. Ce n'est qu'avec l'arrivée de Margaret Thatcher en 1979 que l'Angleterre achèvera de dynamiter l'ancien « Blocus continental » pour offrir un continent entier aux forces du libre-échange et de la mondialisation libérale.

17 juin 1972

Les hommes du président

On a d'abord observé cette histoire inouïe avec l'ironie condescendante et incrédule qui affleure aussitôt chez tout Français pour ce qui vient d'outre-Atlantique. Le regard un tantinet méprisant de celui à qui on ne la fait pas, du Franchouillard revenu de tout, cynique, qui brocarde « la naïveté américaine ».

On disait : « Des grands enfants, ces Ricains ! »

On plongeait dans l'Histoire : Watergate est un retour aux sources de la mythologie américaine qui s'est forgée dès les

Pilgrim Fathers sur le rejet de la vieille Europe, de ses sub-
tilités, de son cynisme, de son pouvoir tyrannique et amoral.
L'État, c'est mal. C'est le mensonge, la dissimulation, le
machiavélisme.

On comparait : chez nous, l'État est au contraire l'incarnation sacrée du bien. De l'intérêt général. Il protège nos
libertés contre l'Église et les féodaux. Les Italiens nous ont
enseigné à la Renaissance les rudiments du machiavélisme
politique. Louis XIV jeune a été à l'école de Mazarin ; et
toute la France avec lui.

Le mensonge d'État n'est pas une tare pour les Français
s'il sert le bien commun.

Au commencement était donc l'indifférence. L'arrestation
de cinq hommes, dans la nuit du 17 juin 1972, au quartier
général du parti démocrate à Washington. Et alors ? Un cam-
briolage de plus... Et puis, l'emballement imprévisible,
inouï : le scandale politique ; le prix Pulitzer décerné aux
deux journalistes, Bob Woodward et Carl Bernstein, pour
leurs investigations ; la mise en accusation du président
Richard Nixon ; la procédure judiciaire de l'*impeachment*
déclenchée par la Cour suprême ; la démission du président
américain en août 1974 ; la publication en 1975 par les deux
journalistes du livre *Les Hommes du président,* adapté au
cinéma en 1976, avec Robert Redford et Dustin Hoffman,
le blond et le brun, pantalons pattes d'éléphant, cols de chemise pelle à tarte, cravate à gros nœud et cheveux longs.
Un mythe était né. Un mythe mondial. Aux conséquences
incalculables, symboliques, géostratégiques, idéologiques.

Aux États-Unis, d'abord.

Nixon est républicain. Conservateur. Il a été réélu en 1972,
après avoir écrasé le chéri de la gauche radicale et des campus
universitaires, George McGovern. Il a enfin pris sa revanche
sur son inique défaite (fraudes de la mafia) de 1960 contre
l'icône du monde et des élites américaines : John Kennedy. Il
a vaincu avec éclat son propre complexe d'infériorité de « Petit
Chose » face aux plus brillants, plus beaux, plus bourgeois. Il
a su mobiliser la majorité silencieuse contre les progressistes

des *sixties*, l'Amérique profonde contre les élites juvéniles des côtes Est et Ouest.

Watergate est une revanche sociologique et générationnelle. Contre Nixon. Contre le mâle blanc, assimilé au *red skin*, raciste et machiste. Revanche des « plus intelligents » contre les « front bas ». De l'intelligentsia, des campus, des féministes, des minorités raciales, des médias contre le suffrage universel.

Nixon est chassé sans avoir perdu une élection. Le président de la principale puissance de la planète, l'homme qui a réussi à sortir l'Amérique du guêpier vietnamien, a engagé ce grand renversement des alliances avec la Chine communiste, et bientôt arrêtera la guerre du Kippour qui risquait de tourner au conflit nucléaire, mais aussi l'homme qui a renversé d'une pichenette Salvador Allende au Chili, cet homme qui incarne la puissance absolue en est réduit à quémander obséquieusement l'indulgence de quelques magistrats qu'il avait nommés. C'est Louis XVI sur l'échafaud. Une désacralisation. Son départ nous est vanté comme la victoire de la liberté, de la démocratie et de l'État de droit ; sa chute est en réalité une défaite du peuple et de la loi de la majorité, vaincus par l'alliance des journalistes et des juges – ils seront bientôt rejoints par les financiers, experts, organisations non gouvernementales – qui, placés en dehors du peuple, à l'écart de la nation, comme sur des plates-formes offshore, donnent au peuple et à ses représentants des leçons de morale comme des grands prêtres du haut de leur chaire.

Nixon est le dernier président héritier de Roosevelt. Il n'a pas remis en cause la ligne étatiste du New Deal, ni les mesures sociales en faveur des Noirs prises par son prédécesseur démocrate Lyndon Johnson. Conservateur mais keynésien. Républicain mais social. Les libéraux sauront s'engouffrer dans cette brèche, d'abord sur le mode plouc puritain (Carter), ensuite, en mieux réussi, avec la révolte fiscale partie de Californie et portée à Washington, puis dans le monde entier, par Ronald Reagan.

Nixon est enfin conseillé par Kissinger, quintessence du cynisme machiavélien de la vieille Europe, entre Metternich et Talleyrand, les seuls êtres humains, morts ou vivants, qu'il ne couvre pas de son mépris. Le départ de Nixon annonce le retour de l'idéalisme américain, du wilsonisme botté, des tirades manichéennes sur le camp du bien (toujours l'Amérique) et le camp du mal (l'Union soviétique et les communistes jusqu'en 1989, les islamistes terroristes depuis), les interventions militaires pour la propagation de la démo-cratie et des droits de l'homme (aide à l'Afghanistan contre l'URSS, puis les deux guerres du Golfe et l'intervention contre les talibans, sans oublier les plus discrètes mais effi-caces révolutions orange orchestrées par les services améri-cains en Europe de l'Est).

La démonisation de « Nixon le tricheur » est un classique américain mais qui, comme tout ce qui se déroule dans ce pays depuis la fin de la guerre de 1914, a des répercussions dans le monde entier. En particulier en France.

Notre ironie initiale laissa lentement la place à des senti-ments confus, où l'admiration éperdue se mêle à la haine inexpiable.

Autoflagellation : « Ce n'est pas en France que ça arriverait. »

Imitation : *Le Canard enchaîné* dénonce bientôt les « plom-biers » envoyés par le ministère de l'Intérieur poser des micros dans les locaux du journal satirique.

Conceptualisation : la France doit se doter d'un État de droit à l'américaine, que la tradition française appelait jusqu'alors « gouvernement des juges ».

Dénonciation : Pompidou est le Nixon français. Il doit être balayé, songe alors la jeunesse soixante-huitarde qui à chaque printemps se répand dans la rue pour rouvrir la « parenthèse enchantée ».

Fascination : des générations de jeunes journalistes rêve-ront désormais de jouer les rôles tenus par Redford et Hoffman. L'alliance des « petits juges » et des journalistes dits d'investigation, qui bouleversera la vie politique fran-çaise, ébranlera les trônes de Giscard (diamants), Mitterrand (*Rainbow Warrior*, Grossouvre, etc.), Chirac (financement du RPR, billets d'avion de la mairie de Paris), jusqu'à Sarkozy (affaire Bettencourt), est née de ce rêve d'adolescent au fond des salles obscures.

1ᵉʳ juillet 1972

La loi Pleven : la fin de la liberté d'expression en France

« Avec ce texte, la France sera, à ma connaissance, le premier pays du monde à avoir une définition aussi extensive de la discrimination dans ses lois pénales. Cela mérite d'être dit et dit très haut. »

Le ministre de la Justice, René Pleven, plastronne. On songe à Clemenceau en 1918 : « La France, jadis soldat de Dieu, aujourd'hui soldat du droit, sera toujours soldat de l'idéal. » Pleven est fier de la France et de son gouvernement ; et très content de lui. Pourtant, l'idée de cette loi visant à réprimer plus sévèrement le racisme est venue d'un député socialiste, René Chazelle. Le ministre gaulliste l'a seulement adoptée ; mais l'Histoire l'a faite sienne. On dit la loi Pleven, et non la loi Chazelle.

Ni l'Assemblée nationale ni le Sénat n'ont tergiversé : le texte fut voté à l'unanimité par les deux Chambres. Un de ces votes consensuels dont on fait gloire à la République, alors qu'il fut un de ces scrutins à la va-vite et à main levée, dans des hémicycles aux trois quarts vides, où les rares présents s'agitent en tous sens pour tourner les clés de leurs petits camarades absents.

Peu importe le flacon, pourvu qu'on ait l'ivresse. Le rapporteur de la loi, Pierre Mailhé, entonne les trompettes des temps quasi messianiques : « Ce texte est l'aboutissement d'une très longue lutte menée par des hommes de bonne volonté contre certains aspects abominables des relations humaines. »

Cette fois-ci, on pense à Aristide Briand et son tonitruant « guerre à la guerre » des années 1920. On s'enfonce dans les bons sentiments. Personne ne peut remonter le courant ; personne, pas même le lettré et très conservateur président Pompidou.

La loi du 1ᵉʳ juillet 1972 s'inscrit dans le cadre de la grande loi du 29 juillet 1881 sur la liberté de la presse. Elle paraît modestement ajouter de nouveaux délits à ceux qu'énumérait déjà le Code pénal ; mais la loi Pleven est, à sa grande sœur de 1881, ce que le cheval de Troie fut aux adversaires des Grecs : une offrande funeste.

La loi de 1881 réprimait la provocation à certains crimes et délits, ces atteintes à la propriété (vol, pillage, incendie) qui scandalisaient la IIIe République libérale, quelques années seulement après la Commune. La loi du 1er juillet 1972 ajoute à la liste « la provocation à la discrimination, à la haine, ou à la violence » visant certaines personnes ou groupes de personnes « à raison de leur origine ou de leur appartenance ou de leur non-appartenance à une ethnie, une nation, une race, ou une religion déterminée ».

Les groupes de personnes désignés sont ainsi protégés contre la diffamation et l'injure, privilège qui n'était accordé par la loi de 1881 qu'aux corps constitués, armée, présidence de la République, etc. Par ailleurs, les peines, en ce cas, sont plus sévères que pour les diffamations ordinaires.

En dépit de la pureté de ses intentions, la loi est une régression. Elle introduit la subjectivité là où régnait l'objectivité ; elle condamne l'intention et non les faits ; elle donne au juge le droit et le devoir de sonder les cœurs et les âmes ; de faire l'archéologie des pensées et des arrière-pensées. Elle contraint le magistrat à transgresser ce principe général du droit fort protecteur selon lequel « la loi pénale est d'interprétation strictement restrictive ». Le droit à la diffamation prévoyait une exception de vérité ; désormais, non seulement la vérité ne rend plus libre, mais elle peut conduire en prison.

On se félicita alors de cette législation antiraciste. Personne ne remarqua le glissement opéré par la loi qui n'interdisait pas seulement toute discrimination en raison de l'ethnie, de la race, de la religion, mais y joignait aussi l'appartenance ou la non-appartenance à une nation. Personne ne l'avait remarqué car personne ne l'avait réclamé. Dans l'ombre, des lobbies avaient bien œuvré. C'est l'époque où une immigration massive venue d'Afrique du Nord sert les intérêts d'un patronat du bâtiment ou de l'automobile. Le ministre de l'Intérieur, Raymond Marcellin, s'en plaint au président de la République, craignant pour l'ordre public, et reçoit cette réplique à la fois auguste et désabusée de Georges Pompidou : « C'est le patronat qui l'exige. »

Avec la référence à la nation, on passe du racisme à une notion différente, la xénophobie. Poussé à l'extrême par le législateur, le refus de la xénophobie a des conséquences pernicieuses. Désormais, un propriétaire qui ne veut louer qu'à un Français sera puni ; de même qu'un employeur qui préférera embaucher un compatriote, alors que l'État exclut les étrangers du recrutement de certains de ses fonctionnaires. Ce principe de non-discrimination entre Français et étranger interdit toute préférence nationale ; ruine toute séparation entre l'extérieur et l'intérieur ; sape les fondements de la notion de frontière entre le dedans et le dehors ; assimile le patriotisme au racisme ; interdit à un Français de préférer un compatriote à un étranger. La loi Pleven est potentiellement, sans que personne en ait pris conscience à l'époque, la dissolution programmée de la nation française dans un magma planétaire. C'est le retour en grâce du « genre humain » exalté par certains révolutionnaires qui finirent sur l'échafaud lorsque le temps des guerres contre toute l'Europe coalisée fut venu.

Pour faire respecter cette vérité officielle, la loi Pleven a sous-traité sa fonction répressive à des associations à qui elle a accordé des privilèges exorbitants de puissance publique. En les autorisant à saisir la justice au même titre que le procureur de la République pour tout propos déplacé, l'État leur a donné droit de vie ou de mort politique et financière sur tous les « déviants » et dissidents. Ces associations en tirent un avantage pécuniaire (indemnités quand elles gagnent le procès), idéologique et médiatique. Cette situation évoque beaucoup la défunte Union soviétique, lorsque le parti communiste et les organisations sociales qui lui étaient affiliées se chargeaient d'exercer la police de la pensée devant les tribunaux.

La loi Pleven est la mère de toutes les batailles. Sa descendance est innombrable : lois Gayssot, Taubira, Lellouche, Perben. Adoptées à la quasi-unanimité par un Parlement sommé de s'exécuter sous la pression des médias, comme les assemblées révolutionnaires l'étaient par les sans-culottes vociférants et armés de piques.

À partir de la loi Pleven, s'érige un nouveau champ du sacré : l'immigration, l'islam, l'homosexualité, l'histoire de l'esclavage, de la colonisation et de la Seconde Guerre mondiale, du génocide des Juifs par les nazis. Domaine vaste, hétéroclite, qui ne cesse de s'étendre pour donner satisfaction à toutes les minorités qui s'estiment discriminées, martyrisées par la France, l'Histoire, la Nature.

Depuis qu'elles ont été consacrées par la loi Pleven, les associations antiracistes sont devenues des ligues de vertu qui défendent la nouvelle morale érigée en dogme d'État. La justice est mise au service de cette redoutable Inquisition. « Le racisme n'est pas une opinion, mais un délit » : alors que le racisme a toujours été un délit, la loi Pleven se résumera désormais à ce slogan publicitaire asséné pour faire taire les grincheux et les mal-pensants, et imposer une épée de Damoclès conformiste au-dessus de toute discussion, confrontation, débat.

En 2011, Jean Raspail fit rééditer *Le Camp des saints*[1], roman célèbre à sa parution en 1973 pour avoir conté le débarquement d'un million de gueux venus d'Inde sur les côtes de Provence. Dans une préface caustique, l'auteur signalait qu'un avocat consulté avait noté dans l'ouvrage quatre-vingt-sept motifs d'interdiction pénale.

L'article 1 de la loi du 29 juillet 1881 proclamait : « La presse et l'imprimerie sont libres. » Ce cri de délivrance sonnait, croyait-on, la fin joyeuse d'une longue histoire, d'un combat acharné, depuis l'Antiquité grecque, la Renaissance et les Lumières, pour que rien – pas même les dogmes religieux – n'échappe à l'examen critique et rationnel. Cette quête de la vérité exige un débat libre de toute contrainte ; c'est l'opposition des idées dans l'espace public qui féconde la pensée et entraîne le progrès intellectuel.

---

1. Éditions Robert Laffont.

La rencontre entre le mouvement *politically correct,* né dans les universités américaines dans les années 1960, et la tradition robespierriste de l'extrême gauche révolutionnaire française a enfanté dans notre pays un monstre inédit. La liberté de pensée, d'écrire et de s'exprimer n'aura été qu'une parenthèse historique de moins d'un siècle. Les monarques absolus ont disparu ; on a seulement changé de maîtres ; mais les nouveaux ne sont pas les moins tyranniques. La presse et l'imprimerie ne sont plus libres en France.

16 novembre 1972

Comme ils disent et ne devront plus dire

Longtemps on a cru qu'il parlait de la rue Saint-Lazare. Et puis, on a cherché sur le plan la rue Sarasate, petite artère inconnue du XVe arrondissement. L'écriture de la chanson est, comme toujours avec Aznavour, fine, précise, élégante. Littéraire. Tellement française. Tout le monde sait que le grand chanteur aime les femmes, avec passion même ; qu'il n'est nullement un homo... « comme ils disent ». Son personnage de vieux garçon qui habite seul avec maman dans un très vieil appartement, et dont le vrai métier c'est la nuit, il l'exerce travesti, est dépeint avec la subtilité qu'il avait déjà montrée dans l'évocation de son peintre vieillissant et nostalgique de « la Bohème ». À la sortie du disque[1], le scandale tourne très vite au triomphe. Certains bougonnent contre les « pédales », mais le 45-tours s'arrache. Personne ne songe à une quelconque censure pour « bonnes mœurs ». La création d'Aznavour est originale mais emprunte en vérité certains sentiers battus, voire quelques clichés. L'homo vit seul, avec sa mère ; il a des aventures fugaces, amours sans joie ; est amoureux d'un garçon beau comme un dieu qui passe le plus clair de son temps au lit des femmes. Comme dans Proust, et toute la littérature, les amours homosexuelles sont sans espoir.

---

1. Charles Aznavour, *Comme ils disent,* 1972.

Pourtant, cette chanson est présentée depuis quarante ans comme une libération, une transgression inouïe des tabous, un éloge de la différence, de la tolérance, pour des garçons qui n'ont pas à s'excuser, car c'est la nature qui est seule responsable si je suis un homo comme ils disent. Un progrès majeur de la civilisation.

Le thème était rarement abordé dans la chanson française. La liberté était plus grande dans les années 1920 lorsque Maurice Chevalier chantait : « C'est une fille », histoire du mariage d'une fille très masculine avec un travesti. Félix Mayol, le roi du caf' conc' d'avant 14, et Charles Trenet osaient alors avouer leurs penchants. Ce dernier se fera plus discret après guerre, et sa carrière subira une longue traversée du désert jusqu'à son retour triomphal dans les années 1980.

C'est que, avec la défaite de 1940, la France cherche les raisons de son humiliation. Les soldats allemands qui défilent sur les Champs-Élysées sont impressionnants de virilité conquérante. Beaucoup de femmes succombent à leur charme. « La Française conservera toujours son cœur au vaincu », rigolent les titis parisiens ; la contrepèterie est aisée à découvrir : et son cul au vainqueur !

Vichy accuse « l'esprit de jouissance ». L'homosexualité est une de ses cibles. Avant guerre, une grande tolérance régnait, traditionnelle en France, pour les questions sexuelles.

Mais pendant toute la guerre, à travers les mots d'ordre, les polémiques à distance, les slogans, une concurrence virile oppose Vichy à Londres. De part et d'autre, les homos sont priés de rester discrets. Ils ne sont pas persécutés ; mais on préfère mettre en avant un valeureux combattant sur son char qui affronte les Allemands les armes à la main. À l'époque, les homosexuels résistants le comprennent et l'admettent. C'est un peu comme les religions auxquelles les règles de la laïcité demandent une discrétion dans l'espace public pour ne pas provoquer les autres. Pas une discrimination, encore moins une persécution, plutôt la garantie d'une véritable liberté.

À Vichy, le discours matrimonial et familialiste n'empêche pas les homosexuels de tenir le haut du pavé. Le ministre de l'Éducation nationale, Abel Bonnard, est surnommé

Gestapette et les officiers allemands rencontrent d'innombrables gitons au bar du Select, à Montparnasse.

Dans les années 1950 et 1960, la virilité gaulliste continue de régner sur les esprits. Et la contre-société communiste en rajoute, qui voit l'homosexualité comme un signe éclatant de décadence bourgeoise. Les plus grands chanteurs français comme Brel (« Les bonbons », 1967) et Brassens (« Les trompettes de la renommée ») n'hésitent pas à se moquer – mais sans méchanceté – des premières tendances homosexuelles qu'ils ont finement repérées dans les révolutions juvéniles. En 1968, Fernandel brocarde à grand renfort de déhanchements et de roulements d'yeux, pour un public hilare, un garçon dont « on dit qu'il en est », à la manière répétitive et irrésistible de « Félicie aussi » !

Réaction d'une génération adulte qui résiste – en les raillant – aux nouvelles tendances de la jeunesse. Les années 1960 bouleversent en effet les codes de la séduction : cheveux longs et chemises à fleurs, bientôt talons hauts et maquillage (David Bowie) pour les hommes, et goût des femmes androgynes façon Birkin et Hardy – femmes sans hanches ni seins, qu'on se met à trouver belles alors qu'elles avaient été délaissées au fil des siècles, au nom d'une culture séculaire qui était attirée par les hanches profondes et les seins lourds, qui ne furent sans doute au départ que des talents sélectionnés par l'Évolution pour la reproduction de l'espèce.

On peut d'ailleurs se demander si cette mode androgyne n'était pas elle-même une réponse de l'Évolution à l'explosion démographique du XXᵉ siècle. Les imprécations des religions monothéistes lancées contre l'homosexualité – essentiellement masculine, la préférence des filles pour les filles bénéficiant d'une grande mansuétude, comme si elle n'était pas prise au sérieux par les sévères prophètes juifs, chrétiens et musulmans –, ces imprécations implacables – « l'abomination » du Lévitique – étaient contemporaines des petites communautés humaines, aux temps d'une agriculture très peu productive et d'une mortalité infantile obsédante. Les vieux peuples fatigués d'Europe seront les premiers – ils sont restés les seuls – à tolérer une homosexualité qui ne menace plus la pérennité de l'espèce.

Mais l'émergence de l'homosexualité triomphante est d'abord liée à une évolution décisive du capitalisme. Du XIXᵉ siècle jusqu'à la reconstruction d'après 1945, celui-ci avait privilégié l'épargne et l'investissement, mettant en avant les tempéraments austères et économes. La frustration sexuelle était une vertu ; la débauche, un gaspillage. À partir des années 1970, le capitalisme en Occident a un besoin insatiable de consommateurs pour améliorer ses marges rognées par la hausse des salaires et l'inflation. Il favorise, à travers ses canaux publicitaires et médiatiques, les comportements hédonistes. Le « Jouissons sans entrave » des rebelles de Mai 68 deviendra bientôt un slogan publicitaire. Le patriarche est un piètre consommateur. Il faut détruire la virilité en l'homme pour que naisse et prospère sa pulsion consommatrice. L'univers homosexuel – surtout masculin – incarne alors – et encore aujourd'hui – le temple de la jouissance débridée, de la sexualité sans contrainte, de l'hédonisme sans limite. La glorification de l'homosexualité par la machine publicitaire est l'autre face d'une même médaille qui dénigre et délégitime la famille patriarcale traditionnelle.

À l'époque, les homosexuels se moquent encore du mariage bourgeois, de ses contraintes de fidélité et de tempérance sexuelle. L'amour est brocardé comme une chaîne inutile. Dès la fin du XIXᵉ siècle, Oscar Wilde, prince des ténèbres homosexuelles londoniennes, avait défini l'amour comme une grotesque romance où on « commence par se tromper soi-même, et où on finit par tromper l'autre ».

Marcel Proust est aussi lucidement cruel. Comme les amis anglais de Virginia Woolf dans les années 1920, ces écrivains et artistes préfigurent la « libération sexuelle » de la génération 68. Et ils donneront le la. Les homosexuels vont peu à peu être transformés en modèles. La marginalité s'apprête à devenir le modèle.

Les homosexuels ne se contentent pas de sortir de la marge ; ils sont – sans qu'on le comprenne très bien alors – la pointe avancée de la norme à venir. La norme commerciale. Ils sont, chez les hommes, les meilleurs et plus actifs consommateurs. Ils sont, à l'instar des femmes, un

marché de prédilection. Les publicitaires ne tarderont pas à
s'en apercevoir. Les Double Income No Kids (DINKS) sont
leurs chéris. La mise en pleine lumière de l'homosexualité
– et plus généralement de l'ambiguïté sexuelle, de l'androgy-
nie, de la féminisation des manières, des modes et des mœurs
– est d'abord et avant tout une grande affaire commerciale.

Un an avant la chanson d'Aznavour, des militants d'extrême
gauche ont créé le Front homosexuel d'action révolutionnaire.
Il est le frère du mouvement féministe, tous deux produits du
slogan de Mai 68 : « Tout est politique. » Reprenant les intuitions de certains socialistes français du xixᵉ siècle comme
Fourier, une partie des gauchistes de l'époque prônent des
valeurs libertaires et antiautoritaires. Ils s'opposent au pouvoir
gaulliste, mais aussi aux communistes orthodoxes et aux
maoïstes puritains. Pour ces libertaires, l'homosexualité est
une arme de guerre contre la famille patriarcale, symbole de la
répression réactionnaire. Ces militants homosexuels, comme
les féministes, multiplient les actions médiatiques, maniant
avec une rare habileté l'art de la provoc' et de la formule lapidaire. Ils deviendront souvent d'excellents publicitaires. À
l'époque, ils se veulent encore en symbiose avec le peuple
asservi par les bourgeois, mais découvriront bientôt que la
classe ouvrière est rétive à la « pédale », comme on dit alors
dans les usines. Ils ne tarderont pas à s'éloigner du peuple
enfermé dans une caricature dédaigneuse du « macho homophobe, misogyne et xénophobe ». Le mépris de classe et la
« prolophobie » affleurent sans cesse dans le combat des bien-
pensants contre la prétendue « homophobie ».
    La méthode des militants homosexuels est mise au point et
ne changera plus : elle repose sur le rejet de l'autorité, assimilée
au fascisme, et une stratégie permanente de victimisation pour
susciter la compassion comme la haine du prétendu oppresseur
« homophobe ».
    Au fil des années, le lobby homosexuel s'organise et s'enri-
chit. Dans la stratégie de victimisation de ses porte-drapeaux
les plus acharnés, il ira jusqu'à réécrire l'histoire de la Seconde
Guerre mondiale, s'inventant des persécutions de la part de
Vichy, qui aurait envoyé des homosexuels dans les camps de

concentration[1]. Le gay veut être un Juif comme les autres. Tissu d'inventions dénoncé par les historiens comme Serge Klarsfeld, mais très efficacement imposé par le lobby gay à une société médiatico-politique inculte et craintive.

En vérité, la seule loi contraignante votée par Vichy fut celle du 6 août 1942, au nom de la protection de la jeunesse ; elle nous est aujourd'hui présentée comme une scandaleuse criminalisation de l'homosexualité alors que le « crime de sodomie » avait été supprimé dès la Révolution française. La loi de Vichy ne rétablissait nullement cet antique « crime de sodomie », mais sanctionnait pénalement les relations homosexuelles entre un homme majeur et un mineur, alors que la limite d'âge était maintenue à seize ans pour les relations hétérosexuelles ; et faisait du jeune séduit un complice autant qu'une victime. Cette distinction antipédérastique ne fut remise en cause ni par la IVᵉ République, ni par le pouvoir gaulliste ; elle fut encore renouvelée par une loi du 23 décembre 1980 que le Conseil constitutionnel valida ; mais elle fut supprimée par la gauche en 1982 après d'intenses campagnes vantant dans le journal *Libération* l'initiation « des enfants au plaisir ».

La rencontre entre l'homosexualité et le capitalisme est le non-dit des années 1970. Entre un mouvement gay qui arbore un drapeau arc-en-ciel et un capitalisme qui découvre les joies et les profits de l'internationalisme, il y a un commun mépris des frontières et des limites. Entre la fascination homosexuelle pour l'éphèbe et une société capitaliste qui promet la jeunesse éternelle, l'entente est parfaite. Le rejet haineux du père est sans doute le point commun fondamental entre une homosexualité narcissique qui transgresse sexuellement la loi du père et un capitalisme qui détruit toutes les limites et les contraintes érigées par le nom du

---

1. En France, un rapport déposé par la Fondation pour la Mémoire de la Déportation (FMD) en 2002 recense au moins 63 Français déportés pour homosexualité : 22 arrêtés en Alsace-Moselle (mais l'Alsace était alors allemande), 32 au sein du Reich où ils se trouvaient dans le cadre du Service du travail obligatoire, et 6 en zone occupée (voir *Bulletin de la Fondation pour la Mémoire de la déportation*, n° 56, avril 2008, p. 11-12).

père autour de la cellule familiale, pour mieux enchaîner les femmes et les enfants – et les hommes transformés à la fois en enfants et en femmes – à sa machine consumériste.

L'alliance improbable entre l'extrême gauche libertaire et le marché se fera à travers la geste homosexuelle et au nom de la « transformation des mentalités ».

Dominants dans la mode, les médias et l'univers artistique, de nombreux homosexuels, plus ou moins militants, imposent leur vision de l'homme-objet à une société patriarcale qui a inventé la femme-objet pour protéger son désir sexuel. En 1971, Yves Saint Laurent fait scandale en posant nu pour la publicité de son parfum « Pour homme ».

Le lobby gay gagnera au fil des années en visibilité. Il mènera victorieusement la bataille sémantique ; Aznavour avait contribué à la substitution de pédéraste par homo, moins insultant ; mais homo, encore trop « discriminant », sera lui-même remplacé par gay, plus flatteur : « *Good As You* ». La revendication d'égalité est ici une manifestation éclatante de puissance. Les maîtres imposent toujours leurs mots. Le lobby gay aux États-Unis est aujourd'hui financé par les plus grands capitalistes américains, Bill Gates et Steve Ballmer, Google, Facebook, eBay, ou un magnat des *hedge funds* comme Peter Singer. En France, Pierre Bergé, le patron d'Yves Saint Laurent, créera le journal *Têtu* dans les années 1970 avant de financer dans les années 1980 SOS Racisme. Le mélange sexuel et ethnique – le « métissage » – deviendra la religion d'une société qui se veut sans tabou, et ne supporte plus les limites de la différenciation des peuples comme des sexes. Cette babélisation généralisée est encouragée par un capitalisme qui y voit une source de profits.

En cette année où Aznavour évoquait la rue Sarasate, Michel Sardou chantait « La folle du régiment ». Sardou jouait le beauf se moquant des folles. On est dans un registre traditionnel, gouaille populaire sans méchanceté, mais sans confusion des genres. Les sexes sont bien définis et les vaches bien gardées. Sardou aurait pu chanter sa folle du régiment dix ans, vingt ans, cent ans avant. C'est une chanson populaire qui exprime le sentiment encore dominant. Pour peu de temps encore. Avec « Comme ils disent », Aznavour au contraire annonce les temps qui viennent : sa chanson est celle des nouvelles élites qui montent. Elle marque une mutation historique, sociologique, économique aussi, presque anthropologique.

Novembre 1972

La maison près de la fontaine dans le petit jardin

*La maison près de la fontaine
Couverte de vigne vierge et de
    toiles d'araignée
Sentait la confiture et le désordre
    et l'obscurité
L'automne, l'enfance, l'éternité
Autour il y avait le silence
Les guêpes et les nids des oiseaux
On allait à la pêche aux écre-
    visses avec Monsieur l'curé
On se baignait tout nus, tout
    noirs
Avec les petites filles et les
    canards
La maison près des HLM
A fait place à l'usine et au super-
    marché
Les arbres ont disparu, mais ça
    sent l'hydrogène sulfuré
L'essence, la guerre, la société
C'n'est pas si mal
Et c'est normal
C'est le progrès.*

Nino Ferrer[1]

*C'était un petit jardin
Qui sentait bon le métropolitain
Qui sentait bon le bassin parisien.
C'était un petit jardin
Avec une table et une chaise de
    jardin
Avec deux arbres, un pommier
    et un sapin
Au fond d'une cour à la
    Chaussée-d'Antin.
Mais un jour près du jardin
Passa un homme qui au revers
    de son veston
Portait une fleur de béton.
Dans le jardin une voix chanta :
« De grâce, de grâce
Monsieur le promoteur
De grâce, de grâce
Préservez cette grâce.
De grâce, de grâce
Monsieur le promoteur
Ne coupez pas mes fleurs. »*

Jacques Dutronc[2]

1. Nino Ferrer, « La maison près de la fontaine », dans l'album *Métronomie*, 1971.

2. Jacques Dutronc, « Le petit jardin », dans l'album *1972*.

Les voix sont mêmement douces, chaleureuses. Mélancoliques. Sans animosité, résignées. Dans nos souvenirs, elles se mélangent, comme leurs textes qui se mêlent, interchangeables, pour une seule ode à la nature violée, brutalisée, martyrisée. Le petit jardin est près de la Chaussée-d'Antin pour Jacques Dutronc, et la maison est près de la fontaine pour Nino Ferrer ; pour nous, à leur place, c'est le même béton, les mêmes parkings, le même hydrogène sulfuré. On ne sait plus qui dit quoi puisqu'ils chantent la même chose.

Leur révolte juvénile et impuissante, éplorée et pacifique, est un basculement historique majeur : pour la première fois depuis les Lumières, et même depuis la Renaissance, le progrès se sépare du bonheur ; les grands alliés deviennent les meilleurs ennemis du monde. Pour la première fois, c'est la jeunesse qui évoque avec nostalgie le bon vieux temps ; pour la première fois depuis quatre siècles, la science et l'amélioration des techniques ne servent pas l'homme, mais sont accusées de lui nuire.

Jusqu'alors, progrès scientifique, technique, capitalistique, démocratique, philosophique faisaient tout un. Politiquement, la gauche incarnait, et le résumait en une formule magique, le camp du progrès. Pour Victor Hugo, les chemins de fer, l'école, le suffrage universel, l'interdiction du travail des enfants, l'abolition de l'esclavage étaient les cinq doigts d'une seule main. La Nature ne méritait pas de compassion ; elle n'était qu'une marâtre qui nous avait fait tant souffrir, il fallait l'exploiter, sans craindre de la persécuter, pour qu'elle se mette – enfin – au service de l'homme.

Seuls quelques esprits grincheux ou lunaires ou superstitieux ou contemplatifs ou réactionnaires osaient contester la marche vers le progrès et le bonheur. Des paysannes crédules craignaient pour la santé de leurs vaches regardant passer les trains ; des Chateaubriand ou des Tolstoï exaltaient la beauté de la nature et la supériorité morale du simple d'esprit contemplatif sur le citadin affairé et empressé. Un Giono pouvait bien chanter la gloire de la charrue, la machine partout avançait. Les Monsieur Homais étaient dans le sens de l'Histoire. La Nature n'avait pas bonne presse républicaine car elle était associée au Roi et au saint chrême ; elle fut même accusée de « collaboration » après avoir été enrôlée à Vichy par le maréchal Pétain : « La terre, elle, ne ment pas. » Après guerre, le général de Gaulle, qu'on surnommait en 1939 le Colonel Motor, conduisit la droite même la plus traditionaliste sur les chemins du progrès technique et industriel au nom de la grandeur de la France et la défense de son rang, laissant certains de ses aficionados effarés devant les dégâts causés sur les paysages harmonieux du cher et vieux pays. « Comment le général de Gaulle qui aime tant la France éternelle peut-il tolérer ça ? » demandait, incrédule, François Mauriac dans son *Bloc-notes*.

De grands esprits originaux et iconoclastes comme Bertrand de Jouvenel remettaient en cause nos choix industrialistes et productivistes, mais leur réflexion demeurait confinée à de petits cercles intellectuels. C'étaient des voix solitaires, voix chevrotantes. Voix désuètes, ridiculisées, inaudibles.

Mais voix bientôt recouvertes et décuplées par des soutiens juvéniles qu'elles n'attendaient plus. Quelques années plus tôt, le chanteur d'obédience communiste Jean Ferrat avait fait le lien entre les deux générations avec son magnifique « Que la montagne est belle », brocardant la frénésie consumériste des paysans quittant leurs paysages sublimes pour manger leur poulet aux hormones dans leurs HLM ; mais cette mélancolie passéiste n'était pas dans la ligne du Parti qui restait productiviste et industrialiste. Progressiste, on disait.

Les jeunes gens chevelus qui reprenaient les chansons de Nino Ferrer et de Jacques Dutronc, qui occupaient le Larzac, qui élevaient des chèvres en Ardèche, refusaient la société de consommation. Leur archaïsme était furieusement moderne. Politiquement, ils se voulaient aux antipodes de la droite maurrassienne et traditionaliste qu'ils abhorraient en reprenant pourtant toutes ses intuitions. Leur pacifisme était inspiré de Gandhi et non du maréchaliste Giono (« Mieux vaut être un Allemand vivant qu'un Français mort »), mais leur haine du sionisme deviendrait bientôt proche de l'antique antisémitisme ; leur rejet du capitalisme avait des accents marxistes, mais reprenait en réalité la vieille méfiance du catholicisme pour l'argent. Souvent, ils avaient passé leurs jeunes années chez les scouts ou dans les JOC avant de se transformer en athées bouffeurs de curés. Ils se revendiquaient de gauche, et même d'extrême gauche ; mais ils ne parviendront jamais à démêler l'écheveau de leurs origines contrastées. Les écologistes longtemps oscilleront entre un ni droite-ni gauche hautain et un dogmatisme sectaire de gauchiste ; entre un refus méprisant des compromissions politiques et un cynisme politicien digne des affranchis de la IVᵉ République.

Le verre d'eau de René Dumont à la présidentielle de 1974, la légèreté aristocratique de Brice Lalonde, la perruque d'Antoine Waechter. La longue marche des Verts en politique commençait. Pendant les décennies qui suivraient, seul Daniel Cohn-Bendit réussirait à incarner le potentiel électoral de cette mouvance, sans doute parce que son nom, son histoire, et son évolution libérale et européenne synthétisaient l'évolution de toute une génération, d'une certaine France qui avait vieilli avec lui.

La droite gaulliste et pompidolienne avait pourtant aussitôt essayé de tirer profit de ces contradictions, conservant par-devers elle l'écologie, laissant à la gauche le dogmatisme révolutionnaire. Georges Pompidou créait le premier ministère de l'Environnement et défendait dans une lettre restée célèbre les arbres du bord des routes. Mais le pari nucléaire engagé par Pompidou couperait durablement la droite (et le parti communiste) des écologistes les plus engagés.

Les gauchistes réussiront leur OPA sur l'écologie. Leurs adversaires – Brice Lalonde, Antoine Waechter, plus tard Nicolas Hulot – seront brisés par leurs méthodes impitoyables et sectaires. L'écologie politique deviendra ce curieux mouvement d'extrême gauche qui ne s'adresse qu'aux petits-bourgeois urbains ; de contempteurs de la mondialisation qui haïssent les frontières ; de partisans de productions locales mais avec des étrangers accourus librement de la planète entière ; de défenseurs du principe de précaution pour la nature (nucléaire, OGM, gaz de schiste) mais pas pour l'homme (mariage homosexuel, adoption par les couples homosexuels) ni pour le pays (immigration massive, droit de vote et même éligibilité des étrangers) ; d'apôtres de la décroissance mondiale qui se prétendent tiers-mondistes.

Ces contradictions pour un esprit rationnel n'en sont pas pour les écologistes. Nous ne sommes plus dans le registre de la raison, mais dans celui de la foi. Avec sa conception révolutionnaire du monde et aussi de l'homme, l'écologie est une remise en cause radicale de l'humanisme né des deux héritages, judéo-chrétien et grec ; l'écologie est une sorte de ré-enchantement du monde répondant à la sécularisation rationaliste de l'Occident, la forme moderne d'un néopaganisme adorant la déesse Terre, les victimes innombrables (immigrés, femmes, homosexuels, etc.) tenant lieu de Christ sur la croix, la Terre mère souffrante ensevelissant les nations et les empires ; le métissage généralisé et obligatoire des races, mais aussi des sexes et des genres, jusqu'aux animaux et aux végétaux dotés d'une âme comme les hommes, rappelant, prolongeant et dépassant le célèbre doctrine de saint Paul : « Il n'y a plus ni Juif ni Grec, ni esclave ni homme libre, ni homme ni femme. »

En 1970, on célébrait aux États-Unis la première journée de la Terre.

Pendant que Nino Ferrer chantait la maison près de la fontaine, le Club de Rome publiait un rapport qui faisait grand bruit, prônant la croissance zéro. C'était la première fois qu'un rapport officiel mettait en garde le monde contre la destruction des ressources naturelles, mais aussi – sujet qui sera rapidement mis sous le boisseau par nos bons esprits – l'explosion démographique sur la planète. La France entière rigolait : elle caracolait alors avec des chiffres de 5 à 6 % de croissance annuelle, à la grande satisfaction de toute la population. Elle ne savait pas, la France, que 1972 serait pour l'ensemble de l'Europe occidentale l'année pendant laquelle les marchés des grands produits mécaniques majeurs – automobile, machine à laver le linge et télévision en noir et blanc – passeraient du premier achat au renouvellement. La consommation ne croîtrait plus jamais comme avant. C'est ce qui était arrivé aux États-Unis quelques années plus tôt, et se produirait au Japon quelques années plus tard. C'est à partir de cette inflexion majeure que les entreprises commenceront à regarder leur salarié non plus comme un consommateur potentiel dont il faut sans cesse augmenter le salaire (théorie fordienne) mais comme un coût qu'il faut sans cesse réduire. La France rigolait car elle ne savait pas que le système économique de la planète entrait en crise en 1972, crise dont elle n'est jamais sortie. La croissance zéro, on ne tarderait pas à la connaître avec « la crise du pétrole ». Et personne ne rirait plus.

1973

La fin discrète du colbertisme

Il est des célébrités tardives. Et ambiguës. La loi du 3 janvier 1973 a attendu près de quarante ans pour sortir d'une pénombre protectrice. Elle avait été promulguée au cours d'une apathique trêve des confiseurs, entre le sapin et les confettis ; elle avait été au préalable votée à l'Assemblée nationale sans contestation résolue de l'opposition de gauche. François Mitterrand en était alors un chef pugnace et redouté qui avait médité les leçons de Chateaubriand : « L'opposition doit être absolue ou ne pas être. » L'approche des élections législatives, l'impopularité d'un pouvoir gaulliste sali par « les copains et les coquins », les limites et insuffisances personnelles du Premier ministre Pierre Messmer, les contestations estudiantines et les grèves à répétition : la gauche était en verve, elle ne laissait rien passer. Elle ne pipa pourtant mot.

Et puis, quarante ans après... Des blogs, des articles, des livres. À droite et à gauche. Des souverainistes et des altermondialistes. Des politiques et des économistes. L'obscur texte technique fut paré des charmes du surnom polémique ; il devint loi Pompidou-Giscard, que certains surnommèrent loi Rothschild, en souvenir de la carrière brillante que le futur président Pompidou fit au sein de la célèbre banque. On plongeait soudain dans le monde balzacien du baron de Nucingen. Des accents antisémites de l'antique querelle autour du krach de l'Union générale (banque catholique qui aurait été coulée, croyait-on, par la haute banque juive et protestante) en 1882 remontaient à la surface.

On accusait les banques d'avoir fomenté un complot, avec la complicité du ministre des Finances de l'époque, Valéry Giscard d'Estaing, et du président de la République, Georges Pompidou, pour s'enrichir sur le dos de l'État.

Le dossier de l'accusation était fourni. Il se fondait sur une phrase qui ne disait rien aux profanes, mais éclairait le regard des spécialistes d'une lueur de méfiance : « Le Trésor public ne peut être présentateur de ses propres effets à l'escompte de la Banque de France. » C'était l'article 25 de la loi de 1973 qui interdisait à l'État de se refinancer gratuitement auprès de la Banque de France, comme il l'avait fait depuis l'après-guerre et sous le général de Gaulle. Regardez, nous disaient les procureurs, les banques privées, elles, ne prêtent jamais à taux zéro ; elles s'engraissent sur notre dos. Nous rackettent. Nous volent. C'était après la crise des *subprimes* de 2008 : les *fats cats*, les *banksters* étaient dans le collimateur. Non sans raison. Les déficits publics colossaux et la dette abyssale de l'État engloutissaient des tombereaux d'argent public versé aux banques. Les banques privées empruntaient à la Banque centrale européenne à des taux dérisoires des sommes qu'elles prêtaient aux États à des taux prohibitifs ; ce qui n'empêchait pas les mêmes banquiers d'appeler leurs États respectifs au secours quand leurs imprudences spéculatives risquaient de les mettre sur la paille.

À la lueur du présent, le procès du passé était rondement mené.

Giscard, Pompidou, Rothschild et les autres banquiers : tous coupables, tous voleurs.

On oubliait un peu vite qu'à l'époque les grandes banques de dépôt étaient... publiques. Elles avaient été nationalisées par le général de Gaulle. Le secteur coopératif (Crédit agricole, Banques populaires, etc.) pesait aussi d'un bon poids. Les rares banques privées qui restaient ne perdaient rien pour attendre ; elles entreraient dans le giron public en 1981. Des banques publiques ne pouvaient pas voler l'État ! En 1973, il n'y avait pas de déficit budgétaire. Les comptes étaient fort bien tenus. La croissance à 5-6 % nous permettait d'être vertueux sans douleur. Le général de Gaulle était un obsédé de l'équilibre budgétaire. Michel Debré a depuis raconté sa fierté d'avoir, comme ministre des Finances en 1967, remboursé le dernier franc à nos créanciers étrangers. Le traumatisme des présidents du Conseil de la IVᵉ quémandant à Washington leurs fins de mois était encore vivace pour cette génération de gaullistes.

Cette loi de 1973 participait de cet état d'esprit vertueux. On accusait le financement de l'État par la Banque de France de favoriser l'inflation. La surchauffe économique de la fin des années 1960 avait activé les tensions sur les prix. Avec cette loi, on voulait brûler la planche à billets. Depuis des années, à Sciences Po, les augustes professeurs expliquaient que le système français de contrôle de crédit, fondé sur le réescompte des effets de commerce à la Banque de France, l'État fixant le taux d'escompte, était archaïque. Nos professeurs ne juraient que par le modèle américain et son *open market* qui était l'équivalent monétaire, dans les fantasmes de la rue Saint-Guillaume, des grands espaces de western. Là-bas, dans la mythique Amérique – où tout était plus grand, plus beau que chez nous –, la régulation monétaire se faisait par achat et vente d'effets publics aux banques.

Il fallait d'urgence adopter le modèle américain. La loi de 1973 ne suscita aucune discussion, aucune querelle, aucune polémique, car elle exprimait le rêve américain de nos élites politiques, économiques, universitaires et technocratiques.

Ce n'était pas la première fois que nous étions, en matière financière, fascinés par le modèle anglo-saxon, qu'on soupçonne d'être composé de protestants plus inventifs et moins inhibés que les catholiques français. C'est le Régent demandant à l'Écossais Law de financer l'énorme dette laissée par Louis XIV par la création de billets ; c'est Napoléon créant la Banque de France en 1800 sur le modèle de la Banque d'Angleterre fondée un siècle plus tôt, et dont l'abondante création monétaire avait justement permis au royaume de financer les guerres contre le Roi-Soleil.

Mais rien ne se passa comme prévu. Après le choc pétrolier de 1973, l'inflation grimpa jusqu'à des sommets à deux chiffres. À Matignon, Raymond Barre limitait les déficits budgétaires à l'épaisseur du trait. Renouant avec les théories keynésiennes des années 1930, c'est la gauche qui débrida le moteur des déficits budgétaires à son arrivée au pouvoir en 1981 ; la dette publique commençait son irrésistible ascension. La gauche n'abrogea nullement la loi de 1973 (personne ne s'en souciait), mais brisa l'inflation en frappant les salaires.

La privatisation des banques décidée par la droite en 1986 et 1993, la dérégulation financière réalisée par la gauche, la mondialisation des échanges, et la pression à la baisse sur les salaires qu'elle entraîna, la désindustrialisation, la financiarisation de l'économie, l'explosion du chômage de masse et des dépenses sociales, la concurrence fiscale au sein de l'Europe et le mitage de l'impôt sur le revenu par la multiplication des niches fiscales, l'incapacité des gouvernements successifs à enrayer les déficits et à contenir la hausse de la dette : tout avait été chamboulé en trente ans et la loi de 1973, héritage d'un monde stable révolu, devint dans ce nouveau contexte un abcès purulent.

Mais elle n'existait plus. Elle avait été supprimée. Comme le phénix, pour mieux renaître. Le traité de Maastricht de 1992 instaurant la monnaie unique en avait fait la loi d'airain de la nouvelle Europe monétaire. Les Allemands l'avaient exigé. On les disait obsédés par l'hyperinflation des années 1920 ; on ne se souvenait même pas que cette hyperinflation avait été déclenchée par le gouvernement de la République de Weimar pour soutenir les ouvriers grévistes protestant contre l'occupation de la Ruhr par les troupes... françaises qui se payaient sur une bête germanique rétive à régler les réparations exigées par le traité de Versailles. On se souvenait encore moins que ce ne fut pas l'hyperinflation de 1923 qui amena Hitler au pouvoir, mais la déflation brutale du chancelier Brüning en 1930...

Vieille histoire et moderne amnésie.

Nous avions troqué un rêve américain pour un tuteur allemand. Nous ne nous étions pas aperçus que notre ancien modèle américain avait entre-temps tourné casaque en faisant financer ses déficits budgétaires (himalayens) par la Banque centrale américaine à taux zéro. Le bon vieil archaïsme français de la planche à billets était devenu le comble de la modernité américaine au temps d'internet !

La loi de 1973 était le produit de son temps. Des balbutiements de l'idéologie libérale chez nos maîtres à penser. On commençait alors à dire que l'État devait abandonner sa splendeur et son arrogance passées. Le temps de la reconstruction était révolu. Le général de Gaulle était mort. L'État en majesté devait en rabattre. Renoncer à ses privilèges comme celui de battre monnaie, dont il avait abusé en « faisant de la fausse monnaie ». L'État finirait par abandonner ce droit régalien millénaire aux banquiers centraux de Francfort, qui eux-mêmes le confieraient aux banques privées. Il devrait désormais solliciter son banquier pour satisfaire ses besoins d'argent, comme un simple particulier.

Cet abaissement de l'État restait alors dans des proportions modestes. La loi du 3 janvier 1973 n'interdit pas tout de suite les avances de la Banque de France au Trésor, mais en limita le montant. Le plafond était élevé (20,5 milliards de francs dont 10,5 milliards sans intérêts), rien ne changea. Personne ne s'inquiéta. À l'Élysée, le président Pompidou convoquait encore les patrons des grandes entreprises françaises pour leur dicter les stratégies industrielles de leurs groupes. Rue de Rivoli, le ministre des Finances Valéry Giscard d'Estaing régentait la vie économique nationale sous les ors du palais du Louvre. Le contrôle des changes limitait la liberté de mouvement des banquiers. Un vaste secteur public aménageait le territoire national de manière cohérente et équilibrée. Sur les six grands programmes industriels lancés au cours de cette décennie enchantée de 1960-1970, le spatial, le TGV, l'aéronautique, le nucléaire, les télécoms et le plan calcul, un seul échoua (le plan calcul) ; les cinq autres travaux d'Hercule de l'État façonnèrent les plus grandes entreprises françaises (France Télécom, Alcatel, Airbus, Areva, Alstom) et le socle industriel sur lequel repose encore aujourd'hui la fortune économique de notre pays.

Mais la nouvelle idéologie dominante imprégnait peu à peu les mentalités de nos dirigeants et de nos technocrates. Pompidou conservait sa prudence de paysan matois, mais, au contraire de De Gaulle, faisait confiance aux marchés : « Quand on a choisi le libéralisme international, il faut opter aussi pour le libéralisme intérieur. L'État doit donc diminuer son emprise sur l'économie au lieu de chercher perpétuellement à la diriger et à la corriger » (propos rapportés par son biographe Éric Roussel). Giscard rêvait déjà d'« avoir un strapontin à la Bundesbank ». À partir des années 1980, avec les révolutions libérales de Thatcher et Reagan, cette théorie deviendrait l'air du temps. Horizon indépassable. Malgré son surmoi colbertiste – ou à cause de ce surmoi tant dénigré et haï par nos élites –, la France résista beaucoup moins que certains pays comme le Japon (ou même l'Italie) qui n'ont jamais renoncé à faire financer leur dette (supérieure à la nôtre) par leur banque centrale et leurs épargnants nationaux, refusant de se mettre dans la main des banques et des marchés.

Avec la loi de 1973, on entrouvrait la porte. On entamait un processus. On mettait le doigt dans un engrenage. Le vieux monde économique français mourait sans un cri de douleur ou d'effroi. Sans même s'en apercevoir.

Janvier 1973

Robert Paxton, notre bon maître

Chaque époque a son historien de référence qui résume et incarne ses idéaux. Au XIXᵉ siècle, Michelet exalta avec un rare talent littéraire la Révolution, la République et la Nation, conjuguées dans un même souffle épique. Il fut le

maître de l'Histoire enseignée par la République à tous
les enfants de France. Robert Paxton est le Michelet de
notre temps. Admiré par ses pairs, révéré par la classe
politique, incontesté. La doxa paxtonienne est admise unanimement ; elle ne souffre aucune objection ; elle est
parole d'Évangile, comme le fut la vibrante vision du grand
Michelet.

La Seconde Guerre mondiale a remplacé la Révolution
française comme matrice historique indépassable. Mais
Paxton est un anti-Michelet. C'est même pour cette raison
que notre époque repentante l'a adopté comme souverain
pontife. Quand son livre paraît en 1973[1], règne à l'Élysée
un président Pompidou qui ne fut ni résistant ni collabo,
n'hésite pas à citer du Maurras dans ses conférences de
presse et à gracier le milicien Touvier pour refermer les
plaies ouvertes « dans un temps où les Français ne
s'aimaient pas ». À la même époque, le grand intellectuel
Raymond Aron exhortait ses coreligionnaires israélites à
rejeter « l'obsession du souvenir ». Pompidou comme Aron
seront balayés. En 1981, Paxton, avec un autre historien
nord-américain, Michael Marrus, enfoncera encore le couteau dans la plaie avec *Vichy et les Juifs*[2]. La doxa est édifiée.
La thèse restera inchangée. Elle repose sur la malfaisance
absolue du régime de Vichy, reconnu à la fois responsable
et coupable. L'action de Vichy est toujours nuisible et tous
ses chefs sont condamnables.

Les grands historiens ne sont jamais aussi simplistes que
leurs épigones. Michelet fut souvent implacable avec les
exactions de la Révolution (massacres de septembre, Terreur, etc.), et lucide quant aux faiblesses de la « Grande
Nation ». Il arrive au sévère procureur américain de reconnaître ici ou là que Laval ne fut pas antisémite ou que les
dignitaires nazis furent fort désappointés par les maigres
chiffres des convois de déportés partis de France. Il lui
arrive même, au détour d'une phrase, de pointer le

---

1. *La France de Vichy, 1940-1944*, Le Seuil.
2. Éditions Calmann-Lévy.

décalage profond entre notre époque, obsédée par les pré-
occupations humanitaires et l'extermination des Juifs, et
celle de la guerre, marquée par les soucis prosaïques des
Français sous l'Occupation, pour qui le mot déporté évoque
le départ forcé pour l'Allemagne de jeunes réquisitionnés
par le STO.

Mais peu importent ces détails qui n'altèrent pas la charge
du procureur. Une seule question le taraude, mais il choisit
de l'ignorer en l'ensevelissant sous l'opprobre : « On peut
se demander comment, dans ces conditions, les trois quarts
des Juifs de France, ont pu échapper à la mort. »

Question posée à la fin de son second ouvrage – *Vichy et
les Juifs* – après dix ans de recherche supplémentaire ; mais
à laquelle il apporte une réponse lapidaire. Question qu'il
ne peut qu'éluder car elle détruirait la doxa.

Entre-temps, Serge Klarsfeld lui a servi le chaînon manquant : c'est le peuple français qui les a sauvés. Ce sont les
« Justes » qui enrayeront à eux seuls la machine exterminatrice de Vichy ; car, pour Paxton comme pour Klarsfeld, les
Allemands et leur idéologie nazie sont des figurants, anec-
dotiques, presque dépassés par la perfidie vichyste.

Avec l'appoint de Klarsfeld, la doxa paxtonienne est indes-
tructible.

Incontestable. Incontestée.

Pourtant, la question subsiste, lancinante. Si ces Français
– qu'on a, depuis la même époque, caricaturés sous les traits
d'infâmes salauds, antisémites et délateurs – ont permis un
sauvetage d'une telle ampleur, pourquoi les Hollandais et
les Belges, nos voisins, n'ont-ils pu en faire autant ? Le
nombre des justes hollandais est pourtant supérieur à celui
des français ! Et les Juifs hollandais ont été exterminés à près
de 100 %. À cette question, l'historiographie française
d'avant R.O. Paxton avait apporté une réponse devenue
sacrilège. Des historiens comme Robert Aron rappelaient
que la France vaincue, sous la botte allemande, était soumise
aux pressions permanentes de Hitler. Les mêmes expliquaient le bilan ambivalent de Vichy par la stratégie adoptée

par les Pétain et Laval face aux demandes allemandes : sacrifier les Juifs étrangers pour sauver les Juifs français.

Cette thèse est aujourd'hui réputée nulle et non avenue. Scandaleusement indulgente. Et crime suprême : franco-française. Pourtant, le grand spécialiste mondial de l'extermination des Juifs, Raul Hilberg, dont les analyses du processus de la solution finale sont reprises par tous ceux qui écrivent sur le sujet, ne dit pas autre chose dans *La Destruction des Juifs d'Europe*[1] : « Dans ses réactions aux pressions allemandes, le gouvernement de Vichy tenta de maintenir le processus de destruction à l'intérieur de certaines limites [...]. Quand la pression allemande s'intensifia en 1942, le gouvernement de Vichy se retrancha derrière une seconde ligne de défense. Les Juifs étrangers et les immigrants furent abandonnés à leur sort, et l'on s'efforça de protéger les Juifs nationaux. Dans une certaine mesure, cette stratégie réussit. En renonçant à épargner une fraction, on sauva une grande partie de la totalité. »

Mais cette partie de l'héritage intellectuel de Hilberg est ignorée.

« Quand, avoue Paxton, lors de la réédition de son livre, je relis aujourd'hui certains jugements prononcés par moi à l'époque, je concède qu'ils sont bien trop totalisants et parfois féroces. Ils étaient influencés, je le reconnais, par ma répulsion devant la guerre menée au Vietnam par mon propre pays. Mais à mes yeux, il est toujours légitime de dire que le régime de Vichy aura été de bout en bout souillé par son péché originel de juin 1940... »

Quant à Klarsfeld, c'est pendant son intervention lors d'un colloque dans la Creuse les 29 et 30 mai 1996 qu'il explique que, s'il est revenu à l'Histoire (après une carrière d'avocat), « c'est pour que l'on ne dise pas un jour que Vichy avait sauvé des Juifs ».

Ces deux interventions éclairantes sont rappelées en préface d'un ouvrage, *Vichy et la Shoah,* paru en 2011[2] dans un

1. Gallimard, 1985 [édition originale 1961].
2. Éditions CLD.

silence médiatique assourdissant. L'auteur, le rabbin Alain Michel, y montre une audace inouïe, presque suicidaire, décortiquant le paradoxe français avec une rare délicatesse et honnêteté. Il reprend, en l'étayant, l'intuition des premiers historiens du vichysme, et montre comment un pouvoir antisémite, cherchant à limiter l'influence juive sur la société par un statut des Juifs inique, infâme et cruel, et obsédé par le départ des Juifs étrangers – pour l'Amérique, pense d'abord Laval qui, devant le refus des Américains, accepte de les envoyer à l'Est, comme le lui affirment alors les Allemands –, réussit à sauver les « vieux Israélites français ».

Paxton avait bien compris la différence radicale de point de vue entre un Xavier Vallat, antisémite maurrassien, qui ne tolère que les Juifs assimilés à la manière d'un Swann dans Proust, et un Himmler qui juge que les Juifs assimilés sont la pire espèce car on ne peut dévoiler aisément leur judéité. Mais il jugeait que l'antisémitisme d'État de Vichy avait précédé, favorisé, décuplé l'extermination nazie. Alain Michel lui donne un démenti cinglant en montrant l'efficacité de l'échange immoral, Juifs français contre Juifs étrangers, voulu et obtenu par Vichy. Paxton est persuadé que les Allemands n'auraient pas pu agir sans l'aide de la police française en zone occupée. Michel rappelle les obligations juridiques qui contraignaient l'administration du pays vaincu à collaborer avec l'occupant. Il montre aussi le débarquement d'Aloïs Brunner venu en mission à Nice, à la fin de la guerre, avec son escouade de SS, raflant tout ce qui ressemblait à un Juif, français ou pas, provoquant bien plus de dégâts que la police française. Paxton avait relevé le refus de Pétain que les Juifs portent l'étoile jaune en zone libre ; Michel s'étonne, faussement naïf, qu'on ne lui en sache pas gré alors qu'on en rend un éternel hommage au roi du Danemark.

Michel démontre même – suprême insolence – que des Juifs français rassurés sur leur sort par Vichy (90 % des Israélites sortiront vivants de ces années terribles) s'occuperont l'esprit libre du sauvetage de leurs coreligionnaires étrangers, et surtout de leurs enfants. Ultime paradoxe : c'est la faiblesse de la vie communautaire juive en France qui a permis d'obtenir ce taux très bas de victimes.

Michel ne veut nullement réhabiliter Vichy. Il dénonce sans ambages ce statut des Juifs qui, dès octobre 1940, fait des Israélites des citoyens de seconde zone ; mais il ose aller au-delà de l'émotion et de la condamnation légitimes, pour creuser les contradictions d'un pouvoir pétainiste et distinguer entre morale et efficacité politique, qui ne vont pas forcément de pair. Il glisse de la complexité dans une histoire qui appelle le manichéisme ; il n'approuve pas les présupposés antisémites de Vichy, mais il reprend tout de même la ligne de défense de ses responsables à la Libération. On comprend le silence atterré des médias français. Sans doute fallait-il être français, mais ne pas vivre en France ; être historien, mais pas universitaire ; juif – et même rabbin – mais résidant entre Israël et les États-Unis, pour oser déconstruire avec autant d'audace le mythe paxtonien ; être juif mais passé par le moule sioniste pour comprendre aussi bien les contraintes de la raison d'État.

Dans son livre *Aimer de Gaulle*[1], Claude Mauriac décrit cette scène de 1944 : « De Gaulle explique à mon père qu'il y avait eu deux sortes de Résistance entre lesquelles nulle entente après la Libération n'était possible : "la mienne – la vôtre – qui était résistance à l'ennemi – et puis la résistance politicienne qui était antinazie, antifasciste, mais en aucune sorte nationale"... »

Paxton et Klarsfeld ont repris ce combat entre les deux résistances pour donner une victoire posthume aux adversaires politiciens du Général. Ils l'ont emporté parce qu'ils portaient sans le savoir une approche nouvelle qu'attendait la génération des années 1970 et 1980.

Quand on lit Paxton, on s'aperçoit qu'il critique deux traits essentiels de Vichy et, au-delà, de la République et de la France.

---

1. Grasset, 1978.

D'abord, la souveraineté. Paxton considère que la défense farouche par le vaincu de parcelles de sa souveraineté perdue fut néfaste. Il moque et condamne Vichy pour sa volonté d'avoir sa propre politique antijuive ; il dénonce les efforts de Vallat, de Bousquet, de Laval, pour défendre des queues de cerises de souveraineté. Avec Klarsfeld, ils reprennent là aussi le combat des « politiciens antinazis et antifascistes » qui, disait de Gaulle à Claude Mauriac, contestent seulement Pétain, pour ce qu'il a essayé de rétablir l'État.

Mais le vrai combat de Paxton est contre l'assimilation à la française. L'Américain estime à juste titre que c'est ce qui relie la IIIe République à Vichy. Il montre la continuité entre les efforts de la République et ceux de Vichy pour se débarrasser des étrangers et des apatrides, dont beaucoup de Juifs venus de l'Est. Il reconnaît que la France avait été, dans les années 1930, le pays au monde qui avait accueilli le plus d'immigrés ; que l'arrivée de réfugiés espagnols, vaincus par Franco, avait fait déborder le vase ; que l'antisémitisme populaire fulminait contre le « marché noir ».

Mais il en fait une question de principe. Si la France avait renoncé à ses exigences assimilationnistes, si elle s'était convertie à ce qu'il appelle le pluralisme culturel, elle aurait mieux accepté les Juifs et n'aurait pas servi la machine exterminatrice nazie. Il touche du doigt la faiblesse de Vichy, ce que Bernanos avait formidablement résumé avec une rare ironie – si française – dans sa célèbre formule : « Hitler a déshonoré l'antisémitisme. » Paxton pense que Vichy a aussi déshonoré l'assimilation. Et il s'en réjouit. Il est très américain.

Et de son temps. En 1973, de Gaulle est mort ; la souveraineté française doit s'incliner devant l'empire américain et se noyer dans l'Europe ; et la vieille France assimilationniste doit s'ouvrir au modèle communautariste que la génération des années 1980 parera bientôt des atours chatoyants de la « diversité ». Depuis Napoléon, les Juifs français avaient pourtant fait le chemin inverse, contraignant la nature isolationniste et communautariste de la religion juive afin de se conformer à l'adresse du comte de Clermont-Tonnerre montant à la tribune de l'Assemblée nationale en 1789 : « Il faut donner tout aux Juifs en tant qu'individus, rien aux Juifs en tant que nation. »

Paxton clôt cette période. Les Juifs étrangers et surtout leurs enfants – devenus français – survivants de la Shoah ne pardonneront pas à la France sa rigueur assimilationniste d'alors. Les anciens Israélites s'inclineront en maugréant devant cette nouvelle ligne communautariste, voire antifrançaise. L'équation paxtonienne : Vichy est le mal absolu ; Vichy, c'est la France ; donc la France est le mal absolu, fait des ravages dans la jeunesse juive des écoles et, par capillarité médiatique, dans toute cette génération née après guerre.

Les autorités françaises ne défendront pas leur modèle qui avait pourtant permis d'intégrer des générations d'immigrés. Avant même qu'il ne les soustraie à l'Europe en 1997 par le traité d'Amsterdam, l'État français ne tenait plus guère ses frontières face au flot d'immigrés venus du sud, de crainte d'être accusé d'envoyer les « Juifs » dans les camps d'extermination. Il ne pourra plus exiger des nouveaux venus qu'ils donnent des preuves d'assimilation sous peine d'être ramené « aux pires heures de notre Histoire ».

La victoire de Paxton, honoré, célébré, adulé, était totale. Avec les discours sur la rafle du Vél' d'Hiv' des présidents Chirac en 1995 et Hollande en 2012, la doxa paxtonienne deviendra vérité officielle, sacrée. Religion d'État.

22 février 1973

Elle court, elle court la banlieue, mais ne sait pas encore où

Quand le cinéma se penche sur les banlieues françaises en 1973, l'étranger a un délicieux accent suisse ; de longues jambes affriolantes, mises en valeur par la minijupe à la mode ; et le sourire tendre, irrésistible de Marthe Keller, qui adoucit les caractères les plus acariâtres. Revoir *Elle court, elle court la banlieue* aujourd'hui nous transporte des siècles en arrière, dans un univers presque aussi exotique qu'un film en costumes du XVIIIᵉ siècle. La banlieue n'a donc pas toujours été ce rebut désolé et redouté. Foin d'étymologies faussement savantes sur la « mise au ban », la banlieue fut une destination désirée, rêvée, pour les familles venues de la campagne qui y découvraient ébaubies les conforts de la ville (salle de bains, chauffage central, etc.) ou les jeunes couples des centres-ville qui y trouvaient enfin l'espace pour leur future progéniture. La banlieue heureuse ne fut pas une chimère, elle éclabousse de joie de vivre dans chacun des plans du film ; elle fut bien le rêve d'une génération d'après-guerre qui fantasmait sur les *suburbs* américains, un rêve encouragé par des architectes et des urbanistes qui voulaient réinventer la ville selon les lois de Le Corbusier.

Toutes les théories échafaudées depuis lors par des géographes, urbanistes, sociologues s'effondrent en quelques images : ce ne sont pas l'urbanisme en hauteur, les cages d'escalier, l'absence de rues qui provoquent la violence, les bandes, les ghettos ; mais la violence, les bandes, les trafics qui transforment le paradis en enfer. Ce ne sont pas les structures qui forgent la superstructure ; c'est la population – et les changements de population – qui façonne l'environnement.

La Suisse Marthe Keller incarne cette immigration européenne qui s'est parfaitement assimilée au tronc central du peuple français. Son léger accent est un charme de plus ; comme ceux des Anglaises Petula Clark ou Jane Birkin, des Israéliens Rika Zaraï ou Mike Brandt, de l'Italo-Égyptienne Dalida, du Belge Jacques Brel, de l'Italien Reggiani ou de l'Allemande Romy Schneider qui tous triomphent dans l'Hexagone à la même époque.

Les révoltes ouvrières du XIXᵉ siècle contre les Ritals qui « venaient prendre le pain des ouvriers français » sont oubliées ; même la sourde hostilité des années 1930 contre les « métèques » juifs venus de l'Est est apaisée.

La banlieue réussit alors un magnifique alliage entre populations terriennes des campagnes et enfants d'étrangers venus de toute l'Europe. Ils sont tous de confession chrétienne (et les jeunes sont tous autant déchristianisés), de même culture gréco-latine et de race blanche, pour paraphraser la célèbre apostrophe du général de Gaulle.

Le sociologue et politologue Robert Putnam – repris et cité des années plus tard par Christophe Guilluy dans son livre *Fractures françaises*[1] – analysera bientôt sans fard ni tabou les bouleversements entraînés par une société américaine déjà multiculturelle. Il évoque le dépérissement de ce qu'il appelle le « capital social », c'est-à-dire les éléments de la vie collective dans les villes multiculturelles. Il constate que, dans les communautés les plus diversifiées, la confiance entre individus diminue fortement ; il conclut en expliquant que la diversité multiculturelle conduit à l'isolement et à l'anomie sociale.

Les travaux de l'Américain resteront confidentiels dans notre pays. À l'époque du film, ils ne correspondaient pas à la réalité française ; désormais, ils y correspondent trop.

Dans *Elle court, elle court la banlieue*, les conflits existent, ne sont pas niés ; mais sont avant tout générationnels. Le CRS joué par l'acteur pied-noir Robert Castel ne supporte pas le bruit de la batterie sur laquelle tape le jeune chanteur Higelin, ni les cheveux longs du motard pétaradant au milieu de la cité ; mais les heurts restent encore discrets ; peu de violence, encore moins de haine. Les colères sont sans conséquence, on ne sort que rarement les fusils ; il n'y a pas de viols, pas de trafics ; on ne tire pas sur la police, et les commissariats ne sont pas barricadés derrière d'épais grillages ; les médecins ni les pompiers ni les professeurs ne sont passés à tabac.

On sent que l'époque n'imagine pas de tels débordements.

Quand le jeune chauffeur de bus glisse une main concupiscente sur un charmant fessier féminin, la jeune femme ne porte pas plainte pour harcèlement sexuel. La confiance règne.

Marthe Keller doit se lever à 5 heures du matin pour arriver à son travail à Paris à 8 heures ; et ses cris de plaisir

1. François Bourin éditeur, 2010.

énamourés irritent les nerfs des voisins plus chenus réduits au câlin du samedi soir. Le travail salarié des femmes et les tentations de la grande ville avivent les jalousies et fragilisent les couples. La confusion des sentiments devenus tyranniques pousse Marthe Keller à une tentative de suicide. Tout se terminera bien : c'est une comédie. Mais la tragédie rôde. On sent des populations déboussolées, désaffiliées, déracinées.

Le film ne cache pas l'envers du décor paradisiaque. Quand Robert Castel réclame à sa femme de la lessive pour laver son automobile, il reçoit une multitude de paquets dans la figure, lancés à pleine volée des fenêtres innombrables ; on se querelle pour ranger sa voiture ; les trains sont bondés, trop rares, souvent en grève. L'administration méprisante et arrogante est sourde aux récriminations.

Les gouvernements gaullistes de Pompidou furent pourtant les derniers à s'en préoccuper. Le 25 avril 1973, on inaugure le boulevard périphérique qui facilite les liens entre Paris et sa banlieue, même si dans ce colosse de béton semblent ressusciter les fortifs d'autrefois et durcir la séparation. Et c'est le même pouvoir gaulliste qui lance les lignes de RER pour renforcer et supplanter les traditionnels trains de banlieue, dépassés par l'afflux soudain de populations. À partir de l'avènement de la gauche en 1981, les pouvoirs publics privilégieront les lignes de TGV et leur public d'hommes d'affaires et de touristes argentés en route vers le sud.

Les banlieues n'ont pas d'histoire, pas de passé, pas de traditions à quoi se raccrocher. Il faut tout réinventer. Bientôt les centres commerciaux pousseront comme le chiendent. La première génération consumériste de l'Histoire de France disposera de cathédrales dédiées à la nouvelle religion de la consommation. Pour l'instant, la croissance échevelée des années Pompidou dissimule et occulte les fragilités et les souffrances. On a du mal à boucler les fins de mois, mais le chômage n'est pas un sujet. L'ancienne génération, tant brocardée et tant critiquée par la jeunesse, sert encore, avec ses valeurs traditionnelles héritées de la civilisation rurale, de vieille roche sur laquelle s'appuyer. Le film ne le montre pas, mais la banlieue est à l'époque tenue en main par le parti communiste qui, avec ses innombrables associations, crée et forge le lien social indispensable à ces populations, une Église matérialiste qui a son Saint-Siège à Moscou remplaçant une Église catholique en déclin. C'est ce monde-là que le capitalisme consumériste, les idéologies libertaires et l'immigration de masse s'apprêtent à détruire.

À la fin du film, le couple s'est installé à Paris. Le débarquement des nouvelles couches moyennes du tertiaire embourgeoisées par les Trente Glorieuses dans les quartiers populaires de l'est parisien, annonce sa « gentryfication » et les encore inconnus « bobos ». La place est libre dans ces banlieues pour d'autres populations venues des quatre coins du monde. Elle court toujours, la banlieue, mais elle court à l'abîme ; elle ne le sait pas, ne l'imagine même pas. Le film est la trace enfouie de ce moment de bonheur fragile et ingénu. Vingt ans après, le prochain film sur la banlieue s'intitulera *La Haine*.

Juillet 1973

De si gentils divorcés

On l'a d'abord connu jeune homme pansant ses peines de cœur au fond d'un bistrot chaleureux, chez Lorette ; puis, s'enivrant de slogans pacifistes et de musique planante dans des rassemblements hippies : « *Wight is Wight / Dylan is Dylan.* » En 1973, Michel Delpech a grandi, mûri. A des « problèmes de couple », comme on dit déjà dans la presse féminine.

Michel Delpech est de ces chanteurs talentueux et populaires qui incarnent l'avènement de la génération du baby-boom. Il chante pour elle ; il raconte ses émois, ses découvertes, ses coups de cœur ; ses peines et ses choix aussi. Sa conception du monde.

Avec une grande sensibilité, Delpech forme les contours

d'un divorce banalisé et déculpabilisé[1]. Pas question de se déchirer, de s'inventer des fautes, des adultères, des constats d'huissiers :

Si tu voyais mon avocat
Ce qu'il veut me faire dire de toi
Il ne te trouve pas d'excuses
Les jolies choses de ma vie
Il fallait que je les oublie
Il a fallu que je t'accuse.

Il est l'homme des arrangements, des compromis :

On pourra dans un premier temps
donner le gosse à tes parents
Le temps de faire le nécessaire [...]
Si c'est fichu entre nous
La vie continue
Malgré tout.

Il est au-delà des rancunes, des mesquineries, des haines. Même dans la rupture. Le cocu n'est plus furieux ni ridicule, mais compréhensif, bénisseur :

Tu pourrais même faire aussi
Un demi-frère à Stéphanie
Ce serait merveilleux pour elle.

Michel Delpech le conte d'une voix affectueuse. Il fait la paix, pas la guerre. À la télévision, il apparaît alors visage rond et doux, mèches brunes, longues et soyeuses, regard tendre, gestes alanguis : l'homme s'est métamorphosé en femme.

Avec cette chanson exaltant le divorce pacifié, sans drame ni douleur, il précède la loi et les mœurs. Il fait entrer la France, avant les politiques, les sociologues, les

---

1. Michel Delpech, « Les divorcés», 1973.

historiens, dans l'ère du divorce de masse. Il rejette la loi
de ses pères, le divorce autorisé mais contenu, légal mais
illégitime, le divorce qui doit rester exceptionnel, que toute
une société – législateur, Justice, Églises – s'efforce de limiter. Une société où la pérennité de la famille est préférée
au bonheur des individus ; où « on ne divorce pas pour
les enfants ».

Delpech nous chante une ode au divorce parfait, divorce
exemplaire. À l'époque, cette vision est nouvelle ; elle surprend et plaît. Très vite, elle sera reprise par les journaux
féminins, les « psy » en tout genre ; les mouvements féministes aussi, au nom de la liberté de la femme à se défaire
« des chaînes du mariage ».

C'est une révolution copernicienne des mentalités si on
veut se souvenir que le mariage fut longtemps considéré
comme un insupportable boulet aux pieds par la gent masculine ; et une protection à la fois matérielle et sentimentale
pour les femmes. Pascal Quignard, dans *Le Sexe et l'Effroi*[1],
explique fort bien, après d'autres, que la monogamie, imposée par Rome et l'Église, fut alors une revendication féminine
(féministe) dans une société virile qui n'avait pas encore
oublié les joies et les plaisirs d'une polygamie fantasmée.

Pendant des siècles, le mariage fut une institution essentielle à la stabilité des familles et de la société, jugée trop
sérieuse pour être laissée aux jeunes époux. Ce mariage
arrangé sera pourtant contesté dès le Moyen Âge par l'Église
qui défendra avec ses clercs, contre les monarchies et les
aristocraties, la théorie du « consensualisme ». Le concile de
Trente consacrera même ce grand principe, incitant les
jeunes mariés à suivre leurs inclinations, mais ne parviendra
jamais à ébranler les habitudes dirigistes et les stratégies
matrimoniales des élites et des parents. Le XIXe siècle romantique, conjuguant la doctrine chrétienne et le sentimentalisme de *La Nouvelle Héloïse*, imposera le mariage d'amour
comme modèle. Et son pendant, le divorce, quand l'amour

---

1. Gallimard, 1994.

disparaît. Le xxᵉ siècle met en place ce couple infernal. La génération du baby-boom en fait une révolution de masse dans tout l'Occident. Au début des années 1970, la libération des mœurs, vécue de manière anarchique, pousse à la multiplication des séparations. Les lourdeurs juridiques du divorce freinent une génération pressée et impatiente. La famille est sommée de s'incliner devant le bonheur égoïste des individus.

Les femmes sont à la pointe de cette révolution ; elles poussent au mariage d'amour, et veulent pouvoir « refaire leur vie » quand l'amour s'éloigne ; elles demandent le divorce quand leur époux les trahit ou qu'elles ont trouvé une nouvelle âme sœur. Ce n'est pas un homme, mais l'amour qu'elles aiment.

La société du xixᵉ siècle corsetait ce romantisme féminin, comme l'a admirablement montré Flaubert dans *Madame Bovary*. Le génial Normand, grand amateur de bordel et de putains, qu'il alla chercher jusqu'en Égypte, méprisait le sentimentalisme de son héroïne et de toutes les femmes qui, écrivait-il drôlement à Louise Colet, « confondent leur cœur avec leur cul, et croient que la lune a été inventée pour éclairer leur boudoir ».

Flaubert serait ébahi s'il revenait à Paris un siècle après.

Le bovarysme n'est plus une tare, mais un devoir ; plus un ridicule, mais une fierté. La libération sexuelle du début des années 1970, et sa frénésie de partenaires, a cru achever définitivement le sentimentalisme et l'amour ; les femmes elles-mêmes s'essayèrent au désir sans amour, à la consommation sans passion. La plupart en sortirent meurtries, avec des bleus au cœur et à l'âme. Le couple et la romance revinrent en force, mais au nom de la liberté et de l'amour. Face à l'usure du désir et la lassitude, le divorce fut préféré à l'adultère. On troqua la monogamie avec adultère pour une polygamie séquentielle.

Les femmes sommèrent les hommes de s'aligner sur ce nouveau modèle inspiré de l'exemple protestant et puritain des Anglo-Saxons. Pris entre le discours dominant et leurs pulsions venues du fond des âges, les hommes étaient perdus. Soit ils s'alignaient sur le modèle féminin, et se croyaient amoureux du premier désir qui passe ; soit ils récusaient ce modèle sentimental et étaient abandonnés par leur compagne ; ils quittaient ou étaient quittés ; dans les deux cas, le divorce était consommé.

Avec cette chanson de Delpech, la petite bourgeoisie montante commençait son travail de sape sociologique ; profitant de ses positions de domination médiatique et culturelle, elle imposait à toute la société, et en particulier aux classes populaires qui n'y pouvaient mais, une vision irénique du divorce pacifié entre adultes consentants, sans heurts ni malheurs. Ce mythe du divorce sans larmes était un déni du réel – du réel du chanteur lui-même dont le divorce personnel se révéla brutal et cruel ! –, mais c'est le propre des mythes que de s'imposer quel qu'en soit le prix.

Oscar Wilde disait : « En amour, il y en a toujours un qui souffre et un qui s'ennuie » ; dans un divorce, il y en a toujours un qui quitte et un qui est quitté. Guy Bedos, au temps où il était drôle et corrosif, dans ces mêmes années 1970, avait une formule amusante : « On se quitte d'un commun accord, surtout elle. »

Le divorce par consentement mutuel est un mythe, comme le divorce sans douleur pour les enfants, qui assistent impuissants et défaits à la déchirure de la scène fondatrice et fantasmatique de l'union qui a présidé à leur venue au monde. Dans les années 1970, des armadas de « psy » nous expliquèrent que les enfants souffraient plus encore des querelles de leurs parents « qui restaient ensemble pour les gosses » ; ils ajoutaient que la douleur de ces petits de divorcés venait de leur « différence » et du regard des autres qui les marginalisait. Quarante ans plus tard, le temps des premiers bilans est venu : le divorce de masse a banalisé la situation des enfants de divorcés, mais n'a pas atténué leurs souffrances ni leurs troubles scolaires et comportementaux ; les couples qui résistent – même si les tensions et les conflits ne sont pas absents – leur paraissent en comparaison des havres de paix et de réconfort. Mais seuls de rares esprits iconoclastes, comme la fondatrice du Planning familial,

Évelyne Sullerot, osent aujourd'hui rappeler cette évidence niée obstinément : « Des faits ont été établis (qu'on ne fait pas connaître à cause des réticences coupables de ceux, très nombreux, qui se sentiraient visés) : les enfants des parents séparés vont moins bien (santé physique et santé psychique) que ceux qui vivent avec leurs parents, mariés ou non, et ils réussissent moins bien également dans leurs études et dans la vie[1]. »

Cette chanson de Michel Delpech, sous son air anodin, annonçait une mutation des valeurs radicale : la liberté et l'épanouissement personnel sont préférés à la stabilité de la famille ; l'égoïsme individuel des adultes est préféré à l'équilibre psychologique des enfants ; le bovarysme féminin est sanctifié comme valeur suprême des rapports entre les sexes.

Depuis lors, ce sont les femmes qui – à 80 % – enclenchent la procédure de divorce. Il n'est pas sûr que les hommes soient plus insupportables aujourd'hui que par le passé. Ce sont donc le regard et les critères des femmes qui ont changé. Jadis, les hommes et les femmes, même mariés, vivaient peu ensemble. Les journées de labeur étaient longues, la vie courte, les familles envahissantes. Les hommes restaient entre eux, autour des cafés et des usines ; les femmes aussi, autour des maisons et des églises.

Les femmes ont toujours surinvesti dans le couple, l'amour, la famille. Elles n'ont jamais été payées de retour par des hommes pour qui la vie était ailleurs, le travail, la politique, la guerre ou, plus prosaïquement, les copains, le football, etc. Les séducteurs d'hier – les don juans – avaient deux hantises : le mariage et la grossesse de leurs conquêtes. Ils fuyaient les épousailles comme la peste et contraignaient leurs maîtresses à avorter. Ce sera le destin paradoxal des féministes que d'accomplir les rêves d'irresponsabilité absolue de générations de prédateurs mâles contre lesquels elles vitupèrent sous le terme méprisant de « machos » – plus besoin de se marier pour coucher,

1. *Lettre d'une enfant de la guerre aux enfants de la crise*, Fayard, 2014.

divorce aux confins de la répudiation, avortement libre –, au nom de la liberté des femmes.

Mais les hommes ne pouvaient gagner sur tous les tableaux. En intégrant le monde professionnel et salarié, les femmes ont estimé qu'elles pouvaient exiger des hommes qu'ils s'aventurent également dans leur univers des sentiments. Elles exigent une stricte fidélité, alors qu'elles ont pendant des siècles toléré une sexualité différente de leurs compagnons qui se rendaient au bordel ou avaient des maîtresses sans honte ni risque. Dans les années 1970, elles criaient « Mon corps m'appartient », mais ne supportent pas que les hommes pensent de même.

Les conséquences économiques et sociales ne tardèrent pas à apparaître sous un jour sinistre. Dans son « Objection au divorce », l'écrivain d'avant-garde italien Giorgio Manganelli avait prophétisé avec ironie que le divorce de masse tuerait la vie intellectuelle en appauvrissant la petite classe moyenne acheteuse de livres. On évalue à 30 % la perte de pouvoir d'achat à l'issue d'un divorce. Les femmes en sont les premières victimes. Les familles monoparentales – essentiellement dirigées par les mères – constituent le gros des troupes atteintes par la nouvelle pauvreté qui émerge à partir des années 1980.

Les militantes féministes y voient la perversité profonde d'un système patriarcal et capitaliste. Or, c'est la femme qui choisit toujours, pour mari, un homme au niveau socioculturel supérieur au sien. La domination sociale a chez elle un fort pouvoir érotique. C'est ce qu'Albert Cohen dans *Belle du Seigneur* appelle avec emphase « le pouvoir de tuer » de l'homme. L'institutrice rêve d'épouser le prof agrégé, l'infirmière le médecin, la secrétaire le patron. La réciproque est rare, sans doute parce que l'homme est atteint de l'angoisse de la castration face à une femme d'un statut social supérieur.

Le divorce atteint donc de plein fouet le plus faible économiquement des deux.

Près de quarante ans plus tard, les associations féministes se battront bec et ongles contre la disparition du divorce pour faute. Elles refuseront que l'on renonce à qualifier l'adultère de faute. L'homme doit demeurer un coupable idéal ; et une vache à lait.

L'homme est atteint autrement par le divorce. Au porte-feuille d'abord, alors qu'il croyait, le naïf, que l'émancipation salariale des femmes entraînerait un régime égalitaire. Surtout, son rôle de père est nié, détruit. L'enfant est presque toujours confié à la mère. Souvent, il profite lâchement de son inédite irresponsabilité par la fuite ; parfois, il souffre sincèrement des obstacles mis par la mère à sa présence.

En 1974, Claude François chantait un de ses plus grands succès : « Le téléphone pleure ». Une petite fille de cinq ans se moquait de son père qui ne l'avait jamais vue, tandis que sa mère refusait de le prendre au téléphone.

La même année que Michel Delpech, Marie Laforêt, de sa voix profonde et poignante, avait chanté, elle, la souffrance d'une fille qui tentait de ramener son père à la maison :

Je sais bien qu'elle est jolie cette fille
Que pour elle tu en oublies ta famille[1].

Magie de la chanson populaire. Toute l'histoire du divorce nous était annoncée en quelques vers : le divorce par consentement mutuel, la souffrance ineffable des enfants, la négation des pères, les familles recomposées.

Tout était déjà écrit, chanté, prédit. Il ne restait plus qu'à entériner l'évolution des mœurs. Ce sera fait par une loi de 1975 sur le divorce par consentement mutuel.

Le législateur a deux fonctions antinomiques dans une société. Soit il résiste aux évolutions sociologiques qu'il croit néfastes ; soit il les accompagne et les facilite.

Quand Bonaparte rédige le Code civil, et restreint la liberté des femmes – ce qui lui est tant reproché aujourd'hui –, il réagit à la période révolutionnaire, en particulier au Directoire, qui connut, au nom de la liberté, une explosion des divorces et une désintégration des familles. Il tentait de remettre en ordre une société détruite par l'anomie.

1. Marie Laforêt, « Viens, viens », 1973.

Ses lointains successeurs de l'après-68 firent exactement le contraire. Imprégnés par le libéralisme et le relativisme, ils choisirent de s'y soumettre et de mettre la loi en harmonie avec cette nouvelle idéologie. Dès 1972, on mit à égalité les enfants légitimes et naturels, prenant l'exact contre-pied du Code civil napoléonien. Les législateurs n'étaient pourtant pas des révolutionnaires hirsutes mais de sages conservateurs chenus, Pompidou et Pleven. Quarante ans plus tard, la majorité des enfants naissent hors mariage[1], et presque un mariage sur deux[2] s'achève par un divorce. Avec la loi de 1970 mettant fin à la puissance paternelle, et celle de 1975 sur le divorce par consentement mutuel, c'est donc une majorité de droite conservatrice et libérale qui mit à bas l'édifice érigé par Bonaparte et son Code civil pour protéger la famille. On ne doit pas s'étonner de cet apparent paradoxe.

On a vu le travail de sape réalisé par le capitalisme américain – et ses épigones occidentaux – pour abattre la figure du père. Se servant des revendications libertaires et féministes, il fut aisé de dissimuler que la destruction de la famille patriarcale sonnait en réalité celle de la famille tout court. Seuls les lecteurs les plus avisés de Karl Marx auraient pu le comprendre. « En dissolvant les nationalités, l'économie libérale fit de son mieux pour convertir l'humanité en une horde de bêtes féroces – les concurrents sont-ils autre chose ? – qui se dévorent mutuellement parce que les intérêts de chacun sont égaux à ceux de tous les autres. Après ce travail préliminaire, il ne restait plus à l'économie libérale qu'un pas à faire pour atteindre son but : il lui fallait encore dissoudre la famille. »

Quelles que soient les conséquences sur la famille, la société, l'école, la nouvelle pauvreté, ou même la crise du logement, ni la gauche ni la droite ne voudront revenir sur ces choix. La génération Delpech ne renoncera jamais à sa victoire.

---

1. 57,1 % en 2013 d'après les statistiques de l'INSEE.
2. 46,2 % en 2011 (chiffres INED).

Victoire à la Pyrrhus. Cette génération a accouché d'une désintégration familiale jamais vue dans l'Histoire de l'Occident – qu'elle a appelée famille recomposée. Un oxymore.

À la même époque, s'ouvrait une période de chômage de masse qui ne s'est jamais refermée depuis. La conjonction historique des deux phénomènes a conduit, une génération plus tard, à des déstructurations anthropologiques, dont la violence endémique des jeunes est le révélateur. Cette désintégration familiale traduit la volonté de la génération soixante-huitarde de ne pas transmettre l'héritage qu'elle avait reçu, de faire de Mai 68 non une révolution introuvable, mais un héritage impossible, qui en a fait la révolution nihiliste parfaite.

27 octobre 1973

It's only rock and roll

Ce n'était qu'un voyage en train pour Bruxelles ; mais c'était plus que ça. Ce n'était qu'un spectacle musical ; mais c'était plus que ça. Ce n'était qu'un concert des Rolling Stones ; mais c'était plus que ça. Un fumet d'interdit, d'aventure, d'*underground*, comme on disait à l'époque, entourait le périple. Des visages juvéniles et rieurs arboraient l'air serein de la transgression sans danger ; de la blague de potache pardonnée d'avance. Ils étaient des privilégiés et le savaient ; des initiés qui ont la chance de faire un pèlerinage dont ils rêvaient depuis longtemps ; au milieu des anonymes, on reconnaissait quelques visages célèbres de chanteurs français qui allaient admirer leurs maîtres. Un rite d'initiation.

Bruxelles était pour un soir La Mecque du rock and roll.

Les Rolling Stones étaient interdits sur le territoire français car ils avaient été condamnés pour usage de stupéfiants. À l'époque, la loi est encore appliquée. Le premier mort français par overdose est tombé en 1969 ; sous la pression du président Nixon, Pompidou a abandonné la tolérance

pour la *french connection* que la police française avait jusque-
là négligée puisqu'elle ne faisait « rien de mal » : elle
n'empoisonnait que des Américains !

Les Rolling Stones sont alors réputés pour leur consommation de drogues autant que pour leur musique. Ils incarnent le sulfureux slogan : *drugs, sex and rock and roll.* Leur
guitariste, Brian Jones, en est mort, noyé dans sa piscine.
Ils accumulent les procès et les condamnations en Angleterre.
Alors que les Beatles sont assez vite rentrés dans le rang de
l'embourgeoisement et de la variété musicale, les Stones
n'ont jamais abandonné leurs costumes de mauvais garçons,
dont ils ont fait habilement un argument commercial. Ils
ont par ailleurs conservé un lien étroit avec la musique noire
américaine des profondeurs, et ce son soul qui sent encore
à l'époque la souffrance et la rébellion des esclaves contre
leurs maîtres blancs.

Les Stones incarnent jusqu'à la caricature l'esprit
rebelle de la jeunesse des années 1960. Leur dernière
grande tournée américaine en 1969 s'est déroulée dans
une ambiance électrique de contestation générationnelle
et politique ; Mick Jagger refusait de monter dans une
voiture de police, y compris quand les forces de l'ordre
venaient le protéger de la passion de ses admirateurs. Les
Stones préféraient se mettre sous la garde des Hells
Angels, mauvais garçons américains. L'histoire se termina
par la mort d'un jeune spectateur noir, au concert gratuit
d'Altamont, tué par un Hells Angels d'un coup de couteau alors qu'il visait Mick Jagger avec un pistolet. Le rêve
libertaire et pacifiste d'une génération s'achevait à Altamont, mais les Rolling Stones et leur public à travers le
monde refusaient l'évidence.

Le concert de Bruxelles signifiait qu'après Altamont, tout
continuait ; qu'il y avait une vie après la mort ; mais cette
vie était aussi une petite mort.

La tournée américaine avait été une errance erratique au
milieu des drogues et des femmes que les musiciens consommaient sans se lasser. Le concert de Bruxelles était offert
par RTL. La principale radio commerciale de France avait
affrété un train pour offrir à la jeunesse française le

spectacle des mauvais garçons. Elle avait permis aux jeunes de braver l'interdit des autorités de leur pays. Radio commerciale, mais privée, ne dépendant pas de l'État ; émettant en France, mais propriété luxembourgeoise, pouvant faire un pied de nez à l'État français.

La transgression n'était pas importante mais symbolique, révélatrice de l'évolution des mœurs et des mentalités. Les frontières étaient condamnées par la technologie et l'Europe ; la culture juvénile était prise en main par les adultes ; la rébellion libertaire prise en charge par le capitalisme. Les États devaient s'incliner. Les adultes aussi. La culture-monde juvénile passait la vitesse supérieure, devenait une affaire de gros sous. Le rock and roll sortait définitivement de la marginalité pour devenir la religion officielle de l'époque.

Un an plus tôt, le groupe Pink Floyd scandalisait encore la jeunesse gauchiste et anticapitaliste en s'acoquinant avec la boisson Gini. Elle s'habituerait, la jeunesse. Les nations – et la française tout particulièrement, si soucieuse de son exceptionnalité – devaient se soumettre à la loi de cette culture juvénile anglo-saxonne qui se donnait désormais les moyens de devenir une culture-monde.

Seuls quelques marxistes invétérés l'avaient deviné, tel Michel Clouscard qui avait annoncé que les rythmes simplifiés du rock and roll seraient une initiation aux contraintes et rigueurs de la modernité capitaliste. Un capitalisme new-look qui niait les frontières, les nations, les lois, les langues vernaculaires. Jusqu'à nier l'âge puisque l'adolescence était son moment pour toute la vie. Clouscard avait raison : le rock and roll était une matrice fondatrice. « Jadis, la subversion était le contraire de la tradition ; désormais la subversion est notre tradition », dira des années plus tard Alain Finkielkraut.

En 1973, l'État français est dirigé par un conservateur mais ouvert sur la modernité ; un libéral mais colbertiste et social, qui industrialise la France et mensualise les ouvriers. Un gaulliste qui maintient l'essentiel, « l'indépendance de la France », mais ne rejette ni les Anglais de l'Europe, ni les

avancées fédéralistes comme l'idée d'une monnaie européenne. Face aux changements entraînés par la technique
et l'industrie, Georges Pompidou considère qu'il faut maintenir un certain ordre traditionnel pour éviter d'accroître
le trouble, l'insécurité des populations déjà soumises à tant
de bouleversements. Il s'oppose à tous les mouvements
d'extrême gauche, féministes et libertaires, mais aussi à une
partie de ses lieutenants, son ministre des Finances Giscard
d'Estaing et son Premier ministre Chaban-Delmas, qui
jugent qu'il faut céder sur ce plan aux aspirations de la jeunesse pour « débloquer la société » française figée dans ses
« carcans d'un autre âge » ; mais ce dernier rempart conservateur a cru que l'art pouvait être ce supplément d'âme où
toutes les audaces, les transgressions, les révolutions seraient
au contraire permises. Avec une pointe de snobisme, il a
décoré l'Élysée avec des tableaux de Soulages et des meubles
de Wilmotte, et fondé le célèbre musée qui porte son nom,
au cœur de Paris, avec ses tubulures multicolores hideuses
qui font ressembler « Beaubourg » à une usine désaffectée.
Avec son ami André Malraux, il a voulu faire de l'art
moderne le fer de lance de la bataille culturelle que la
France osait mener contre le rouleau compresseur américain. Pompidou n'aimait pas les Anglo-Saxons et se désolait,
à la manière d'un personnage des *Tontons flingueurs,* de voir
la jeunesse française s'imprégner avec enthousiasme des
codes culturels de la machine hollywoodienne. Il était trop
fin lettré pour ne pas savoir que l'asservissement commence
avec l'aliénation culturelle et linguistique. Le conservateur
Pompidou tenait ces jeunes drogués anglais hors du territoire national pour ne pas exposer la jeunesse française au
mauvais exemple anglo-saxon ; mais le libéral Pompidou ne
pouvait pas affronter les multinationales du disque et des
médias ; et l'Européen Pompidou ne voulait pas s'opposer
au démantèlement des frontières au sein de l'Europe unifiée
en un grand marché. Georges Pompidou incarne mieux que
quiconque – car au plus haut niveau intellectuel – les contradictions qui liquideront les restes de la droite française et
du gaullisme.

En 1973, Mick Jagger atteignait ses trente ans ; il vivait la fin de sa période brillante, inspirée, rebelle ; il passerait le reste de sa vie à interpréter ses plus belles créations, à chanter encore et encore « Satisfaction », « Sympathy for the Devil », « Jumping Jack Flash » et « Angie » ; il passerait le reste de sa vie à jouer – mimer, singer jusqu'à la parodie – cet adolescent révolté qu'il fut à vingt ans ; il passerait le reste de sa vie à s'enrichir, à capitaliser sur ces dix années de jeunesse incandescente ; mais il ne le savait pas encore. Le concert de ce 27 octobre 1973 n'était-il pas intitulé de manière prémonitoire : « The Brussels Affair » ? Jagger et ses amis feraient désormais des affaires. Avec son acolyte Keith Richards, ils étaient des miraculés ; la mort n'avait pas voulu d'eux ; ils seraient des privilégiés de la fortune. Au début des années 1970, ils se sont installés en France, pour fuir les rigueurs du fisc britannique ! Dans la décennie suivante, ils inaugureront l'ère des spectacles donnés dans des stades ; qui empêcheront désormais toute proximité entre les artistes et leur public, mais rapporteront beaucoup d'argent. Jagger sera châtelain en France, décoré par la reine en Angleterre. Sir Jagger deviendra un notable.

« Tout hussard qui n'est pas mort à trente ans est un jean-foutre », avait dit le général Lasalle ; un rocker aussi.

27 décembre 1973

On brûle les soutiens-gorge et les petits commerçants

« C'est un grand tort que d'avoir raison trop tôt. » L'auteur de cette formule sentencieuse, Edgar Faure, était en cet automne 1973 président de l'Assemblée nationale. Il dut sans doute la souffler au ministre du Commerce et de l'Artisanat, Jean Royer, qui bataillait alors devant ses « chers collègues ». Les débats houleux durèrent trois semaines.

À l'opposition systématique de la gauche, s'ajoutaient les états d'âme d'une partie de la majorité. Les libéraux ressuscitaient le décret d'Allarde de 1791 (le frère jumeau de la loi Le Chapelier qui avait empêché pendant un siècle la formation de syndicats ouvriers) pour défendre la « liberté d'établissement » contre les « tentations corporatistes » qui nous ramenaient aux temps honnis de Vichy. Les gaullistes dénonçaient avec véhémence la violence intimidante des « opérations coup de poing » du CID-UNATI de Gérard Nicoud. Les petits commerçants, regroupés derrière l'héritier de Pierre Poujade, s'en prenaient, eux, au fondateur de Carrefour, Marcel Fournier, qui s'offrait d'innombrables pages de publicité dans tous les grands journaux, pour contester le bien-fondé du projet de loi. Les amis de Valéry Giscard d'Estaing, ministre de l'Économie et des Finances, soupçonnaient Jean Royer de préparer la prochaine élection présidentielle (on croyait alors qu'elle aurait lieu en 1976, à la fin du septennat de Georges Pompidou) en soignant sa clientèle de petits patrons de l'industrie et du commerce. Le maire de Tours avait multiplié comme à loisir les motifs de polémique et de contestation. Il avait non seulement rédigé une « loi cadenas », rendant obligatoire une autorisation administrative pour toute création de grande surface supérieure à 1 500 mètres carrés (la superficie du premier hypermarché Carrefour, créé en 1963 par Marcel Fournier à Sainte-Geneviève-des-Bois, était de 2 500 mètres carrés, avec 400 places de stationnement), mais il avait aussi prévu le grand retour des apprentis – dès l'âge de 14 ans – chez tous les artisans.

Les syndicats de l'Éducation nationale étaient en ébullition face à ce « retour à l'esclavage ».

Royer incarnait, aux yeux de la gauche mais aussi de nombreux gaullistes et libéraux, la figure emblématique de l'infâme conservateur, du réactionnaire fieffé. Sa lutte donquichottesque pour « la famille », contre « la libération sexuelle » et « les féministes », assimilée à une pruderie dérisoire, en fit un archétype, une caricature, une cible parfaite pour « l'esprit du temps ». Jean Royer avait reçu cependant le soutien du président Pompidou. Seul celui-ci avait compris que la modernisation à marche forcée de la France nécessitait des contrepoints. L'industrialisation, mais le ministère de l'Environnement ; les autoroutes, mais les routes de campagne dont on s'interdit de couper les arbres ; l'ouverture sur l'Europe et le monde, mais l'exaltation du patriotisme ; la liberté individuelle et artistique, mais la protection de la famille ; les champions nationaux de l'exportation, mais la défense des petits patrons de l'industrie et du commerce.

Ce conservatisme éclairé était sans doute trop subtil pour résister à la folie destructrice de l'époque.

Le ministre finirait par obtenir le vote de sa chère « loi Royer ». Il avait gagné une bataille, mais perdrait la guerre.

Quarante ans plus tard, partout en France : images de désolation, ruines d'après-guerre ; les entrées des villes abîmées, enlaidies, avilies par des blocs d'usine déposés à la hâte ; des files ininterrompues de panneaux publicitaires aux couleurs criardes ; des immenses étendues de voitures immobilisées qui chauffent au soleil. Le sud de la France, et ses sublimes paysages dépeints par Giono, est particulièrement saccagé, comme après une invasion de criquets. Partout en Europe, l'association américaine de la grande distribution et de l'automobile a opéré son œuvre de destruction, mais nulle part autant qu'en France. Comme si un être pervers avait voulu punir notre pays d'être aussi beau. Comme si un diable libéral avait voulu humilier le seul État qui avait cru arrêter l'invasion avec une loi.

Au bon beurre, le roman de Jean Dutourd, parut en 1952[1]. Les commerçants y étaient accusés sans fard d'avoir profité des misères de l'Occupation et du marché noir pour « faire leur beurre ». La grande distribution fut le moyen trouvé par les commerçants les plus malins, dont le célèbre Édouard Leclerc, de laver l'offense. Les autres, marqués à jamais du sceau de cette infamie, furent exécutés dans

---

1. Éditions Gallimard.

l'indifférence collective, voire le mépris pour les « pouja-distes » et les « beaufs », dont le qualificatif rimait si bien avec BOF : Beurre, œufs, fromage.

Keynes avait programmé « l'euthanasie des rentiers » pour sortir de la crise de 1929. Les technocrates français mirent en œuvre « l'euthanasie des commerçants » pour dessouiller la France de l'Occupation et faire entrer la nation dans la modernité consumériste. Il fallait aussi combattre l'inflation. Nos grands commis de la rue de Rivoli n'avaient pas digéré le choix opéré par le général de Gaulle en 1946, qui avait préféré Pleven à Mendès France, l'inflation à la rigueur. À la même époque, la réforme monétaire allemande de 1948 liquidait l'épargne des classes populaires, et les tensions inflationnistes. Dans les années 1950, la France ne parvenait pas à couper la tête de l'hydre. Nos technocrates firent jouer à la grande distribution le rôle que la réforme monétaire de 1948 avait tenu en Allemagne.

Cette alliance entre les élites administratives et la grande distribution sonnait l'heure d'une revanche historique.

Les petits commerçants avaient été, avec les paysans, les bien-aimés de la France radicale. La IIIᵉ République avait pri-vilégié depuis les années 1880 le petit commerce au détri-ment des grands magasins et des succursales multiples. À la veille de la Seconde Guerre mondiale, le nombre de petits patrons du commerce et de l'industrie s'était accru, alors que la population avait très peu augmenté. On accusa cette prédilection « rad-soc » pour les petits d'avoir empêché la modernisation économique du pays ; et d'être la cause pro-fonde de la défaite militaire de juin 1940 face à la machine industrielle germanique.

L'Angleterre du XVIIIᵉ siècle avait éradiqué ses paysans pour grossir les rangs des usines de la première révolution industrielle de l'Histoire ; Staline avait exécuté les koulaks pour favoriser l'accumulation du capital qui permettrait le « rattrapage » industriel prévu par la planification soviétique. Les technocrates français de l'après-guerre lancèrent la « dékoulakisation » des petits commerçants et paysans. Les grandes surfaces furent le bras armé de cette « épuration sociale ». Ils liquidèrent les petits commerçants, et asservirent les rares paysans qui survécurent à l'industrialisation de l'agriculture. Les petits commerçants et paysans devaient mourir pour que meure l'ancienne France, et renaisse sur ses ruines une nouvelle France, rajeunie, celle du baby-boom, modernisée, américanisée, oublieuse de son passé et de ses racines, pour mieux effacer ses humiliations récentes et se jeter à corps perdu dans les bras d'une modernité hédoniste, consumériste, une jeunesse du monde sans passé ni mémoire. C'était l'âme de la France qu'on mettait au bûcher, mais l'autodafé avait lieu dans la joie et sous les applaudissements.

La richesse fabuleuse de la nomenklatura des grandes surfaces (les Leclerc, Auchan, Carrefour, Casino ont édifié en une génération les plus grandes fortunes de France) fut bâtie sur ce crime social de masse, avec la complicité de tout un pays avide de jeter par la fenêtre les oripeaux d'un passé honni.

Les « super » et les « hyper » devinrent très vite les temples de la nouvelle religion où on se précipitait en famille, tandis qu'on désertait les anciennes églises.

Nos élites faisaient alors le choix – qu'on payerait au prix fort des années plus tard – du consommateur contre le producteur, des importations contre les exportations, des prix bas contre la qualité, de la finance contre l'industrie, de l'agrobusiness contre les paysans.

Royer avait cru sauver les petits commerçants en les mettant sous la protection des élus locaux. Il pensait renouveler le pacte républicain entre les radicaux et les « petits ». Il avait sans le savoir livré la victime à son bourreau. La démographie électorale défavorisa très vite les petits patrons au bénéfice des nouvelles couches moyennes salariées. L'industrialisation, le développement des services, le travail féminin salarié, l'arrivée de familles immigrées pauvres, l'ouverture des frontières : les élus locaux furent emportés par un bouleversement économique et sociologique qui les dépassait. Les pressions s'exerçaient sur eux de manière contradictoire. Ils étaient en rivalité les uns avec les autres. Une commune qui refusait une grande surface voyait la voisine accepter : sa base fiscale s'effondrait, les consommateurs accouraient avec leurs chariots, ruinant quand même les petits commerçants de son centre-ville. Lorsqu'elle sentait le maire hésitant, la grande distribution ne lésinait pas sur la construction d'un parking, d'un rond-point, d'une salle polyvalente, d'une piscine ou d'un stade. Certains élus, moins farouches, se voyaient même offrir une résidence secondaire ou un gros compte en Suisse. Ou du liquide... Les commissions départementales d'urbanisme commercial avaient été initialement conçues pour être des cerbères protégeant les petits commerçants des appétits des méchantes grandes surfaces ; mais le loup suborna la mère-grand, et croqua le petit chaperon rouge ; nos commissions d'élus devinrent des « machines à dire oui ».

Seul le Paris chiraquien résista, tel un fier village gaulois. Ce fut une nouvelle version de *Paris et le désert français*.

À partir des années 1980, un élu socialiste du Sud-Ouest, Jean-Pierre Destrade, adossa, de manière rationnelle et systématique autant qu'illégale, le financement du parti socialiste sur l'installation des grandes surfaces à travers la France. La droite, décomplexée par ce mélange de naïveté et d'immoralisme de la gauche, s'enhardit. Après la révélation, dans les années 1990, du scandale d'URBA-Gracco, la grande distribution française s'envola vers d'autres cieux plus cléments, Europe de l'Est, Amérique du Sud, Asie du Sud-Est, où elle exporta son savoir-faire corrupteur.

Lorsque des responsables politiques de droite s'aperçurent de l'ampleur de la catastrophe en France, il était trop tard. Les lois Galland et Raffarin, en 1996, réduisirent la superficie des magasins nécessitant l'autorisation administrative (de 1 000 mètres carrés à 300 mètres carrés). En vain. Au tournant des années 2000, les libéraux prirent leur revanche. En décembre 2006, la Commission européenne remit au goût du jour les principes révolutionnaires, exigeant que le gouvernement français respectât la liberté d'établissement, et fît entrer le droit de l'urbanisme commercial dans le droit commun de l'urbanisme ; et qu'il ôtât les dernières bandelettes laissées par la loi Royer. La France tergiversa, mais obtempéra. On repoussa de 300 à 1 000 mètres carrés les surfaces librement édifiées. Paris, passée à gauche, capitula, et vit se multiplier les petits formats, appelés « mini-markets », répandus par Casino et Carrefour. Les derniers représentants du commerce indépendant dans la capitale furent éliminés.

Quarante ans après, le bilan de la loi Royer est épouvantable.

Le ministère de l'Agriculture estime que 74 000 hectares de terres agricoles sont urbanisées chaque année. Tous les quinze ans, un département disparaît sous l'urbanisation.

La grande distribution occupe 1,4 million d'hectares, soit plus de 30 % des surfaces urbanisées.

62 % du chiffre du commerce est réalisé en périphérie (jusqu'à 80 % dans certaines régions) contre 25 % au centre-ville, et 13 % dans les quartiers. En Allemagne, les chiffres sont plus équilibrés : 33 %, 33 %, 33 %.

Dans les années 1970, on autorisa entre 500 000 et 1 million de mètres carrés de surface de vente par an ; le seuil du million fut dépassé en 1997 ; dans la décennie 2000, on édifia 3 millions de mètres carrés l'an ! La surface commerciale augmente chaque année de 3 % alors que la consommation des ménages croît de 1 %.

La grande distribution est intouchable. Inattaquable. Inatteignable. Indéboulonnable. Les gouvernements tremblent devant un coup de gueule télévisuel de Michel-Édouard Leclerc, ou une pression discrète des patrons de Carrefour ou de Casino. Les politiques défendent le « pouvoir d'achat » ; la grande distribution agit pour les « prix bas ». Les politiques luttent contre le chômage, en particulier des non-qualifiés ; la grande distribution aussi : 3 millions de salariés y travaillent (20 % des emplois privés). Ils créent entre 10 000 et 20 000 emplois par an. Et tant pis si trois emplois de proximité sont détruits pour un emploi créé dans la grande distribution ! Celle-ci a forgé un nouveau prolétariat à la Zola, en majorité féminin, taillable et corvéable à merci.

La grande distribution est le cœur battant du périurbain, comme les commerces d'autrefois animaient les centres-ville. Le commerce fut historiquement à l'origine des villes qui s'édifièrent grâce à lui, à l'écart des châteaux forts, et où on cultiva un art de vivre empreint de liberté individuelle, de raffinement et de douceur de vivre ; urbain ne signifie-t-il pas à la fois citadin et poli ? Le commerce, transformé par les prédateurs de la grande distribution, est devenu le fossoyeur de cette urbanité et de cette civilité. En centre-ville, les rideaux se ferment les uns après les autres, les rues se désertifient ; les commerces de bouche périclitent ; seules les boutiques de vêtements et de luxe subsistent. Le commerce urbain est devenu le royaume des succursalistes, des « franchisés » et des financiers. Les technocrates qui avaient favorisé l'essor de la grande distribution en sont devenus les patrons.

La grande distribution est le parrain de l'économie française ; elle lui assure une protection que celle-ci ne peut pas refuser. Les méthodes de ses « négociateurs » sont très proches des pratiques de Don Corleone. On convoque le petit patron ou le paysan dès l'aube ; on l'enferme dans une pièce cadenassée ; on le reçoit à la tombée de la nuit. On le harcèle, on le menace, on lui coupe la parole ; un gentil succède au méchant ; on lui promet ruine et damnation s'il ne réduit pas ses prix de quelques centimes… qui sont toute sa marge. On punit le récalcitrant, on le boycotte, on déréférence ses produits. On l'étrangle en gants blancs.

La religion des prix bas alimente le chômage de masse. Dans chaque client de grandes surfaces, il y a un consommateur qui détruit son propre emploi. La grande distribution est le plus redoutable pousse-au-crime des délocalisations, de la désindustrialisation, de la malbouffe.

Il y a cinquante ans, il y avait 2,5 millions de fermes. 700 000 en 1990. 515 000 en 2013. La France n'aura plus de paysans en 2050. Rien que des complexes agro-industriels. Nous importons 40 % de nos besoins alimentaires. Les activités les plus précieuses, élevage, maraîchage, agriculture de montagne, tirent le diable par la queue, tandis que les gros céréaliers se gavent aux subventions de Bruxelles.

Après avoir enlaidi le sublime paysage de la France, la grande distribution l'a transformé en désert économique. C'est la onzième plaie d'Égypte.

Pendant la campagne présidentielle de 1974, les meetings du candidat Royer furent interrompus par des jeunes filles ravissantes et provocatrices qui ôtaient leur soutien-gorge à la face des braves bourgeois choqués. Mais elles ne précisaient pas si leurs soutiens-gorge avaient été achetés chez Leclerc ou chez Carrefour.

1974

Les valseuses sans gêne

Ils ne respectent rien. Ils sont jeunes, drôles, truculents. Un amoralisme joyeux les anime. Ils volent et squattent sans vergogne. Les deux compères des *Valseuses* prennent l'Hexagone pour un grand self-service où ils se servent sans se gêner. Cette première génération de la société de consommation applique à la lettre le projet marxiste : à chacun selon ses besoins. Et leurs besoins sont énormes, illimités. Le réalisateur Bertrand Blier a concocté un savant mélange d'*Easy Rider* et de *Jules et Jim* ; les deux garçons, interprétés avec un naturel exubérant par Gérard Depardieu et Patrick Dewaere, errent en liberté dans une France transformée en Far West, en compagnie de leur égérie, jouée par une actrice sortie du café-théâtre, Miou-Miou, qu'ils partagent comme une bonne bouteille de vin, sans se poser de questions éthiques ou sentimentales. Ils passent leur temps à brocarder le bourgeois, la famille, la patrie, le travail, dans un anarchisme rigolard.

Jamais sans doute dans le cinéma français, l'esprit des années 1970 n'aura été aussi bien rendu ; toute une époque a pris chair sur la pellicule : son optimisme, son hédonisme, son égotisme, son égoïsme. Son culte de la jeunesse et du moi. Ce qui était réservé à quelques *happy few*, aux siècles précédents, s'étendait à toute une génération. Pour elle, il n'y a plus ni passé ni avenir, rien que le présent, l'immédiat, l'instant. Les deux compères roulent dans des Rolls et DS qui ne leur appartiennent pas ; dorment dans des maisons dont ils ne connaissent pas les propriétaires ; couchent avec des jeunes filles mineures. Depardieu sodomise Dewaere à son corps défendant ; celui-ci se débat en vain, mais doit céder sous le désir impérieux de son compère : « Bled de merde, pays de merde ; partout où je vais, je me fais enculer ! » hurle Dewaere en jetant des cailloux sur les fenêtres d'un immeuble sinistre de bord de mer.

La France est regardée comme une prison haïe dans laquelle on tourne en rond ; et la prison est vue comme un endroit sinistre d'où on doit sortir à tout prix. L'ordre n'est pas transgressé, mais ignoré, méprisé, ridiculisé. Il est associé à des pandores incompétents et brutaux, et à des pères de famille tyranniques et grotesques.

Dans les films noirs des années 1950, les gangsters violent la loi, mais recréent, dans leur milieu, l'ordre familial et patriarcal de la société.

Dans le cinéma des années 1970, c'est l'inverse : les jeunes gens de bonne famille imposent les pratiques des voyous.

Mêlant les influences du marxisme et du féminisme, le film voue aux gémonies un ordre à la fois bourgeois et patriarcal qu'il s'applique à délégitimer par une redoutable dérision, très proche de l'esprit de *Hara-Kiri*. Il n'est pas le seul. Dès 1971, Stanley Kubrick n'avait pas hésité à nimber la violence de ses personnages de symboles sexuels. Dans *Le Dernier Tango à Paris*, en 1972, Maria Schneider avait passé le beurre à Marlon Brando… Jean Eustache, dans *La Maman et la Putain*, avait célébré le ménage à trois par des dialogues d'une rare crudité. Et Marco Ferreri, dans *La Grande Bouffe*, pousse ses quatre héros à se suicider dans une orgie pantagruélique, où se mêlent boulimie et nymphomanie. En 1973, sur 514 films projetés, 120 relevaient de la catégorie ER (érotiques). *Emmanuelle* atteignait en 1975 plus d'un million d'entrées.

À la même époque, le grand intellectuel Michel Foucault entreprit simultanément de déconstruire de manière radicale, et la prison, et l'« hétérosexisme », fondé sur l'altérité sexuelle autour de l'homme et de la femme. Dans *Surveiller et punir*, publié en 1975[1], il délégitimait le principe même de l'empri-sonnement : « La prison est dangereuse quand elle n'est pas inutile », puis la punition elle-même : « Il est peu glorieux de punir » ; « Il y a honte à punir ». Dans *La Volonté de savoir*, pre-mier tome de son *Histoire de la sexualité*, paru en 1976[2], il expli-quait que la sexualité est une construction culturelle et historique, imposée par le pouvoir normatif de l'État. Foucault était fort lucide, se définissant lui-même comme un « artifi-cier » : « Je fabrique quelque chose qui sert finalement à un siège, à une guerre, à une destruction. »

Destruction de l'ordre ancien fondé sur la loi, imposée par le père, faite au nom d'une dénonciation, qui se révélera arti-ficieuse, de la bourgeoisie et de la société de consommation.

Le film *Les Valseuses* met en scène cette double subversion nihiliste. Elle fait de la sexualité ostentatoire et de la délin-quance les ingrédients fondateurs d'une contre-culture qui subvertit, puis remplacera la culture traditionnelle.

Foucault mourra en 1984, mais il vaincra à titre posthume.

À partir des années 1980, cette contre-culture devient culture officielle ; avec l'arrivée de la gauche au pouvoir, culture d'État.

La famille et la prison seront désormais regardées comme objets identiques de détestation ; leur contestation deviendra vérité officielle.

Toute la société en sera durablement déstabilisée. La délin-quance en sortira renforcée, démultipliée, décuplée ; et les défenseurs de l'ordre, délégitimés, fragilisés, déconsidérés.

Les sociologues des nouvelles générations, friands de *french theories*, nous expliqueront doctement que – à l'instar de la différence des sexes – la délinquance n'existe pas, que

---

1. Éditions Gallimard.
2. Éditions Gallimard.

l'insécurité des « honnêtes gens » n'est qu'un leurre, un mythe, une construction sociale, qu'il n'y a qu'un « sentiment d'insécurité » qu'il faut combattre. Ce retournement inouï de perspective, ce constructivisme absolu, cette culture du déni, spécifiquement française, s'aggraveront encore lorsqu'il apparaîtra, à partir des années 1980 et 1990, que la plupart des nouveaux délinquants sont issus de ces familles d'immigrés que la France avait accueillies en masse dans ces mêmes années 1970.

Alors, les bandes de trafiquants, de voleurs et de violeurs seront sanctifiées, victimes éternelles d'un ordre néocolonial et raciste. Ce que nous appelions délinquance, ils l'appelleront victimes ; ce que nous appelions victimes, ils l'appelleront coupables.

Ne restera en commun, entre les deux époques, les deux générations, les deux nations, que le mépris d'une loi ridiculisée, l'arrogance de prédateurs qui s'emparent de tous les objets qu'ils convoitent, jusqu'aux femmes ; et la haine de la France comme drapeau.

10 mai 1974

« Vous n'avez pas le monopole du cœur »

L'exemple venait d'Amérique. Le premier débat télévisé avait opposé en 1960 Richard Nixon à John Fitzgerald Kennedy. Les écrans étaient encore en noir et blanc, les deux rivaux côte à côte. Nixon transpirait, Kennedy souriait. La légende a depuis longtemps fait de cette abondante suée la raison de la défaite de Nixon, à l'issue de la compétition la plus serrée de la présidentielle américaine (300 000 voix). Il est vrai que cette histoire est plus flatteuse que les rumeurs persistantes de bourrages d'urnes effectués dans certains États décisifs par la mafia au profit de son grand ami : Kennedy père.

Le hasard facétieux voulut que les Français adoptent le débat télévisé eux aussi à l'occasion de leur élection présidentielle la plus serrée de la Ve République. Adoptent mais adaptent : les écrans sont désormais en couleur et les candidats face à face. La joute est plus directe, plus vivante, plus spontanée. Les journalistes français, si cérémonieux lorsqu'ils interrogent leur chef de l'État, ont d'emblée conçu une formule de débat moins apprêtée que leur modèle américain. Sans doute les Français avaient-ils bénéficié sans bien en avoir conscience d'une tradition qui venait de fort loin, des salons (Voltaire-Rousseau), des cours (Fouché-Talleyrand), et des enceintes parlementaires (Clemenceau-Ferry, Jaurès-Clemenceau), où l'esprit le plus brillant, le goût et le talent des bons mots se conjuguaient à l'âpreté des querelles et à la vigueur des tempéraments.

Mais la tradition française ne pouvait pas ne pas être retravaillée, repatinée, retissée sur la trame importée d'Amérique. John Fitzgerald Kennedy avait été le premier chef d'État parfaitement calibré pour le nouveau média télévisuel, comme son lointain prédécesseur Franklin Delano Roosevelt avait incarné le passage à la radio ; et comme la voix de stentor de Jean Jaurès était parfaitement adaptée aux préaux d'école, tandis que l'esprit féroce et brillant de Clemenceau pétillait dans l'enceinte calfeutrée du Palais-Bourbon.

Valéry Giscard d'Estaing était prédestiné à inaugurer l'exercice. Pendant des années, il avait passé ses vacances outre-Atlantique à étudier les techniques qui avaient permis à son modèle Kennedy de parvenir au sommet. Son remarquable cerveau de polytechnicien s'était approprié les méthodes et tours de main des « plus intelligents » dans l'entourage du président américain. Son esprit de géométrie avait assimilé les artifices et séductions d'un esprit de finesse indispensable à l'ère télévisuelle. Il était allé jusqu'à sigler son nom de ses initiales VGE, à la manière américaine des FDR et JFK. Il avait affiché sur tous les murs de Paris sa famille, comme Kennedy avait été « l'homme qui accompagnait Jackie » et le père du petit John-John, photographié sous le bureau présidentiel à la Maison Blanche.

François Mitterrand n'était pas de la même eau. Il était l'ultime descendant des grands orateurs parlementaires qui avaient enthousiasmé les républiques passées, de Mirabeau à

Jaurès, en passant par Lamartine. Il en avait l'élégance du style, la suavité de la voix, le lyrisme de la passion. Mais l'outil télévisuel est un corset qui contient les épanchements lyriques et même littéraires ; privilégie le chiffre sur le mot, l'image sur le raisonnement, la réplique sèche et cinglante. Mitterrand n'a pas encore bien assimilé ces révolutions techniques. Après son échec de 1974, il comprendra qu'« il vaut mieux être ami avec un cadreur d'Antenne 2 qu'avec un éditorialiste du *Monde* ». Il s'entourera d'experts qui accumuleront les exigences techniques et les protections. Il cessera de croire que son talent souverain de tribun à l'ancienne suffit pour vaincre un rival. Il refusera d'apparaître comme l'élève qui répond aux questions du professeur d'économie impérieux qu'est Giscard. Il démontrera à tous les Français que la guerre interne entre gaullistes et giscardiens vaut bien celle que se livrent depuis un siècle socialistes et communistes. Il répliquera même – sept ans après – à Giscard, qui lui avait lancé « Vous êtes l'homme du passé », un « Vous êtes devenu l'homme du passif » du meilleur aloi. Mais la réplique que l'Histoire a retenue de cet affrontement de 1974 est celle de son adversaire, préparée avec soin : « Vous n'avez pas le monopole du cœur. J'ai un cœur comme le vôtre qui bat à sa cadence et qui est le mien. »

C'est pourtant la suite du propos de Giscard qui est la plus éclairante : « Ce que je propose, c'est une action sociale aussi importante que la vôtre, mais je ferai ces réalisations à partir d'une économie en progrès, alors que vous voulez les faire avec une économie brisée. » Giscard inscrit ses pas dans ceux de la majorité gaulliste dont il est issu, qui a gouverné la France depuis quinze ans avec un souci extrême de juste répartition des fruits de la croissance. De Gaulle renouait avec la tradition monarchique, catholique, de soutien des pauvres et d'organisation holiste de la société – que la IIIe République libérale avait abandonnée. Élu président, Giscard théorisera bientôt sa filiation sous le curieux terme de « libéralisme avancé », alors qu'il faisait référence – dans son esprit quelque peu embrumé – à la social-démocratie suédoise. Mais, à l'instar de son modèle suédois, il mêlera bien les revendications libertaires et féministes des années 1960 avec un égalitarisme niveleur et un

fiscalisme vétilleux et tatillon, conjonction scandinave de tradition protestante qui fera fuir une partie de l'électorat indépendant et conservateur. Deux ans plus tard, en 1976, VGE
caressera l'ambition de rassembler derrière ce programme
« deux Français sur trois », projet que brisera son ancien Premier ministre devenu son ennemi farouche, Jacques Chirac,
bien que celui-ci laboure les mêmes terres idéologiques avec
son « travaillisme à la française ». Giscard s'efforce de tirer la
leçon politique de l'évolution sociologique de la France qui, à
l'issue des Trente Glorieuses, voit l'émergence d'une immense
classe moyenne, reposant sur la montée en puissance d'un secteur tertiaire qui dépasse, pour la première fois en 1975, la
part du monde ouvrier.

Mitterrand a conservé pour l'instant dans son discours la
mystique ouvriériste de la lutte des classes chère au XIXᵉ siècle.
Il renoue lui aussi avec l'héritage du général de Gaulle en
insistant sur celui de 1945, nationalisations et sécurité
sociale ; modèle qui s'apprête à subir les premiers assauts
avec la fin des Trente Glorieuses provoquée et révélée par
le quadruplement du prix du pétrole en 1974. Pour mieux
se réconcilier avec les gaullistes, Mitterrand lance à son
adversaire du moment :

« Vous avez dit un jour que vous aviez eu avec le général
de Gaulle – je ne sais pas comment vous avez noté ce chiffre
– 170 rendez-vous. Mais vous n'avez pas parlé du 171ᵉ du
28 avril 1969, le jour où vous l'avez politiquement poignardé,
puisque vous avez décidé de sa chute. »

Pour se différencier de son rival, Mitterrand use aussi d'une
phraséologie marxiste remise au goût du jour par les Enragés
de Mai 68, pour mieux séduire une jeunesse radicalisée, et
contenir les assauts – et les procès en social-traîtrise – d'un communisme national encore puissant dans la classe ouvrière et
dans l'imaginaire des intellectuels ; langue d'emprunt, langue
étrangère, qu'il s'applique à parler du mieux qu'il peut, sans
y croire, mais avec un cynisme appris auprès des plus grands
maîtres de notre Histoire, selon le modèle indépassable de
Talleyrand : « Dieu a donné la parole à l'homme pour dissimuler sa pensée. » Vieille ambiguïté socialiste (équilibrisme ?

double jeu ? supercherie ? trahison ?) qui fut déjà celle de Jaurès et de Blum, même si on l'attribue au seul Guy Mollet.

Notre tradition révolutionnaire, notre goût séculaire pour les affrontements idéologiques et littéraires, sans oublier le talent rhétorique des acteurs, empêchent alors de voir le décalage des programmes avec la nouvelle donne économique qui s'annonce ; et la réalité crue de leur proximité.

Les deux rivaux – et même les trois principaux candidats de cette élection de 1974, si l'on y inclut Jacques Chaban-Delmas – sont des sociaux-démocrates. Ils sont tous trois adeptes de la « nouvelle société », que Jacques Delors a forgée au cabinet de Chaban, à Matignon, que le Premier ministre a présentée à la Chambre sous les ovations ironiques de la gauche, pendant qu'elle suscitait la fureur conservatrice du président Pompidou et de ses principaux conseillers, fulminant contre ce « galimatias de gauche » : « La société n'existe pas, il n'y a que l'individu et la France », avait écrit en marge du texte le président Pompidou.

Celui-ci aura été le dernier, le seul, l'ultime opposant à cette transmutation de la France voulue par nos élites.

Dans un dialogue éblouissant avec Alain Peyreffite – que celui-ci restitue dans son ouvrage *Le Mal français*[1] – le président exposait dès 1969 avec une rare lucidité sa réponse conservatrice – au sens le plus élevé, celui de Disraeli : « Je suis conservateur, car je garde ce qui est bon, et je change ce qui est mauvais » – : « Vous n'avez pas remarqué que dans ce discours, où Chaban parle tant de société, il ne parle pas une seule fois de la nation, et encore moins de l'autorité de l'État ? On dirait que ces expressions lui écorchent la langue. Or, la France est une nation avant d'être une société. Elle n'a été créée, n'a survécu, que comme nation. Et cette nation n'a été sauvée que par son État. De nouveau, aujourd'hui que la société se décompose sous nos yeux sans que nous y puissions presque rien, au moins respectons et protégeons ce qui tient encore, et qui peut seul nous tirer d'affaire : l'État et la nation. »

---

1. Fayard, 1976.

Et le président Pompidou de pointer, avec sa subtilité coutumière, le nœud gordien de cette affaire, la fascination de nos élites pour l'Amérique : « On parle des Français comme s'ils étaient des Anglo-Saxons. Mais s'ils l'étaient ça se saurait ! D'ailleurs, depuis près de trois siècles, on idéalise la société anglo-saxonne, à commencer par Montesquieu qui s'était fait manipuler par l'Intelligence Service de son époque : cette société, c'est celle de l'argent, elle est oligarchique, méprisante aux humbles, et au moins aussi conservatrice que la nôtre, avec ses rites immuables. Elle a des défauts énormes, inhumains, inacceptables. Elle est en pleine décrépitude. Le changement de société, ça voudrait dire qu'on fait une exsanguino-transfusion totale, qu'on expulse cinquante millions de Français et qu'on les remplace par cinquante millions d'Anglo-Saxons ! Les Français sont comme ils sont, et ils le resteront. Les médecins ne disent pas à un malade : Monsieur, vous avez un tempérament sanguin. Ça ne m'arrange pas. Je vous soignerais plus facilement si vous aviez un tempérament bilieux. Ils le prendront avec le tempérament qu'il a, sans se mêler de rien changer, et ils tâchent de le guérir, s'ils le peuvent. »

Mais, depuis le 2 avril 1974, le président Pompidou n'était plus. Ce discours, personne ne le tiendrait plus. Dans une valse à trois temps parfaite, Giscard mettra bientôt en œuvre le projet de Chaban pour le plus grand profit de Mitterrand. Giscard connaîtra ainsi le destin tragique de Louis-Philippe qui n'avait été qu'une transition monarchique vers la République. Comme le « roi des Français » fut le premier des républicains, le « libéralisme avancé » de Giscard fera le lit d'une nouvelle société qui, émancipée des carcans de la tradition, ne pouvait que se donner à la gauche.

Giscard admire Jean-Paul Sartre comme une midinette sentimentale (« Je suis heureux de l'avoir aperçu, heureux de ne pas avoir cherché à l'importuner, lui, ce monument d'intelligence et de savoir, entrevu dans le quotidien familier du matin », dans son livre *Le Pouvoir et la Vie*[1]) ; Mitterrand

---

1. Compagnie 12, 1988.

est un européiste convaincu qui veut encore croire que
« l'Europe sera socialiste ou ne sera pas » : Chaban-Delmas
(par son conseiller Delors) est l'élève du sociologue Michel
Crozier, contempteur de « la société bloquée » ; les trois
hommes – et le quatrième mousquetaire que sera bientôt
Chirac – sont les agents – conscients pour les deux premiers,
inconscients pour les deux autres – de la destruction de
l'ordre gaullien d'après-guerre et de ses piliers : nation,
croissance, famille, instruction, qu'ils abattront successivement – chacun avec sa grenade : gauchisme, européisme,
technocratie, démagogie. Tous invoquent le général de
Gaulle pour mieux achever la destruction de son œuvre.
Tous aspirent à être le meilleur porte-parole de cette nouvelle génération née du baby-boom. Mitterrand avait pris de
l'avance ; il écrivait dès 1965 : « Le Général se pose des problèmes qui concernaient nos pères, tandis que moi, et toute
la gauche avec moi, j'essaie de me poser les problèmes qui
concernent nos fils. » Mais Giscard le rattraperait et le dépas-
serait, se faisant le serviteur zélé de ces soixante-huitards qui
le méprisaient, tandis que Chaban était encore trop marqué
du sceau gaulliste de la Résistance (son trench légendaire
et Malraux pendant sa campagne télévisée !) pour être
reconnu par eux.

C'est un moment rare où les principaux chefs de la classe
politique française convergent sans l'avouer vers un même
modèle politique – la social-démocratie ou plutôt l'idée que
les élites françaises s'en font – alors même qu'elle vit ses
derniers feux, que son efficacité économique est érodée par
l'inflation et le chômage, que sa domination intellectuelle
est laminée par le retour en vogue dans les universités américaines des idées libérales chères à Milton Friedman, et que
l'individualisme hédoniste des nouvelles générations, l'entrée
en masse des femmes et des immigrés dans le monde du
travail, et le développement économique du tertiaire, s'apprêtent à miner les antiques solidarités ouvrières. Encore quelques
petites années et entreront en scène Margaret Thatcher et
Ronald Reagan. « C'est au crépuscule que l'oiseau Minerve
prend son vol », nous avait appris Hegel.

Mais, alors que les deux candidats s'affrontaient sur le plateau télévisé, devant vingt millions de téléspectateurs ravis, la France croyait encore naïvement au mythe du « choix de société » entre libéralisme et collectivisme. Il faudra la victoire de la gauche sept ans plus tard – et ses premières apostasies – pour que les yeux commencent à se dessiller.

Le spectacle fut brillant ; les duellistes talentueux ; jamais leurs successeurs ne parvinrent à leur niveau. Ils osèrent tout, se permirent tout. Même des allusions codées qu'ils furent longtemps les seuls à saisir. Ainsi, pour mieux prouver, prétendait-il, que son adversaire n'était pas l'exclusif représentant des classes populaires, Giscard précisa : « Dans les élections de dimanche dernier (au premier tour), vous avez noté les résultats de la ville de Clermont-Ferrand. Clermont-Ferrand est une ville qui a une des plus grandes usines de France et une municipalité socialiste. C'est une ville qui vous connaît bien et qui me connaît bien. Et qui donc sait ce que je suis et ce que je représente. Vous avez noté comme moi que la ville de Clermont-Ferrand m'a donné plus de voix qu'à vous. »

Clermont-Ferrand est la capitale de cette Auvergne dont Giscard tient son accent chuintant ; mais elle était aussi à l'époque la ville où résidait la famille d'Anne Pingeot, la maîtresse de Mitterrand, qui deviendrait bientôt la mère de Mazarine.

Il est vrai que Giscard et Mitterrand étaient tous deux logés à la même enseigne des hommes (de pouvoir) couverts de femmes. Lorsque des rumeurs malveillantes avaient accusé Jacques Chaban-Delmas d'avoir fait assassiner sa précédente épouse, morte dans un accident de voiture, et brodé sur ses habitudes galantes de séducteur impénitent, Mitterrand avait confié à un ami : « C'est injuste, parce que de nous trois, Chaban est le seul qui rentre chez sa femme tous les soirs. »

Les débats sont comme les femmes, les meilleurs sont ceux qu'on n'a pas eus. Avec le temps, on regrette ce face-à-face de Gaulle-Mitterrand, qui en 1965 aurait sans doute été somptueux. On se souvient qu'avant le premier tour de la présidentielle, le Général avait refusé de faire campagne ; il ne condescendait pas à se jeter dans l'arène commune. Mis en ballottage – mais avec 44 % des voix tout de même –, il songea démissionner. Puis il se reprit. On lui proposa d'utiliser son temps d'antenne légal pour un dialogue avec le journaliste gaulliste Michel Droit. Il céda. Bien lui en prit. Ses répliques sont restées dans les annales. Mais sa première réaction avait été négative : « Vous voulez que j'aille à la télévision en pyjama ! » s'était-il exclamé.

Le Général avait tout deviné. L'époque exigeait des politiques qu'ils sortent du marmoréen de l'Histoire. Se livrent, se dévoilent, se déshabillent. Deviennent des hommes comme les autres. La télévision abaisse tout vers la banalité démocratique. C'est le média de masse désacralisateur par essence. Il fait spectacle de tout. Chacun, célèbre ou anonyme, dirigeant ou dirigé, est l'acteur de son propre rôle. Le Général était lui aussi un grand acteur, mais il avait pris des cours auprès d'un sociétaire de la Comédie-Française, quand ses successeurs suivront les conseils de communicants et de publicitaires. Le Général est parti. Le spectacle est resté. *The show must go on,* comme on dit en Amérique.

20 octobre 1974

Vincent, François, Paul et les autres
pour qui sonne le glas

Ils tètent leur cigare avec ce mélange si masculin d'arrogance et de reste d'innocence de l'enfance. Ils marchent dans la rue, la tête haute ; ils portent encore beau en dépit des tempes grisonnantes et des rides creusées de la cinquantaine ; ils parlent fort, ils gesticulent, ils arborent leur plus beau sourire de séducteur. Ils sont morts et le pressentent. Ils sont les grands vaincus de l'époque alors que tous les voient comme les grands vainqueurs.

Vincent, François, Paul et les autres sort sur les écrans en 1974. Même s'il continuera de tourner après, Claude Sautet reste le témoin incomparable de la France des années Pompidou. Ses héros ont une fière allure virile, de ceux qui préfèrent prendre les femmes sans les comprendre plutôt que de les comprendre sans les prendre. Ils incarnent cette nouvelle bourgeoisie qui a découvert sur le tard la puissance de l'industrialisation et de la croissance ; ils sont petits et grands patrons, médecins, ingénieurs, journalistes, dessinateurs ou écrivains. Ils roulent en DS. Mais l'illusion de l'éternelle croissance s'est dissipée depuis la crise du pétrole. Vincent (Yves Montand) court après les millions pour sauver son entreprise au bord de la faillite. Il manque en mourir d'une crise cardiaque. Le géant a mis un genou à terre. La modernisation darwinienne de l'économie française abîme les corps et les âmes, laissant de côté les moins adaptés et les moins prosaïques. L'argent est devenu la seule unité de mesure. Paul (Serge Reggiani) est un journaliste minable, écrivain raté, raillé pour ses romans qu'il ne termine jamais. François (Michel Piccoli) est un grand médecin qui a réussi, mais a dû renoncer à ses idéaux de jeunesse de médecin des pauvres. Dans cette société française, tardivement sortie de son passé glorieux de paysans et de soldats, la percée des nouvelles couches moyennes laisse un goût amer.

La scène centrale du film montre Michel Piccoli découpant un gigot, comme le singe dominant offrant la viande de la chasse à sa tribu, qui subit les sarcasmes de toute la tablée, et finit par s'écrier, furibond : « Je ne vais pas me laisser insulter par un écrivain qui n'écrit pas, un boxeur qui ne veut pas boxer, et une femme qui couche avec n'importe quoi. »

La France n'est pas l'Amérique : les « gagneurs » sont accusés de trahir les nécessaires solidarités. La France est ce pays trop civilisé où les hiérarchies anthropologiques sont foulées aux pieds.

Le boxeur qui ne veut pas boxer (Depardieu jeune) finit pourtant par affronter l'adversaire qui le terrifiait ; il le terrasse, mais prend conscience qu'il n'a pas l'instinct de meurtre nécessaire à la poursuite de sa carrière. La boxe est pourtant ce « noble art » qui a permis pendant le XXe siècle de pérenniser les valeurs héroïques de la société

traditionnelle, alors qu'elles étaient bafouées et abandon-
nées par la modernité.

Mais le boxeur renonce à boxer comme le chevalier
renoncerait à monter sur son destrier, et se résigne à un
obscur destin d'ouvrier spécialisé. La société française a troqué l'héroïsme pour le consumérisme.

Dans le train qui les ramène après le combat victorieux,
dans la truculente ambiance des cohortes viriles, qui n'ont
pas encore été atteintes par l'esprit de sérieux de la mixité
obligatoire, François apprend à Vincent que sa femme l'a
quitté pour un autre. Vincent tente de comprendre, mais
François n'est pas surpris. Sa femme le trompait depuis longtemps, et c'est lui qui réclamait un récit circonstancié de
ses escapades.

Sautet reprend là en mode mineur son travail magnifique
sur le désir mimétique exécuté dans son autre chef-d'œuvre,
César et Rosalie, où il croquait, à la manière d'un Dostoïevski
dans *L'Éternel Mari*, les rapports complexes et subtils de
dépendance réciproque entre le mari et l'amant. Mais si,
chez Dostoïevski, la femme meurt, elle part chez Sautet. La
fameuse « libération de la femme » des années 1960 a
dénoué les liens entre les couples ; les hommes ne « tiennent » plus, ne possèdent plus leurs femmes ; celles-ci – à
l'instar de l'ancienne épouse de Vincent, jouée par Stéphane
Audran – les trompent avec n'importe quoi, les quittent
pour n'importe qui.

Il y a chez ces hommes de l'époque moderne une faiblesse
congénitale, une « mort », dit crûment la femme de François
à son mari, pour justifier ses adultères à répétition, qui éloi-
gnent les femmes encore et toujours en quête de cet élan
vital qui n'existe plus chez leurs hommes des temps de paix.

Les femmes de Sautet ont la beauté sensuelle de
l'ancienne soumission, et la férocité troublante d'une émancipation dont elles ne savent trop que faire.

« Et les enfants ? » lance Vincent à François pour esquisser
une parade au désespoir qui envahit les deux hommes.

François répond sans regarder son ami, comme s'il se parlait à lui-même :

« Ils seront chez leur mère. Je les verrai de temps en temps. Qu'est-ce que je vais faire d'eux ? Qu'est-ce qu'ils vont faire de moi ? »

Le père, déchu de sa puissance paternelle, se sent dépouillé de sa légitimité. Il se retrouve à égalité avec sa progéniture, tous également soumis à la mère régente.

Vincent, François, Paul et les autres marque l'échec de la génération d'après-guerre, qui avait voulu abolir l'humiliation de la défaite de juin 1940. La Libération de 1945 reposait sur la présomption de l'héroïsme retrouvé (« Paris libéré par son peuple !!! »), de la Résistance unanime qui effaçait les déchirements entre pétainistes, gaullistes et communistes, de la solidarité entre les classes (sécurité sociale) qui soldait les vieux comptes des journées de juin 1848, de la Commune, de Germinal, etc., et enfin, même si cela était moins assumé, sur la reprise en main des femmes (dont le symbole extrême et cruel fut les tondues) qui avaient abandonné sans vergogne le vaincu dévirilisé pour s'abandonner dans les bras du vainqueur, allemand puis américain. La crise du pétrole de 1973, l'usure du modèle keynésien, la remise en cause de la mémoire gaullo-communiste et, *last but not least*, le combat féministe qui exaltait le « droit de disposer de son corps » même avec un soldat ennemi, le développement de l'individualisme et de l'hédonisme au détriment des valeurs patriotiques, familiales et collectives qui avaient soudé la France de la Reconstruction, tout marquait l'usure et l'échec final de la génération de Vincent, François, Paul et les autres.

Montand, Piccoli, Reggiani étaient tous des fils d'immigrés italiens, si bien assimilés qu'ils étaient devenus des modèles accomplis du Français, et de son ancêtre, le Gaulois. Ils parlaient, ils chantaient, ils jouaient, ils bouffaient et baisaient dans la langue de Racine, dans la verve de Molière, dans l'esprit de Descartes.

Dans quelques années, leurs origines seront exhumées par l'antiracisme militant, non pour leur en faire honte mais gloire, alors que le génie français de l'assimilation avait été de les occulter. Ce sera leur seconde mort, mais ils l'ignorent encore.

Vincent, François, Paul et les autres incarnent le « mâle blanc hétérosexuel » à son crépuscule. Bientôt, des armées de Lilliputiens – féministes, militants gays, et combattants de la décolonisation – abattront sa statue pour danser au milieu des ruines, sans être capables d'en bâtir une autre, pour le plaisir nihiliste de contempler le reflet des flammes, auxquels Vincent, François, Paul et les autres allumeront leurs derniers cigares.

1975

17 janvier 1975

La femme est l'avenir de l'homme

Les larmes (imaginaires) de Simone Veil. La violence des débats parlementaires (tous des hommes !). Les insultes, les menaces, les imprécations. Le nazisme invoqué à tout propos. Les pressions du Conseil de l'ordre (fondé par Vichy !). Les manifestations des féministes : « Mon corps m'appartient. » Histoire ressassée depuis près de quarante ans, devenue légende officielle de la République. Le progrès contre la réaction. La liberté (des femmes) contre la répression (par les hommes). La compassion contre l'insensibilité. Les gentils contre les méchants, la gauche contre la droite.

Histoire revisitée, réécrite, contrefaite. Soulevons l'épais rideau de fumée.

Un texte dépénalisant l'avortement avait déjà été déposé dans la précédente législature sous le président Pompidou.

Depuis le procès de Bobigny de novembre 1973, le ministre de la Justice avait donné pour consigne au parquet de ne plus poursuivre les avortements.

Le texte présenté par le gouvernement remplaçait une hypocrisie par une autre, en instituant une période provisoire de cinq années dont tout le monde savait qu'elle ne serait pas respectée.

La gauche (et le MLF) qui réclamait la liberté totale pour les femmes d'avorter à leur guise, et le remboursement de l'opération par la sécurité sociale, finirait avec le temps par l'emporter.

Simone Veil a pourtant toujours affirmé pendant les débats sa détermination en faveur d'une « loi dissuasive » qui conserverait à l'avortement son caractère « d'exception ».

« C'est parce que je dis non à l'avortement que je voterai le projet du gouvernement » (Bernard Pons, UDR).

« Il y a des cas de détresse de la future mère qui peuvent justifier une autorisation du législateur d'interrompre la grossesse, mais l'important c'est la définition de la détresse et de la procédure d'autorisation » (Michel Debré, UDR).

Mais Michel Debré ne votera pas ce texte d'un gouvernement dirigé par Jacques Chirac qui appartenait pourtant au même mouvement gaulliste.

Trop « d'incertitude », dit-il. L'ancien Premier ministre du général de Gaulle ne fait ni la morale, ni du droit. Il ne fait pas écouter le cœur d'un fœtus qui bat, ni les larmes d'une femme qui n'a pas les moyens de se faire avorter à Amsterdam. Il fait de l'Histoire. Il parle de compétition mondiale ; de démographie ; d'intérêt national. Il rappelle que « le rôle du législateur n'est pas de suivre l'évolution des mœurs ». En vain.

Son discours n'est plus entendu. Sa défaite est la véritable rupture, la borne idéologique, la césure historique.

Ce débat parlementaire est un moment majeur où la raison cède le pas à l'émotion, l'intérêt national au désir des individus, le collectif au personnel, l'idée à l'intime, le masculin au féminin. Tout au long des siècles et dans toutes les civilisations, les femmes ont essayé d'espacer les naissances, sans trop lésiner sur les moyens ; mais ce prosaïsme malthusianiste (les subsistances sont limitées par la productivité médiocre des cultures) et ce réflexe de survie (les couches sont dangereuses pour la vie de la mère) n'ont jamais empêché les hommes – depuis qu'ils ont découvert, il y a trois mille ans, qu'ils étaient pour quelque chose dans la fécondation – de leur arracher

« le fruit de leurs entrailles », pour l'offrir à Dieu, à la tribu, au peuple, à la nation, à la classe ouvrière. Dans la tradition juive, la circoncision marque cette séparation entre la mère et l'enfant, ce bout de chair arraché montrant à la mère que son enfant ne lui appartient pas. En scandant « Mon corps m'appartient », les féministes renversent la malédiction millénaire : nos enfants nous appartiennent ; on a le droit de vie ou de mort sur eux !

Le mouvement est universel. Irréversible. L'ONU a déclaré 1975 année de la femme. Jean Ferrat chante « La femme est l'avenir de l'homme », et signe le ralliement d'une eschatologie communiste – qui exaltait une virilité ouvriériste rejetant les femmelettes et les pédales – à un messianisme de substitution, féministe et hédoniste – les bourgeoises volant indûment aux prolétaires mâles le rôle envieux de victimes et d'exploitées. Depuis la mort d'Elsa, Aragon vient aux congrès du parti communiste entouré d'une cour de mignons comme un Henri III du prolétariat.

Ce basculement civilisationnel – qui ne sera plus démenti par la suite – explique que les médias français rendent depuis à cet événement un culte dévot. L'IVG est l'Austerlitz de notre temps ; les larmes de Simone sont la charge de Murat sur le plateau de Pratzen.

Dans cette histoire mythologique, Michel Debré joue le rôle du général Mack enfermé dans Ulm sans avoir pu combattre. D'un autre temps, d'une autre planète. « Michou la colère », comme l'appelait alors dans un sarcasme méprisant (en l'affublant d'un entonnoir de fou à l'asile) *Le Canard enchaîné*.

Quand Debré entend le mot avortement, il ne sort pourtant ni son revolver ni son crucifix, mais sa calculette. Il compte et il pleure. Il compte les enfants qui manqueront, selon lui, à la France et il se lamente sur la puissance perdue, enfuie à tout jamais. Quand les féministes (et Simone Veil) lui promettent que l'avortement sera une solution provisoire, un jour prochain remplacée par la contraception, il rit, d'un rire triste ; et il a raison. Quarante ans après la loi, il y a toujours en moyenne 200 000 avortements par an, malgré la généralisation de la pilule (spécificité française), ce qui démontre, au grand dam des féministes et des progressistes, la complexité des rapports qu'entretiennent les femmes avec la procréation, qu'il n'y a pas de grossesse non désirée même s'il y a des grossesses non voulues. Debré (et ses rares épigones d'aujourd'hui) oserait la macabre comptabilité des 8 millions de vies françaises perdues (200 000 par 40) sans ignorer pour autant que son calcul serait partiel, car il y a des avortements qui ne sont que des naissances retardées.

Mais Debré ne pinaille pas. Il voit ample. Il voit haut. De trop haut pour ses contemporains. Il est le dernier représentant de deux siècles de souffrance française, de lamentations françaises, de désert français, de Louis XV qui ne peuple pas le Canada, de Napoléon III qui ne peuple pas l'Algérie, de Joffre qui n'a que 40 millions à opposer aux 60 millions d'Allemands. Debré est le dernier héritier de Prévost-Paradol qui projette – grâce à la conquête de l'Algérie – une France de 100 millions d'habitants sous peine qu'elle soit déclassée par les géants de demain, États-Unis, Russie et Allemagne-Unie.

Debré est l'ultime héritier de ces élites françaises qui ne se remettent pas d'avoir vu la « Chine de l'Europe » du début du XVIIIe siècle s'aventurer la première sur les terres glacées de ce que les démographes appelleront, deux siècles plus tard, la « transition démographique » ; qu'il qualifierait plutôt de « grève des berceaux » ou de « suicide collectif ». Après le baby-boom de l'après-guerre (débuté en réalité en 1941, mais il ne fallait pas créditer le régime vichyste de quoi que ce soit), Michel Debré a cru que son rêve se réalisait. Il prolongeait les courbes de naissances en exultant. À partir de 1965, les courbes lui ont appris à ses dépens qu'il ne fallait pas les prolonger. Le baby-boom s'achevait, et les Françaises revenaient – avec des moyens technologiques modernes – à leurs anciennes précautions. Debré l'avait pressenti ; il avait tenté jusqu'au bout de maintenir l'Algérie française, et sa démographie galopante – éveillée d'un ensommeillement séculaire par les soins du colonisateur : aujourd'hui 10 millions, demain 20, après-demain 40 ! La France, avec l'Algérie, crèverait le plafond des

100 millions de Français et s'imposerait comme une grande puissance démographique du XXIᵉ siècle. C'est avec les mêmes chiffres, pour les mêmes raisons démographiques, que le général de Gaulle conduisit la politique inverse. On connaît sa célèbre formule sur son village qui deviendrait « Colombey-les-Deux-Mosquées ». On se souvient moins de la suite du propos lorsqu'il compare les Français et les Arabes à l'huile et au vinaigre : « Mélangez-les dans une bouteille. Après un certain temps, ils se séparent. »

Michel Debré ne distingue pas entre Français et Arabes ; il est plus universaliste que son maître. Plus catholique aussi (*katholikos*, universel), lui, le petit-fils de rabbin. Plus français. D'où ses expérimentations – qui nous paraîtront hasardeuses – d'enfants venus de sa circonscription électorale dans l'île de la Réunion, adoptés par des couples de paysans dans la France profonde. Il est sur la même ligne que les pires adversaires du Général, les partisans de l'Algérie française qui, comme Jacques Soustelle, voient dans les fellahs algériens les frères des « paysans » de sa Lozère natale. Debré comme Soustelle – comme Jules Ferry – sont des assimilationnistes sans états d'âme. La France mère des lois et des arts apporte la civilisation, mais il n'y a pas de peuple, pas d'homme qui ne puisse entendre la parole divine. « La civilisation avance sur la barbarie ; un peuple de lumière tend la main à un peuple dans la nuit », assène, lyrique, Victor Hugo au général Bugeaud qui, en 1840, dans *Choses vues*, rechigne encore à « pacifier » l'Algérie à peine conquise ; tous les êtres humains, quelles que soient leur origine, leur race, leur religion, peuvent entendre le message des « Grecs du Monde ».

Et on traitera ces gens de « fascistes » et de « racistes » ! Le général de Gaulle est, lui, l'héritier des maurrassiens anti-colonisateurs de la fin du XIXᵉ siècle qui n'ont jamais cru aux mythes émancipateurs de la gauche colonisatrice. De Gaulle communie lui aussi pourtant dans la nostalgie du temps où la France était « un mastodonte », autant peuplé que l'immense Russie ; mais, pour lui, « les Français sont des Français, les Arabes sont des Arabes. Ceux qui croient à l'intégration ont des cervelles de colibri, même les plus brillants ». C'est bien sûr Soustelle qui est visé – normalien sorti premier du concours d'entrée, ethnologue parlant de multiples dialectes rares –, mais aussi son Premier ministre, Michel Debré.

Dans sa jeunesse, de Gaulle a lu avec avidité les romans du capitaine Danrit, en particulier cette *Invasion noire* (publiée en 1895) qui contait l'invasion de l'Europe par des Africains islamisés... L'auteur, de son vrai nom Émile Driant, fut un compagnon du général Boulanger, de Déroulède et de Barrès, constellation nationaliste fin-de-siècle, matrice intellectuelle du jeune de Gaulle, qui n'avait pas attendu Samuel Huntington pour théoriser le choc de civilisations.

Ces débats ne se sont jamais éteints. Ils furent noyés dans le sang de la guerre d'Algérie. Ils réapparaissent une décennie plus tard alors que la Ve République sort de son Consulat gaulliste, et qu'un nouveau chef de l'État veut faire passer sur le pays un souffle de « modernité ». On sera servi. Les premiers mois marquent une rupture de style, de rythme, d'allure. Giscard entérine la révolution individualiste, hédoniste, consumériste, féministe de Mai 68. L'IVG en est un des symboles les plus éclatants. Rupture par rapport à la Ve mais aussi à la IIIe République qui avait instauré la loi de 1920 (interdisant l'avortement) pour les mêmes motifs démographiques et familialistes, après la grande hécatombe de la Première Guerre mondiale.

Mais les questions démographiques, mises sous le boisseau par une jeunesse qui privilégie l'instant, demeurent. C'est l'immigration qui les réglera. Personne ne l'avoue encore, mais tout le monde y pense. À droite comme à gauche, et au centre. Pompidou a fait venir des millions d'hommes dans les usines françaises. La crise du pétrole suspend ce flux incessant. La logique voudrait que le reflux fût amorcé. C'est ainsi que la République a agi lors de chaque crise économique, afin de protéger l'emploi « national ». On n'en fait rien. La droite comme la gauche. Première rupture essentielle. Pour des raisons humanitaires, dit-on. On va plus loin : on décide le « regroupement familial » pour rapprocher les familles séparées des deux côtés de la Méditerranée.

Deuxième incohérence française : la famille traditionnelle de souche française doit s'incliner au nom du « progrès » sous la pression individualiste ; dans le même temps – comme pour compenser symboliquement et démographiquement – la famille maghrébine la plus traditionnelle – la plus archaïque, la plus patriarcale – est invitée à prendre la relève. À venir à la rescousse. À remplir les places laissées vacantes. À la remplacer.

Des centaines de milliers de femmes et d'enfants sont arrachés à leurs douars – et à leur vie modeste mais tranquille, sans hommes ou si peu, pendant les grandes vacances – pour rejoindre un mari et un père qu'ils connaissent à peine, dans les froidures – climat et tempérament des indigènes – d'un pays qui les glace. Aussitôt, pour les services sociaux et du logement, c'est le branle-bas de combat. Leur principe est simple, voire simpliste : ces populations ne sont pas différentes des paysans venus dans les villes au XIXe siècle ; elles doivent être assimilées, éduquées à se servir d'une brosse à dents, d'un stylo, d'une machine à laver, à suivre leurs enfants à l'école, et à ne pas égorger le mouton dans la baignoire ! Soustelle a dû ricaner ; Debré se réjouir. Le regroupement familial est la grande revanche posthume des partisans de l'Algérie française sur le général de Gaulle.

Est-ce un hasard si le président de la République, Valéry Giscard d'Estaing, avait flirté avec l'Algérie française – jusqu'à mettre sa carrière fulgurante en péril – et si son Premier ministre, Jacques Chirac, jeune et fringant officier dans les Aurès, avait rechigné toute une nuit à se désolidariser – à l'instar des autres élèves de l'ENA – du putsch des généraux ?

Leur revanche fut de courte durée. Très vite, la mesure humaniste se révèle une catastrophe administrative. Devant l'afflux de femmes et d'enfants que personne n'avait prévu (!), les services sociaux sont débordés, les constructions de HLM ne peuvent pas suivre, les bidonvilles s'étendent, les écoles sont submergées, le niveau des classes s'effondre, les voisins fulminent. L'humanisme comme l'amour dure deux ans. Le nouveau Premier ministre ne partage pas le romantisme du désert de son prédécesseur.

Raymond Barre est un économiste qui sait compter ; un chef de l'Administration qui a compris le désarroi de ses services ; un haut fonctionnaire français qui ne méconnaît pas les rigueurs parfois nécessaires du droit des étrangers, et qui suit l'avis des planificateurs du VIIe plan (1976-1980), estimant que l'immigration constitue un obstacle à la modernisation de l'appareil productif.

Un décret de 1976 suspend le regroupement familial ; le marché du travail (et le chômage) est la raison (prétexte) invoquée de cette suspension ; mais le décret est déclaré illégal par le Conseil d'État.

Raymond Barre s'apprête à surmonter l'opposition des juges par une loi, mais il découvre, effaré, qu'il n'a pas sur ce sujet de majorité à l'Assemblée nationale, entre une gauche hostile par principe, des RPR entrés en dissidence après le départ de Chirac de Matignon, et des centristes démocrates-chrétiens, meilleurs soutiens de Raymond Barre, mais travaillés par leur mauvaise conscience de chrétiens à l'égard de leurs « frères humains », et le souvenir traumatisant de l'extermination des Juifs pendant la guerre.

Barre s'incline ; mais ne renonce pas. En 1978, il instaure une « aide au retour », un chèque de 10 000 francs pour tous les étrangers qui souhaitent repartir avec leurs familles. La pusillanimité française (un choix et non une obligation) se retourne contre les auteurs du décret : les Espagnols et les Portugais empochent le chèque et rentrent au pays – alors qu'on voulait qu'ils restent – et les Maghrébins – dont on souhaitait le départ – ne bougent pas.

Raymond Barre ne se décourage pas. Il négocie avec l'Algérie un accord prévoyant le retour de ses ressortissants. Boumediene accepte et fait construire des HLM dans la région d'Alger pour les accueillir. Les Français espèrent que les autorités marocaines et tunisiennes suivront. Mais une des premières décisions du nouveau ministre des Relations extérieures de la gauche, en mai 1981, est de ne pas appliquer cet accord. Claude Cheysson est lui aussi, comme Chirac, comme Soustelle, un esprit brillant touché par le romantisme du désert et de la grandiose « politique arabe de la France ». En 1982 pourtant, d'autres comptables – de gauche – rétabliront l'aide au retour, avec un chèque porté à 100 000 francs. Personne ne rentrera, et la marche des beurs de 1983 contraindra le président Mitterrand à instaurer une carte de résident de dix ans libérant l'immigré de toutes les contraintes administratives et géographiques qui s'efforçaient d'adapter l'immigration aux bassins d'emploi. Une autre période s'ouvre alors. À partir de 1983, le Front national s'installe dans le paysage politique tandis que les populations immigrées s'installent en masse sur le territoire, alors même que l'industrie française a moins que jamais besoin d'une main-d'œuvre sous-qualifiée.

Cette séquence montre les atermoiements, l'amateurisme, les arrière-pensées et la mauvaise conscience des élites françaises.

Des alliances improbables ont vu le jour entre les « humanistes » (conseillers d'État, épiscopat « ouvert sur le monde » dans la lignée de Vatican II, démocrates-chrétiens) et le patronat du bâtiment et de l'automobile.

Depuis les années 1960, celui-ci tient à sa main-d'œuvre maghrébine comme à la prunelle de son compte d'exploitation. Il l'a recrutée dans les campagnes algériennes et marocaines, privilégiant le paysan docile et malléable au citadin trop éduqué, trop… francisé. Moins cher et corvéable à merci. Son représentant emblématique, Francis Bouygues, prône leur « intégration » avec leur famille. Certains patrons « éclairés » imaginent que les enfants prendront la suite des pères, encore une fois selon le schéma séculaire des fils de paysans venus travailler dans leurs usines à la fin du XIXe siècle, depuis lors ouvriers de père en fils.

Le mariage « exogamique » de l'étranger avec une Française fut longtemps le meilleur outil d'une assimilation à la française, la mère éduquant les enfants dans la tradition culturelle issue de l'héritage gréco-romain, donnant des prénoms chrétiens et une éducation française. On notera que les partisans du regroupement familial voulaient favoriser l'« intégration » des immigrés. Des esprits simples et de bonne foi croient alors que les mots sont presque synonymes, qu'il s'agit d'une triade progressive, insertion, intégration, assimilation, comme les marches d'un escalier qu'on grimpe l'une après l'autre, sans pouvoir jamais redescendre. On découvrira à l'usage que l'intégration n'est pas le préalable de l'assimilation, mais son exact opposé ; son adversaire irréductible même ; les progrès de l'intégration détruiront toute possibilité d'assimilation jusqu'à l'extinction de celle-ci au bénéfice de celle-là. Avec un regroupement familial non plus artisanal et bricolé comme autrefois, mais institutionnalisé à grande échelle, l'outil de l'assimilation par le sexe, le mariage, l'éducation des enfants est brisé. La culture d'origine se transmet par les mères.

En quelques années, la face de l'immigration et de la France a changé. Après les hommes, sont venus femmes et enfants ; à une immigration du travail, traditionnelle depuis le milieu du XIXe siècle, une immigration de flux, liée à l'activité économique, qui retourne au pays, de gré ou de force, en période de crise, succède une immigration familiale qui s'enracine, une immigration de peuplement. Le mot est bien choisi : au fur et à mesure que le temps passera, que les couches d'alluvions exogènes se déposeront sur la terre de France ; que la désindustrialisation, puis les délocalisations transformeront en chimère le projet patronal de dynastie ouvrière, qu'un nombre croissant de garçons refuseront d'être « humiliés » par les Français comme leurs pères sur les chaînes de Renault ou Peugeot ; que les étrangers seront majoritaires dans des quartiers entiers, puis dans des villes, dans des départements, l'assimilation se faisant à l'envers ; que des jeunes de demain iront chercher des femmes dans le bled d'origine de leurs parents, pour ne pas rompre la chaîne endogamique du mariage ancestral entre cousins – et « posséder » une jeune fille moins insoumise que les jeunes Franco-Arabes « perverties » par l'idéologie libérale française ; l'immigration de peuplement alors s'autoengendrera, débordera les cadres administratifs du « regroupement familial », fera masse, fera souche, fera peuple. Un peuple dans le peuple. Un peuple de plus en plus éloigné du peuple d'origine, un « campement africain » – comme prophétisait au début des années 1990, provocateur, un Michel Poniatowski vieillissant et revenu des illusions giscardiennes –, de plus en plus hostile à un « cher et vieux pays » submergé, obligé de battre en retraite.

Dans le même temps, le regard médiatique, littéraire, cinématographique porté sur l'immigration ne cessait au contraire de s'appesantir sur les destins individuels des immigrés, leurs femmes, leurs enfants, leurs états d'âme, leurs ressentiments, des individus, rien que des individus, des humains trop humains, occultant volontairement la part collective, historique, d'un peuple avec ses racines, sa culture, sa religion, ses héros, ses rêves de revanche historique postcoloniale.

Le président algérien Boumediene avait pourtant prophétisé en 1974 : « Un jour, des millions d'hommes quitteront l'hémisphère Sud pour aller dans l'hémisphère Nord. Et ils n'iront pas là-bas en tant qu'amis. Parce qu'ils iront là-bas pour le conquérir. Et ils le conquerront avec leurs fils. Le ventre de nos femmes nous donnera la victoire. » Auguste Comte avait prévenu un siècle plus tôt : « Les morts gouvernent les vivants. » Conception conservatrice et holiste qui s'oppose point par point à celle, progressiste et individualiste, qui nous régit plus que jamais aujourd'hui, qui croit en la liberté absolue de l'individu décidant seul et libre de tout, de la femme décidant seule et libre de garder ou non son enfant, de l'immigré, ce citoyen du monde, décidant seul et libre de s'installer où il le désire.

Alors, telle la statue du commandeur à la fin de *Don Juan*, le souvenir de la parabole sur l'huile et le vinaigre du général de Gaulle résonne toujours plus menaçant, plus obsédant, sur les esprits brillants à cervelle de colibri.

26 février 1975

Nous sommes tous des Dupont Lajoie !

Ils sont laids. Ils sont bêtes. Ils sont méchants. Ils sont vils. Ils sont vulgaires. Ils sont libidineux. Ils sont misogynes, xénophobes, racistes. Ils sont à la fois couards et violents. Leurs vêtements sont ridicules, leurs plaisirs grotesques, leurs loisirs stupides. Ils jouent au tiercé et boivent des coups au comptoir. Ils passent leurs vacances dans des campings où ils s'entassent au milieu des odeurs de grillade, dans une promiscuité bruyante et avilissante. Jean Carmet et Ginette Garcin composent un couple de Thénardier *seventies* avec un rare talent ; les comédiens qui les entourent sont remarquables, plus veules et vulgaires les uns que les autres ; Cosette est jouée par Isabelle Huppert à peine sortie de l'enfance. Cosette meurt, pour avoir résisté à une tentative (malhabile) de viol du père Thénardier ; ces gens-là ratent tout, même un viol. La gamine perverse avait un peu provoqué en « allumant » le vieux renard émoustillé et brutal ; même la victime a des taches sur sa blanche hermine.

Dans ce camp... ing du mal, le seul « humaniste » qui tente d'arrêter le fol engrenage de la violence est... italien. L'inspecteur de police a tout deviné, mais il renonce à arrêter les vrais coupables pour devenir commissaire ; le ministre (de droite bien sûr) préfère détourner le courroux de la justice sur de pauvres Arabes innocents comme l'agneau qui vient de naître.

Ces Arabes venus travailler sur un chantier à proximité du camping pour un salaire dérisoire sont les seuls héros positifs du film. Humbles et fiers à la fois, pauvres mais dignes et hospitaliers, peu causants, se nourrissant de thé à la menthe, ils forment une tribu d'hommes nobles tout droit sortis du désert et d'un livre de Lawrence d'Arabie. À l'époque, les travailleurs immigrés qui débarquaient en France étonnaient en effet souvent par leur mise sobre, leur discrétion, leur élégance morale. Kabyles pour la plupart, ils étaient secrètement ravis de trouver une terre laïque où les lois du Coran ne s'appliquaient pas sous le contrôle strict et rigide du voisinage. Bergers ou paysans habitués à la chaleur conviviale de leur village, ils souffraient de la froideur des relations humaines en France, quand ils ne suscitaient pas des réactions violentes de rejet qu'ils ne comprenaient pas. En leur temps, les Ritals et les Polaks avaient subi le même opprobre de la part d'ouvriers français qui jugeaient

qu'on leur volait leur travail et leur pain. Dans le film,
Robert Castel jure la main sur le cœur qu'ils sont payés
autant que les Français pour le même travail ; mais se voit
contraint d'ajouter que peu de Français acceptent de travailler pour ce prix-là. En peu de mots, tout est dit : les immigrés ne prennent pas le travail des Français, mais permettent
au patron de réduire ses coûts et de peser à la baisse sur
les salaires des autochtones. Loi aussi vieille que le capitalisme, que Marx analysait déjà à propos des travailleurs irlandais importés dans les usines anglaises en 1840.

Le réalisateur affirmera qu'il s'est inspiré de nombreux
crimes racistes commis dans le sud de la France, au début
des années 1970. Mais, comme toujours, les confrontations
entre « communautés » ne sont pas univoques ; l'humilité et
la discrétion générale des nouveaux venus laissaient parfois
place à de brusques explosions de violence ; dès 1948, le
préfet de Paris notait que la moitié des 100 000 agressions
annuelles étaient causées par des Maghrébins ; le souvenir
de la guerre d'Algérie, les exactions du FLN, les attentats,
les crimes de policiers à Paris par le FLN étaient encore très
présents dans les mémoires, toutes les mémoires.

Mais la réalité importe peu à Yves Boisset. Dans son film
Dupont Lajoie, il forge une mythologie. Ces Arabes superbes
sont aux yeux de sa caméra, et du spectateur, les nouveaux
prolétaires, exploités et méprisés, tandis que les ouvriers,
employés, représentants de commerce, toute une lie petite-
bourgeoise franchouillarde, sont voués aux gémonies. Le
Bon Dieu et le Diable.

Avec *Dupont Lajoie*, le réalisateur a obtenu un grand succès
commercial. Le tournage a été un peu tourmenté, des
bagarres, des contestataires, des polémiques ; mais ça valait le
coup : en un film, Boisset est devenu à la fois un chéri « ban-
cable » des producteurs et une « conscience de gôche ». Le
beurre, l'argent du beurre et le cul de la crémière !

Il n'est pas le seul à porter le fer dans la plaie populaire.
Souvent, à la même époque, le talent le dispute à la férocité.
Renaud chante « Hexagone », une chanson dans laquelle il
traite les Français de rois des cons. Cabu dessine les beaufs

et Coluche brocarde le père de Géraaaard, alcoolique qui reproche à son fils de fumer des pétards.

Pour la première fois, dans les années 1970, les jeunes révoltés ne s'en prennent pas seulement aux classes supérieures – aristocratie, bourgeoisie – mais aussi aux classes populaires. Quelques années plus tôt, les militants les plus « conscientisés » – comme on disait à l'époque – ne juraient pourtant que par le prolétariat, le monde ouvrier, le peuple sanctifié, déifié, idolâtré même.

Or, en Mai 68, la rencontre des jeunes et de leur mythe s'est mal passée. Les ouvriers, cornaqués par la CGT, ont repoussé les gauchistes venus les rallier à leur cause à la sortie des usines Renault à Boulogne-Billancourt. Les ouvriers ne voulaient pas faire la révolution, mais acquérir le confort petit-bourgeois ; ils ne désiraient pas détruire la société de consommation, mais y entrer. Pas le pouvoir aux soviets, mais : « Charlot, des sous ! »

La victoire des dirigeants syndicaux est de courte durée. Alors qu'ils viennent en triomphateurs romains leur présenter les accords de Grenelle qu'ils ont signés avec le patronat, ils se font à leur tour huer et expulser par les ouvriers de la Régie. En quelques semaines, le prolétariat français s'est fait une triade d'ennemis irréductibles : les jeunes gauchistes les jugent insuffisamment révolutionnaires ; les patrons les trouvent trop revendicatifs ; et leurs chefs communistes et syndicalistes trop rebelles. Guerre des générations et guerre des classes. L'échec de la révolution collective annonce la révolte des seuls individus. L'égalité est remplacée par la liberté. La « classe ouvrière » devient dans l'imaginaire un ramassis de beaufs franchouillards, alcooliques, racistes, machos. La lie de l'humanité. L'internationalisme de la gauche a rompu avec le patriotisme de la Révolution française après la guerre de 1914. Déjà, dans l'entre-deux-guerres, Aragon et les surréalistes conchiaient le drapeau tricolore, l'hymne national et l'armée française ; héritier d'Anatole France qui avait affirmé : « On croit mourir pour la patrie, et on meurt pour les industriels », cet esprit libertaire des surréalistes dénonçait avec Prévert « Ceux qui mamellent de la France / Ceux qui courent, volent et nous vengent ». Mais dans les années 1970, la détestation de la France se double d'une détestation des Français, surtout les plus humbles d'entre eux ; à la haine de la France s'ajoute la haine du peuple français. Dans le contexte historico-politique – ouvrage de Paxton, *Le Chagrin et la Pitié*, « Nuit et brouillard », etc. – remontent en même temps les souvenirs peu glorieux de la guerre, de la collaboration, de l'extermination des Juifs. Cette jeunesse qui n'a pas connu l'Occupation condamne sans savoir le comportement de ses pères, coupables à la fois d'avoir perdu la guerre, collaboré, et donné des Juifs. Les dirigeants des groupuscules gauchistes sont le plus souvent juifs, fils de ces Ashkénazes qui avaient été chassés, ou livrés aux Allemands, parce qu'ils n'étaient pas de nationalité française. Le peuple français est alors accablé de tous les péchés d'Israël !

Mais cette jeunesse – plus imprégnée de judéo-christianisme qu'elle ne veut l'avouer – ne peut faire son deuil de tout millénarisme ni de religion du salut. L'immigré sera son nouveau christ, son nouveau peuple élu. Ses souffrances seront celles du peuple juif ; son bourreau – le peuple français forcément – sera confondu dans une même malédiction implacable.

Les plus lettrés de cette génération avaient retenu de Lévi-Strauss que l'ethnocentrisme est un crime néocolonial et que chaque culture a sa dignité, sa valeur, dans la longue chaîne de l'Histoire de l'humanité ; ils n'ont pas entendu, pas voulu entendre ni compris que Lévi-Strauss ajoutait qu'un peu de xénophobie – qui n'est pas le racisme mais le pendant de la conscience de soi et de la confiance en soi – était nécessaire à la défense de sa culture, afin qu'elle ne fût pas engloutie par celle de « l'Autre ». Ils prêcheraient bientôt le « vivre-ensemble » après en avoir sapé les fondements qui étaient l'assimilation, et couvert d'opprobre et de ridicule ceux qui en étaient les meilleurs agents, ces humbles, ces petits, ces sans-grade, ce peuple franchouillard et sans prétention qui, depuis un siècle, dans les quartiers populaires, avait servi de référent et de modèle aux différentes vagues d'immigrés venues de Belgique, d'Italie, de Pologne et même d'Algérie.

À la fin du film d'Yves Boisset, le jeune Arabe dont le frère a été tué dans la ratonnade improvisée déboule dans le café de Jean Carmet ; il est armé ; le met en joue ; tire. Le film s'achève sur cet appel au meurtre. Le peuple français doit mourir ; la jeune génération de la bourgeoisie n'a pas le courage d'accomplir elle-même la sale besogne. N'est pas Cavaignac ou Thiers (ou Staline ou Mao) qui veut ; elle délègue cette mission exterminatrice à l'immigré arabe qu'elle appelle à remplacer le vieux peuple pour mieux le faire disparaître.

Depuis quarante ans, Yves Boisset a réalisé d'autres films, certains remarquables comme *Le Juge Fayard*. Mais *Dupont Lajoie* restera le plus grand succès de sa carrière, car il a alors exprimé une époque, une idéologie, l'âme d'une génération. Il a voulu dénoncer avec force le rejet de l'Arabe, de l'autre ; il a révélé la haine de la bourgeoisie pour le prolétariat ; il a accusé la haine de race et a révélé sa haine de classe. Il a voulu exhumer la xénophobie française et a mis au jour la prolophobie des élites parisiennes. Il a cru mettre en lumière le rejet du bicot, du raton, du bougnoul ; il a affiché son mépris de la canaille, comme disait Voltaire, du beauf, comme dessinait Cabu, de la populace que tuait Monsieur Thiers. Yves Boisset a cru faire un film sur le racisme ; il a en réalité fait un film raciste.

1976

Qui c'est les plus forts, c'est les Verts !

Longtemps les Français n'ont pas aimé le football. C'était un sport trop simple pour les intellectuels, trop populaire pour les bourgeois, trop anglais pour les patriotes ; trop collectif pour les esthètes qui préféraient le tennis, pas assez viril pour les amateurs de rugby, pas assez épique pour les inconditionnels de la petite reine. Ils ne le détestaient pas non plus ; c'était une sortie du dimanche en famille ; un sport de patronage où Monsieur le curé n'hésitait pas à taper le cuir. Les joueurs français de haut niveau étaient des professionnels depuis les années 1930, mais on avait l'impression qu'ils n'étaient jamais sortis du patronage. Dans les compétitions internationales, d'abord face aux Anglais, puis aux Allemands, aux Italiens, aux Espagnols et même aux Autrichiens, leurs frêles gabarits et leur ingénuité d'artistes les desservaient. Le football fut longtemps ce sport joué à onze où les Français perdaient toujours à la fin. Les Français inventaient des compétitions (Coupe du monde Jules Rimet, coupe d'Europe des clubs du journal *L'Équipe*) où leurs joueurs ne brillaient jamais, comme pour mieux confirmer leur réputation de conceptuels fascinés par les mots et la politique, de cerveaux méprisant et dédaignant leurs corps, cette éducation à la française qui avait déjà coûté si cher au pays, si l'on en croit le mot célèbre de Wellington : « La bataille de Waterloo a été gagnée sur le terrain de sport d'Eton. » Dans les années 1930, la démocratie parlementaire à la française méprisait un sport utilisé comme instrument de propagande par les régimes totalitaires, Italie de Mussolini d'abord, puis Allemagne nazie, enfin URSS stalinienne, comme elle avait refusé toute réforme institutionnelle par peur du césarisme et du bonapartisme. La France ne connaissait pas les passions collectives des stades italiens, espagnols ou même allemands ; ses élites s'en félicitaient, dénonçant une « peste émotionnelle » (selon une formule empruntée à Wilhelm Reich) qui flattait les instincts guerriers et chauvins de la plèbe, même si certains y voyaient *in petto* une preuve supplémentaire de la décadence de la race française avachie par les congés payés.

Les joueurs de l'Association sportive de Saint-Étienne portaient des maillots verts qui moulaient leurs torses frêles de gamins poussés trop vite, sortaient de leurs shorts blancs, flottaient quand ils couraient, leur servaient de serviette pour essuyer leur front plein de sueur. La plupart avaient été formés au club depuis leur plus jeune âge ; on leur avait inculqué le sérieux, la rigueur, l'effort et la solidarité. Ils venaient d'une région ouvrière qui connaissait encore la valeur du travail bien fait. Les deux seuls étrangers – à l'époque, c'était la règle limitative qui prévalait dans tous les clubs européens –, le Yougoslave Ivan Curkovic dans les buts et le magnifique arrière central argentin Oswaldo Piazza, partageaient la même morale ancestrale. Les années 1970 étaient celles du déclin industriel de l'ancienne citadelle ouvrière, la fin du charbon et la chute de la maison Manufrance. Saint-Étienne avait toujours été la banlieue prolétaire méprisée par les hautains bourgeois lyonnais ; même le rude labeur d'autrefois qui donnait une dignité lui échappait pour des raisons qu'elle ne comprenait pas encore. Les succès de ses chers footballeurs se révéleraient pour cette population meurtrie le baume qu'elle n'espérait plus ; la revanche sur un sort qui s'acharnait.

L'équipe n'était pas flamboyante. Les Stéphanois n'avaient pas renoué avec le style léger, aérien du glorieux Stade de Reims, que les journalistes avaient qualifié sans originalité de « football champagne ». Le jeu des Verts était plus austère, plus rugueux, parfois plus terne. Le jeune entraîneur Robert Herbin avait assimilé les nouvelles méthodes forgées quelques années plus tôt au bord des canaux d'Amsterdam sous le nom de « football total », une sorte d'industrialisation, de taylorisation du foot, où « tout le monde attaque et tout le monde défend », avec des joueurs standardisés, uniformisés, jusque dans leurs longs cheveux à la mode, mais où le sacrifice de chacun accouchait d'un jeu collectif si maîtrisé et si rapide qu'il en devenait étourdissant.

Saint-Étienne n'avait pas atteint le nirvana de l'Ajax d'Amsterdam ; mais l'équipe avait déjà révolutionné le football français par son esprit d'abnégation, de sacrifice, quand leurs compatriotes avaient toujours privilégié le talent individuel et la qualité du geste sur la solidarité collective.

Les Stéphanois gagnaient. Les titres de champions s'accumulaient, les coupes aussi. Ils dominaient sans partage les compétitions hexagonales, écrasant même le fantasque Olympique de Marseille. Mais ils n'étaient pas encore devenus « les Verts ». C'est la coupe d'Europe qui les transformerait en icônes nationales.

L'équipe de Saint-Étienne connaissait des déplacements douloureux ; des défaites cuisantes la condamnaient à des revanches héroïques ; mais les Verts accomplissaient l'exploit avec une régularité de chevalier du Moyen Âge.

Bayard était stéphanois. Sans peur et sans reproche, il assaillait l'adversaire jusqu'à lui faire rendre gorge. Il vola d'exploit en exploit jusqu'à la finale.

Une finale qu'il ne pouvait gagner. On ne le comprit qu'après, lorsque les Verts défaits furent célébrés en triomphateurs romains, descendant l'avenue des Champs-Élysées dans la liesse et l'adulation. Leur succès, leur objectif, leur graal était d'atteindre cette finale qui semblait inaccessible aux clubs français, quand leurs adversaires allemands, qui avaient déjà conquis deux coupes d'Europe, considéraient

une finale comme une routine, et l'échec comme une faute
professionnelle. Leur défaite valeureuse – « après s'être battus jusqu'au bout », serinaient les commentateurs exaltés
– ajouta encore à la gloire de nos chers Verts. La France
était alors ce pays qui préférait encore Poulidor à Anquetil,
le vaincu magnifique au vainqueur calculateur. La France
était encore cette nation une et indivisible qui célèbre les
exploits de tous ses enfants – d'où qu'ils viennent – à Paris ;
il ne serait pas venu à l'idée aux joueurs du Bayern de
fêter leur victoire dans la capitale de la République fédérale d'Allemagne.

Plus rien ne serait comme avant. La sincère passion
populaire serait exploitée par tous les marchands de
maillots, d'oriflammes, de fanions, de posters, et même de
disques, puisqu'une chanson ridicule serait gravée : « Qui
c'est les plus forts, les plus forts c'est les Verts ! » Le marché
accostait de rives inconnues dans l'Hexagone. Il ne parti-
rait plus, envahirait tout, pervertirait tout, détruirait tout.
Ne lâcherait plus sa proie. À cette époque, les propriétaires
étaient encore français, et avaient pour nom Daniel Hech-
ter, Jean-Luc Lagardère, Louis Nicollin, bientôt Bernard
Tapie. Les grandes villes de l'Hexagone, Paris, Marseille,
Lyon, Montpellier, Nantes, se rêvaient en Milan, Londres,
Madrid ou Barcelone. La France imitait à marche forcée
ses voisins italiens, espagnols, anglais ou allemands qui
avaient depuis longtemps rentabilisé l'engouement pour ce
sport. Dominique Rocheteau fut transformé en homme-
sandwich ; ses boucles brunes, sa gueule d'ange, son sourire timide séduisaient les jeunes filles et les publicitaires
qui dédaignaient habituellement le spectacle ridicule de
onze hommes en short qui courent après un ballon ; son
style élégant, sa placidité inébranlable face aux coups, bru-
talités, agressions incessantes dont il était l'objet, suscitaient l'admiration ; sa discrète sensibilité de gauche – qui
le poussa deux ans plus tard à proposer le boycott de la
Coupe du monde organisée en Argentine sous la férule
tyrannique et sanglante de généraux – lui donnait une aura
jusque dans les milieux parisiens médiatiques et intellectuels, emplis d'un mépris habituel pour ces « cons de sportifs ».

L'argent affluait à Geoffroy-Guichard ; les politiques aussi. On vit dans les tribunes Georges Marchais et François Mitterrand ; le communiste, farceur truculent, prétendit que la présence du socialiste attirait la défaite ; il n'ajouta pas « comme le capitalisme provoque la guerre », mais le pensait sans doute. La droite giscardienne se découvrit à son tour une passion pour le football.

Cette fortune – et gloire – accumulée brûlait les doigts et tournait les têtes. Des joueurs prestigieux, Michel Platini ou le Hollandais Johnny Rep – qui sortait tout droit de la forge de demi-dieux de l'Ajax d'Amsterdam ! –, vinrent en renfort. Le jeu des Verts se fit plus brillant, plus offensif, plus spectaculaire : il fallait séduire ce nouveau public bourgeois qui descendait de Paris – ou de Lyon – pour admirer les « Verts ». Les résultats de l'équipe devinrent plus chaotiques, alternant victoires enthousiasmantes et défaites déroutantes. Les Verts n'atteignirent plus jamais la finale de la coupe d'Europe.

On découvrit que la comptabilité du club n'était pas exempte de reproches ; une « caisse noire » étalait ses mystères à la une des journaux ; on apprit que cet argent occulte servait à rémunérer les nouvelles vedettes de l'équipe. Les humbles valeurs de la citadelle ouvrière avaient laissé la place aux petites combines des flamboyants faiseurs de fric. La « religion laïque du prolétariat », chère à l'historien britannique Eric Hobsbawm, avait été pervertie par les « marchands du temple ». Tout ce beau monde s'égailla au plus vite lorsque les Verts redevinrent l'obscure ASSE courant vainement après un ballon, dans un stade à moitié vide.

Bientôt, le président du club, Roger Rocher, meurtri et abandonné, en casserait la célèbre pipe qu'il arborait aux heures de gloire.

La fête virait au drame. Les anges verts furent chassés du Paradis comme de vulgaires humains. D'autres prendraient leur place, moins sincères, moins ingénus, plus cyniques et calculateurs. Devenu président de la République, François Mitterrand ne remit jamais les pieds à Geoffroy-Guichard.

Décembre 1976

Haby soit qui mal y pense

Les mots n'ont pas pris une ride. Ils servent encore aujourd'hui, près de quarante ans après, identiques, tellement usés qu'on voit à travers : Démocratisation... Égalité des chances tout en maintenant le plus haut niveau de formation... La puissance d'un pays moderne est directement fonction de son capital intellectuel... Refus de la sélection... Refus d'une orientation trop précoce... Longue concertation...

La loi Haby sur le collège unique est une référence indépassable, une matrice, une borne. Un symbole. Le ministre giscardien a alors signé l'acte de reddition définitive de la droite devant l'idéologie scolaire de la gauche républicaine ; a étanché la soif des républicains – pour la première fois depuis un siècle – d'unifier, de rassembler tous les enfants de France sous l'enseigne publique, pour les arracher au magistère « réactionnaire » de l'Église. Au fil du temps, s'y était ajouté le mépris des socialistes et des humanistes pour l'enseignement professionnel, par détestation de l'entreprise capitaliste comme lieu d'asservissement et d'aliénation – l'usine, c'est sale – au profit du vieux rêve des Lumières d'émancipation par le savoir. Longtemps la droite avait résisté, au nom de la vieille alliance du trône et de l'autel, puis des nécessités de l'industrialisation du pays et du transfert des petits paysans dans les usines. Mais la République – ses partis, ses loges, ses syndicats – ne s'y était jamais résignée. Elle avait dissimulé avec soin que le travail d'alphabétisation (des garçons en tout cas) avait été achevé avant son arrivée par l'Église honnie, pour mieux s'en approprier l'exclusif mérite ; elle était parvenue à arracher les plus doués à l'usine (et à l'industrie) pour en faire des professeurs.

C'est le général de Gaulle qui à la Libération, enferré dans son alliance forcée avec les communistes pour éviter la guerre civile et se dégager d'une tutelle américaine arrogante, avait donné à la gauche tous les pouvoirs sur l'Éducation nationale. Les communistes signèrent avec le fameux rapport Langevin-Wallon la feuille de route que la droite revenue aux affaires appliquera sans barguigner. Seul le général de Gaulle, avec son conseiller Jacques Narbonne, exhorta le ministre de l'Éducation, à coups de notes et de réunions interministérielles, à ne pas sacrifier la qualité de l'enseignement à la nécessaire « démocratisation ». Agacé par la soumission de Joseph Fontanet aux desiderata syndicaux – et par l'indolence libérale du Premier ministre Georges Pompidou –, le général de Gaulle installa rue de Grenelle son ancien ministre de l'Information, Alain Peyreffite. Mais la première réunion interministérielle organisée par le nouveau ministre eut lieu le 3 mars 1968...

Il n'est pas sûr d'ailleurs que le général de Gaulle ait eu la main heureuse. Alain Peyreffite était certes un brillant normalien, un des derniers intellectuels du gaullisme au pouvoir ; mais il se piquait de modernité en matière de pédagogie. Il était tout disposé à abandonner les habitudes autoritaires et hiérarchiques qu'il trouvait raides et dépassées. Il s'était entiché de méthodes nouvelles, venues d'outre-Atlantique, qui privilégiaient la spontanéité, la créativité des enfants sur la mécanique, qu'il jugeait sommaire, de la mémorisation et de la répétition. Dans son livre, *Le Mal français,* qui parut aussi en 1976[1], Peyreffite intègre ce modernisme pédagogique dans une critique globale de la France traditionnelle, catholique, rigide, hiérarchisée. Il dénonce la société bloquée et rêve de la transformer, de l'américaniser, de la protestantiser.

Cette concomitance fut la première malédiction de la loi Haby. Au départ, cette législation n'était que le toit sur la maison, la poursuite au collège de l'effort séculaire d'éducation entrepris dans le primaire. Mais la toiture est posée au moment même où on sape les fondations de la maison. Le culte de l'enfant, de sa spontanéité, le passage de la transmission du savoir détenu par le maître à une pédagogie

---

1. *Op. cit.*

active qui fait de l'enfant « l'acteur de la construction de ses savoirs » détruiront l'école primaire française qui s'enorgueillissait à juste titre d'être la « meilleure du monde ».

Avec le recul que donnent les quarante années de folle expérimentation, Marcel Gauchet compara cette révolution à un « saut dans le vide sans parachute ».

Le mépris de la mémorisation, de la répétition, de l'effort, du travail, servi par le jargon moliéresque des maîtres des sciences de l'éducation, les sinistres « pédagogistes », ruina l'ambitieux programme.

L'école était comme toujours l'otage des affrontements idéologiques et politiques. À droite, les rapports de forces évoluaient au profit des libéraux américanophiles, au détriment des nationalistes colbertistes. À gauche, les révolutionnaires, trotskistes, maoïstes ou libertaires, prenaient le pas sur les communistes staliniens qui, dans leurs mairies comme rue de Grenelle, avaient loyalement poursuivi l'œuvre séculaire d'émancipation populaire par le savoir et la culture. Les libéraux avaient découvert Friedrich Hayek et Milton Friedman, tenaient le marché, voire l'argent, comme seul critère de réussite et d'utilité sociale ; ils méprisaient les profs sous-payés et leur culture collectiviste de « gôche ». Les « gauchistes » ne juraient que par leurs deux maîtres à penser, Michel Foucault et Pierre Bourdieu. Foucault avait délégitimé la nécessaire discipline en enseignant que l'ordre républicain n'était que l'habillage d'un pouvoir répressif, quasi fasciste. Bourdieu avait, lui, répété depuis son fameux livre de 1970, *La Reproduction*[1], que la bourgeoisie avait érigé la culture classique et le diplôme pour légitimer par le mérite le fait qu'elle ait accaparé les meilleures places sociales, et dissimuler ainsi qu'elle ne tenait sa domination que par la naissance et l'héritage. Cette alliance improvisée – et souvent générationnelle – entre libéraux de droite et libertaires d'extrême gauche pour détruire la culture classique, les uns parce qu'elle refrénait les pulsions du consommateur, les autres pour abattre la culture bourgeoise,

---

1. Éditions de Minuit.

accoucherait d'une déculturation inouïe, couverte et occultée par les oriflammes médiatiques du « niveau monte ».

Mais 1976 fut aussi la première année effective du regroupement familial qui amena en France un public scolaire issu – à quelques exceptions repérées et aidées – de milieux d'un médiocre niveau socioculturel, où l'école et le savoir sont rarement portés au pinacle des valeurs familiales, ne parlant pas ou peu ou mal le français.

Le regroupement familial fut au pédagogisme ce que le nitrate est à la glycérine. Se mettre à la remorque des élèves, c'était leur interdire toute acquisition du savoir si leur milieu social ne les y avait pas préparés. C'était donc accroître les inégalités sociales en se proposant de les réduire. Des enfants qui ne savent pas lire et écrire sont condamnés à être relégués dans le collège unique. Le mépris français pour l'enseignement technique se conjugua au refus de ces jeunes d'être les « esclaves des Français » comme papa, c'est-à-dire ouvriers. La machine éducative s'interdisant désormais de leur inculquer les rudiments du « roman national », leur manque identitaire les jeta dans les bras chaleureux de l'Oumma islamique et de la haine de la France. Quarante ans plus tard, 40 % des jeunes garçons issus de l'immigration étaient au chômage.

Face à leur échec de plus en plus cruel, les progressistes s'accrochèrent à un fétichisme nominaliste et un rien dédaigneux du diplôme ; l'obtention du diplôme prenait la place de l'acquisition du savoir.

Le collège unique finit par devenir le collège de personne. Les « mauvais » élèves ne peuvent jamais y entrer, car leurs insuffisances en lecture et écriture les rendent incapables de pénétrer dans les arcanes des matières qu'on leur enseigne ; s'adapter à eux (les fameux « décrocheurs »), c'est cesser d'enseigner aux autres. La violence règne dans les collèges de banlieues, et les classes favorisées se protègent dans les établissements du centre-ville ; les classes moyennes prennent d'assaut les écoles privées.

On comprend mieux la révolte populaire qui gronda contre le projet de 1984 d'intégrer de force l'école privée dans l'enseignement public. Ce n'était pourtant que la fin presque naturelle d'un processus séculaire d'unification. Mais la gauche se révélerait maladroite, arrogante. Pour servir les idéaux et les intérêts de gauche, la droite est l'instrument idéal.

1977

Juin 1977

Lily mieux que le Zizi

Il avait des années durant hésité, tergiversé, retravaillé. Cette chanson, ce n'était pas son genre ; il avait peur de se fourvoyer, de se ridiculiser.

Pierre Perret avait jusque-là connu un immense succès populaire avec des gauloiseries paillardes et innocentes à la fois : « Les jolies colonies de vacances » (1966), « Tonton Cristobal » (1967), « Le Zizi » (1974), etc. En matière de femmes, cette « Lily » était fort éloignée du « cul de Lucette » qu'il vantait il y a peu :

> *On la trouvait plutôt jolie, Lily*
> *Elle arrivait des Somalies, Lily*
> *Dans un bateau plein d'émigrés*
> *Qui venaient tous de leur plein gré*
> *Vider les poubelles à Paris[1].*

Un Molière qui écrirait les tragédies de Racine ; un Charlie Chaplin qui se prendrait pour Bergman. Il était si peu sûr de lui – et la maison de disques aussi – qu'il se contenta de glisser cette chanson en une discrète face B d'un 45-tours.

---

1. Pierre Perret, « Lily », 1977.

Le succès fut pourtant éclatant. Les programmateurs de radio la plébiscitèrent ; les critiques s'enthousiasmèrent. Le public suivit, même si Perret ne retrouva pas ses ventes du « Zizi »...

La chanson avait tout pour devenir un standard de ce « politiquement correct » à la française qui s'ébauchait au cours de ces années 1970. L'immigrée était charmante et dévouée ; elle aimait la France et, dans sa lointaine Somalie, avait appris à faire rimer « tous égaux » avec Voltaire et Hugo. Elle avait voyagé, Lily, aux Etats-Unis, Lily, les bus interdits aux Noirs et Angela Davis, avant de découvrir attristée que les Français n'étaient pas plus accueillants que ces racistes d'Américains :

Elle rêvait de fraternité, Lily
Un hôtelier rue Secrétan
Lui a précisé en arrivant
Qu'on ne recevait que des Blancs.

Des journalistes se précipitèrent dans le XIXe arrondissement de Paris pour chercher – et dénoncer – l'odieux hôtelier. Qui n'existait pas, bien entendu.

Cette chanson n'appartenait plus à son auteur.

Perret chanta cette comptine au moment même où l'immigration changeait de nature : où on ne venait plus à Paris vider les poubelles mais rejoindre un père, un mari, ou un frère. Après avoir fait venir les immigrés au lieu d'investir dans des machines plus modernes, comme leurs homologues japonais, le patronat français acheva la destruction de la classe ouvrière nationale par le regroupement familial. L'immigration de travail était arrêtée et devenait marginale ; ce fut le moment où elle se transformait en thème de chanson ou de récit. On avait besoin de faire croire à la population que rien n'avait changé, que l'immigration était toujours utile au pays, alors que le chômage de masse avait commencé son irrésistible ascension, et qu'un nombre croissant d'immigrés le subissait ; à la même époque, Coluche plaisantait sur la fermeture des frontières : « Ne vous inquiétez pas, vous n'allez pas être obligés de travailler tout de suite. »

Un rideau de fumée idéologique avait été descendu pour dissimuler la nouvelle réalité. Une machine à culpabiliser était mise en branle pour celer la révolution démographique qui s'annonçait.

Avec « Lily », la mise en accusation du peuple français est du même ordre que celle du film *Dupont Lajoie* ; mais là où Yves Boisset cogne, Perret culpabilise. Boisset, c'est papa qui ordonne au petit d'aller rendre visite à grand-mère ; Perret, c'est maman qui susurre : « Si tu ne vas pas voir grand-mère, elle sera malheureuse. » L'hétérogénéité ethnique portera sur le devant de la scène les questions religieuses et culturelles au détriment des problèmes sociaux. Les années 1980, celles de l'antiracisme et du grand virage libéral concomitant, nous ouvraient les bras. Mais Pierre Perret est loin de tout cela : il parle avec son cœur ; à l'instar de la plupart des artistes, il est l'« idiot utile » du capitalisme et de l'antiracisme d'État qui se met alors en place.

Sa chanson reflète un air du temps que les chanteurs, acteurs, écrivains, cinéastes, etc. respirent sans s'en rendre compte. Dans le même disque que « Lily », on peut écouter « Les enfants foutez-leur la paix », une ode à la spontanéité enfantine, à l'enfant roi, qui popularise la revolution en cours dans les méthodes pédagogiques.

Avec « Lily », Perret abandonne ingénument ce populo qui l'a fait roi ; il se met aux côtés des censeurs bourgeois de gauche, cette caste qui domine son milieu professionnel, et le regardait jusqu'alors avec un mépris condescendant. C'est le geste d'allégeance d'un homme humilié à une « élite » par laquelle il veut à tout prix se faire adouber : il lui donne ce qu'elle exige, la tête de ce peuple français qui l'adule, et à qui il tend le miroir déformant d'une populace raciste et xénophobe.

Sa chanson sera étudiée en classe et, consécration suprême, donnée en sujet du baccalauréat. Perret croira avoir rejoint son maître vénéré : Georges Brassens ; mais l'ancien anarchiste n'a pas été remplacé ; celui qui se rêve son héritier sert la machine à culpabiliser les Français ; et à propager cette haine de soi qui tétanise le peuple et le tient coi, silencieux et passif.

1978

Cochin qui s'en dédie

« Il est des heures graves dans l'histoire d'un peuple où sa sauvegarde tient toute dans sa capacité de discerner les menaces qu'on lui cache.

L'Europe que nous attendions et désirions, dans laquelle pourrait s'épanouir une France digne et forte, cette Europe, nous savons depuis hier qu'on ne veut pas la faire.

Tout nous conduit à penser que, derrière le masque des mots et le jargon des technocrates, on prépare l'inféodation de la France, on consent à l'idée de son abaissement.

En ce qui nous concerne nous devons dire NON.

En clair, de quoi s'agit-il ? Les faits sont simples, même si certains ont cru gagner à les obscurcir.

L'élection prochaine de l'Assemblée européenne au suffrage universel direct ne saurait intervenir sans que le peuple français soit directement éclairé sur la portée de son vote. Elle constituera un piège si les électeurs sont induits à croire qu'ils vont simplement entériner quelques principes généraux, d'ailleurs à peu près incontestés quant à la nécessité de l'organisation européenne, alors que les suffrages ainsi captés vont servir à légitimer tout ensemble les débordements futurs et les carences actuelles, au préjudice des intérêts nationaux.

1. Le gouvernement français soutient que les attributions de l'Assemblée resteront fixées par le traité de Rome et ne seront pas modifiées en conséquence du nouveau mode d'élection. Mais la plupart de nos partenaires énoncent l'opinion opposée presque comme allant de soi et aucune assurance n'a été obtenue à l'encontre de l'offensive ainsi annoncée, tranquillement, à l'avance. Or le président de la République reconnaissait, à juste raison, dans une conférence de presse récente, qu'une Europe fédérale ne manquerait pas d'être dominée par les intérêts américains. C'est dire que les votes de majorité, au sein des institutions européennes, en paralysant la volonté de la France, ne serviront ni les intérêts français, bien entendu, ni les intérêts européens. En d'autres termes, les votes des 81 représentants français pèseront bien peu à l'encontre des 329 représentants de pays eux-mêmes excessivement sensibles aux influences d'outre-Atlantique.

Telle est bien la menace dont l'opinion publique doit être consciente. Cette menace n'est pas lointaine et théorique : elle est ouverte, certaine et proche. Comment nos gouvernants pourront-ils y résister demain s'ils n'ont pas été capables de la faire écarter dans les déclarations d'intention ?

2. L'approbation de la politique européenne du gouvernement supposerait que celle-ci fût clairement affirmée à l'égard des errements actuels de la Communauté économique européenne. Il est de fait que cette Communauté – en dehors d'une politique agricole commune, d'ailleurs menacée – tend à n'être, aujourd'hui, guère plus qu'une zone de libre-échange favorable peut-être aux intérêts étrangers les plus puissants, mais qui voue au démantèlement des pans entiers de notre industrie laissée sans protection contre des concurrences inégales, sauvages ou qui se gardent de nous accorder la réciprocité. On ne saurait demander aux Français de souscrire ainsi à leur asservissement économique, au marasme et au chômage. Dans la mesure où la politique économique propre au gouvernement français contribue pour sa part aux mêmes résultats, on ne saurait

davantage lui obtenir l'approbation sous le couvert d'un vote relatif à l'Europe.

3. L'admission de l'Espagne et du Portugal dans la Communauté soulève, tant pour nos intérêts agricoles que pour le fonctionnement des institutions communes, de très sérieuses difficultés qui doivent être préalablement résolues, sous peine d'aggraver une situation déjà fort peu satisfaisante. Jusque-là, il serait d'une grande légèreté, pour en tirer quelque avantage politique plus ou moins illusoire, d'annoncer cette admission comme virtuellement acquise.

4. La politique européenne du gouvernement ne peut, en aucun cas, dispenser la France d'une politique étrangère qui lui soit propre. L'Europe ne peut servir à camoufler l'effacement d'une France qui n'aurait plus, sur le plan mondial, ni autorité, ni idée, ni message, ni visage. Nous récusons une politique étrangère qui cesse de répondre à la vocation d'une grande puissance, membre permanent du Conseil de sécurité des Nations Unies et investie de ce fait de responsabilités particulières dans l'ordre international.

C'est pourquoi nous disons NON.

NON à la politique de la supranationalité.

NON à l'asservissement économique.

NON à l'effacement international de la France.

Favorables à l'organisation européenne, oui, nous le sommes pleinement. Nous voulons, autant que d'autres, que se fasse l'Europe. Mais une Europe européenne, où la France conduise son destin de grande nation. Nous disons non à une France vassale dans un empire de marchands, non à une France qui démissionne aujourd'hui pour s'effacer demain.

Puisqu'il s'agit de la France, de son indépendance et de l'avenir, puisqu'il s'agit de l'Europe, de sa cohésion et de sa volonté, nous ne transigerons pas. Nous lutterons de toutes nos forces pour qu'après tant de sacrifices, tant d'épreuves et tant d'exemples, notre génération ne signe pas, dans l'ignorance, le déclin de la patrie.

Comme toujours quand il s'agit de l'abaissement de la France, le parti de l'étranger est à l'œuvre avec sa voix paisible et rassurante. Français, ne l'écoutez pas. C'est l'engourdissement qui précède la paix de la mort.

Mais comme toujours quand il s'agit de l'honneur de la France, partout des hommes vont se lever pour combattre les partisans du renoncement et les auxiliaires de la décadence.

Avec gravité et résolution, je vous appelle dans un grand rassemblement de l'espérance, à un nouveau combat, celui pour la France de toujours et l'Europe de demain.

Jacques Chirac
6 décembre 1978 »

La liste conduite par Jacques Chirac aux élections européennes de 1979 obtint 16 % des suffrages. Le président du RPR renvoya ses deux conseillers, auteurs de ce texte magnifique, Pierre Juillet et Marie-France Garaud. Il fit dire par la suite qu'ils avaient profité de sa faiblesse (il était à l'hôpital à la suite d'un accident de voiture) pour lui faire avaliser ce désormais fameux appel de Cochin.

En 1992, Jacques Chirac appela à voter oui au référendum sur le traité de Maastricht, sous les sifflets des militants RPR.

En 1995, il fut élu président de la République.

1979

16 janvier 1979

Toute révolution est bonne en soi

La révolution iranienne fut d'abord une histoire française.

Valéry Giscard d'Estaing avoua des années plus tard que le président américain Jimmy Carter l'avait prié de recueillir et de protéger l'imam Khomeini qu'il qualifia de « saint homme » tandis que le journal *Le Monde* évoquait le « Gandhi iranien ». Khomeini avait été désigné par le *Time* homme de l'année 1979, après avoir pu, de sa retraite dorée à Neauphle-le-Château, organiser la chute de son ennemi juré, le shah d'Iran. L'abandon de leur ami et allié ne porta pas bonheur aux deux chefs d'État occidentaux. La faiblesse, la pusillanimité, la maladresse dont fit preuve Carter face à la vindicte des foules iraniennes hystérisées favorisa l'avènement de l'acteur de série B Ronald Reagan, qui avait pour seul mérite de clamer d'une voix de velours : « *America is back.* » Le deuxième choc pétrolier qui suivit la révolution iranienne en 1979 brisa les efforts de redressement économique entrepris par le professeur Barre à Matignon et entraîna la défaite du président français en 1981.

On n'en avait pas fini pour autant avec la révolution des mollahs.

Toute révolution était depuis 1789 une affaire française. La gauche, les intellectuels en tête, s'estimait propriétaire pour l'éternité de l'idée révolutionnaire. Elle refusait par principe de se sentir étrangère à un soulèvement d'où qu'il vienne. Elle était avec les communistes russes en 1917 ; avec les Chinois en 1949 ; avec les Cubains en 1959 ; avec le FLN en 1962.

En 1979, Michel Foucault s'avança aux côtés de la révolution iranienne.

Foucault est l'intellectuel emblématique des années 1970. Alors qu'un Sartre court après l'époque, qu'Aron la contemple avec une hauteur incrédule, Foucault la précède, la théorise, l'accompagne, lui donne ses lettres de noblesse.

Le 12 mai 1979, quand il s'interroge en une du *Monde*, faussement ingénu, « Inutile de se soulever ? », la révolution de Téhéran a déjà du sang sur les mains. Il ne se refuse pas moins à « disqualifier le fait du soulèvement parce qu'il y a aujourd'hui un gouvernement de mollahs ».

La révolution est bonne en soi.

Un soulèvement est légitime par essence, quelles que soient les conséquences.

Même une révolution archaïque religieuse. Six mois plus tard, en décembre 1979, la Constitution iranienne reconnaîtra le chiisme comme religion d'État et imposera la charia comme norme suprême de la loi, faisant de l'Iran une théocratie.

Mais le progressisme anticlérical de l'intelligentsia française s'arrête aux portes des églises. Pourtant, Foucault a compris avant tout le monde que le soulèvement iranien nous ramenait mille ans en arrière, dans ce Moyen Âge à la foi ardente où les révoltes millénaristes cathares et autres embrasaient toute l'Europe et portaient les espérances plébéiennes dans un monde meilleur.

Ainsi, l'Histoire serait sortie, selon lui, de l'âge de la « Révolution », qui depuis « deux siècles "a constitué" ce gigantesque effort pour acclimater le soulèvement à l'intérieur d'une histoire rationnelle et maîtrisable ». Dans le même temps, François Furet a décrété la fin définitive de la Révolution française, près de deux siècles après 1789, et théorisera l'échec criminel de cette révolution russe qui s'était voulue et pensée son accomplissement. Moscou n'est plus dans Moscou.

Retour à la case départ. Aux soulèvements irrationnels et non maîtrisables, les révolutions religieuses. Place à l'islam.

En tant qu'éminent représentant de ces intellectuels français, seuls aptes en raison de leur histoire glorieuse à distinguer le bon grain de l'ivraie, l'authentique révolution de la basse révolte, Michel Foucault donne sa bénédiction à la révolution iranienne.

Ce n'est pas un hasard. L'islam a toutes les vertus pour reprendre le flambeau. Selon un de ses grands spécialistes, Maxime Rodinson, il est « un communisme avec Dieu ». Religion universelle, égalitaire (pour les hommes musulmans), dogmatique, assoiffée de justice et de certitudes, refusant le doute et le débat pour éviter toute *fitna* (ce que les communistes appelaient dans leur jargon une scission), l'islam ne connaît pas de séparation entre le public et le privé, et enserre la vie quotidienne de ses fidèles dans un entrelacs serré de prescriptions. Il ne connaît ni nations ni États, et rêve d'unification universelle sous la domination du califat, comme les communistes enrégimentaient l'humanité entière sous la bannière de l'internationalisme prolétarien. Maxime Rodinson, à qui on demandait d'expliquer la signification profonde de l'Oumma, la communauté des croyants, livrait cette boutade en guise de réponse : « L'Oumma, c'est *L'Huma.* »

Et les querelles inexpiables et sanglantes entre sunnites et chiites ne sont pas sans rappeler celles entre staliniens et trotskistes.

Avec la chute du shah, l'islam redevient le brandon révolutionnaire mondial qu'il fut au VIIe siècle ; mais les sunnites, avec à leur tête l'Égypte et surtout l'Arabie saoudite, ne peuvent tolérer que la direction de ce *jihad* mondial tombe entre les mains de leurs ennemis héréditaires. Foucault l'a tout de suite compris : « Sur cette scène, se mêlent le plus important et le plus atroce : le formidable espoir de refaire de l'islam une grande civilisation vivante et des formes de xénophobie virulente ; les enjeux mondiaux et les rivalités régionales. Et le problème des impérialismes. Et l'assujettissement des femmes, etc. »

La revendication islamique s'apprête à balayer la sécularisation des sociétés arabes accomplie dans les premières années de la décolonisation. Dans les années 1950, Nasser abreuvait de sarcasmes des islamistes qui avaient la prétention grotesque de voiler les femmes cairotes. Quelques décennies plus tard, le grotesque est devenue la norme, et les descendants de ces Frères musulmans qu'il brocardait, avant de les enfermer et de les exécuter, ont pris un instant le pouvoir au Caire.

La rivalité entre chiites et sunnites pour la direction de la révolution islamique ne connaît pas de limites ; elle arme les terroristes, et finance les propagandes dans tout le monde musulman, jusque dans nos banlieues. Le salafisme saoudien et le chiisme iranien se font une concurrence sévère, mais poussent de conserve à l'écrasement des versions locales de l'islam, enracinées et adaptées aux mentalités vernaculaires. À travers les pèlerinages massifs à La Mecque, les télévisions par satellite, les prédications enflammées par internet, sans compter les violences de milices locales financées et formées à Téhéran, à Ryad ou au Qatar, ils enrégimentent un milliard d'humains dans un islam plus littéraliste et dogmatique que jamais.

À la fin de l'année 1979, affolée par la révolution iranienne, si près de ses frontières et de ses populations musulmanes remuantes, l'Union soviétique envahissait l'Afghanistan au nom de la lutte contre l'« obscurantisme ». Comme Napoléon était persuadé d'être le bienfaiteur de l'Espagne arriérée en lui apportant le Code civil, les Soviétiques étaient convaincus de faire avancer la civilisation sur ces terres barbares. Les mêmes causes produisent toujours les mêmes effets. Et comme les Anglais soutinrent la guérilla espagnole contre l'Ogre, les Américains, mus par un réflexe de guerre froide, aidèrent la résistance afghane contre l'occupant communiste.

La vieille alliance scellée entre Roosevelt et Ibn Saoud en 1945 reprenait du service actif. Les Américains choisissaient une fois encore l'islam sunnite le plus rétrograde, tandis qu'ils prenaient conscience que leur lâche abandon du shah n'avait nullement désarmé la haine des mollahs à leur égard. En voulant venger leur défaite au Vietnam, ils enfantèrent et armèrent un certain Oussama ben Laden.

À partir du 11 septembre 2001, Al-Qaïda remplaça, dans l'imaginaire assiégé des foules occidentales et des discours guerriers de leurs dirigeants, la bande à Baader et les Brigades rouges. Avec les mêmes arrière-pensées politiciennes et les mêmes barbouzeries manipulatrices.

À gauche, parmi les élites politiques et intellectuelles françaises, la révolution islamiste provoqua un schisme, même s'il ne fut pas d'une ampleur comparable à celui causé par la « grande lueur à l'Est ». Ceux qui, tels les sociaux-démocrates allemands ou les amis de Léon Blum en France, rejetèrent la fascination révolutionnaire au nom de leurs idéaux démocratiques, furent condamnés à s'aligner sur les positions américaines (et israéliennes), et à dissoudre leurs anciens engagements progressistes dans un droit-de-l'hommisme occidentaliste, sirupeux et embourgeoisé. Leurs anciens camarades leur reprochèrent de trahir les déshérités et de suivre les faucons de la droite américaine (et israélienne) dans leur guerre aux pauvres musulmans entreprise sous couvert de lutte contre le terrorisme. Ceux-là trahissaient leur solidarité avec des damnés de la terre, tandis que ceux-ci abandonnaient une fois encore leur idéal de liberté pour ne pas désespérer Barbès-Rochechouart.

L'islam était la révolution qu'ils attendaient, qu'ils espéraient. Mais elle se révéla un mouvement viril, brutal, impérieux aux antipodes de leurs discours émollients. Implacable. L'Histoire repassait les plats. La prise de la Bastille conduisait à Robespierre, comme la prise du palais d'Hiver à Staline. Ce n'était pas la première fois que certains de nos intellectuels se comportaient en femelles fascinées par la force brutale et virile : dans les années 1930, on se souvient dans quelles transes les voyages initiatiques à Moscou, Rome ou Berlin mirent les Gide, Romain Rolland, Drieu La Rochelle, etc.

À l'instar des anciens patrons du communisme, les docteurs de la foi islamique étaient sincèrement convaincus que leur sainte loi régénérerait une société occidentale décadente. Lacan avait prévenu les étudiants qu'il recevait pendant les « événements » de Mai 68 : « Vous attendez un maître. Vous l'aurez. »

23 mars 1979

La sidérurgie tombe la première

Ce n'était certes pas la Commune, mais il y avait longtemps qu'une telle violence ouvrière n'avait pas déferlé sur la capitale ; depuis 1947 sans doute, et les grèves insurrectionnelles de la CGT matées par les CRS du socialiste Jules Moch. Mais, à l'époque, le syndicat communiste est au sommet de sa puissance et de la terreur qu'il inspire ; la bourgeoisie tremble et voit – à tort – la France comme le prochain pays envahi par les chars russes. Trente ans plus tard, la peur a changé de camp. La lutte des classes existe, Karl Marx avait raison ; mais la classe ouvrière ne la gagnera pas. Elle le pressent. En 1979, les sidérurgistes sont les premiers à monter sur l'échafaud. Des semaines avant leur grand défilé du 23 mars à Paris, ces gens du Nord et de Lorraine, d'habitude si calmes, si mesurés, devenus fous de colère, ont cassé des vitrines, attaqué des commissariats, saccagé des bureaux d'administration, occupé des stations de radio, bloqué des trains et des routes. Ils ont promis d'ameuter la France entière. L'État n'est pas sourd. Le président Giscard d'Estaing et son Premier ministre, Raymond Barre, sont des technocrates libéraux mais imprégnés de tradition colbertiste. Tout mouvement social d'envergure réveille dans leurs mémoires le souvenir traumatique, voire obsessionnel, de Mai 68.

Les deux plus hauts représentants de la droite française n'ont pas hésité un an plus tôt à nationaliser les deux grands groupes Usinor et Sacilor pour les sauver d'une faillite programmée. Ils croient encore aux principes gaullistes qui lient depuis 1945 l'État, la modernisation d'une industrie nationale, et le progrès social. Ils sont convaincus que l'État peut, comme d'habitude, compenser la tradition d'un capitalisme français sans capitaux pour faire les investissements massifs qu'exige le progrès technique. Ils ont connu les temps glorieux de la planification, lorsque dans le cadre des Ve et VIe plans, on organisa au cours des années 1960 le redéploiement de la sidérurgie française vers les sites neufs, Dunkerque dans le Nord, Fos-sur-Mer dans les Bouches-du-Rhône. Ils ont lu les innombrables notes pondues par les technocrates du ministère de l'Industrie, qui rappellent l'histoire mouvementée de la sidérurgie, pionnière de l'industrialisation française dès le XVIIIe siècle et la première moitié du XIXe, autour des petites mines de fer et au charbon de bois fourni par les forêts du Périgord, de Bourgogne, d'Ardèche ou de Champagne. Et puis, la seconde industrialisation, de la fin du XIXe siècle, celle de l'acier, qui fait de la Lorraine – avec ses énormes mines de fer et de charbon – et du Nord charbonnier des « pays noirs » immortalisés par Zola. C'est le temps des énormes usines, des cathédrales industrielles, l'âge d'or de la sidérurgie ; le temps où on fait la guerre pour elle en France, en Allemagne, en Belgique ; où on organise l'exode rural à son profit ; où les grandes dynasties de maîtres des forges – Schneider, Wendel – deviennent les archétypes des grands capitalistes, symboles honnis des deux cents familles.

Pour Giscard et Barre, le temps, comme d'habitude, arrangera tout. Il faut s'adapter, et encore s'adapter. Se moderniser, encore se moderniser. Ils sont tous deux des Européens convaincus et sincères, et ne se plaignent pas, au contraire du général de Gaulle naguère, que le traité de la CECA ait permis à l'Allemagne de recouvrer à moindres frais une sidérurgie qu'on avait tenté à deux reprises, en 1923 (occupation de la Ruhr) et en 1945, de lui arracher en vain. Dans les années 1960, la CECA a fourni des aides aux investissements qui ont modernisé et concentré la filière, afin de lui permettre de résister à la concurrence américaine et anglaise.

Mais le credo de Giscard et Barre est sérieusement écorné par la fermeture inattendue, en 1977, de l'usine ultramoderne de Louvroil dans le Nord par Usinor.

Entre avril 1979 et décembre 1980, 21 000 ouvriers sont licenciés à Denain (Nord) et à Longwy (Meurthe-et-Moselle). L'État indemnise généreusement et achète la paix sociale. La gauche promet monts et merveilles, mais, après son arrivée au pouvoir en 1981, n'agira pas différemment de ses prédécesseurs. Elle fusionnera les deux groupes que l'État giscardien avait nationalisés. C'est la fuite en avant par le poids et la taille – toujours plus gros ! – pour régler les besoins d'investissements toujours plus importants et réduire l'endettement. Alors, quand il n'y aura plus qu'un seul groupe français, on le fusionnera au luxembourgeois, pour faire un groupe européen, Arcelor. Cette course au gros finira dans les années 2000 dans la gueule d'un prédateur encore plus puissant, l'Indien Mittal, méprisé par l'aristocratie européenne de l'acier, mais qui a ressuscité avec sa structure familiale et ses financements opaques le capitalisme du XIXe siècle.

Le prix de l'adaptation, de la modernisation, est toujours plus élevé. Prix social en licenciements ; mais aussi prix financier pour l'État qui se ruine en « plans sidérurgiques ». La valse des millions d'argent public donne le tournis. Des usines ultramodernes se révèlent des éléphants blancs. Des sommes énormes disparaissent pour des aciéries à oxygène qu'on ne verra jamais, des installations d'enrichissement du minerai qui demeureront à l'état de projet. Les maîtres des forges prennent la poudre d'escampette. Ils investissent dans des secteurs plus porteurs, le nucléaire ou la banque. Des décennies plus tard, on retrouva les Wendel gérants de fonds d'investissement. La finance a remplacé l'industrie !

À la même époque, le PDG de Lip démissionnait et déclarait désabusé : « Jusqu'à Lip, nous étions dans un capitalisme où l'entreprise était au cœur de l'économie. Après, nous nous sommes trouvés dans un capitalisme où la finance et l'intérêt de l'argent ont remplacé l'entreprise. »

L'optimisme scientiste et industrialiste des technocrates français et européens se fracasse contre l'évolution du capitalisme que la vieille sidérurgie annonçait malgré elle. Ce ne sont plus les ressources du sous-sol qui déterminent désormais l'allocation des richesses, mais les flux de marchandises et de capitaux. Les pays noirs sont trop loin des ports et des grandes villes, qui deviendront bientôt des métropoles. L'État français, et sa volontariste politique d'aménagement du territoire, sera rendu impuissant par les injonctions libérales européennes et la globalisation. L'avènement des pays émergents ramènera le capitalisme à son stade originel, celui des prédateurs sans complexes, des ouvriers traités comme des esclaves ou des chiffres dans un bilan ; retour à ce capitalisme du XIXe siècle de Dickens et de Zola qu'avait inauguré la sidérurgie. Comme si tout devait (re)commencer et finir par le fer et l'acier. Mais, à l'époque, les maîtres des forges détenaient tout, le sol et le sous-sol, les mines et les usines. Les églises et les stades de football. Les corps et les âmes. Ils s'en vont sans une larme et laissent une terre désolée, ruinée, exsangue, après un siècle de bons et loyaux services.

La classe ouvrière n'est que la première victime. La classe moyenne, gavée par les Trente Glorieuses, détourne la tête, avec un brin de mauvaise conscience Elle n'a pas alors compris que la fête est finie. Son tour viendra, mais plus tard.

Elle versera des larmes de crocodile en faisant quelques années après un triomphe à la chanson nostalgique de Pierre Bachelet, « Les corons », ode à une classe ouvrière défunte, ou à l'évocation poignante par Daniel Guichard de « Mon père », un ouvrier mutique et désabusé. Mais, au fond, cette France qui n'a jamais aimé l'industrie, et s'apprête à passer d'un monde rural préindustriel à un univers postindustriel, ne regrette pas le temps de *Germinal*.

En 1978, Eddy Mitchell a chanté « Il ne rentrera pas ce soir », plongée talentueuse dans le désespoir d'un cadre dont la société a été rachetée par une multinationale, qui n'ose pas rentrer chez lui de peur d'annoncer à sa femme qu'il ne pourra plus payer l'école privée des enfants. Ainsi s'annonce le blues du cadre pour qui « le chômage est pire qu'un mari trompé ». La classe ouvrière ne mourra pas seule.

26 juin 1979

Les petits camarades goûtent à l'Élysée

Les flashs des appareils photographiques ne crépitaient que pour lui ; les caméras ne filmaient que lui ; les journalistes ne tendaient leurs micros qu'à lui. Le soir, aux journaux télévisés, on ne verrait que lui. Sartre sur le perron de l'Élysée. Sartre de sa démarche hésitante d'aveugle. Sartre au bras d'André Glucksman et de Raymond Aron. Sartre accueilli dans l'ancien bureau du général de Gaulle par un Giscard révérencieux et intimidé : « Bonjour, maître. »

Mais, derrière la consécration, l'admiration, l'émotion, se dissimulait la jouissance malsaine et souvent inconsciente de voir le grand homme trébucher, non seulement parce qu'il est devenu aveugle, mais aussi, mais surtout, comme si la symbolique rejoignait la physique, parce que cette audience à l'Élysée consacrait la défaite implacable, le reniement absolu de toute une vie intellectuelle et politique. À l'hôtel Lutetia, quelques jours plus tôt, lors de la conférence de presse organisée pour obtenir ces précieux visas pour les boat-people vietnamiens fuyant la tyrannie communiste, Sartre, la voix à peine ralentie, plus sourde aussi, avait prononcé ces mots : « Des hommes vont mourir et il s'agit de les sauver… une exigence de pure morale… il faut sauver les corps » ; ces mêmes mots qu'il avait tant reprochés à Camus des années plus tôt, raillé, ostracisé, méprisé, invectivé, condamné pour son humanisme bêlant et sa sensiblerie féminine, à propos des crimes de Staline ou du FLN. Sartre

– et avec lui Simone de Beauvoir qui devait le raconter dans son roman *Les Mandarins* – ne trahirait pas l'enseignement indépassable de Karl Marx sur « la violence accoucheuse de l'histoire ». Il avait soutenu jusqu'au bout le FLN et ses porteurs de valises contre l'armée française ; les vietminhs contre les GI's ; et voilà que le même homme s'efforçait de sauver des fuyards, anciens cadres d'un régime corrompu qu'il qualifiait naguère avec mépris de « fantoche de l'Amérique ».

Cet homme avait affecté une inflexibilité et une insensibilité ostensibles, avec d'autant plus d'acharnement sans doute qu'il n'avait pas montré pendant la guerre de ce courage physique ni même intellectuel qui fit les héros et les résistants, flirtant avec une collaboration au moins passive, au cours de cette Occupation où, si on l'en croyait, « on n'avait jamais été aussi libre » ; libre de découvrir les plaisirs défendus de l'« embarquement pour Cythère ».

On ne sait ce qui se passa dans cette tête chenue et minée par les ravages de l'âge et de la maladie. Simone de Beauvoir accusa son secrétaire Benny Lévy de « détournement de vieillard ». La preuve éclatante, selon l'accusation, vint quelques mois plus tard, dans cette interview au *Nouvel Observateur*, sous forme de dialogue entre les deux protagonistes, au cours de laquelle le vieil homme sembla renier aussi le flamboyant existentialisme de sa jeunesse athée, pour s'approcher à pas humbles et comptés des rivages d'une pensée monothéiste juive que Benny Lévy était en train de redécouvrir ; comme si l'ancien Pierre Victor, garde rouge maoïste de la gauche prolétarienne – qui, accomplissant le chemin inouï de Mao à Moïse, rejoindrait bientôt Jérusalem pour y étudier la loi de ses pères et y mourir –, reprenait le rôle des prêtres qui harcelèrent Voltaire pour tenter de lui faire renier sur son lit de mort ses coupables errements contre l'Église.

Le soir de la conférence de presse au Lutetia, à sa femme Suzanne qui lui glissait, revancharde : « Raymond, quelle victoire pour toi ! », Aron rétorqua, magnanime et agacé : « Suzanne, ne sois pas mesquine. » Aron moqué par Sartre, dédaigné pendant des années, insulté même pendant Mai 68 (« Les étudiants ont vu Aron tout nu », écrivait Sartre), ignoré depuis, tenait sa revanche. L'homme de la raison l'emportait sur le chantre de la révolution ; l'occidentaliste sur l'internationaliste rouge. Il prenait la place de Camus dans la grande querelle du siècle autour du communisme et de la révolution. Dans la salle du Lutetia, on avait pu reconnaître la fille de l'écrivain pied-noir, aux côtés de Michel Foucault qui avait, avec son compère Glucksman, convié leurs deux aînés à se rassembler derrière cette cause humanitaire. Et pourtant Aron ne put savourer pleinement sa revanche sur « son petit camarade », qu'il avait tenu à saluer ainsi en souvenir de leurs jeunes années de normaliens complices. Aron n'a pas pu ne pas remarquer que Sartre ne lui avait alors pas répondu, et que le vieil aveugle rancunier avait détaché son bras qu'Aron lui tenait affectueusement sur le perron de l'Élysée pour l'aider à marcher. Sartre n'avait rien oublié ni rien pardonné. Sartre avait perdu, Sartre s'était renié, mais Aron aussi. Cela s'était moins vu, mais la défaite intellectuelle et historique était au moins aussi cruelle pour lui. L'ami de Kissinger et lecteur de Clausewitz, le grand esprit qui reprochait à Giscard d'ignorer que « l'Histoire est tragique », « le journaliste à la Sorbonne et l'universitaire au *Figaro* » – comme l'avait drôlement raillé de Gaulle – qui tançait jusqu'au Général lui-même pour son irréalisme coupable, lorsque l'homme du 18 Juin s'éloignait de l'alliance américaine au nom d'une politique d'indépendance nationale qu'Aron jugeait illusoire au temps des blocs-empires, cet homme-là tombait à son tour dans les affres du sentimentalisme médiatique. Une grande défaite de l'intelligence et de la raison – d'une pensée qui se voulait jusque-là dénuée de pathos, d'affect, qui parvenait à se détacher si bien de ses passions, lorsqu'il réfléchissait sur le destin de la France ou sur celui du peuple juif, notion en laquelle d'ailleurs il ne croyait guère.

Ni Sartre ni Aron n'analysèrent ni ne théorisèrent cette renonciation inouïe.

Ils sonnaient sans mot dire le glas du clivage droite-gauche qui annonçait les reniements de chacun des deux camps, la droite abandonnant la Nation et l'État, la gauche rejetant le Peuple et la Révolution. À gauche, certains osèrent reprocher au maître sa trahison ; Bernard Kouchner, qui était sur la même ligne humanitariste, fut éjecté de Médecins sans frontières, qu'il avait pourtant fondé en 1971. Une partie de la gauche ne voulait pas – pas encore – renoncer à la révolution pour les droits de l'homme. Elle avait reçu sèchement le grand Soljenitsyne qui osait lui mettre sous le nez la cruauté effroyable de l'espérance communiste. Elle avait brocardé les « nouveaux philosophes » qui avaient scandé le même message sur les plateaux télévisés. Elle ne voulait pas encore abdiquer ; mais son temps était compté. L'apostasie de Sartre consacrait sa défaite et sa mort imminente. La droite, elle, amorçait son virage libéral, européen et atlantiste, et découvrirait bientôt, de manière pragmatique, que cette idéologie droit-de-l'hommiste servirait de ferment au retour de la « Grande Nation » dans la famille occidentale et otanienne, comme le catholicisme avait conduit la France de Louis XV au « grand renversement d'alliance » avec l'Autriche. Mais c'est la gauche qui, comme d'habitude, lui ouvrirait le chemin de la transgression. Il reviendrait en effet à Laurent Fabius, Premier ministre, d'amorcer ce changement radical de paradigme, d'instiller le poison droit-de-l'hommiste dans la Realpolitik française qui, de Richelieu à de Gaulle, ne connaissait que les États, et ignorait la nature des régimes, jusqu'à s'aboucher avec Staline ou Ceaucescu, ou aux dictateurs arabes. En 1985, c'est Fabius, qui mettrait en place le boycott de l'Afrique du Sud en raison du régime de l'apartheid ; et oserait même s'offusquer de la visite du général polonais Jaruzelski, pourtant reçu par le président Mitterrand.

Sartre et Aron avaient noyé dans les bons sentiments la « moraline » chère à Nietzsche et le droit-de-l'hommisme émotionnel et médiatique, une vie intellectuelle consacrée à l'Histoire et à la Realpolitik. Ces clercs incontestés trahissaient sans vergogne leurs exigences, leurs idéaux ; ils trompaient Gutenberg avec Mac Luhan.

Quelques mois encore, et une foule innombrable et majestueuse enterrerait son grand homme, sans comprendre que Sartre était déjà mort sous ses yeux, ce 26 juin 1979, et qu'avec lui, disparaissait la grande figure de l'intellectuel français, née deux siècles plus tôt avec Voltaire et Rousseau.

1980

Les loups sont entrés dans Paris
par la rue Copernic

On n'avait pas connu d'attentat à Paris depuis la guerre d'Algérie. Huit jours plus tôt, une explosion à la fête de la bière de Munich avait fait 13 morts ; deux mois auparavant, une bombe à la gare de Bologne avait tué 85 personnes.

Le manque de ponctualité de la synagogue de la rue Copernic, qui avait commencé l'office religieux avec un quart d'heure de retard, l'avait sauvée d'un massacre prémédité. Mais la fureur et la colère ne souffrirent aucun retard. Des mouvements de jeunes Juifs « antifascistes et antiracistes » s'empressèrent de manifester dans les rues de la capitale ; d'autres saccagèrent le siège parisien des Faisceaux nationalistes européens, ou se battirent avec des « néonazis » devant le Bus Palladium ; des coups de feu furent tirés contre la façade de l'Œuvre française (mouvement Sidos) rue Caillaux. Ces jeunes gens en colère n'avaient aucun doute sur l'origine des tueurs. L'« extrême droite » était vouée aux gémonies. Les néonazis ! On assurait qu'un membre des FNE avait revendiqué l'attentat. On ne savait pas encore que c'était une provocation. Les loups étaient entrés dans Paris.

Depuis la guerre des Six Jours en juin 1967, une partie de la jeunesse juive française s'était enrégimentée dans des mouvements de défense sioniste. Elle militait, faisait le coup de poing dans les rues et les universités contre des nazis imaginaires. Elle connaissait le destin tragicomique de ces générations perdues, si bien analysé par Musset dans ses *Confessions d'un enfant du siècle*, qui arrivent trop tard dans un monde trop vieux, et rêvent de revivre une époque de bruit et de fureur qu'ils n'ont pas connue. Leur fougue n'atteint jamais les buts recherchés, mais ne demeure pas vaine.

La génération de Musset, qui rêvait de la Grande Armée de Napoléon, renversa Charles X en 1830 ; les jeunes Juifs des années 1970, qui s'imaginaient tuer des nazis dans le maquis avec Jean Moulin ou dans le ghetto de Varsovie, renversèrent la statue de Giscard. On reprocha à ce dernier de n'avoir pas daigné se déplacer. On murmura de plus en plus fort qu'il était resté comme Louis XVI à la chasse. On psychanalysa sans se lasser la formule maladroite du Premier ministre Raymond Barre pour lui découvrir un insoutenable inconscient antisémite : « Cet attentat odieux voulait frapper les Israélites qui se rendaient à la synagogue et a frappé des Français innocents qui traversaient la rue Copernic. »

Dès les premières manifestations, le soir même de l'attentat, alors que le ministre de l'Intérieur Christian Bonnet était venu s'enquérir des dégâts, la foule hurlait : « Bonnet, Giscard, complices des assassins. »

Ce fut le génie tacticien de François Mitterrand que de diriger la foudre sur un président de la République qui n'en pouvait mais.

La campagne présidentielle de 1981 débutait à peine, mais Mitterrand pilonnait déjà son rival. Deux jours après l'attentat, à Tarbes, il rappelait la présence d'« activistes d'extrême droite » dans les rangs du service d'ordre du candidat Giscard en 1974. Dans *Le Monde*, Jean-Pierre Chevènement enfonçait le clou : « La vérité est qu'une véritable osmose s'est créée entre une partie du personnel dirigeant giscardien et l'extrême droite française, de Vichy au Club de l'horloge en passant par l'OAS. »

Des syndicalistes policiers dénoncèrent des collègues « néofascistes ». Au-delà de la police et de l'État giscardien, on amalgama les groupes de réflexion comme le GRECE ou le Club de l'horloge qui avaient depuis peu pignon sur rue dans *Le Figaro Magazine* de Louis Pauwels.

Bernard-Henri Lévy, à l'époque proche de Mitterrand, bouclait la boucle dans *Le Quotidien de Paris* : « Tout le ramdam qu'on a fait récemment autour des thèses élitaires, indo-européennes, parfois eugénistes, des sous-développés de la Nouvelle Droite par exemple, a préparé le terrain à la situation d'aujourd'hui… *Le Figaro Magazine*, en un sens, c'est pire que *Minute* ; c'est ce qui permet à des milliers de gens de penser qu'on peut être fasciste sans être un nervi ou une brute de la FANE. »

La police suivit une piste de militants franquistes espagnols qui se révéla une impasse. En juillet 1981, Gaston Defferre, devenu ministre de l'Intérieur, exigeait encore que la police dirigeât ses recherches vers les milieux d'extrême droite.

L'évidence finit toutefois par s'imposer même aux plus rétifs : des Palestiniens avaient organisé le carnage. Ils recommencèrent en 1982, rue des Rosiers, devant le célèbre restaurant Goldenberg. On ne put alors accuser l'incursion de l'extrême droite dans la police ; le président Mitterrand se rendit sur place, quitte à se faire invectiver par des jeunes furieux.

Le temps passa. On oublia. On négligea. Le mur de Berlin tomba. Les archives de la Stasi s'ouvrirent. On découvrit les commanditaires communistes et les exécutants palestiniens de Georges Habache. Un certain Hassan Naim Diab coulait des jours tranquilles au Canada. Devant le juge québécois qui répondait à une demande d'extradition du gouvernement français, il affirma benoîtement qu'il était « victime d'une homonymie ».

On n'en parla pas. Ou peu. La stratégie palestinienne aurait pourtant mérité d'être décortiquée qui ne distinguait plus entre Israéliens et Juifs, rassemblés dans une entité commune dite de « l'État juif », comme si le nationalisme palestinien répondait ainsi à l'action efficace de communication de l'État israélien, qui avait étroitement associé les communautés juives du monde entier – en particulier celles des États-Unis et de France – à son destin.

Cela semblait loin. Dix ans plus tard, des tombes juives furent profanées à Carpentras. Le ministre de l'Intérieur, Pierre Joxe, désigna sans preuves les militants d'extrême droite ; Jean-Marie Le Pen fut accusé ; une manifestation monstre fut organisée dans les rues de Paris où se plongea le chef de l'État François Mitterrand – pour la première fois depuis 1945.

Plus de trente ans après l'attentat de la rue Copernic, pendant la campagne présidentielle de 2012, des enfants juifs furent assassinés devant une école religieuse. On dénonça le fasciste, le raciste, l'antisémite. Bernard-Henri Lévy accusait « les pyromanes de l'identité française ». Nicolas Sarkozy avait remplacé Valéry Giscard d'Estaing. Les médias cherchaient le grand blond nazi avec une kalachnikov. Il était brun, arabe, souriant, amateur de mauvais coups et de jolies femmes. Il s'appelait Mohamed Merah. Les services de police avaient cette fois travaillé trop bien et trop vite. Alors, on s'empressa d'interdire tout « amalgame » avec les Musulmans de France et l'islam, « religion de paix ».

1er novembre 1980

Mon fils, ma bataille

La voix est suraiguë. Un registre très rare en *falsetto* qui s'étend sur deux octaves et demie, notent les spécialistes. Une voix d'androgyne, de castrat ; une voix de fille, commentent les profanes. La voix de Daniel Balavoine ne s'accordait guère avec son premier succès populaire qui contait les fantasmes donjuanesques d'un Rastignac de la chanson ; mais elle colle en revanche de manière troublante avec « Mon fils, ma bataille ».

La chanson ressemble à une suite que Balavoine aurait écrite aux « Divorcés » de Michel Delpech. À peine quelques années et les yeux se dessillent.

Après l'espoir d'un divorce sans souffrance, la guerre autour des enfants. Après le temps des illusions, celui des réalités. Après la rupture, le procès. Elle est partie pour un autre. Elle a abandonné l'enfant. Elle revient, veut le reprendre. Elle est la mère. Mais Balavoine refuse avec véhémence de se soumettre à cette antique loi d'airain. « L'absence a des torts que rien ne défend. » La mère, c'est celui qui est là. À la manière de la célèbre expérience de Lorenz sur les oies qui se frottaient au pantalon du savant, la mère, nous dit-il, c'est celui qui élève. Dans la traditionnelle querelle entre nature et culture, Balavoine prend un parti radical pour la culture. Il incarne l'idéologie culturaliste moderne qui méprise et détruit la biologie, au nom de la liberté de l'individu.

Balavoine pousse aussi jusqu'au bout cette inversion des rôles et des sexes qui obsède notre temps, dans la mode vestimentaire comme dans la vie professionnelle et sentimentale. Elle est partie, il est resté. Elle est dehors, et lui dedans. Elle bourlingue, il materne. Elle attaque, il défend. Elle a quitté son fils sur un coup de tête ; « C'est moi qui lui construis sa vie lentement ». Elle est l'impulsion, il est la lente édification. Elle l'agresse, l'invective, l'insulte, le salit ; il reçoit tout passivement :

Tout ce qu'elle peut dire sur moi
N'est rien à côté du sourire qu'il me tend.

Et le refrain ose l'inversion ultime :

Je vais tout casser
Si vous touchez
Au fruit de mes entrailles
Fallait pas qu'elle s'en aille[1].

_____

1. Daniel Balavoine, « Mons fils, ma bataille », dans l'album *Un autre monde*, 1980.

Elle est l'homme, il est la femme. On avait déjà remarqué que le visage de Delpech à l'époque des « Divorcés » s'était arrondi, adouci, alangui. Avec Balavoine, la féminisation progresse et gagne la voix, descend jusqu'aux entrailles. « Mon fils, ma bataille » est à la chanson ce que le film de Jacques Demy en 1973, *L'Événement le plus important depuis que l'homme a marché sur la lune,* fut au cinéma : Balavoine, après Marcello Mastroianni, a lui aussi enfanté !

En cette même année 1980, un film américain, *Kramer contre Kramer,* montre de la même façon un père abandonné par sa femme qui refuse de rendre l'enfant à sa mère. Deux décennies plus tard, Ségolène Royal accordera aux pères un congé paternité de onze jours. L'homme est devenu une mère comme les autres.

Balavoine n'avait aucune illusion sur son art mineur : « Soyons sérieux, la chanson, c'est un poème raté sur une symphonie ratée. Nous ne sommes que des Beethoven et des Baudelaire ratés. »

Il comptait arrêter la chanson à 40 ans.

Après, il ferait de la politique.

En Mai 68, à 16 ans, il rédigeait déjà avec ses camarades un petit livre blanc sur la réforme de l'enseignement. Il rêvait de devenir député. Il a fait mieux. Il a conduit un combat politique au sens gramscien du terme ; il a forgé les esprits, a vaincu culturellement. Le militant adolescent n'a jamais cessé d'être militant et adolescent.

C'est la grande force de la gauche que d'envahir jusqu'à la dominer la sphère culturelle, pour capter, endoctriner l'esprit public. En 1980, Balavoine crève l'écran du journal télévisé en interpellant François Mitterrand « sur le désespoir des jeunes qui peut les pousser au terrorisme ». À l'époque, il arrive à des répétitions avec un long manteau noir et un livre sous le bras, consacré à la bande à Baader.

C'était un fils de la bourgeoisie provinciale. Un pionnier de ceux qu'on appellera plus tard les « bobos ». Leur père spirituel. Leur maître à chanter. Un « rebellocrate » de première main. Il en avait tous les stigmates. Invité de l'émission « 7 sur 7 » en 1983, il déclare : « Je voudrais dire devant tout le monde que j'emmerde les anciens combattants et que les jours de commémoration qu'il y a pour les anciennes guerres, on ferait mieux, ces jours-là, de manifester pour les guerres qu'il y a actuellement. »

Son dernier grand succès fut en 1985 sa chanson « L'Aziza » (« la belle » en arabe), dédiée à sa compagne, juive marocaine. Il transforme sa déclaration d'amour en ode antiraciste au mépris des lois et des frontières :

> *L'Aziza ton étoile jaune c'est ta peau*
> *Ne la porte pas comme on porte un fardeau*
> *Ta force c'est ton droit*
> *[...]*
> *Si tu crois que ta vie est là*
> *Il n'y a pas de loi contre ça*[1].

Immigrationniste cohérent et convaincu, il rêvait de faire de « Paris, la capitale de l'Afrique ». « L'Aziza » reçut bien évidemment le prix SOS racisme. Balavoine commente lui-même : « C'est encore une chanson d'amour. L'amour d'une race. J'ai une gonzesse qui est juive marocaine et j'aime ça... J'aime son aspect physique, la couleur de ses cheveux... J'ai profité de cette histoire d'amour pour communiquer cette idée qu'on aime les peuples ou on ne les aime pas. On ne peut pas dire : j'aime les Arabes mais quand ils sont chez eux. »

Son ami Michel Berger chantait à la même époque d'une voix fluette :

> *Je veux chanter pour ceux*
> *Qui sont loin de chez eux,*
> *Et qui ont dans leurs yeux,*
> *Quelque chose qui fait mal*[2].

Cette xénophilie militante et exaltée, cette passion de l'Autre vu comme un héros, mythifié parce qu'il souffre, se

---

1. Daniel Balavoine, « L'Aziza », dans l'album *Sauver l'amour*, 1985.
2. Michel Berger, « Chanter pour ceux qui sont loin de chez eux », dans l'album *Différences*, 1985.

conjugue ainsi avec la traditionnelle frustration féminine de l'attente et de l'oubli de soi.

Balavoine mourra, au début de l'année 1986, alors qu'il survole dans un hélicoptère le désert africain, pour installer des pompes à eau au Niger. Il avait découvert l'Afrique, ses habitants, sa misère, grâce au Paris-Dakar. Fou de vitesse, il avait eu envie de s'arrêter.

C'était un homme-enfant qui portait un petit Snoopy d'or au cou pour le protéger. Les hommes-enfants enfantent, livrent des batailles pour leur progéniture, et attendent, les yeux embués, le héros venu du désert qui leur fera découvrir l'amour et les rendra femme.

1981

14 janvier 1981

L'idéologie dominante pour les nuls

Il faut relire *L'Idéologie française*[1]. Non pour le style, exalté et grandiloquent. Non pour la vérité historique, tordue dans tous les sens, selon les besoins de la thèse. La vérité historique, Bernard-Henri Lévy s'en moque comme de sa dernière chemise (blanche) ; il « fait la guerre », dit-il souvent, reprenant la fameuse expression de Voltaire menant le combat contre l'« infâme » Église. Et à la guerre, comme à la guerre ! On a souvent expliqué non sans raison que BHL incarnait l'intellectuel français dans sa phase terminale, glorieux passé noyé dans le ridicule de l'imposture, surgeon talentueux non du débat d'idées, mais de la société du spectacle. Il faut aller plus loin. Lui appliquer une expression qu'il affectionne : « De quoi BHL est-il le nom ? » Et, pour cela, relire *L'Idéologie française*. Une impression de déjà-vu, de déjà-lu, de terrain connu ; de rabâché même ; récité par tous les intellectuels du bel air médiatique, les journalistes, les acteurs, les chanteurs, les animateurs télés, jusqu'à certains sportifs. L'idéologie française est la bande publicitaire de l'époque, l'idéologie dominante pour les nuls.

---

1. Grasset, 1981.

BHL peut se targuer d'une redoutable efficacité, et d'une grande constance ; depuis trente ans, il dit toujours la même chose.

Il partit d'une intuition juste pour parvenir à une conclusion fallacieuse. Guidé par Sternhell et Paxton, il avait découvert que le régime de Vichy n'était pas l'exclusif repaire de l'extrême droite d'avant-guerre, mais qu'il avait été envahi, submergé de gens de gauche, radicaux, socialistes et communistes, qui œuvrèrent à la révolution nationale. BHL ne voit pas (ne veut pas voir ?) qu'ils sont avant tout rassemblés par le pacifisme d'après la Première Guerre mondiale, ce « plus jamais ça » né dans l'horreur des tranchées, qui de Laval à Céline prit pour cible tous ceux, Juifs en tête, qui paraissaient fauteurs de guerre. Mais BHL, à la suite de son maître Sternhell, voit dans cette collusion vichyste la preuve patente d'un national-socialisme à la française, non seulement indépendant du nazisme allemand, mais qui l'aurait précédé, façonné, forgé. Le diable n'est pas l'Allemagne, mais la France ; pas Berlin, mais Vichy.

Et Vichy, c'est la France.

BHL ouvre une chasse à l'homme, chasse au passé, chasse à la France. Il est le procureur d'une jeunesse arrogante qui accuse des aïeux indignes. Il sera sans respect ni pitié pour ses glorieux anciens. Barrès et Péguy tombent ensemble, Barrès pour nationalisme, Péguy pour socialisme. Barrès pour socialisme, Péguy pour nationalisme. L'antidreyfusard Barrès est le « premier national-socialiste européen ». Péguy n'est pas moins coupable bien que dreyfusard, qui ose respecter la « mystique » de l'adversaire dont il a compris, contrairement à notre procureur impitoyable, que certains aient pu – c'est le cas d'un Jacques Bainville, qui croyait Dreyfus innocent – être seulement révulsés par l'offensive brutale de Zola contre la sainte armée. Les deux sont coupables car ils emploient tous deux le mot interdit de race, et qu'ils poussent l'infamie jusqu'à évoquer « la race française », pour la défendre, la glorifier et, pire que tout : l'aimer. Cet amour de la France, de sa terre, de sa race, est assimilé au nazisme.

Puis, BHL met en joue son plus gros gibier : le parti communiste. C'est la partie la plus iconoclaste de son ouvrage, la plus fondatrice aussi. BHL ne reproche pas au PCF d'être trop marxiste, mais de ne l'être pas assez ; non d'être trop soumis à Moscou, mais d'être trop français. De trop aimer son terroir, son peuple, ses écrivains, sa langue. Maurice Thorez est vilipendé parce qu'il admire Descartes et Napoléon ; Aragon est brocardé parce qu'il adule le style de Barrès, défend l'alexandrin français contre les transgressions de la poésie moderne.

BHL reproche aigrement à Paul Vaillant-Couturier d'exalter les militants « profondément enracinés au sol » et dont « les noms ont la saveur de nos terroirs ». Et ajoute, citant le même Vaillant-Couturier : « Pourquoi refouler toujours "l'amour de notre merveilleux pays" ? Qu'il se rassure, il est là le refoulé. Il est tout entier là, le refoulé pestilentiel. Le racisme, la xénophobie, la cocarde et la connerie. Le travail, la famille et la patrie, et la France profonde. Les germes de ce qui va venir et les fruits de ce qui a été semé. Le PCF, a-t-on dit, n'est pas à gauche, mais à l'Est ; je dirais plutôt, moi : le PCF n'est pas à l'Est mais à droite. »

C'est son amour immodéré de la patrie qui fait du PCF « un authentique parti d'extrême droite » !

La logique est implacable : l'amour de la France, c'est la droite et l'extrême droite ; et l'extrême droite, c'est Vichy ; et Vichy, c'est la rafle du Vél' d'Hiv' ; et la rafle du Vél' d'Hiv', c'est l'extermination des Juifs. L'amour de la France, c'est donc l'extermination des Juifs. CQFD.

À lire BHL, on comprend mieux le fondement essentiel de l'alliance d'après-guerre entre le général de Gaulle et le PCF, et le sens profond de la célèbre phrase de Malraux : « Entre les communistes et nous, il n'y a rien. » Rien de patriote.

BHL tire à boulets rouges sur le PCF mais épargne le général de Gaulle.

Il oppose le nationalisme du terroir de Pétain au patriotisme désincarné du Général-radio, la nation du Maréchal, « liée au sol et à la terre », et celle du Général, « privée de toute assise et de toute géographie, terre dans la tête aussi bien, et de quasi-fantasmagorie qui, comme la Jérusalem biblique, se fortifie de son exil et de ses attaches expatriées ». Il commet ainsi un fantastique contresens sur le général de

Gaulle, enfant de Péguy, Barrès et Maurras, pour qui l'exil à Londres fut une contrainte et une souffrance ; il transforme le Général en une sorte de Juif imaginaire qui aurait emporté la patrie à la semelle de ses souliers, et qui psalmodierait « l'année prochaine à Paris », alors que le Général avait seulement repris dans ses mains l'épée de la France que le glorieux Maréchal avait remisée dans son fourreau. BHL transforme de Gaulle en prince errant, alors qu'il avait choisi de s'installer à Colombey-les-Deux-Églises, au cœur du cher et vieux pays, face à l'Allemagne. BHL réitère l'erreur, déjà condamnée par de Gaulle lui-même dès la fin de la guerre, de la Résistance de gauche qui s'opposa à Vichy, à partir de 1942, au nom du régime parlementaire et des libertés bafoués, alors que lui, de Gaulle, n'a jamais combattu Pétain en ce qu'il « restaurait l'État », mais en ce qu'il acceptait la défaite, et refusait de comprendre que la guerre n'était pas finie. Pétain et de Gaulle avaient la même stratégie : mettre coûte que coûte la France dans le camp du vainqueur ; ils s'opposaient seulement sur le nom de ce dernier.

Dix ans avant la chute du mur de Berlin et les débuts de la « mondialisation », BHL propose déjà le discours qui légitimera l'abolition des frontières, le développement du libre-échange, l'immigration de masse, la destruction de l'État-providence. Il déroule l'idéologie de la mondialisation libérale avant la mondialisation. Il interdit toute tentative politique de concilier le développement national harmonieux et une redistribution sociale. Il sonne la fin des Trente Glorieuses. Il n'ignore pas les questions sociales, comme on le lui a souvent reproché ; il les diabolise ; les marque du sceau infamant du nazisme.

Avec BHL, les élites modernistes françaises trouvent le prêt-à-penser permettant de s'arracher aux nécessaires solidarités nationales. BHL incarne cette « révolte des élites » qu'avait analysée Christopher Lasch. Davantage qu'une révolte, une sécession. Nos élites « bhlisées » reprennent l'ancien cosmopolitisme aristocratique du XVIIIe siècle et de Coblence, mais y ajoutent une utilisation redoutable du régime de Vichy et de la collaboration pour jeter l'opprobre sur toute notion de patriotisme, d'attachement à la terre natale, de sollicitude pour les plus pauvres. C'est exactement l'inverse de ce qu'avait tenté le général de Gaulle : reprendre à Pétain la Patrie, le Travail et la Famille, pour les recouvrir des glorieux oripeaux de la lutte contre l'occupant et de la Liberté de la nation. Renouer, dans les libertés démocratiques, une alliance efficace entre le national et le social, qu'avaient forgée au XIXᵉ siècle Napoléon III et Bismarck, mais qu'avaient ensanglantée les régimes totalitaires fascistes, nazis et communistes. BHL se réfère à de Gaulle pour mieux détruire son œuvre. Il fait son éloge pour mieux le vider de sa substance, le dénaturer. Pour mieux le tuer.

Tout au long de sa brillante carrière, BHL s'illustrera par sa constance véhémente à dénoncer tout retour de l'odieux patriotisme, toujours assimilé au nazisme.

BHL se voudra le héraut des droits de l'homme à travers le monde, combattant partout pour les peuples opprimés, des Bosniaques aux Libyens, mais jamais pour les Français. « Défiez-vous de ces cosmopolites qui vont chercher loin dans leurs livres des devoirs qu'ils dédaignent de remplir autour d'eux. Tel philosophe aime les Tartares pour être dispensé d'aimer ses voisins » (*Émile*, livre I), nous avait prévenus Jean-Jacques Rousseau, avant d'ajouter : « L'essentiel est d'être bon aux gens avec qui l'on vit. »

Redécouvrant son héritage juif sur le tard, Lévy devint un soutien ardent de la cause israélienne, alternant pacifisme sur les plateaux télévisuels français, et fierté nationaliste à Jérusalem, alors même que l'ambition fondatrice des sionistes avait été de permettre aux Juifs de connaître enfin la douce protection de « la terre et des morts » barrésienne, de posséder un terroir à défendre, de devenir des soldats attachés à la glèbe, loin des fumeuses incantations des Juifs à papillotes et à caftans. BHL prit ainsi l'habitude de tenir un double rôle, Zola à Paris et Barrès à Jérusalem ; mais ses efficaces soutiens médiatiques dissimulèrent cette dualité qui confinait à la duplicité.

Quand *L'Idéologie française* parut en 1981, de nombreux intellectuels de grand renom, tel Raymond Aron, dénoncèrent les approximations, erreurs, contresens, impostures de l'ouvrage et de l'auteur. Ils crurent l'ensevelir et ruiner à jamais sa réputation sous un tombereau d'injures et de mépris. Ils se trompaient. Ils n'avaient pas compris que « BHL était le nom » de la haine de soi française et de la sécession de ses élites. Il ne pouvait que perdurer et prospérer.

24 janvier 1981

Dallas ou le changement d'âme

Il fut l'homme qu'on aimait détester. Il était laid, vulgaire, cynique, retors, goujat. Il fut le salaud magnifique. On ne retenait que ses initiales, JR, et son chapeau de cow-boy qui le rendait à nos yeux ridicule. Mais il transformait des millions et des millions de téléspectateurs en jeunes filles séduites malgré elles par le mauvais garçon. On ne comprenait pas tout aux querelles inexpiables entre les familles Ewing et Barnes autour des champs pétrolifères du Texas, mais on se passionnait pour les émois adultérins et les passions contrariées de ces messieurs-dames. Sexe et argent, la recette est aussi vieille que l'humanité, mais la puissance de la télévision américaine, et le talent de ses escouades de scénaristes, donnèrent à *Dallas* l'aura d'une mythologie universelle.

C'est le 2 avril 1978 que la série fut lancée sur la chaîne américaine CBS.

Quelques mois plus tard, le couple Thatcher-Reagan allait redonner au capitalisme sa vigueur révolutionnaire.

En France, le premier épisode fut diffusé sur TF1 le 24 janvier 1981. Comme aux États-Unis, le succès d'audience fut aussitôt formidable. Toutes classes sociales et toutes générations confondues. JR précéda de quelques mois François Mitterrand et la gauche au pouvoir. Celle-ci fut l'ultime tentative française pour ravauder un corset social-démocrate keynésien qui avait adouci, canalisé, civilisé l'impétueux et darwinien vitalisme capitaliste, mais qui craquait de toutes parts. Le combat ne dura que quelques mois. La réalité cruelle de nos comptes extérieurs eut raison de la résistance de la gauche française ; mais le succès populaire de *Dallas* avait consacré sa défaite culturelle avant même son reniement économique et idéologique.

La France qui n'aimait que les petits contre les gros, que les perdants magnifiques (Poulidor) contre les vainqueurs arrogants (Anquetil), changeait d'âme. *Dallas* préfigura et accompagna la révolution des années 1980. On se mit à glorifier les vainqueurs et à mépriser les perdants ; à vanter la réussite et même l'argent, comme étalon de notre valeur personnelle. JR devint un modèle avant Tapie.

Les Trente Glorieuses étaient bel et bien finies. Le pétrole avait sonné son glas économique (crises de 1973 et 1979) ; le pétrole devait métaphoriquement (*Dallas*) annoncer la nouvelle ère qui lui succéderait : le retour à la guerre de tous contre tous.

Certains analystes ou esthètes iconoclastes, tel Jean Dutourd, admirèrent la série (« *Dallas* est un feuilleton génial »). Il y avait du Balzac dans *Dallas*, la noirceur assumée des personnages, le cynisme, le machiavélisme, la violence, la cupidité, l'argent comme moyen de domination des hommes et de possession des femmes, car le capitalisme revigoré de la fin du XXe siècle rappelait son ancêtre prédateur et inégalitaire du XIXe siècle. Un grand écrivain américain, Tom Wolfe, admirateur éperdu de Balzac et de Zola, établirait le lien littéraire entre ses maîtres français et l'Amérique de Dallas, dans *Le Bûcher des vanités*[1].

Mais la télévision frappait beaucoup plus fort que la littérature et même que Hollywood, qui se mit à son service. Les « biens culturels » devinrent le premier poste d'exportation des États-Unis devant l'aviation ; *Dallas* se révéla une redoutable arme de colonisation des esprits, que les Américains

---

1. Sylvie Messinger, 1988.

appelèrent *soft power*. Ils offrirent la série à l'Algérie pour la remercier de son rôle d'intermédiaire dans leur conflit avec l'Iran. Leur triomphe fut total lorsque l'Union soviétique communiste se passionna pour les méchants cow-boys texans ; le capitalisme avait gagné avant la chute du mur.

En France, les parents appelèrent leurs enfants Sue Ellen, Pamela, ou même JR. La jeunesse se précipita vers les Mc-Donald's qui ouvrirent au même moment. La France devint, à la grande surprise des patrons américains eux-mêmes ; le plus grand consommateur de McDo, après l'Amérique. Des marchands habiles acclimatèrent dans nos contrées jusque-là rétives la fête des fantômes d'Halloween ; lors de leurs procès, les voyous appelèrent leurs juges « Votre Honneur ».

La société française, imprégnée d'une triple culture catholique, révolutionnaire et communiste, s'agenouillait devant les cow-boys texans.

Les esprits étaient mûrs pour un grand chambardement. Des décennies de modernisation économique et d'influence américaine avaient préparé le terrain. Les GI's, les chewing-gums et le coca-cola, le rock and roll et Hollywood avaient été la première étape essentielle d'une américanisation des esprits qu'avait fort bien annoncée un Paul Morand dans son roman des années 1930, *Champions du monde*[1]. On était prêt à une nouvelle vague.

26 avril 1981

Marchais en dernier des gaullistes

Le clown est condamné à finir triste et solitaire, cachant ses larmes derrière un masque rigolard. C'est sa malédiction, son destin, sa légende. Une caricature aussi. En ce dimanche 26 avril 1981, Georges Marchais rudoie quelque peu Jean-Pierre Elkabbach et Alain Duhamel, ses habituels acolytes journalistes ; il assure encore le spectacle, mais le cœur n'y

---

1. Éditions Grasset.

est plus. Il n'a obtenu que 15,35 % des voix au premier tour de l'élection présidentielle. Pis encore : le candidat socialiste – dont il est le seul à prononcer le nom « Mitt-rrrand », comme un pion punit un mauvais élève – le distance et a toutes les chances de l'emporter au second tour. Sa défaite est totale.

C'est au cours des années 1970 que le secrétaire général du Parti communiste français s'est peu à peu paré des atours de bouffon officiel de la République cathodique giscardienne, qui assure les bonnes audiences et les spectacles télévisuels. En quelques années, il est devenu l'homme à la vanne entre les dents. Il ne fait plus peur, mais rire ; pour le meilleur de ce qu'on n'appelait pas encore « la dédiabolisation » ; puis pour le pire de ce qu'on appelait déjà la décrédibilisation.

Peut-être en cette soirée funeste du 26 avril 1981, Marchais se remémorait-il l'éditorial sarcastique qu'avait publié dans *L'Express* du 13 mars 1978, après les élections législatives, un des plus pugnaces polémistes libéraux, Jean-François Revel : « Le Parti communiste français était le premier parti de France au temps de Maurice Thorez. Du temps du secrétariat de Waldeck Rochet, il était le deuxième parti de France et le premier parti de la gauche. Sous Georges Marchais, il est devenu le deuxième parti de la gauche et le troisième parti de France. »

À l'issue de la présidentielle de 1981, il rétrogradait encore à la place de quatrième parti de France. Celui que ses membres, qu'ils y soient ou non restés, et même ses adversaires appelaient révérencieusement « le Parti », ne cesserait plus sa dégringolade électorale jusqu'à être dépassé, suprême infamie, mais après la mort de Georges Marchais, par les candidats trotskistes. Au moins, lors des législatives de 1978, la gauche avait-elle perdu. Moscou en avait été satisfait, qui avait toujours privilégié le candidat de la droite gaulliste, soucieux d'indépendance par rapport aux États-Unis et d'équilibre des blocs ; même Giscard le centriste fut préféré au socialiste, toujours soupçonné de céder à la tentation atlantiste ; les Soviétiques n'avaient pas oublié Guy Mollet.

C'était le paradoxe fondateur de l'Union de la gauche :
si le PCF était trop fort, la gauche ne gagnait pas car les
électeurs avaient peur du « coup de Prague » ; mais si le PCF
était trop faible, il ne pesait plus ; la gauche gagnait, mais
les socialistes étaient alors libres de renouer avec leur vieux
tropisme libéral et atlantiste. C'est ce qui se passerait à partir
de 1983.

Lorsque, en 1972, socialistes et communistes (et radicaux
de gauche) signent le Programme commun de gouvernement, le PCF est l'ogre de la fable, et le nouveau parti socialiste, forgé à Épinay quelques mois plus tôt, sur les ruines
de la cacochyme SFIO, le Petit Poucet. Les rodomontades
de Mitterrand promettant devant l'Internationale socialiste
qu'il plumera 3 millions de voix de la volaille communiste
font sourire les politiciens roués et effraient les démocrates
sincères.

Le communisme semble alors installé pour mille ans en
Russie, et pour un siècle en France. Dans un pays où la
social-démocratie à la sauce germanique ou nordique n'a
jamais pris, le PCF fut la seule force politique française à
avoir réussi l'édification d'une contre-société ouvrière, avec
ses rites, ses élites, sa culture. Par sa courroie de transmission, la CGT, le Parti est le partenaire privilégié du patronat
et du gouvernement. C'est lui qui, à l'instar de la social-
démocratie germanique ou suédoise, négocie et rationalise
avec la bourgeoisie et l'État le partage des richesses nationales, et l'accroissement régulier du niveau de vie des plus
modestes, rassemblés dans la mythique « classe ouvrière ».

Sur le plan géopolitique, le PCF est le grand allié du général de Gaulle dans sa politique d'indépendance. Après la
mort de ce dernier, Georges Marchais renvoie à son tour
dos à dos les deux blocs : l'OTAN mais aussi le pacte de
Varsovie sont mis à distance respectueuse. À l'époque, les
médias parlèrent d'eurocommunisme, parce que les communistes italiens (et espagnols) s'émancipaient eux aussi de
leur allégeance à Moscou et refusaient, s'ils arrivaient au
pouvoir, de fondre leur pays dans le giron du pacte de
Varsovie ; mais les communistes italiens acceptaient la

sujétion à l'OTAN, les Espagnols finiraient par s'y résoudre ; seuls les Français, dans une tradition gaullienne, la rejetaient autant que la soviétique.

Comme le général de Gaulle, les communistes avaient compris que la construction européenne n'était que le cache-sexe de la Pax americana et de la fin de la souveraineté nationale. À l'instar de la politique de « la chaise vide » du Général en 1965, qui conduisit au compromis de Luxembourg – maintenant le vote à l'unanimité au sein du Marché commun –, les communistes firent disparaître du texte du Programme commun la référence au vote à la majorité et à la supranationalité dans la Communauté européenne.

La fin des années 1970 est une période confuse où le vieux monde tarde à mourir et où le nouveau peine à émerger. Les communistes sont brocardés, ringardisés par une nouvelle génération individualiste et hédoniste qui ne supporte plus les contraintes et la pruderie de Jeannette Thorez-Vermeesch vitupérant les homosexuels et les filles faciles. Georges Marchais est à la fois dénoncé comme stalinien (malgré son abandon officiel de la dictature du prolétariat) et collabo (bien qu'il fût parti dans les usines Messerschmitt dans le cadre contraint du STO pendant la guerre).

Pourtant, la grille de lecture marxiste n'a jamais été aussi efficiente qu'en cette fin des années 1970 où un nouveau capitalisme mondialisé apparaît lentement dans les brumes de la fin des Trente Glorieuses et des crises du pétrole. Conformément aux intuitions de Marx, le capitalisme a entamé un nouveau cycle révolutionnaire – afin de rétablir une meilleure rentabilité du capital – qui passe par une contre-réforme sociale destinée à limiter et rogner les « acquis des travailleurs » depuis la Libération, sur fond de financiarisation et d'internationalisation des productions et des marchés.

Le contrat à durée indéterminée (CDI), devenu la norme depuis 1945, est remis en cause par la création du CDD en 1979 (qui deviendra peu à peu le contrat de référence proposé aux jeunes qui entrent dans le marché du travail), tandis que les premières usines de textile s'installent dans les

pays du Maghreb comme la Tunisie. Ces deux mouvements
– flexibilité du marché du travail et délocalisation – vont de
pair, se complètent et se renforcent l'un l'autre, et ne ces-
seront plus de s'étendre. Les communistes tentent d'arrêter
cette offensive libérale avec le bouclier national. Ils se font
les chantres du « Produire et acheter français ». Depuis la
Résistance, le patriotisme ne fait plus peur à l'ancien parti
internationaliste. C'est même pour son chauvinisme – paradoxe croustillant – qu'il est attaqué par les muscadins de la
nouvelle philosophie.

En 1977, le PCF lance une grande campagne pour forcer
les entreprises à investir dans l'Hexagone, afin de permettre
« de travailler et de vivre au pays ». Mais à l'époque, les élites
politiques, économiques et médiatiques ne jurent que par le
grand air du large et les effluves gourmands du libre-échange.
C'est alors que les communistes décident de faire pression
sur les socialistes pour renégocier le Programme commun.
Au-delà du folklore médiatique (« Liliane, fais les valises ! »),
des arrière-pensées tactiques (le PCF veut provoquer la défaite
électorale de l'Union de la gauche aux législatives de 1978),
Marchais tente une nouvelle fois, dans la veine colberto-gaul-
liste, d'utiliser l'État pour contenir les tentations internationalistes du patronat français qui conduiront à cette
hémorragie de l'industrie française dont Giscard, trente ans
plus tard, avouera n'avoir pas deviné la portée.

Les communistes, eux, ont bien compris que l'Europe faisait le lien entre l'otanisation de la France et la contre-réforme
libérale. Américanisation et libéralisation sont les deux
mamelles du monde qui s'annonce. L'Europe en est le cheval
de Troie. C'est la souveraineté nationale qui assure le fonctionnement démocratique mais aussi la protection sociale des
salariés en mettant les élites et le patronat sous la menace du
peuple. La seule manière de desserrer cet étau démocratique
est de crever le plafond de la souveraineté nationale pour éloigner le patronat et les décideurs de leurs peuples ombrageux.
La « construction européenne » sera l'arme absolue pour
débrancher cette tradition révolutionnaire née en 1789, qui
fait encore si peur – le XIXe siècle qui s'achève en Mai 68 n'est
pas si loin – aux élites françaises et européennes.

Lors des Européennes en 1979, les communistes mènent l'assaut contre l'Europe des marchés au nom de la souveraineté nationale, nouant, lors des débats télévisés, une complicité idéologique et même personnelle – qui ne surprend que les naïfs et les ignorants – avec les RPR Chirac et Debré qui exaltent, eux, la souveraineté nationale pour contenir l'Europe des marchés. Cette première campagne européenne sera la dernière manifestation de l'alliance scellée pendant la guerre entre gaullistes et communistes. Mais la liste gaulliste subira un camouflet (16 %), tandis que les communistes maintiendront vaille que vaille leurs positions traditionnelles avec 20,6 % des voix. Marchais est élu député européen et le restera jusqu'en 1989. Après l'échec de l'appel de Cochin, le RPR ne mourra pas tout de suite mais s'empressera d'abandonner et de trahir l'héritage gaulliste, avant de se fondre, comme le fleuve se jette dans la mer, au sein d'une UMP qui n'est que le nom de code de l'ancienne rivale UDF, parti de notables, centriste, européiste et décentralisateur. Le PCF, lui, mourra à petit feu, mais ne ressuscitera pas en abandonnant et en trahissant l'héritage de la Résistance.

Alors, Marchais joue son va-tout. Dans les derniers jours de cette année 1979, on le retrouve tout sourire sur les écrans télévisés, en direct de la place Rouge à Moscou, soutenant fièrement – presque avec l'arrogance du vainqueur, du collabo, dira-t-on – l'intervention militaire soviétique en Afghanistan. L'effet est catastrophique. Le secrétaire général du PCF ruine en une image des années d'efforts « eurocommunistes ». Les chars russes à Kaboul évoquent les chars russes à Budapest ou à Prague. L'impérialisme soviétique semble revigoré avec la bénédiction des communistes français. Personne ne s'aperçoit alors qu'une fois encore, ce qu'on prend pour un épisode du vieux monde de la guerre froide est en vérité un événement fondateur du nouveau monde. L'intervention en Afghanistan est une réponse à la révolution iranienne ; les musulmans soviétiques commencent à s'agiter ; l'URSS n'est pas aux avant-postes du totalitarisme communiste pour combattre l'Occident, mais aux

avant-postes de l'Occident pour combattre le nouveau totalitarisme islamique.

L'Amérique mettra treize ans à le comprendre, jusqu'aux
attentats du 11 septembre 2001.

Lorsque Marchais dénonce le rigorisme islamiste qui
règne alors en Afghanistan, les droits des femmes à marcher
dans la rue sans voile et des petites filles à aller à l'école,
il ignore que ses arguments seront repris une décennie plus
tard par la droite française – qui sur le moment le conspue
et le moque – pour légitimer l'offensive de l'OTAN contre
les mêmes islamistes afghans.

On ne sait pas – on ne saura peut-être jamais – si la lutte
contre l'islam aux confins de l'Empire russe a conduit Georges
Marchais à s'interroger en géostratège qu'il n'était pas, sur
l'immersion soudaine de l'islam sur les rives de la Seine. En
revanche, tous les élus des banlieues rouges alertaient depuis
des mois leur secrétaire général des conséquences catastro-
phiques causées par l'arrivée brutale, mal préparée, d'innombrables familles maghrébines dans leurs cités.

Là aussi, là encore, la grille de lecture marxiste donnait aux
communistes l'intelligence de ce qui se passait sous leurs yeux.

Beaucoup d'ouvriers français supportaient fort mal cette
promiscuité envahissante. Le parti de la classe ouvrière se
devait de les défendre avec vigueur.

Le 24 décembre 1980, le maire de la commune de Vitry-
sur-Seine ordonnait la destruction au bulldozer d'un foyer
de travailleurs maliens. Paul Mercieca dénonçait ainsi la politique de la mairie voisine de Saint-Maur-des-Fossés qui transférait le plus possible d'immigrés vers Vitry.

Le 7 février 1981, le maire de Montigny-lès-Cormeilles, un
certain Robert Hue, accusait une famille marocaine de
vendre de la drogue à des enfants, et organisait une manifestation hostile sous ses fenêtres.

Georges Marchais publiait en une de *L'Humanité* du 6 janvier 1981 une longue lettre qu'il avait envoyée au recteur de
la mosquée de Paris : « Quant aux patrons et au gouvernement français, ils recourent à l'immigration massive comme
on pratiquait autrefois la traite des Noirs pour se procurer

une main-d'œuvre d'esclaves modernes, surexploitée et sous-payée. Cette main-d'œuvre leur permet de réaliser des profits plus gros et d'exercer une pression plus forte sur les salaires, les conditions de travail et de vie, les droits de l'ensemble des travailleurs, immigrés ou non. [...] Dans la crise actuelle, elle [l'immigration] constitue pour les patrons et le gouvernement un moyen d'aggraver le chômage, les bas salaires, les mauvaises conditions de travail, la répression contre tous les travailleurs, aussi bien immigrés que français.

C'est pourquoi nous disons : il faut arrêter l'immigration sous peine de jeter de nouveaux travailleurs au chômage. [...] Je précise bien : il faut stopper l'immigration officielle et clandestine, mais non chasser par la force les travailleurs immigrés déjà présents en France comme l'a fait le chancelier Helmut Schmidt en Allemagne fédérale. »

Plus avant dans la lettre, il justifiait la réaction du maire de Vitry qui avait été critiquée par le recteur : « En effet, M. Giscard d'Estaing et les patrons refusent les immigrés dans de nombreuses communes ou les rejettent pour les concentrer dans certaines villes, et surtout dans les villes dirigées par les communistes. Ainsi se trouvent entassés dans ce qu'il faut bien appeler des ghettos, des travailleurs et des familles aux traditions, aux langues, aux façons de vivre différentes. Cela crée des tensions et parfois des heurts entre immigrés des divers pays. Cela rend difficiles leurs relations avec les Français. Quand la concentration devient très importante [...] la crise du logement s'aggrave ; les HLM font cruellement défaut et les familles françaises ne peuvent y accéder. Les charges d'aide sociale nécessaires pour les familles immigrées plongées dans la misère deviennent insupportables pour les budgets des communes peuplées d'ouvriers et d'employés. L'enseignement est incapable de faire face et les retards scolaires augmentent chez les enfants, tant immigrés que français. Les dépenses de santé s'élèvent [...] la cote d'alerte est atteinte. Il n'est plus possible de trouver des solutions suffisantes si on ne met pas fin à la situation intolérable que la politique raciste du patronat et du gouvernement a créée. »

Il reprit ce thème à chacun de ses meetings au cours de la campagne présidentielle de 1981 qui commençait, dans une défense vibrante et talentueuse du prolétariat français submergé.

Mais les communistes se retrouvèrent seuls. La presse de droite, *Le Figaro*, et de gauche, *Libération*, dénoncèrent de concert « le racisme » du PC. La télévision giscardienne et les belles âmes de la gauche médiatique et artistique s'allièrent pour piétiner le corps de leur ennemi commun.

Marchais se battit valeureusement, mais il fut ridiculisé, insulté, abattu. Le parti communiste payait cher son opposition à la politique de fermeture des frontières esquissée par le gouvernement avec les lois Bonnet et Stoléru. Son internationalisme inné se retournait contre son patriotisme acquis.

Après une réunion secrète du bureau politique, où Pierre Juquin convainquit Georges Marchais de reculer sous la mitraille médiatico-politique, le PCF capitula. Renonça à combattre l'immigration. Cette défaite laissa des traces durables. Marchais avait perdu sur les deux tableaux, celui de la générosité, de la jeunesse, de la fraternité internationaliste, et celui des intérêts et du mode de vie du « peuple de France ». Le parti socialiste de Mitterrand, angélique et ambigu à souhait, engrangea tous les bénéfices de cette volte-face ; les ouvriers cherchèrent de nouveaux hérauts qui ne se coucheraient pas devant « les belles personnes », un nouveau parti de la classe ouvrière ; ils tardèrent à trouver, mais ils entamèrent alors leur grande transhumance électorale.

Marchais avait joué et perdu. Dans cette course à l'inéluctable, le secrétaire général du parti communiste aura tout tenté pour retarder le moment fatidique. Il avait fait feu de tout le bois national dont il disposait. Il avait tenté d'exalter la ferveur patriotique pour maintenir l'indépendance de la France, la souveraineté nationale et populaire, l'industrie française, le niveau de vie des salariés français, les conditions de travail des ouvriers français, jusqu'à l'unité du peuple français.

Dans un de ses livres, *L'Espoir au présent*[1], Marchais écrit :
« Je me suis rendu dans toutes les régions françaises. Je peux
témoigner que l'aspiration première des femmes et des
hommes de notre pays est de vivre libres et heureux chez
eux. J'ai constaté également combien les Françaises et les
Français ont la passion de l'Histoire de France. Cela va des
références historiques vivaces auxquelles on accroche dans
toutes nos régions des événements vécus aujourd'hui,
jusqu'au succès des émissions télévisées qui restituent les
grands moments et les grandes figures de notre vie nationale. L'Histoire nous donne des matériaux, des enseignements pour réfléchir sur le présent et le transformer. C'est
ce que craint Monsieur Giscard d'Estaing qui prétend que
nous sommes entrés dans un "monde sans mémoire" et fait
tout pour affaiblir l'enseignement de l'Histoire de France à
l'école. Cette Histoire, nous y tenons. Elle nous apprend que
la France est l'une des plus anciennes nations de la Terre.
Elle s'est constituée ici, à l'ouest du continent européen, au
carrefour de grands courants humains, dans un mouvement
qui a duré des siècles. »

Mais on n'était plus en 1944. Marchais n'avait pas réussi
à concilier son internationalisme révolutionnaire et sa passion patriotique.

Sous le masque du triste clown ᴄommuniste vaincu, se
cachait un gaulliste qui s'ignorait.

Juillet 1981

Sa Majesté des mouches aux Minguettes

Quand les explications abondent, c'est que personne ne
comprend. Voitures brûlées, boutiques pillées, commissariats
barricadés. Avant cet été 1981, on pensait ces scènes réser-
vées aux « émotions » de l'Ancien Régime ou aux émeutes
raciales des États-Unis et d'Angleterre. On veut alors croire

_____

1. Messidor 1980.

à une révolte juvénile, une crise d'adolescence. C'était l'été, le temps des vacances scolaires ; il faisait beau et chaud ; les jeunes s'ennuyaient ; ils étaient refoulés des boîtes de nuit...

Quelques années plus tôt pourtant, le regroupement familial avait fait basculer les banlieues des grandes villes françaises dans une nouvelle ère. Très vite, les relations avec les indigènes – les ouvriers et leurs familles, issus de l'exode rural ou de l'immigration européenne – se détérioraient. Les enfants maghrébins étaient habitués à une éducation patriarcale, rude et même violente, que la société française née de Mai 68 était en train de rejeter au nom de la pacification des relations humaines, de la mort du père, et de l'éveil des enfants comme personnes autonomes et apprentis consommateurs.

Publié dans les années 1950, le roman *Sa Majesté des mouches*[1] contait l'histoire d'enfants laissés à eux-mêmes sur une île déserte à la suite d'un naufrage ; ils s'organisaient en bandes farouches et hiérarchisées, violentes et cruelles. La banlieue française dans les années 1970 s'apprêtait à entrer dans le monde de *Sa Majesté des mouches* en se croyant encore dans l'univers acidulé de *La Guerre des boutons*, où des adolescents se servaient de la bande pour s'arracher à la matrice familiale.

Pourtant, depuis Savonarole jusqu'à la révolution culturelle chinoise, en passant par les jeunesses communistes, fascistes ou hitlériennes, on sait que les jeunes enrégimentés constituent la plus terrible des armées au service d'un mouvement révolutionnaire. Mais personne ne vit rien. Personne ne voulut rien voir.

Dans les banlieues françaises de ces années 1970, le pouvoir appartient encore au Parti. Crèches, écoles, dispensaires, stades, gymnases, bibliothèques, colonies de vacances, maisons de retraite, conservatoires de musique, naissances, mariages et funérailles : le parti communiste prend en main l'existence de chacun de 7 à 77 ans. C'est une contre-société prolétarienne, collective et solidaire, qui n'a pas eu trop de mal à

---

1. William Golding, *Sa Majesté des mouches* [1954], Gallimard, 1956.

se lover dans une France forgée depuis mille ans par le catholicisme ; le marxisme a remplacé les Évangiles.

Jadis, l'Église se situait au milieu du village pour marquer la tutelle de la religion sur les habitants.

Les communistes ont eux aussi compris que le pouvoir s'inscrit d'abord dans la pierre. Depuis la Charte d'Athènes, dans les années 1930, des architectes communistes ou communisants – pour la plupart français – ont élaboré un urbanisme de tours édifiées autour de dalles ; des espaces clos aux allées perpendiculaires, où rien ni personne n'entre ni ne sort hors du contrôle du secrétaire de cellule du Parti. Tout est aisément surveillé. Au pied des tours, les concierges sont l'œil de Moscou. Les architectes de la Charte d'Athènes ont eux-mêmes édifié ces ghettos, que leurs lointains successeurs dénonceront, pour permettre au Parti de régenter les populations qui lui étaient soumises. C'est le principe du mur de Berlin.

En 1945, à la Libération, le général de Gaulle avait d'abord pour objectif d'éviter la guerre civile ; les FTP communistes étaient armés et menaçaient de poursuivre le combat. De Gaulle négocia avec Staline leur reddition. En échange de la paix civile, il livra aux communistes français des citadelles – comme Henri IV avait offert avec l'édit de Nantes des places fortes aux protestants. Parmi celles-ci, outre EDF et Renault, il y eut le ministère de l'Équipement. Ce fut une alliance rénovée du sabre et du goupillon entre les gaullistes qui voulaient restaurer l'État et le PCF qui rêvait d'être la nouvelle Église.

Les communistes subirent les premiers craquements de leur « mur de Berlin » avec la jeunesse des années 1970 qui, dans la foulée de Mai 68, refusait les contraintes collectives au nom du fameux slogan : « Il est interdit d'interdire. »

Très vite, les populations immigrées prirent leur place. La jeunesse issue du regroupement familial refusa elle aussi de ployer le genou devant le Parti. Certains de ces adolescents, peu de temps après leur arrivée, goûtèrent vite aux premiers trafics, premiers vols, premières violences ; ils commençaient à vitupérer, insulter, frapper, faire des rodéos de mobylettes en pleine nuit, voler des voitures, de préférence des limousines allemandes, briser des vitrines, jeter des bouteilles par terre, pour rien, pour s'amuser, pour terroriser ; casser, voler, violer, pour mieux marquer leur territoire ; et menacer de représailles tout ce qui ose se révolter. Ils débarquaient en bandes de garçons bruyants devant les boîtes de nuit ; harcelaient les filles dès qu'ils étaient entrés ; s'offusquaient d'être « discriminés » quand ils étaient refoulés. On n'avait pas encore inventé le mot « incivilités » pour euphémiser cette violence intolérable, et diaboliser par réaction la moindre résistance.

Certains s'armaient et tiraient ; ils étaient bientôt arrêtés, condamnés, et cloués au double pilori judiciaire et médiatique du « facho raciste ». Dupont Lajoie.

Les autres, les plus nombreux, préféraient partir dès qu'ils le pouvaient. Ce fut un exode qui ne dit pas son nom. Les policiers tentaient de les protéger. Ils devinrent les ennemis à abattre. Dès septembre 1979, poursuivant dans la cité de la Grappinière, un quartier de Vaulx-en-Velin, Akim, un jeune voleur de voitures sous le coup d'une expulsion, les policiers lyonnais eurent la désagréable surprise de provoquer ce qu'on n'appelait pas encore une « émeute urbaine », mais qui ressemblait déjà à une bagarre générale entre les forces de l'ordre et une jeunesse défendant l'un des siens.

Les communistes furent les seuls à comprendre ce qui était en train de se passer. Les services sociaux des municipalités rouges croulaient sous les sollicitations ; leurs budgets étaient plombés par la croissance exponentielle des dépenses d'assistance. Les logements sociaux étaient pris d'assaut par les familles noires et maghrébines. Le ghetto idéologique et social que le Parti avait édifié devint peu à peu un ghetto ethnico-religieux qui leur échappait.

Les communistes furent les premiers et les derniers à résister. Ils lancèrent une campagne contre la drogue qui éloignait les jeunes du militantisme politique. En vain. Le trafic de stupéfiants permit à ces bandes de jeunes de s'enrichir et de devenir les patrons de leur quartier, aidant les uns, terrorisant les autres.

Au contraire de ce que l'on crut et dit, les émeutes des Minguettes à Vénissieux ne furent pas un commencement, mais une fin. La fin du combat mené par les communistes pour tenir leur territoire. Vénissieux fut le Diên Biên Phu de la ceinture rouge.

C'est au cœur des émeutes de l'été 1981, que le secrétaire de cellule du PC de Vénissieux abandonna à son tour le quartier ; les enfants de l'immigration maghrébine avaient gagné ; le pouvoir avait changé de mains. L'ère des ceintures rouges prenait fin ; et s'ouvrait celle d'un nouveau pouvoir islamo-maffieux, où le trafic de drogue, et ses profits croissants, servirait bientôt de moteur économique à des territoires arrachés à la loi républicaine, progressivement organisés en contre-sociétés régies par les prescriptions de l'islam. Le regroupement familial – jamais interrompu – fournirait sans cesse les renforts à ces bandes, tandis que la désindustriali-sation à partir de la fin des années 1980, en provoquant un chômage massif (40 %) parmi ces jeunes hommes sous-diplômés, tiendrait le rôle qu'avait joué le STO pendant la guerre pour alimenter les maquis de la Résistance.

Il n'y eut pas de plan ni de grand complot ; simplement la vie qui avance. Ces jeunes venus du Maghreb et d'Afrique faisaient l'Histoire, même s'ils ne savaient pas l'Histoire qu'ils faisaient. Avec l'instauration du regroupement fami-lial, Giscard avait enclenché une folle machine historique, ressuscitant l'antique conflit qu'on croyait depuis longtemps éteint entre nomades et sédentaires. Bientôt, l'abolition des frontières entre pays européens, l'élargissement de l'Union et la « mondialisation » redonneraient à cet archaïque affrontement les couleurs d'une improbable modernité.

La mémoire de la colonisation qu'ils n'avaient pas connue hantait ces jeunes gens ; derrière tout flic, toute injustice, toute insulte, toute violence policière, ils voyaient la main du colonisateur ; inconsciemment, et pour certains conscie-ment, la conquête de territoires sur le sol de l'ancien maître tenait lieu de revanche, de contre-colonisation. « Les terri-toires perdus de la République », dont se lamenteraient les belles âmes, furent en fait « les territoires perdus de la France ». Le mot « colonie », qui avait d'abord été forgé dans l'Antiquité pour désigner les cohortes de Grecs essaimant sur tout le pourtour de la Méditerranée, comme à Marseille, semblait correspondre à leur installation spectaculaire dans les banlieues des grandes cités de l'Hexagone et de toute l'Europe du Nord. La révolution démographique de l'Europe au XIXe siècle avait répandu les populations blanches sur les cinq continents, et surtout dans les deux continents « sans hommes », l'Amérique et l'Afrique ; l'explosion démographique de l'Afrique, favorisée par la médecine de l'homme blanc, amenait un contre-choc migratoire. « La démographie est le destin », disent avec raison les Américains : la conquête territoriale précède toujours la conquête idéologique, politique, culturelle. Civilisationnelle.

La victoire de François Mitterrand le 10 mai 1981 les avait secrètement soulagés ; ils ne seraient pas renvoyés. Rassérénés sur leur sort, ils devinrent menaçants : « On ne veut plus voir de flics dans la ZUP », crièrent quelques jeunes Maghrébins des Minguettes, en lançant un cocktail Molotov sur la voiture du dernier gardien de la paix qui logeait dans le quartier. Le policier déménagea.

L'État réagit. Le ministre de l'Intérieur, Gaston Defferre, menaça d'envoyer les émeutiers dans des camps. Le ministre de la Justice, Robert Badinter, s'y opposa. Le Premier ministre, Pierre Mauroy, arbitra. Tout finit dans des camps... de vacances, sous la houlette de Gentils Organisateurs du club Méditerranée qui initièrent les « garnements » à la randonnée et à la varappe. La leçon ne fut pas perdue. La violence n'était plus réprimée, mais récompensée. Les talentueux communicants socialistes habillèrent cette capitulation des oripeaux scintillants de la « politique de la ville », bien qu'il n'y eût pas de politique, et que cela ne concernât pas la ville. Banlieue, délinquance juvénile et immigration : ces trois domaines naguère distincts étaient désormais rassemblés sous un chapeau administratif commun. Cette création de la gauche fut adoptée par la droite. Celle-ci s'était résignée à la présence des Maghrébins, tandis que la gauche avait renoncé au « droit à la différence » ; le consensus « républicain » s'établit autour de « l'intégration », compromis ambigu et fumeux entre la bonne vieille assimilation républicaine – qui avait pourtant bien mérité de la patrie et conservait les faveurs populaires – et le multiculturalisme anglo-saxon, qui faisait rêver nos élites modernistes et protégeait la pérennité des us et coutumes des derniers arrivants.

La « politique de la ville » en serait le fer de lance technocratique, gros pourvoyeur en sigles administratifs abscons (ZEP, DSQ, CNPD, DIV, VVV, PNRU ; ZFU dans les ZRU et ZRU dans les ZUS) et en lignes budgétaires versées à des associations aussi inutiles que revendicatives. Cela devint une habitude, un réflexe : à chaque flambée de violence, son sigle, son déploiement d'experts, ses fonds publics débloqués. Après les émeutes de Vaux-en-Velin en 1990, François Mitterrand annonçait la création d'un ministère chargé de la Ville : dans la logique étatique française, une consécration. Sauf que c'était pour symboliser l'abandon par l'État de son « monopole de la violence légitime », sa conversion à la discrimination positive territoriale, le renoncement solennel de la République à l'égalité républicaine, pour tenter d'acheter la paix sociale, retarder l'échéance. Encore une minute, monsieur le bourreau...

En 2003, Jean-Louis Borloo, ministre centriste du président Chirac, entreprit d'abattre son adversaire principal, la cause de tous les maux : la Charte d'Athènes ! Il reprenait ainsi en les rationalisant et les radicalisant les antiennes des sociologues depuis trente ans sur le nécessaire « retour de la rue » et les incantations de l'ancien Premier ministre socialiste, Michel Rocard, sur la rénovation des cages d'escalier. Il ne sortait pas du raisonnement urbanistique et refusait, comme les autres – en tout cas publiquement –, de reconnaître que le sujet n'était pas le territoire mais la population. On abattit les tours. On cassa, on détruisit, on reconstruisit, on relogea. La machine technocratique exultait sous l'ampleur de la tâche ; les associations avaient trouvé un nouvel objet – inlassable – de réclamations et d'exigences : les objectifs du PNRU n'étaient pas – ne seraient jamais – atteints ; la Cour des comptes évaluait et tançait ; les médias se goinfraient de chiffres et d'images spectaculaires de tours dynamitées.

En privé, le sémillant ministre se félicitait d'avoir « évité
– ou retardé – la guerre civile ».

Un jeune homme d'une trentaine d'années, habitant de
Trappes, se plaignit un jour à des journalistes de *Libération*
et du *Monde* : « Tout est reconstruit, tout est neuf. Mais nous
qui sommes là, on a été oubliés. On en a marre que les
politiques veuillent blanchiser la ville. »

En 1983, une « marche pour l'égalité », vite surnommée
« marche des beurs », était partie de Vénissieux. Sous le
prétexte traditionnel des violences policières, elle avait
enflammé tout le pays et obligé François Mitterrand à créer
une carte de résident de dix ans, qui supprimait les ultimes
contraintes professionnelles et géographiques instaurées par
l'administration française pour lui permettre de réguler
vaille que vaille les flux venus du Sud. À sa tête, se trouvait
Toumi Djaïdja, à la foi musulmane frémissante. En 1983, il
ne jurait que par les manières pacifistes de Gandhi. Au fil
des décennies, il devint un des principaux prédicateurs islamistes de la région lyonnaise. À ses côtés, le père Christian
Delorme, surnommé « le curé des Minguettes », soutenait le
mouvement au nom de son engagement passé dans la guerre
d'Algérie ; ayant depuis compris qu'il avait été circonvenu
et floué, il peut méditer aujourd'hui, mais en silence, sur
sa part de naïveté.

À chaque fois que l'État tenta de reprendre le contrôle
de ces territoires, des émeutes déclenchées pour un prétexte
quelconque le firent reculer rapidement. Le parti communiste conserva la maîtrise de beaucoup de ces municipalités,
grâce à la qualité de ses associations clientélistes, un discours
victimaire, et l'abstention électorale massive des populations
immigrées qui ne s'intéressent guère à la vie politique française. C'est un pouvoir factice qui, s'effaçant devant l'alliance
des caïds et des imams, n'a plus de prise sur la réalité de
ces quartiers, si ce n'est par la manne d'argent public qu'elle
parvient encore à déverser sur les populations.

Incroyable destin de la banlieue rouge qui aura été la transition historique entre le christianisme (la cathédrale de Saint-
Denis) et l'islam. Livrées comme les places fortes des nouveaux

« protestants », qui avaient troqué Luther pour Staline, elles se transformèrent au fil des ans en d'innombrables La Rochelle islamiques qui enserrent, encerclent et menacent nos grandes métropoles. À l'époque du siège par Richelieu, on surnommait La Rochelle « La Mecque du protestantisme. » Chateaubriand avait été prophète en 1840 : « Détruisez le christianisme et vous aurez l'islam. »

12 août 1981

Du PC au PC

Quand on disait alors le PC, on parlait du parti communiste. Puis, le terme changea de sens. On s'habitua. À dire l'IBM PC, et puis, plus simplement, le PC, sans comprendre ou retenir que ces initiales signifient *personal computer*. Précision inutile. On avait bien remarqué que ces ordinateurs-là ne ressemblaient pas du tout aux énormes armoires vues dans *2001, l'odyssée de l'espace*. Les hippies chevelus élevés dans les campus californiens des années 1960 avaient trouvé l'arme technologique qui briserait le monde standardisé et hiérarchisé de leurs parents ; les gigantesques ordinateurs de l'industrie d'après-guerre centralisés dans des salles immenses seraient remplacés par les ordinateurs individuels reliés en réseaux. Les esprits les plus poétiques songeaient à Lautréamont et à l'union improbable d'une machine à écrire et d'un téléviseur. Les différentes étapes de la gestation du beau bébé nous avaient échappé : en 1971, l'invention par Intel du premier microprocesseur, l'Intel 4004 ; la création du premier ordinateur vendu à des particuliers, l'Altaïr 8800, en 1975 ; le lancement de l'Apple II en 1977 ; et puis, en ce 12 août 1981, l'IBM PC, qui deviendrait, à force de millions d'exemplaires de multiples compatibles, le patron de nos bureaux.

Plus tard, on se rendrait compte que la France avait participé à cette aventure. Aux premières loges. Avec le Minitel, elle flirta avec internet ; avec le Micral, une société française,

R2E, avait lancé dès 1973 la première machine vendue toute assemblée prête à l'emploi, que son inventeur, François Gernelle, avait appelée « micro-ordinateur ».

Comme pour l'avion ou l'automobile, les ingénieurs français avaient été au rendez-vous ; mais pas les commerçants ni les industriels. Banale histoire française. Tous les efforts du Plan calcul – et les milliards de francs dépensés par le général de Gaulle – se révélaient vains. Les petits bricoleurs inventifs *made in France* furent balayés par le rouleau compresseur américain, d'IBM à Apple, en passant par Microsoft, fondée en 1975 par Bill Gates et Paul Allen, qui, en cette même année 1981, édita l'un des trois systèmes d'exploitation pour l'IBM PC : le QDOS, qui devint rapidement le seul système installé d'office sur tous les IBM PC et les innombrables Compatibles PC, sous le nom de MS-DOS.

Le destin était tracé. L'Histoire était écrite. Plus rien ne serait comme avant : cette expression si galvaudée par les politiques et les publicitaires se révélerait pour une fois justifiée.

Notre génération aurait le privilège – et la malédiction à la fois – de vivre une nouvelle ère. Les historiens des *Annales* nous avaient enseigné que l'humanité avait connu une césure fondatrice au milieu du XVIIIe siècle, avec le lent passage d'une économie agricole (depuis la sédentarisation des anciens nomades, près de 2000 mille ans avant J.-C.) à une économie industrielle. Il nous faudrait peu à peu comprendre et admettre que nous connaissions une nouvelle transition fondamentale en ces années 1975-1981, avec le passage à l'économie informatisée.

« Et la France dans tout ça ? » se demandait de Gaulle, en 1944, lors de son premier voyage à New York, impressionné malgré lui par la « ville debout » chère à Louis-Ferdinand Céline. Et la France dans tout ça ?

La France avait très mal vécu la première transition historique. Elle était la grande puissance agricole, le grenier à blé de l'Europe ; ses vastes et riches étendues de terres cultivables compensaient les faibles rendements. La première puissance démographique et militaire d'Europe. Les physiocrates lui avaient appris que l'agriculture était la seule richesse qui soit ; l'industrie et le commerce n'étaient que vil superflu.

Son déclin débuta en ce milieu du XVIIIe siècle avec le traité de Paris de 1763 qui vit s'imposer au firmament la nouvelle puissance industrielle, à l'époque la seule : la Grande-Bretagne.

Les trésors d'héroïsme militaire (Napoléon et 1914-1918) ne pourront rien face à la force économique de l'ennemi héréditaire. Seuls d'autres pays industriels comme l'Allemagne, et ensuite surtout les États-Unis, parviendront à contester puis abattre la suprématie britannique.

Les Français n'ont jamais aimé l'industrie, en dépit de grands et brillants entrepreneurs, tels Louis Renault ou André Citroën ; ils ont associé l'usine à un monde de souffrance, d'exploitation, de saleté et de bruit : l'usine, pour les Français, c'est *Germinal.*

L'industrialisation française sera fort tardive, et liée au volontarisme d'hommes d'État exceptionnels – sans remonter au précurseur Colbert, Napoléon III, de Gaulle et Pompidou. Une fois encore dans l'Histoire millénaire d'une nation façonnée par lui, tout partait de l'État et revenait à l'État, au contraire de nos voisins britanniques, italiens ou allemands, et plus encore de l'exemple américain.

Seule l'automobile échappera à ce ressentiment français. Sans doute parce que cette invention française permit à l'individu né de la Révolution de s'émanciper des sociabilités collectives, villageoises, familiales et religieuses, dont les citoyens français avaient été libérés par le Code civil.

L'automobile, c'était l'industrie telle que les Français avaient fini par l'aimer. Un État omniprésent et omnipotent, que les entreprises soient privées ou publiques ; des patrons généreux avec leurs ouvriers ; des usines qui fabriquent des biens de consommation de haut statut social, la fameuse DS, « cathédrale de notre temps », selon le mot célèbre de Barthes.

L'industrie automobile, où était née la religion fordienne (« Je donne des salaires élevés à mes ouvriers pour qu'ils puissent acquérir mes voitures »), correspondait à l'idéal égalitaire français, qui avait en revanche honni le premier âge inégalitaire de l'industrie, celui de Mark Twain et des « barons voleurs ».

On ne tarderait pas à découvrir que l'âge de l'informatique produirait les mêmes bouleversements que celui de l'industrie ; nous ramènerait à ses débuts farouches. L'ordinateur personnel (et son corollaire internet) amplifierait le potentiel révolutionnaire de la vulgate idéologique soixante-huitarde : individualiste, cosmopolite, antihiérarchique, antiétatiste. Ni Dieu ni maître, ni frontière. L'informatique donnerait une réalité consumériste aux fameux slogans « Il est interdit d'interdire » et « Jouissez sans entraves ». Pour le meilleur et pour le pire, comme on le vit à partir des années 1990 dans le domaine de la musique, lorsque l'attrait de la gratuité détruisit l'industrie du disque et obligea les artistes à retrouver le chemin des salles de spectacle pour vivre, comme avant l'invention du microsillon, ruinant au passage cette grande invention française (Beaumarchais) du droit d'auteur.

Toutes les industries seront peu à peu menacées du syndrome musical. Certaines banques fermeront des agences, les distributeurs comme Darty ou la FNAC chancelleront, Virgin fermera ; les agences de voyage disparaîtront comme les librairies. Même l'État sera atteint par cette révolution. Les sous-préfectures seront en danger ; les bataillons de fonctionnaires aux Impôts ou même à l'Éducation dans le collimateur. Une administration devenue au fil du temps pléthorique vacillera ; un système bureaucratique envahissant, qui a son coût et ses lourdeurs, ses gaspillages et ses blocages, mais permettait aussi de tenir le choc en cas de crise grave, de chômage de masse, lorsque l'institutrice conservait son salaire alors que son mari ouvrier avait été licencié de son usine délocalisée ; une présence administrative nombreuse qui assurait aussi le maillage précis d'un territoire vaste et de faible densité, offrant une égalité réelle de traitement à tous les citoyens.

L'informatique encourage une décentralisation, une dispersion du pouvoir de décision contraire à notre tradition. Les hiérarchies intermédiaires sont dépassées, l'autorité doit se transmuer en animation. C'est le règne du *cool*, du (faux) sympa qui se trouve être un vrai tyran : Steve Jobs, Bill Gates, et les nouveaux grands patrons du CAC 40, se sont révélés des prédateurs de la meilleure eau. Encore une fois, la technologie des années 1970-1980 confirme et renforce le basculement comportemental et idéologique de Mai 68.

L'économie industrielle fut cruelle à ses débuts, mais elle était fondée sur l'échange entre un producteur et un consommateur ; le salarié étant aussi un consommateur, cet échange a fini par civiliser le capitalisme industriel. Pour imposer des débouchés à une production industrielle de masse, il avait fallu forger une économie de marché, abolir les particularismes, les privilèges et les péages du régime féodal. Faire la révolution.

Avec l'économie informatisée, cet équilibre subtil est balayé. Les usines sont transformées en lieux d'assemblage d'éléments fabriqués ailleurs et transportés par porte-conteneurs dirigés par des micro-ordinateurs. Le monde est réduit à un point, qui facilite la délocalisation des emplois, et disperse la cohésion de l'entreprise. Aide aussi les mafieux à blanchir leur argent mal acquis. Le salarié redevient un coût ; les libéraux triomphent ; les prédateurs accumulent des fortunes. Les Français, qui toléraient le capitalisme parce qu'il avait apporté dans ses bagages la société de consommation, n'ont jamais cessé de détester le libéralisme, bien que ses premiers théoriciens fussent autant français – Bastiat, Say, etc. – qu'anglais.

Les machines industrielles avaient aidé l'homme à devenir plus performant physiquement ; la machine informatique assiste son cerveau.

Elle stimule et développe une intelligence pratique de conception, de design, mais pas de contemplation. Les mathématiques partent de la question : qu'est-ce que c'est ? L'informatique de : comment faire ? Les Français sont beaucoup plus doués dans celles-là (ils accumulent les médailles Fields, deviennent de grands ingénieurs) que dans celle-ci (ils méprisent l'enseignement professionnel et les informaticiens).

L'informatique stimule et consacre une intelligence à fina-lité pratique qui semble vulgaire pour le monde des idées pures.

Le capitalisme à l'ère informatisée redevient une jungle où règne la loi du plus fort, un monde hobbesien de la guerre de tous contre tous. Une violence de type féodal resurgit. L'économie informatisée ultracapitalistique redonne au capitalisme sa vocation meurtrière de pousse-au-crime, un système « qui porte la guerre comme la nuée porte l'orage », disait Jaurès.

La France n'a pas envie de voir que le capitalisme à l'ère informatisée redevient cette guerre de tous contre tous qu'elle a détestée au XIXᵉ siècle ; pas envie de voir que la paix depuis 1945 n'aura pas été l'établissement définitif de la « paix éternelle ».

1982

2 mars 1982

Le retour des féodaux

C'est sans doute avec une jubilation narquoise que François Mitterrand mit ses pas dans ceux du Général. Lui qui, aussitôt arrivé à l'Élysée, avait donné aux services du protocole de la « Maison » un seul ordre : « Faire tout comme pour de Gaulle », pouvait cette fois encore se référer à son illustre adversaire. La décentralisation, la régionalisation, le nécessaire reflux de mille ans de centralisme, n'était-ce pas la dernière bataille menée par le Général ? Bataille et guerre perdues cette fois avec l'abdication, en avril 1969, du vieil homme recru d'épreuves. Mitterrand seul se souvenait encore que le Général avait lui-même repris un projet envisagé par le Maréchal ; l'homme de la francisque saluait Pétain, en faisant mine d'imiter de Gaulle : le Florentin savourait le sel de cette archéologie méandreuse.

Les socialistes y ajoutèrent l'instinct de revanche des notables locaux de l'ancienne SFIO contre la figure à la fois honnie et jalousée du préfet. Il y avait dans leur impatience jouisseuse à s'arroger ses compétences quelque chose de Gavroche se vautrant rigolard sur le trône de Louis-Philippe lors du saccage des Tuileries en février 1848. Le Premier ministre Pierre Mauroy était maire de Lille ; le ministre de l'Intérieur *et* de la Décentralisation, Gaston Defferre, maire de Marseille ; François

Mitterrand avait entamé sa marche finale vers l'Élysée par le triomphe socialiste aux municipales de 1977.

Au contraire des autres réformes qu'il engageait au début de son mandat, le gouvernement disposait d'alliés à droite parmi les troupes libérales, centristes, notables locaux et girondins de toujours. Cette double opération de dévolution de compétences au profit des élus locaux et de régionalisation rencontrait une quasi-unanimité parmi les élites technocratiques des années 1970. Les uns croyaient briser les verrous de « la société bloquée » dénoncée par Michel Crozier en démantelant la hiérarchie de fer restaurée par Bonaparte en l'an VIII ; les autres rêvaient de ressusciter les provinces d'un lointain passé et d'y forger les *Länder* à « l'échelle européenne » ; les derniers, plus minoritaires et plus idéologues, revisitaient une Histoire de France sans Philippe le Bel ni Richelieu ni Colbert ni Bonaparte, une histoire faite de *gentlemen farmers* anglais et de cités italiennes, bâtissant une utopique France des régions au régime quasi fédéral pour mieux s'insérer dans les États-Unis d'Europe de leurs rêves.

Tout semblait leur sourire. Dans le passé, la naissance des collectivités locales s'était adossée au mode de déplacement de l'époque. La commune du Moyen Âge accueillait le paysan cheminant à pied ; le chef-lieu du département recevait le citoyen de la Révolution à une journée de cheval, sur les belles routes qui avaient fait l'admiration des visiteurs étrangers pour la France de Louis XV. La région représentait donc l'échelon adapté au temps de l'automobile, et de ces magnifiques autoroutes dont le président Pompidou avait couvert le territoire.

Le hasard facétieux avait quelques mois plus tôt lancé un nouveau train qui, à des vitesses encore jamais atteintes, raccourcirait les distances, transformant des villes de province comme Reims, Tours ou Chartres en banlieues de Paris, attirant, aspirant vers la capitale des grandes villes comme Lyon, Lille, et même Marseille ou Strasbourg, qui avaient fait de leur éloignement le gage de leur autonomie farouche par rapport à l'ogre parisien. Tout était chamboulé mais nos « modernes » ne le savaient pas encore. Au fil des années,

Paris sortirait peu à peu de son rôle d'aspirateur du « désert » français pour devenir une métropole mondialisée. La province avait pendant des siècles reproché à la capitale son emprise impérieuse ; elle vilipenderait vite son dédain égoïste. Les modernes d'aujourd'hui deviendraient les archaïques de demain.

La décentralisation française arrivait trop tard dans un monde trop neuf ; un monde qui serait bouleversé une première fois par l'abolition des frontières en Europe, et l'ouverture de l'Europe sur l'est du continent après la chute du mur ; et une seconde fois par la mondialisation qui érigerait en carrefours des mouvements de capitaux, de marchandises, et d'hommes, des grandes villes qui deviendraient autant de petits Paris absorbant leur environnement, et amenant à Bordeaux, Strasbourg, Toulouse, Nantes, Nice, Marseille, etc., les richesses et les nuisances d'une cité-capitale.

Personne n'imaginait cette (r)évolution en 1982. Les régions étaient dépassées avant même d'être installées. Elles ne réussiront jamais à imposer leur légitimité ; les élections régionales au suffrage universel – instauré dans la même loi de 1982 – brilleront toutes par leur abstention massive ; le découpage territorial, reprenant celui, prudent, de l'ère Pompidou, n'avait pas, il est vrai, facilité les identifications populaires. Rien n'y fit, en dépit des efforts valeureux des régions en faveur de la rénovation des lycées et des trains locaux, ou encore du dynamisme industriel de la région – qui consistaient avant tout à dérouler le tapis rouge des exonérations fiscales aux entreprises étrangères susceptibles de créer quelques emplois.

Dès les années 1990, les maires des grandes villes leur dameraient le pion et s'imposeraient comme les patrons régionaux d'un monde globalisé ; ils laisseraient au département le soin de jouer l'assistante sociale dans les zones rurales éloignées de tout. Le département tenait lui aussi sa revanche. En 1982, les bons esprits technocratiques souhaitaient sa disparition car il symbolisait tout à la fois l'archaïsme français et le centralisme jacobin et napoléonien. Seul François Mitterrand, resté attaché aux anciens terroirs, refusa. Son successeur Jacques Chirac fit de même, en dépit des offensives des « modernes » de droite, régionalistes groupés autour du Premier ministre de 2002, Jean-Pierre Raffarin. Ironie de l'Histoire : le département fut le comble de la modernité en 1789 et le comble de la ringardise deux siècles plus tard. La région incarnait l'apogée de la réaction en 1789 (les Provinces) et du progrès dans les années 1970. À l'orée des années 2000, elle passera de nouveau à la trappe de l'Histoire, tandis que les villes, ces modernes du Moyen Âge, reprendront le flambeau.

Avant et après le vote de la loi de 1982, le chœur des modernes nous rebattit les oreilles des indécrottables « retards » français, nous donnant en exemple les *Generalidades* espagnoles, les régions italiennes, les *Länder* allemands, et même les régions britanniques. Puis, vinrent les premiers craquements, les revendications indépendantistes de la Catalogne et du Pays basque, les vociférations de la Ligue du Nord, le lent travail de sape de la Flandre, l'indépendance en gestation de l'Écosse. Au contraire de ce qu'on nous avait dit, les régimes les plus libéraux, les plus fédéralistes, n'avaient pas endigué les revendications séparatistes, mais les avaient encouragées (sauf en Allemagne). Avec la crise financière de 2008, on s'aperçut que la plupart des *Generalidades* étaient au bord de la faillite ; les collectivités locales françaises en avaient été sauvées en dépit d'endettements fort imprudents, par le maintien d'une réglementation jacobine leur enjoignant de voter des budgets en équilibre.

Cette révolution décentralisatrice eut un coût colossal jamais évalué. Les nouveaux féodaux régionaux, départementaux et municipaux, enhardis par leur fraîche légitimité et enivrés par leur nouveau pouvoir, firent couler le béton dans des hôtels administratifs souvent somptuaires. Des budgets de communication faramineux chantèrent la gloire du roitelet-soleil.

On embaucha à tout va. Dans la seule décennie 2000, les collectivités territoriales recrutèrent près de 500 000 personnes. Tous les efforts de l'État pour contenir la croissance endémique de ses effectifs étaient plus qu'annulés par l'expansion débridée des recrutements locaux. La productivité de ces emplois n'était pas leur qualité essentielle ; les

congés maladie, plus nombreux que dans la fonction
publique d'État. L'inventivité des technocrates décentralisa-
teurs s'avéra sans limites. Pour compenser la multiplicité des
communes (les fameuses 36 000 communes, autant que dans
tout le reste de l'Europe), on créa des communautés de
communes, comme on avait envisagé que la région regrou-
perait un jour les départements condamnés.

Mais si on créait de nouvelles structures, on n'en supprimait aucune. Les effectifs partout gonflaient. La République
reprenait les mauvaises habitudes de la Monarchie qui avait
elle aussi accumulé les strates administratives. Le « mille-
feuille » devint indigeste. Chaque projet industriel ou immobilier était issu de financements croisés, selon des modalités
obscures, qui interdisaient tout contrôle et favorisaient le
gaspillage, jusqu'à la gabegie. Au nom de la réduction nécessaire des dépenses budgétaires, l'État coupait dans ses crédits
de recherche et d'investissement, pendant que les régions
prétendaient prendre le relais ; mais ce n'étaient pas les
mêmes objectifs, pas la même hauteur de vue ; des efforts
désordonnés et sans cohérence nationale ; on n'avait plus
d'argent pour le Concorde ou le nucléaire, mais on en disposait pour les ronds-points ! Trente ans plus tard, la gauche
revenue au pouvoir accorderait aux notables locaux le droit
de se répartir leurs compétences, et aux départements de
fusionner à leur guise. En 2014, le président Hollande,
pressé de démontrer sa vigueur réformatrice, modifia la
carte régionale, réduisit le nombre des régions de 22 à 14,
leur transféra de nombreuses compétences départementales
– que les départements exerçaient pourtant avec compé-
tence – et annonça la disparition des conseils généraux à
l'horizon 2020.

L'État peu à peu sortait du jeu. On revenait lentement
mais inéluctablement à l'autonomie des seigneurs dans leurs
provinces que la Monarchie puis la République avaient mis
mille ans à domestiquer. Demain, l'interdiction du cumul
des mandats entre député (ou sénateur) et élu local couperait le lien entre les provinces et Paris. La France redevien-
drait cet « agrégat inconstitué de peuples désunis » dénoncé
par Mirabeau à la veille de la Révolution. Les pseudo-héri-

tiers de Tocqueville n'avaient pas lu ces pages lumineuses dans lesquelles l'auteur de *La Démocratie en Amérique* distingue entre décentralisation politique et décentralisation administrative, la seconde étant bénéfique car elle favorise l'initiative locale et le dynamisme économique, tandis que la première est néfaste car elle démantèle la souveraineté nationale. Le président Pompidou, qui avait jusqu'au bout refusé que les régions devinssent autre chose que « l'expression concertée des départements qui la composent », avait pourtant prévenu avec sa gouaille désabusée : « Il y a eu déjà l'Europe des régions ; ça s'appelait le Moyen âge ; ça s'appelait la féodalité. »

À l'instar de l'Italie, du Canada, ou de l'Espagne, la France connut la criminalisation des marchés locaux ; les mafias internationales ou même nationales inspirèrent notre milieu corso-marseillais qui se mêla à son tour des contrats sur le traitement des ordures, des cliniques privées, des officines de sécurité, sans parler des traditionnels marchés immobiliers et routiers. Au gré des affaires, des scandales, et des enquêtes de police, on put constater chaque jour davantage les dérives de la décentralisation. En 1992, l'assassinat du député Yann Piat mit à jour l'emprise mafieuse sur le département du Var, à travers le président du conseil général Maurice Arrecks. La mort de l'« emmerdeuse » entraîna la chute du « système Arrecks » ; mais, depuis lors, la mise en cause de Guérini, président du conseil général des Bouches-du-Rhône ou la condamnation – certes non définitive – de la députée socialiste Sylvie Andrieux ont révélé les nouvelles pratiques dans la région marseillaise, ainsi que les liens douteux entre bandes des cités et grand banditisme, associations antiracistes, clientélisme électoral, sur le modèle américain, tant admiré dans les banlieues françaises, de Tony Montana, héros du film *Scarface*.

Il n'en avait pas toujours été ainsi depuis 1945, même dans la région de Marseille. Ce fut le grand paradoxe du ministre de l'Intérieur *et* de la Décentralisation Gaston Defferre. Certes, les figures du crime organisé n'avaient pas totalement disparu de la vie marseillaise dans les années 1960, à commencer par les gardes du corps du maire, l'ancien résistant Dominique (Nick) Venturi et Antoine Paolini, qui fréquentaient les frères Guérini ; mais ce Venturi lui-même apparaissait alors comme le reliquat d'un passé désormais lointain, celui des années 1930, quand Simon Sabiani, adjoint au maire, était devenu le vrai patron de la ville, et que Marseille était surnommée « le Chicago français ». Le maire de Marseille, Gaston Defferre, savait mieux que personne que seul le gaullisme industriel, sa politique d'aménagement du territoire et son organisation d'assistance sociale dirigées de Paris, avait permis aux forces politiques locales d'échapper aux logiques clientélistes et de s'arracher des bras trop affectueux de la pègre. C'est aussi la centralisation parisienne de la construction immobilière qui lui avait donné les moyens de réaliser son ambitieux programme de logements sociaux au cœur de sa ville, sur le vieux port, qui ne vit jamais le jour à Naples ou à Palerme, dans une Italie postfasciste plus décentralisée, et donc plus soumise aux diverses « influences » locales. Ne parvenant plus à rendre les mêmes services à la population, les parrains marseillais perdirent leur influence politique et se recyclèrent dans les grands trafics internationaux, de drogue en particulier, avec la célèbre *french connection* qui faisait l'admiration des mafieux calabrais et napolitains.

Cette victoire historique fut remise en cause par la décentralisation de 1982. Defferre pouvait alors plaider qu'avant même *sa* loi de 1982, les départements des Bouches-du-Rhône et du Var vivaient déjà sous un régime de dérogation permanente qui laissait aux élus locaux une latitude et même une influence sur les décisions prises par les préfets. Il suffisait donc, songeait le père de la décentralisation, de généraliser ce système dérogatoire à toute la France, pour redonner un peu de souplesse, un peu de vie, un peu de dynamisme au trop aride « désert français ». C'était oublier que la politique d'aménagement du territoire voulue par l'État central sous le général de Gaulle avait rendu caduc ce constat daté du XIX\u1D49 siècle, forgeant des industries dans le sud-ouest et le nord-ouest du pays, et faisant de ces régions autrefois défavorisées les plus dynamiques du territoire. À la fin des années 1970, Paris n'était plus seul. Le malheur pour la loi de Gaston Defferre est que la décentralisation fut accompagnée, débordée, aggravée par le grand marché européen puis par la globalisation : l'État était décapité par le haut après avoir été grignoté par le bas. Le Gulliver hérité de Colbert, Napoléon, de Gaulle, fut ligoté, ridiculisé, humilié. Assassiné.

8 juillet 1982

Verdun à Séville

Par une douce nuit d'été sur le champ de bataille de Séville, la France et l'Allemagne se sont affrontées pour la troisième fois dans le siècle. Après 1914 et 1940, 1982. La France fut vaincue. Tout est guerre, même le football. Surtout le football. Les *Panzerdivisionen* allemandes, l'aigle noir impérial cousu sur leurs maillots blancs immaculés, ont eu raison de nos piou pious, le coq gaulois dressé sur ses ergots, qui avançaient sous la mitraille la fleur au fusil.

Les troupes françaises affichaient les qualités éternelles qu'avait déjà remarquées Jules César : audace, intrépidité, créativité. Leurs défauts aussi : une naïveté, une ingénuité quand l'ivresse du jeu les emporte, leur fait oublier les disciplines indispensables au combat. Les Allemands avaient hérité des vertus de rigueur, d'abnégation, de discipline, et de détermination inébranlable, de volonté farouche d'écraser l'adversaire, qui avaient fait la gloire du drill prussien sous Frédéric II. Certains dirigeants du football allemand de l'époque avaient officié sous le règne nazi. L'équipe allemande était celle de la RFA, mais ces joueurs rhénans et bavarois avaient été élevés à la prussienne.

Le plus grand joueur allemand de l'après-guerre, Franz Beckenbauer, avait prévenu ses jeunes compatriotes : « Jouez dur, les Français détestent ça. »

La France, c'était l'union latine chère à Napoléon III : Hidalgo, Platini, Amoros, Genghini, Larios, Tigana, Janvion et Trésor. L'Allemagne, c'étaient des grands blonds dolichocéphales.

L'arbitre s'appelait Corver. Il était hollandais. Ses ancêtres avaient été sujets de Guillaume d'Orange, l'ennemi juré de Louis XIV. Corver joua son rôle de traître de comédie, laissant les défenseurs allemands s'essuyer les crampons sur les chevilles de Platini et de Rocheteau, regardant ailleurs lorsque le gardien de la Mannschaft Harold Schumacher transforma le terrain de football en ring de boxe en allongeant le Français Battiston pour bien plus des dix secondes réglementaires. Sans doute meurtri par le tombereau d'injures qu'il reçut pendant des semaines après la rencontre, en France mais aussi en Allemagne (nazi, SS, etc.), Schumacher avoua des années plus tard que toute l'équipe avait pris de l'éphédrine, drogue qui renforce l'agressivité.

Comme à Waterloo, les Français furent vaincus par les renforts de dernière heure. À Séville, Blücher s'appela Rummenigge. Quand rentra le joueur blond à la boucle d'oreille, qui n'avait guère joué pendant la compétition, le combat changea d'âme, l'espoir changea de camp.

Ce fut sans conteste un des « matchs du siècle ». L'exceptionnelle qualité technique, la vitesse de jeu, la confrontation des deux styles, les rebondissements imprévisibles, tout y contribua. Lorsque Giresse marqua, courut ivre de joie, les bras levés, vers ses camarades, il était convaincu, et tout le pays avec lui, que la France, menant alors par 3 buts à 1, accéderait pour la première fois à la finale de la Coupe du monde de football. Quatre minutes plus tard, les Allemands réduisaient déjà le score après que Platini eut été secoué comme un prunier, sans que l'arbitre, à son habitude, intervînt. Fischer, d'un acrobatique retourné, égalisa, avant que le géant allemand Hrubesch ne marque l'ultime penalty de la victoire, après que Didier Six et Maxime Bossis eurent raté le leur, lors d'une séance de tirs au but poignante.

Incroyable opposition caricaturale des physiques qui faisait marcher la machine à remonter le temps de nos défaites et complexes : Hrubesch-Giresse, Kohl-Mitterrand, Bismarck-Thiers. Le géant allemand et le nain français.

Les joueurs de l'équipe de France étaient tous nés dans les années 1950, quelques années après la défaite de juin 1940. Ils furent aussi la dernière génération qui assimila sans gêne et sans douleur les étrangers. On ne se demandait pas s'ils chantaient « La Marseillaise » ; on savait, on voyait, on entendait, on devinait leur exemplaire acculturation à la France. C'est la presse allemande qui, à l'époque, notait, perfide, qu'il y avait dans cette équipe plusieurs joueurs noirs (Tigana, Trésor, Janvion), remarque insidieuse qui rappelait les caricatures de la propagande germanique de la Première Guerre mondiale sur la « force noire » chère au général Mangin.

Ils ne le savaient pas, mais nos joueurs incarnaient l'ultime génération du XXe siècle français. Ils furent les derniers enfants qui apprirent le roman national tel qu'on l'enseignait depuis Michelet ; mais on eut l'impression que cette Histoire, ces complexes, ces traumatismes pesaient encore sur leur conscience au moment de « tuer » l'ennemi héréditaire ; la peur séculaire de l'Allemand les hantait et les inhibait, tandis que les populations germaniques semblaient avoir jeté dans les poubelles de l'Histoire leur ancienne révérence craintive et admirative pour la « Grande Nation » qui avait brûlé Heidelberg et les avait écrasés à Iéna.

Cette défaite ébranla le sport français. On cria comme après 1914 : « Plus jamais ça. » Yannick Noah remporta le tournoi de Roland-Garros en 1983 ; et l'équipe de Platini gagna la coupe d'Europe des nations en 1984. Ces deux succès furent vécus comme la fin d'une malédiction nationale. Mais en 1986, les mêmes joueurs français affrontèrent les mêmes Allemands dans une même demi-finale de Coupe du monde. Et essuyèrent une même défaite ! Franz Beckenbauer eut le mot de la fin : « Les Français ne savent pas battre l'Allemagne. »

La défaite à Séville avait sonné le glas des illusions françaises dans le siècle. Au début du Mundial en Espagne, le 13 juin, le

Premier ministre Pierre Mauroy avait annoncé la dévaluation du franc et les premières mesures de rigueur. En cet été 1982, la France ravalait sa superbe de nation indocile et rebelle et s'alignait toute honte bue sur le modèle allemand.

1983

21 mars 1983

Le passage de la lumière à l'ombre

Le récit homérique fut vite écrit. On décrivit l'inéluctable ralliement à la réalité ; ou, en plus sombre, la soumission au capitalisme incarné par le diable à deux têtes, Thatcher et Reagan. On glosa sur la vacuité des « visiteurs du soir » ; sur la volte-face de Laurent Fabius ; la solidité de Pierre Mauroy ; la lucidité de Jacques Delors. L'Histoire est toujours écrite par les vainqueurs.

C'est mars 1983 et non mai 1981 qui consacra l'authentique et décisif avènement de la gauche au pouvoir ; le changement pour de vrai ; le passage de l'ombre à la lumière, ou de la lumière à l'ombre. Mai 1981 n'avait été qu'une ultime tentative des politiques français – qu'ils s'appellent Giscard, Chirac ou Mitterrand – de restaurer la France de 1945, et son État-providence et dirigiste. Mais ceux-ci s'étaient succédé au pouvoir sans comprendre que les bouleversements économiques (abolition des frontières en Europe, fin de l'étalon-or, prix du pétrole, etc.), mais aussi la décapitation par Mai 68 de la structure hiérarchique qui donnait sa colonne vertébrale à la société française, avaient rendu cette Restauration aussi impossible que s'était avérée celle de la Monarchie capétienne après la Révolution et l'Empire.

Les aristocrates revenus d'émigration sont restés célèbres pour « n'avoir rien appris ni rien oublié » ; François Mitterrand, qui aimait tant nos anciens rois, avait connu un exil du pouvoir aussi long qu'eux, entre le retour du général de Gaulle en 1958, et son entrée à l'Élysée en mai 1981. C'est un homme du passé qui succédait au moderniste Giscard, pour le meilleur et pour le pire. Le meilleur quand, après la désacralisation giscardienne, le nouvel élu redonna sa majesté à la fonction présidentielle ; le pire, pour l'inculture économique, jusqu'au dédain, des anciennes élites de la IIIᵉ République, dont Mitterrand fut le dernier héritier. Il aimait à se faire photographier avec le chapeau mou et l'écharpe rouge que Léon Blum avait rendus célèbres. Si les institutions gaulliennes lui donnèrent une durée dont Blum n'a jamais bénéficié, Mitterrand réédita l'erreur originelle de son glorieux modèle qui avait déjà en 1936 différé une dévaluation qui s'imposait, et relancé trop vite, à partir d'une industrie nationale vieillie et sclérosée, une demande intérieure qui fera la joie des exportateurs étrangers. En deux ans et trois dévaluations successives du franc, mais à chaque fois trop tardives et trop restreintes, l'industrie française ne put jamais reconquérir sa compétitivité sans cesse affaiblie par la préférence pour l'inflation manifestée par les partenaires sociaux français, ouvriers et patronaux, et le fameux « grain à moudre » d'André Bergeron, le leader de Force ouvrière.

Pour briser le « mur de l'argent » sur lequel s'étaient fracassées les expériences de la gauche au pouvoir en 1924 et en 1936, Mitterrand avait pris la précaution de nationaliser tout le système bancaire. Mais il n'avait pas pris celle d'abolir la loi du 3 janvier 1973 afin de retrouver les anciennes facilités permises par le « circuit du Trésor », qui conduisait jadis gratuitement des coffres de la Banque de France aux investissements de l'État, sans passer par ceux des banques qui, privées ou publiques, continueraient à défendre les intérêts de leurs dirigeants et de leur « milieu » de financiers.

Par ailleurs, Mitterrand était depuis l'après-guerre un atlantiste loyal et un Européen convaincu ; il souhaitait apaiser ses relations avec l'oncle Sam déjà agacé par la présence de ministres communistes au gouvernement ; il mettait l'alliance avec l'Allemagne au-delà de toute autre considération. Il lui importait de ne pas briser les liens avec elle, même si le mépris arrogant du chancelier Schmidt, qui en pinçait pour Giscard et n'avait pas de mots assez durs pour dénoncer « l'archaïsme économique keynésien des socialistes français », ne l'avait pas ravi. Le président français s'entendrait mieux avec le conservateur Helmut Kohl qui lui succéderait dès 1982.

Mitterrand refusa jusqu'au bout d'arracher le corset du système monétaire européen qui attachait notre monnaie au Deutsche Mark. Un système de changes fixes, dont les ajustements âprement négociés permettaient à chaque fois aux Allemands de laisser un peu d'air à la monnaie française pour que son industrie ne coule pas, mais jamais assez pour qu'elle combatte à armes égales avec sa puissante rivale. Depuis dix ans, comme l'avait confié cyniquement le comte Otto Lambsdorff (ministre de l'Économie outre-Rhin) à Jean-Pierre Chevènement, « le SME fonctionnait comme un système de subventions à l'industrie allemande ».

Le « changement » n'ayant pas frappé aux bonnes portes, Mitterrand et la gauche se condamnaient à s'incliner devant la « réalité ». Tout le soin des communicants mitterrandiens fut alors d'orchestrer un de ces faux débats dont ils avaient le secret entre l'« Europe » et l'« Albanie », entre la soumission au capitalisme et la misère derrière des frontières étanches. Les fameux « visiteurs du soir » (grands patrons amis du président et dignitaires socialistes tels que Fabius ou Bérégovoy) qui échafaudaient une « autre politique » prévoyant la sortie du SME et le flottement du franc, étaient condamnés à faire de la figuration. Le changement de camp du ministre du Budget Laurent Fabius après que le directeur du Trésor, Michel Camdessus, lui eut révélé l'effondrement de nos réserves de devises depuis février 1981, et prophétisé l'apocalypse d'une sortie du SME, avec hausse des taux d'intérêt qui étranglerait les entreprises, chômage massif et intervention du FMI, fut le *deus ex machina* indispensable d'une pièce qui hésitait entre la tragédie classique et la bouffonnerie. Les socialistes et les

Français en général n'avaient rien compris au monde de la finance qui arrivait dans les fourgons de Reagan et Thatcher, un monde dérégulé de joueurs où les monnaies comme les matières premières ou les actions seraient soumises à la loi du marché. Les Français prudents n'osèrent pas parier sur leur monnaie comme le feraient les Anglo-Saxons. Ils se rallièrent donc à la solution qu'ils crurent la plus raisonnable, celle de la haute administration et de Jacques Delors, collant au Mark comme un petit se met derrière son grand frère dans la cour de récréation, pour s'assurer de sa protection en échange de sa soumission. Notre politique monétaire mise ainsi entre les mains de l'Allemagne, la monnaie unique européenne édifiée sur les canons germaniques devint une suite logique, inéluctable.

Derrière le rideau se jouait cependant une autre pièce, mais écrite par les mêmes. C'est l'élite de la gauche française, la crème de la crème, sortie des meilleures écoles, qui tenait la plume. Ils avaient pour nom Lamy, Camdessus, Peyrelevade, Lagayette. Ils entouraient Jacques Delors et Pierre Mauroy. Ils avaient établi un « pacte de fer » entre Matignon et la rue de Rivoli, pour résister à toutes les pressions et à toutes les exigences de l'Élysée, comme le reconnaîtra plus tard Delors. Ils étaient catholiques convaincus et sincères, tendance postconciliaire. Ils avaient renoué avec une conception rebelle et antiétatique, presque anarchiste, du christianisme des commencements. Ils avaient une approche religieuse du libre-échange qui devait « universaliser » l'Humanité et apporter la richesse et le bonheur aux déshérités de la planète, sans oublier la paix. Le protectionnisme était à leurs yeux une immoralité, une œuvre de Satan. Ils vivront comme une récompense divine l'enrichissement des « classes moyennes » dans les « pays émergents », Chine, Inde, Brésil, Turquie, etc. Ils estimeront que les millions d'esclaves dans les pays pauvres et le développement massif du chômage et de la précarité dans les pays riches n'en étaient que des effets collatéraux, inévitables et négligeables. Quelques années plus tard, ils expliqueront avec un rare mépris condescendant qu'à l'heure d'internet et des porte-conteneurs, le protectionnisme est stupide et purement incantatoire. Ils

décriront avec une jubilation arrogante ces chaînes de production disséminées dans le monde entier conduisant les pièces
détachées venues de partout, et commandées par un ordinateur installé nulle part, vers une usine en Bavière, en Turquie,
ou en Inde, où des ouvriers allemands, turcs, marocains,
indiens ou chinois les assembleront, avant que ces produits ne
retraversent la planète pour être vendus au consommateur anonyme et universel.

Depuis qu'ils s'étaient ralliés à la gauche dans leur jeunesse,
ils avaient lutté contre les socialistes jacobins, dont ils jugeaient
le patriotisme et le dirigisme « archaïques ». Ils incarnaient à
leurs yeux immodestes le « progrès » contre la « réaction », ainsi
que l'expliquera plus tard Pascal Lamy, devenu président de
l'Organisation mondiale du commerce. Pour cette phalange de
haut vol, l'échec de la relance keynésienne de mai 1981 et le
choc de la « contrainte extérieure » furent une « divine surprise ». Ils conduisirent comme un chien d'aveugle Mitterrand
et la gauche sur des chemins escarpés où ceux-ci ne voulaient
pas aller et d'où ils ne reviendraient pas.

En 1983, pourtant, internet en était à ses balbutiements
et les porte-conteneurs – inventés dans les années 1950 ! –
tardaient encore à sillonner les océans. La mondialisation
fut d'abord financière. Or, c'est ce groupe de hauts fonctionnaires français qui convainquit Mitterrand et son
ministre des Finances, Pierre Bérégovoy (conseillé par Jean-
Charles Naouri, futur patron du groupe Casino), de libéra-
liser la finance. C'est en cette même année 1983 que, pour
la première fois, l'État français se présenta devant les marchés internationaux pour financer sa dette, alors qu'il avait
l'habitude de se tourner vers l'épargne nationale qui avait
la réputation justifiée d'être abondante, même si elle s'était
révélée parfois fort coûteuse (emprunt Pinay et Giscard
gagés sur l'or). On donna ainsi sa pleine mesure à la loi du
3 janvier 1973, en ôtant aux citoyens français la maîtrise de
leur dette nationale et en la livrant aux financiers internationaux. Dans quelques décennies, on expliquerait que les
« marchés » ont un droit de regard sur la politique suivie
par la France et que les citoyens ne peuvent plus en décider

seuls... C'est après « le virage de 1983 » que les socialistes firent ce que n'avait pas osé la droite, désindexant les salaires de l'inflation, redonnant des marges aux entreprises qui en avaient bien besoin, mais faisant désormais payer aux salariés toute poussée inflationniste.

Lorsque Jacques Delors fut nommé à la tête de la Commission européenne en 1985, Pascal Lamy le suivit à Bruxelles, et mit au point l'Acte unique européen qui instaurait la liberté totale à l'intérieur de l'Union européenne des mouvements de capitaux, de marchandises et d'hommes. C'était l'adieu définitif aux droits de douane, aux contingentements, au contrôle des changes, à l'encadrement du crédit (et à la maîtrise de l'immigration) ; ce fut même l'interdiction faite aux États de toute politique industrielle.

La finance se libérait de toutes ses chaînes étatiques et nationales. Pour le meilleur et bientôt pour le pire. Parvenu à la tête du FMI, Michel Camdessus (la Pythie de Fabius !) étendit ces principes libéraux à toute la planète. C'est ce « consensus de Paris », et non le plus tardif quoique plus célèbre « consensus de Washington » de 1989, qui consacrait les prémices de la mondialisation, avant même que le fameux couple internet-porte-conteneurs ne lui donnât une ampleur inégalée. C'est l'Europe qui avait précédé le monde et non le monde qui avait subverti l'Europe. Ce fut un quarteron de hauts fonctionnaires français qui imposa cette vision à l'Europe et au monde, contrairement à notre tradition protectionniste (et à nos intérêts nationaux ?). Cette Histoire inconnue des Français fut révélée et décortiquée des années plus tard par un professeur à la Harvard Business School, Rawi Abdelal, dans un ouvrage intitulé *Capital Rules : The Construction of Global Finance*, qui ne fut jamais traduit en français. Un chapitre entier est consacré à ce « consensus de Paris », précédé en exergue par une phrase de La Fontaine : « Est maître des lieux celui qui les organise. »

Nos idéologues catholiques libre-échangistes touchaient au port. Ils avaient rêvé d'un monde débarrassé du politique, seulement régi par les flux économiques et financiers, la « régulation » et la « gouvernance ». Où les États belligènes par essence seraient noyés sous un universalisme pacifique, le fameux « doux commerce », si mal compris par les émules de Montesquieu. Ils avaient créé dès 1982, en compagnie d'hommes d'affaires et d'intellectuels de centre gauche (Pierre Rosanvallon, Jacques Julliard), la fondation Saint-Simon, pour imposer leurs idées au sein des élites françaises. Le comte de Saint-Simon, descendant du petit duc génial et atrabilaire du XVIIe siècle, avait au XIXe porté un vaste mouvement scientiste et industrialiste qu'on appellerait aujourd'hui technocratique : « L'administration des choses remplacera le gouvernement des hommes », avait-il prophétisé. Imitant la magnifique opération réussie en Amérique avec l'ancien acteur de série B hollywoodien Ronald Reagan, ils propulsèrent un comédien séduisant et populaire, jadis compagnon de route du parti communiste, Yves Montand, pour endoctriner une population française qui avait conservé d'instinct son ancien attachement à la politique. Leur victoire fut totale. En liquidant l'État keynésien, ils liquidèrent l'État tout court en tant que puissance impérieuse et normative. En désarmant les autorités publiques nationales, ils n'ont pas transféré le pouvoir ailleurs, mais organisé l'impuissance du pouvoir.

Mais alors que Thatcher et Reagan avaient accompagné leur révolution libérale d'une exaltation du nationalisme anglo-américain, et que les dirigeants allemands redécouvraient après la réunification de 1990 les délices de la souveraineté nationale, François Mitterrand, lorsqu'il eut compris l'ampleur de la révolution qu'il avait subie et cautionnée (« Après moi, il n'y aura plus de grand président »), préféra dissimuler son abandon du socialisme et de l'État sous le paravent de la mythologie européenne, transformant le patriotisme français en un simple musée – qui pour une partie de la gauche était le musée des horreurs – avec sa célèbre formule funéraire : « La France est notre patrie, l'Europe notre avenir », que tout le monde traduisit par : La France est notre passé à jeter dans les poubelles de l'Histoire.

On apprit bien plus tard que cette phrase avait été aussi prononcée par Helmut Kohl (sans que l'on sût qui avait copié qui) mais pour les Allemands, elle valait oubli et rédemption des crimes nazis. Comme si les élites françaises – percluses de culpabilité et de haine de soi – avaient voulu se laisser clouer sur le pilori avec les Allemands. Nos dirigeants, de gauche mais aussi de droite, adopteraient désormais la manie allemande d'éviter le mot pouvoir (*Macht*, aux résonances hitlériennes en langue allemande), lui préférant la hideuse expression « aux responsabilités ». Le mot « gouvernance », emprunté au vocabulaire des entreprises, remplaça « gouvernement ». L'« intérêt national » devint l'« égoïsme national », qui devait s'effacer derrière l'« intérêt général de l'Europe », la « coopération » et la « paix ».

À force d'écrire des choses horribles, elles finissent par arriver.

1984-1992

« Servons la bonne cause et servons-nous ! »
Benjamin Constant

1984

SOS baleines

Dans *Cool Memories*[1], Jean Baudrillard écrivait : « SOS Racisme et SOS baleines. Ambiguïté : dans un cas, c'est pour dénoncer le racisme, dans l'autre, c'est pour sauver les baleines. Et si dans le premier cas, c'était aussi un appel subliminal à sauver le racisme... »

Baudrillard avait tout deviné. C'est à l'Élysée, en grand secret, que l'association a été forgée. Les conseillers politiques et les communicants présidentiels sont à l'œuvre ; et Mitterrand à la manœuvre. Le slogan « Touche pas à mon pote » est une trouvaille d'un ami du futur député socialiste Julien Dray, le journaliste Didier François ; on invente de toutes pièces la mésaventure d'un jeune Noir, Diego, accusé de vol dans une rame de métro ; l'histoire sera relayée par tous les médias.

SOS Racisme est la réponse mitterrandienne aux événements de l'année précédente : virage économique libéral au nom de l'Europe, percée électorale du Front national, sans oublier le succès de la marche des Beurs qui a contraint le

---

1. Verso, 1990.

président à enraciner une immigration maghrébine, alors même que Mitterrand, lucide, avait reconnu que « le seuil de tolérance est dépassé ». Il s'agit de retourner ces contraintes en atouts, ces handicaps en avantages.

La gauche invente un clivage fallacieux entre racistes et antiracistes, fascistes et antifascistes ; fait monter l'exaspération populaire par des provocations calibrées (vote des étrangers, « les étrangers sont ici chez eux », etc.) pour grossir la pelote d'un Jean-Marie Le Pen, dont Mitterrand connaît le grand talent oratoire pour l'avoir côtoyé au Parlement sous la IVe République ; on travestit l'adversaire sous les frusques usées du « fasciste », selon l'ancienne consigne de Staline à la IIIe Internationale ; et on intensifie les contradictions entre la base populaire du RPR – déjà échaudée par les réformes sociétales de Giscard – et la bourgeoisie catholique et modérée.

La manœuvre est d'envergure et magnifiquement exécutée.

Mitterrand est alors au sommet de son art en imitant ses prestigieux modèles radicaux de la IIIe République qui avaient de même utilisé l'anticléricalisme à l'issue de l'affaire Dreyfus ; l'Église n'était pour rien dans le calvaire du capitaine, mais il fallait rassembler les gauches – jusqu'aux socialistes – alors même que les radicaux au pouvoir se soumettaient à « l'argent ».

L'émergence du Front national, lors des municipales de 1983 à Dreux, s'avérait une chance historique pour la gauche de pérenniser sa présence au pouvoir. Pourtant, Jacques Chirac avait d'abord donné son accord à l'union des droites. Même Raymond Aron avait béni cette alliance dans *L'Express*, renvoyant la gauche à ses turpitudes totalitaires : « La seule internationale de style fasciste dans les années 1980, elle est rouge et non pas brune. » Mais le discours moraliste, antiraciste, antifasciste de la gauche finit par culpabiliser le leader du parti gaulliste, ainsi que les pressions de toutes parts de ses alliés centristes (ses amis Simone Veil et Bernard Stasi), les médias, et les organisations juives, sans oublier les provocations du chef du FN (« le détail de l'histoire ») bien exploitées. Mitterrand rendait ainsi la monnaie de sa pièce aux gaullistes qui avaient longtemps isolé le parti communiste et son électorat populaire dans son ghetto révolutionnaire.

SOS Racisme est fondée le 15 octobre 1984. Julien Dray et ses amis profitent de l'effervescence médiatique autour de la seconde « marche des Beurs », pour annoncer la naissance de leur nouveau bébé associatif. Les marcheurs sont un peu moins nombreux que l'année précédente, mais les chaînes de télévision se pressent. SOS Racisme inaugure sa brillante carrière par ce putsch médiatique, ce détournement de gloire, cette usurpation.

Seul le père Delorme ose dénoncer cette captation d'héritage, et la mainmise de certains groupes juifs sur l'antiracisme militant ; mais Bernard-Henri Lévy le fait taire, jouant sans vergogne de la culpabilité chrétienne à propos de l'extermination des Juifs durant la Seconde Guerre mondiale. Terrorisé, le représentant de l'Église se tient coi. Les « Beurs » se retirent alors du jeu, considérant qu'ils ont été floués par les « Feujs », toujours suspectés d'être plus habiles et privilégiés par les médias.

Favorisé par les consignes du pouvoir socialiste et l'entregent médiatique des parrains de SOS Racisme, le « coup » réussit. Bernard-Henri Lévy et Marek Halter paradent en leur café le Twickenham, rue des Saints-Pères. Des vedettes très populaires et qui avaient été de tous les combats « progressistes », comme Yves Montand et Simone Signoret, arborent la petite main jaune à la une du *Nouvel Observateur*.

Cette main jaune était une création publicitaire du communicant Christian Michel ; elle rappelle à la fois l'étoile jaune que les Juifs devaient porter en zone occupée et la main de Fatima, porte-bonheur islamique ; elle marque cette continuité inlassablement rappelée entre les persécutions des Juifs pendant la Seconde Guerre mondiale et l'hostilité xénophobe aux Maghrébins dans les années 1970 et 1980. Souvenirs de l'Occupation et ratonnades sont mêlés dans une grande confusion historique et intellectuelle, mais avec une redoutable efficacité propagandiste. L'extrême gauche juive, des mouvements trotskistes à l'UEJF, est aux manettes. Elle effectue un double hold-up politique et idéologique,

anticipant et précipitant un basculement du judaïsme français. Le petit peuple des Français de confession juive est
piégé par la manœuvre. Les dirigeants de l'UEJF et de SOS
Racisme (ce sont les mêmes) refusent de différencier l'Israélite français et l'Arabe étranger, les soudant ensemble dans
la même posture victimaire et la même hostilité au Français
de souche forcément xénophobe et raciste. Ils « défranci-
sent » ainsi les Juifs français, détruisant un travail d'assimilation vieux de deux siècles.

La majorité des Juifs, aveuglés par le souvenir obsédant de
l'Occupation, la compassion victimaire, le discours séduisant
sur l'altérité inspiré de Levinas, la tradition juive d'hospitalité
(en oubliant que l'étranger n'est alors qu'un « hôte de passage »), la nostalgie des Séfarades pour « la vie là-bas », le
processus d'identification des Ashkénazes aux immigrés
maghrébins alors qu'ils sont devenus des notables français, se
laissent conduire sur ces chemins escarpés de la « défrancisation ». À la une du premier numéro du journal *Globe*, mensuel
de gauche antiraciste d'obédience mitterrandienne fondé en
novembre 1985 par Georges-Marc Benamou, aidé financière-
ment par Pierre Bergé et Bernard-Henri Lévy, on pouvait lire
en guise de profession de foi : « Bien sûr, nous sommes résolument cosmopolites. Bien sûr, tout ce qui est terroir, béret,
bourrées, binious, bref franchouillard ou cocardier, nous est
étranger voire odieux. »

Cette opération ne se fit pas sans réticences ni réserves.
Les notables israélites vitupérèrent en privé contre ces
jeunes qui « voulaient bougnouliser les Juifs français ». À la
sortie du film *Train d'enfer* de Roger Hanin, l'éditorialiste
de *Tribune juive* écrivait le 11 janvier 1985 : « À partir de ce
fait divers raciste émanant de trois paumés, Roger Hanin a
construit un film dont il veut tirer une large morale impli-
quant cette fois la France profonde tout entière. [...] Roger
Hanin assure que, Juif algérien, on lui a appris dès l'enfance
à aimer les Arabes. Apparemment, on ne lui a pas appris à
aimer les Français. »

La machine médiatique de propagande antiraciste s'emballa.
Le 15 juin 1985, un énorme concert gratuit fut organisé, place

de la Concorde, devant 300 000 personnes, présenté par Guy Bedos et Coluche. Les acteurs les plus populaires, Yves Montand, Patrick Bruel, Richard Berry, Isabelle Adjani, occupèrent les écrans pour délivrer la bonne parole. Certains se rendirent même dans les écoles pour une tournée de propagande. Pour la plupart, ils étaient des enfants de l'immigration italienne, juive ou kabyle, qui avaient respecté jusqu'alors tous les codes de l'assimilation, francisant leur patronyme, et n'évoquant guère leurs origines – attitude qui leur permit d'obtenir un accueil chaleureux du public français et une immense réussite professionnelle. Ils exaltèrent cependant ce « droit à la différence » qui contredisait la séculaire tradition française. Le patron très médiatisé de SOS Racisme, Harlem Désir, alors jeune et sémillant métis, né de père antillais et de mère vosgienne, passé par les Jeunesses catholiques avant d'être éduqué par ses maîtres trotskistes, déclarait : « La cuisine française, ce n'est pas seulement le cassoulet, c'est aussi la pizza et le couscous. »

Il ne s'agit plus de se fondre dans un moule commun en rognant ses particularités, mais d'affirmer sans gêne, sans se soucier de la réaction des autochtones, ses spécificités, ses différences, qui sont « autant de chances », comme le chante alors Jean-Jacques Goldman.

La chanson populaire se révélait décidément un exceptionnel vecteur de la propagande antiraciste. Cabrel et Renaud se penchaient, pleins de tendre commisération, sur le sort de la femme de ménage algérienne à Marseille ou d'un fils d'immigré algérien, « qui a son CAP de délinquant ». Mais c'est Claude Barzotti qui, un an plus tôt, signait la véritable déclaration de guerre au modèle français :

Je suis rital et je le reste [...]
J'aime les amants de Vérone
Les spaghettis, le minestrone
Et les filles de Napoli
Turin, Rome et ses tifosis
Et la Joconde de De Vinci
Qui se trouve hélas à Paris [...]

Mon nom à moi c'est Barzotti
Et j'ai l'accent de mon pays
Italien jusque dans la peau[1].

Cette révolte transalpine sonnait étrangement, alors même que les Italiens avaient été un exemple rare d'assimilation réussie. Il faut cependant rappeler que celle-ci n'avait pas été aisée ; qu'à la fin du XIXe siècle, les ouvriers français n'hésitaient pas à monter de violentes expéditions punitives contre les « Ritals » accusés de leur « voler leur pain » ; et que l'historien Pierre Milza a évalué à près des deux tiers le pourcentage d'Italiens, venus dans notre pays entre 1870 et 1940, repartis dans leur patrie d'origine[2]. Dans les années 1970, le cinéma américain avait exalté l'histoire de la « communauté italienne » aux États-Unis (Scorsese, Coppola), donnant naissance au cinéma ethnique, inspirant en France des (pâles) imitations d'Arcady avec ses sagas consacrées aux Juifs d'Afrique du Nord.

Les parrains de SOS Racisme découvrirent les joies de l'argent facile ; les badges se vendaient comme des petits pains ; les valises de billets de l'Élysée se mêlaient aux liasses de « Pascal » distribuées par Pierre Bergé, le riche président de la maison de haute couture d'Yves Saint Laurent. Puis, la machine s'officialisa, se professionnalisa ; SOS Racisme devint une redoutable machine à attraper les subventions des ministères et des collectivités locales, afin de continuer la lutte politique, et accessoirement faire vivre sur un grand pied ses augustes dirigeants.

Dans l'euphorie des années 1980, les dirigeants de SOS Racisme crurent qu'ils supplanteraient les caciques de l'anti-racisme, la LICRA et le MRAP. Ils durent déchanter. Les divisions internes autour de l'affaire du voile à Creil en 1989 ou la première guerre du Golfe en 1990, l'hostilité persistante des jeunes Arabes des cités à l'endroit des « Feujs »,

---

1. Claude Barzotti, « Le Rital », 1983.
2. Pierre Milza, *Voyage en Ritalie*, Payot, 2004.

les désaccords passionnés autour du conflit du Moyen-Orient, sans oublier la réprobation de la Cour des comptes qui dénonçait leur gestion dispendieuse, obligèrent les dirigeants de SOS Racisme à se replier sur leur « cœur de métier » : la collecte inlassable de subventions.

Sans troupe ni prise réelle sur le « terrain », ils déployèrent un activisme médiatique, utilisant un incomparable savoir-faire trotskiste de manipulation des esprits, devenant les nouveaux inquisiteurs de la religion antiraciste, prêchant et catéchisant (à la télévision) et excommuniant, privatisant l'appareil judiciaire à leur profit, tels de nouveaux Torquemada. Au nom de la République, et de ses sacro-saints principes brandis en étendard flamboyant, ils avaient sapé les fondements de la nation française : laïcité et assimilation. Comme ils disaient dans leur jeunesse militante des années 1970 : « Bien creusé, la taupe ! ». Leurs maîtres trotskistes pouvaient être fiers d'eux.

4 novembre 1984

Canal+ le temple cathodique du bien

Au commencement était l'image. Cryptée. Décodée. Brouillée. Privatisée. Abonnée. Modernisée. Déroutinisée. Américanisée. Décontractée. Despeakerinisée. Désinhibée. Décalée. Déshabillée. Glamourisée.

Inspirée de la chaîne américaine HBO, Canal+ portait une ambition culturelle et sportive : un cinéma de qualité et des sports inhabituels (basket-ball, golf, etc.). C'était sans doute le prix à payer pour des socialistes qui brisaient ce monopole télévisuel public qu'ils avaient défendu dans l'opposition avec véhémence. Le génie des pionniers de l'ORTF avait été de réaliser des programmes avec peu d'argent pour le plus grand nombre ; le génie de Canal+ serait de produire des programmes avec beaucoup d'argent pour peu de gens. Mais ses objectifs initiaux, volontiers élitistes, conduisirent la nouvelle chaîne sur la pente d'une ruine rapide, dont elle ne

réchappa *in extremis* que par l'arrivée, accueillie avec enthousiasme par les abonnés, du cinéma pornographique et du
football. La sociologie des téléspectateurs de la chaîne en
fut transformée ; les élites diplômées et cultivées (le fameux
CSP+) à gros pouvoir d'achat des grandes villes furent rem-
placées ou marginalisées par un public plus populaire, plus
provincial, moins argenté mais plus fidèle.

Les dirigeants de la chaîne cryptée ne changèrent pas pour
autant leur projet ni leurs idées. Le ton des programmes et
des animateurs se voulut résolument « moderne », c'est-à-dire
insolent, hédoniste, individualiste. La langue était aussi déstruc-
turée que la tenue vestimentaire ; le tutoiement de rigueur ; la
vulgarité du vocabulaire n'avait d'égale que celle des pensées.
Le Top 50 des chansons de variétés, institué dès la création
de la chaîne le 4 novembre 1984, consacrait le marché et
l'argent comme seuls arbitres des élégances (les hit-parades
d'autrefois étaient plus artisanaux, les coups de fil d'auditeurs parfois téléguidés par les chanteurs et leurs familles
comptaient autant sinon plus que les ventes brutes ; dans le
top 50, seuls les chiffres de ventes parlent, favorisant le succès
à court terme, voire éphémère, sur les longues carrières) ; ce
qui n'empêcha pas les esprits gouailleurs de la chaîne de vitupérer contre le capitalisme. Les grands maîtres américains de
Wall Street étaient de même dénigrés, tandis que la chaîne
se gavait de productions de Hollywood. L'irrévérence et la
provocation, portées par les plus talentueux de l'époque,
devinrent une marque de fabrique, un système, un confor-
misme. Canal+ mettait en lumière ces « rebellocrates » brocardés plus tard par Philippe Muray, qui essaimeront ensuite
partout jusqu'à dominer le paysage médiatique français.

Le peuple des ouvriers et employés était assimilé à la lie
de l'humanité, franchouillards xénophobes au front bas,
benêts racistes, alcooliques misogynes ridiculisés dans les
sketchs innombrables des Deschiens ou des Guignols de
l'info. L'arrogance parisianiste des animateurs ressuscitait
cette « cascade de mépris » qui fut la marque de la société
d'Ancien Régime.

Canal+ devint ainsi la seule chaîne de télévision au monde
qui s'engraissait en crachant sur son public. Échappaient au

mépris généralisé les enfants de l'immigration arabo-africaine, dont on exaltait sans se lasser la liberté, la créativité, la drôlerie, la truculence. Jamel Debbouze et ses épigones furent couverts d'or et de louanges par des courtisans énamourés qui érigèrent leur sabir à la syntaxe aussi pauvre que la réflexion en horizon intellectuel indépassable d'un multiculturisme conquérant. Aux yeux de cette pseudo-élite servile, l'Arabe reprenait le rôle traditionnel de sauveur étranger d'une populace française avachie et méprisée, qu'avaient tenu dans le passé l'Américain, le Soviétique, l'Allemand, l'Anglais, l'Espagnol ou l'Italien. On se croyait revenu aux pires heures de la guerre de Cent Ans : des Bourguignons vendus à l'Empire, arrogants et dorés sur tranche, menaient une guerre inexpiable – des mots, des images, des idées – à un pauvre peuple d'Armagnacs fidèles à la vieille France qu'ils attiraient dans leurs filets (foot et porno) pour mieux les couvrir de leur mépris de fer. Canal+ devint la chaîne de Hollywood et de la banlieue, tenant la « mondialisation » par les deux bouts ; la chaîne qui concrétisait médiatiquement l'alliance des libéraux et des libertaires. La chaîne de la langue anglaise et du langage « zyva » ; la chaîne de la haine de soi, de la haine de l'Histoire de France, de la haine de la France ; la chaîne de la déconstruction du roman national inaugurée par les intellectuels des années 1960 ; l'expression du mépris des métropoles mondialisées envers le peuple.

Canal+ se révéla l'arme de destruction massive qu'attendait la génération soixante-huitarde. Ses élites gauchistes, trotskistes, maoïstes, avaient, en 1981, conclu un compromis historique avec François Mitterrand qu'elles avaient longtemps mésestimé, voire méprisé ; devenu le souverain, celui-ci leur léguait un magnifique outil d'endoctrinement dont elles n'avaient pas rêvé.

Personne n'avait bien compris le cadeau qu'il leur faisait, pas même lui. Lorsque, à la fin de 1982, André Rousselet quittait l'Élysée pour diriger Havas – et les médias français encore centralisés –, il transférait dans son nouveau bureau l'« interministériel » qui lui permettait de régenter par téléphone l'appareil d'État comme s'il était encore resté auprès du président. Rousselet découvrit le projet Canal+ dans les cartons de la maison, auprès d'un de ses nouveaux collaborateurs, Léo Scheer. Le futur éditeur était revenu d'un voyage aux États-Unis, en 1974, convaincu que le démantèlement du monopole d'AT&T, les vieux PTT américains (surnommés Mamy Bell), ouvrait une ère nouvelle. Cet ancien militant trotskiste, adhérent dans sa prime jeunesse au Bund, le mouvement socialiste des Juifs polonais, proche des situationnistes et des maîtres de la « déconstruction » (Deleuze, Guattari), s'était converti à un libéralisme modéré inspiré de Montesquieu. Il est amusant de constater que cette formation idéologique de haut parage chez le concepteur originel de Canal+ se retrouverait à l'antenne, mais dégradée en mélange libéral-libertaire post-soixante-huitard. Pendant des mois, les services du ministère de la Culture de Jack Lang furent convaincus que Havas préparait une chaîne culturelle de haut standing, une sorte d'Arte à péage. Ils furent désappointés par le projet final imposé par Rousselet grâce au soutien du président Mitterrand. Ils n'auront pas tout perdu.

L'État mettait le cinéma français et son efficace mécanique colbertiste et protectionniste – ce qu'il ne fit pour aucun secteur économique, même pas l'agriculture – dans les mains de Canal+ pour forger, dans la tradition nationale (imbrication du public et du privé, loi du marché et injonctions réglementaires, bons sentiments et clientélisme), un Hollywood français et même européen.

Le camp du bien avait érigé son temple où le nouveau culte serait glorieusement célébré.

8 décembre 1984

Le jour où NRJ fit plier l'État

Depuis des lustres, la France subit l'influence de l'Italie : Machiavel, la Joconde, les châteaux de la Renaissance, Mazarin, la musique de Lulli, le fascisme. Et le cinéma des années 1970. En ce temps-là, tandis que les Français admiraient dans les salles obscures la faconde subtile des Vittorio Gassmann et Marcello Mastroianni, et la beauté lascive d'Ornella Muti et de Monica Vitti, les Italiens écoutaient la radio. Des stations innombrables, quand les auditeurs français étaient condamnés au monopole de France Inter, à peine ébréché par les périphériques, RTL et Europe 1. Un flou constitutionnel avait permis cette émergence ; la faiblesse congénitale de l'État italien avait fait le reste. La liberté tournait à la foire d'empoigne ; la foire d'empoigne à l'anarchie. La mouvance d'extrême gauche, libertaire, celle du parti radical de Marco Panella et Emma Bonino, était aux premières loges, jadis proche de Toni Negri et des Brigades rouges, dont elle finirait par s'éloigner, horrifiée par les massacres que ces dernières n'hésiteront pas à légitimer ou à commettre.

Les gauchistes, écologistes, anars français sont leurs petits frères, empêchés de grandir par la répression du pouvoir gaullo-giscardien, et l'efficacité du travail policier de Raymond Marcellin. Les Français rêvent eux aussi de « radios libres » ; ils achètent à leurs aînés transalpins les émetteurs dont ils n'ont plus l'usage, emportés qu'ils sont dans une course effrénée à la taille. Aussitôt vendus et installés, les émetteurs sont saisis par la police française ; mais certains des futurs patrons de la bande FM font là leurs premières armes... et leurs premiers bénéfices.

Pendant la campagne présidentielle de 1981, François Mitterrand y a vu une cause facile à endosser pour séduire l'électorat juvénile ; il est venu à Radio-Riposte, soutenant les « pirates ». Après son accession au pouvoir, il a tenu sa promesse ; mais la loi de novembre 1981 a interdit le financement des nouvelles radios par la publicité. Les notables socialistes avaient bien l'intention de conserver entre leurs mains de petites radios locales qu'ils feraient (sur)vivre à coups de subventions, à la manière des associations sur lesquelles ils répandaient leurs bienfaits intéressés. Le Premier ministre, Pierre Mauroy, maire de Lille, tonnait sans cesse contre « les radios fric » ; le ministre de l'Intérieur Gaston Defferre, maire de Marseille, protégeait la presse régionale et ses plantureux bénéfices publicitaires. À l'Élysée, le conseiller Régis Debray était hanté par le coup d'État de 1973 contre Salvador Allende au Chili, où les radios privées catholiques avaient rameuté et soutenu les camionneurs en grève.

Comme en Italie, la mouvance anarchique, libertaire, anti-militariste s'était jetée goulûment sur ce nouvel instrument pour pérenniser les révoltes des années 1970. Certaines radios recréaient à l'antenne, et hors antenne, l'ambiance échevelée des communautés hippies ; les drogues circulaient, les blagues scatologiques se multipliaient ; la liberté sexuelle confinait à la pornographie. Les auditeurs se pressaient ; mais les riverains se plaignaient. L'État socialiste avait fini l'année précédente par faire un exemple en démantelant les studios de Carbone 14, « la radio qui vous encule par les oreilles ». Le rock régnait en maître incontesté sur une bande FM où chacun voulait manger le voisin, et où chacun finissait par brouiller chacun. Le modèle italien – la course anarchique aux émetteurs toujours plus gros pour écraser la concurrence – avait passé les Alpes. Le pouvoir socialiste crut habile de se dissimuler derrière un organisme parapublic, la Haute Autorité, à qui elle accorda un pouvoir réglementaire d'attribution des fréquences et de sanctions des contrevenants. Mais personne ne fut dupe. Le faux nez se vit.

Le conflit était inévitable. Pour discipliner et corseter un univers anarchique, les autorités proposèrent de rassembler toutes les radios parisiennes sur le seul émetteur de Romainville, qui appartenait à Télédiffusion de France. On cria au retour du « monopole ». Il n'y avait pas assez de fréquences pour toutes les radios ; le rationnement effrayait les plus petites ; scandalisait les plus grosses. Les choix de la Haute Autorité étaient d'avance contestés, rejetés, délégitimés.

Ceux qui avaient triché – avec leurs émetteurs plus gros qu'autorisés – voulaient rentabiliser leur « investissement » ; ceux qui avaient respecté la loi voulaient être récompensés. Tout le monde était d'avance mécontent.

La force prima le droit.

La force prit le visage juvénile de milliers d'adolescents (100 000 ? 300 000 ?) lancés sur le trottoir par les radios qui avaient le plus à perdre.

Des jeunes gens arpentaient en masse le pavé mythique Châtelet-Bastille-République sans en connaître l'histoire. Nés dans les années 1968, sanglés dans l'uniforme de leur génération – blue-jeans, blousons de cuir, baskets –, ils scandaient des slogans évanescents ; la Liberté, pour laquelle leurs ancêtres étaient morts, était devenue la liberté d'écouter « la meilleure des radios ».

Dalida paradait sur le toit d'une camionnette, faisait le « V » de la victoire. C'est par l'intermédiaire de la chanteuse – qui avait été au premier rang lors de la visite fameuse de Mitterrand au Panthéon en mai 1981 – qu'un jeune avocat qui rêvait de devenir chanteur fit la connaissance de Bertrand Delanoë et d'autres hommes politiques. Par elle aussi que Max Guazzini – c'était le nom de cet avocat – put obtenir de François Mitterrand la suspension des sanctions prises par la Haute Autorité contre NRJ – la radio qu'il avait fondée avec Jean-Paul Baudecroux.

Cette manifestation du 8 décembre fut son chef-d'œuvre. Pourtant, NRJ n'était pas la seule à avoir lancé ses jeunes auditeurs sur le pavé parisien. Dix-sept autres radios avaient elles aussi rameuté pour protester contre la « fermeture des radios libres ». Mais Max Guazzini et ses amis publicitaires avaient eu l'idée ingénieuse d'afficher partout des panneaux NRJ sur le chemin du défilé. Des animateurs de la station scandaient « N-R-J », aussitôt imités avec une fougue juvénile par des milliers de manifestants dociles. Un hold-up, une usurpation médiatique à la manière de celle de SOS Racisme avec la marche des Beurs ! Ces années-là favorisaient les escrocs médiatiques, l'esbroufe publicitaire, la forme sur le fond.

Le président Mitterrand ne résista pas longtemps. Après la loi sur l'école publique et celle sur la presse, il ne souhaitait pas soigner son profil « liberticide ». La Haute Autorité entérina les choix élyséens.

À partir de cette manifestation de force, l'État se le tint pour dit ; il accepta sa défaite. Les radios libres devinrent des radios commerciales, avant tout soucieuses du confort d'écoute et de la satisfaction de leurs annonceurs. Des études marketing fidélisèrent les auditeurs par générations et goûts musicaux. Les animateurs devinrent le plus souvent de discrets presse-bouton de musiques présélectionnées par ordinateur en fonction de données commerciales. De grands groupes se constituèrent. NRJ devint le rival des périphériques RTL et Europe 1. Les banques financèrent, les publicitaires démarchèrent. Le ton scatologique, scandaleux des débuts, devint un style banalisé sur de nombreuses antennes, un appât à jeunes auditeurs, intouchable au nom de la « liberté ».

Les parvenus du show-biz et de la publicité avaient vaincu la vieille gauche colbertiste et collet monté. La démagogie jeuniste de cette dernière s'était retournée contre elle. Le marché l'avait vaincue en retournant la Liberté et la Jeunesse dont elle se croyait dépositaire pour l'éternité. Les esprits les plus fins ont deviné alors que les revendications hédonistes, individualistes, émancipatrices, progressistes, au nom de la Liberté, serviront toujours *in fine* la puissance du marché, de l'argent, du « business ». Les libéraux et les libertaires étaient bien frères ennemis mais jumeaux, deux faces d'une même pièce. Ils grandiraient et domineraient ensemble.

1985

19 octobre 1985

Et le CRIF tua Napoléon

L'événement passa inaperçu. À l'époque, la presse était emplie des déboires des faux époux Turenge, de Charles Hernu et du sabotage du *Rainbow Warrior*. Pourtant, ce dîner qui se tint le 19 octobre 1985 au Sénat, devant environ deux cents convives et trois dizaines de journalistes, était une grande première. Le président du CRIF, Théo Klein, en avait pris l'initiative, et le Premier ministre, Laurent Fabius, avait accepté l'invitation. Aucun des protagonistes n'en comprit sur le moment le sens profond. Au fil des années, le dîner annuel du CRIF devint un moment phare de la vie politique, médiatique, mondaine. Les ministres, les chefs de l'opposition, des ambassadeurs européens et même de pays arabes, les vedettes du show-biz et du journalisme, jusqu'au président de la République, à partir de l'élection de Nicolas Sarkozy, s'y précipitèrent. Le dîner du CRIF serait l'endroit où il faut être. Un modèle. Ou un anti modèle. On s'y rencontrait, s'y congratulait, s'y félicitait. On faisait de grands discours. On condamnait l'antisémitisme. On y défendait vigoureusement Israël. On y mettait à l'index les ennemis de la démocratie, les « antisémites » (Front national) et les « antisionistes » (verts et communistes), dans le même sac d'opprobre.

Certaines années, le dîner du CRIF prit des allures de tribunal suprême où était jugée et condamnée la « politique arabe de la France ». Le 12 février 2005, le président du CRIF, Roger Cukierman, suscita même des réactions outragées de nombreuses personnalités juives, lorsqu'il expliqua que la politique étrangère de la France était « incompatible » avec la politique intérieure de lutte contre l'antisémitisme : « La politique étrangère de la France est souvent ressentie comme identifiant l'Amérique et Israël, le sionisme et l'impérialisme, le mondialisme et l'oppression. Qu'elle soit voulue ou non par nos diplomates, cette confusion est bien réelle dans l'opinion publique, et alimente des amalgames dont les Juifs subissent les effets néfastes [...]. J'ai réalisé combien la politique étrangère de la France était importante. Au point de fragiliser la lutte contre l'antisémitisme [...]. Pourquoi avoir fait, en France, des funérailles aussi grandioses à Yasser Arafat ? [...] Année après année, au risque de vous lasser, nous disons qu'il serait juste d'accueillir Israël dans la Francophonie, alors que 20 % de sa population pratique encore notre langue [...]. Israël est, parmi les 192 États de cette planète, le seul pays dont on ne reconnaisse pas la capitale. Ce refus dure depuis cinquante-six ans. Quelle raison justifie que Jérusalem ne puisse être considérée comme la capitale du seul État juif du monde ? »

Au nom du « dialogue républicain », des représentants des « Juifs de France » interpellaient et tançaient le gouvernement de la République française sur sa politique étrangère ; et sommaient les responsables politiques de leur pays d'ostraciser des partis de l'espace démocratique français (Front national, Verts, parti communiste) ! Des représentants officiels du judaïsme français se transformaient en ambassadeurs de l'État d'Israël ; et jouaient au lobby juif américain du pauvre. On se souvient que le général de Gaulle, recevant le grand rabbin de France après les mots fameux de sa conférence de presse de juin 1967 sur le « peuple d'élite, sûr de lui et dominateur », lui avait lancé : « Si c'est pour me parler des Français de confession juive, vous êtes le bienvenu, si c'est pour me parler de mes relations avec l'État d'Israël, j'ai un ministre des Affaires étrangères pour ça. »

Le général de Gaulle ne prisait pas ce genre de « dialogue républicain ». Il était de l'ancienne roche, celle de Richelieu qui combattait tout « État dans l'État » ; celle des révolutionnaires français qui avaient émancipé les Juifs en suivant les avertissements tonitruants du comte de Clermont-Tonnerre devant l'Assemblée constituante : « Il faut refuser tout aux Juifs comme nation et accorder tout aux Juifs comme individus ; il faut qu'ils ne fassent dans l'État ni un corps politique ni un ordre ; il faut qu'ils soient individuellement citoyens. Mais, me dira-t-on, ils ne veulent pas l'être. Eh bien ! S'ils veulent ne l'être pas, qu'ils le disent, et alors, qu'on les bannisse. Il répugne qu'il y ait dans l'État une société de non-citoyens et une nation dans la nation. »

Il revint comme souvent à Napoléon d'inscrire dans les masses de granit politique et juridique les principes énoncés et déclamés par les révolutionnaires. En 1807, il réunit le grand Sanhédrin (une première depuis l'Antiquité !), qui rassemblait des rabbins mais aussi des laïcs. Il leur posa douze questions concernant le mariage, la citoyenneté, le pouvoir rabbinique et les relations économiques avec les non-Juifs. L'objectif de l'Empereur, conformément aux principes de Clermont-Tonnerre, était de privatiser la loi juive, de la soumettre au Code civil, quitte pour cela à modifier certains articles de la halakha, et de transformer les membres de la « nation juive » en citoyens français. Le Sanhédrin joua le jeu napoléonien au-delà de toute espérance. Ne s'adressant pas seulement aux Juifs français, mais aux Juifs du monde entier, comparant Napoléon à un nouveau Cyrus envoyé par Dieu pour sauver Israël, il somma tous les Juifs de se soumettre au Code civil. Il autorisa même les soldats juifs de la Grande Armée à ne pas respecter les lois de la nourriture casher en cas de nécessité. Ce choix du Sanhédrin fut d'une portée historique. Depuis l'expulsion des Juifs d'Israël par les armées de Titus en 70 après J.-C., le droit hébraïque avait servi de ciment législatif et national à un peuple en exil sans État. Comme le remarque Schlomo

Trigano dans son livre *Politique du peuple juif*[1], « le Sanhédrin substituait l'Empire napoléonien au royaume de David et le peuple français au peuple d'Israël, ce qui se traduit par l'exclusion du droit hébraïque du champ public ». Les lois nationales et politiques du peuple juif étaient abolies ; les lois religieuses se transformaient en lois confessionnelles d'individus libres de les respecter ou pas ; les Juifs n'étaient plus en « exil », mais s'agrégeaient au « corps du peuple français ». Les Juifs devenaient Israélites. Napoléon ne fut pas ingrat : partout où la Grande Armée passa, les ghettos s'ouvrirent, et les Juifs furent invités à devenir citoyens de l'Empire.

Mais Napoléon fut vaincu. Le sort des Juifs en fut de nouveau bouleversé. Dans les pays libérés du joug français, comme en Allemagne, ils sont agressés comme « collaborateurs ». On rouvre le ghetto de Venise.

Les Rothschild, installés à Paris, sont devenus les patrons emblématiques des Juifs français, traitant avec le roi Louis-Philippe, puis avec Napoléon III. Or, les Rothschild furent les banquiers de l'Angleterre, qui finança toutes les coalitions contre Napoléon. On raconte même que leur fortune crût et embellit grâce aux informations qu'ils obtinrent avant tout le monde sur la défaite de Waterloo.

Les Rothschild sont un des liens majeurs – à l'instar de Talleyrand – entre la France vaincue et l'Empire britannique. En 1860, ils fondent à Paris l'Alliance israélite universelle. Cette organisation mène une véritable diplomatie parallèle, frayant avec les États étrangers, en lien avec le quai d'Orsay, défendant les Juifs persécutés dans le monde. Les Israélites français se retrouvent ainsi dans une situation ambivalente, membres du « peuple juif » dans le monde et citoyens français à l'intérieur de l'Hexagone. Cette schizophrénie fut dénoncée par les mouvements antisémites, lorsqu'une France, battue en 1870 par la seule armée prussienne, prit conscience de son déclin historique et chercha des coupables.

---

1. François Bourin, 2013

Le xxe siècle et la défaite de 1940 sonnèrent le glas de la puissance française. Le modèle israélite demeura dans le cœur des Juifs français (et Juifs d'Algérie devenus français par le décret Crémieux), mais ne s'appuyait plus sur le rayonnement des armes de l'Empereur. Au fil des migrations de Juifs chassés de leurs contrées, arrivèrent en France des Juifs allemands, polonais, russes, qui n'avaient pas intériorisé toutes les rigueurs de l'État-nation à la française ; avaient bricolé au fil du temps un statut intermédiaire entre la citoyenneté nouvelle et les habitudes communautaires d'autrefois. Le modèle français avait même provoqué par réaction la naissance en Pologne et en Russie d'un judaïsme ultra-orthodoxe qui s'enferma dans le ghetto pour ne pas se dissoudre dans les méandres de l'assimilation. Tous les Ashkénazes sortirent de cette expérience transformés ; quand ils s'échappaient du ghetto, comme le conte dans son œuvre romanesque le prix Nobel de littérature Isaac Bashevis Singer, ils devenaient socialistes, communistes ou sionistes, sautant l'étape israélite de l'État-nation. Le sionisme fut l'État-nation à la française mais pour les Juifs. Le communisme fut une religion juive de substitution, un christianisme universaliste sans Dieu.

Ces Ashkénazes débarquèrent en masse en France dans les années 1930 ; la France fut le pays au monde (loin devant les États-Unis) qui en accueillit le plus grand nombre ; mais ils furent fraîchement reçus par la population, pour de mauvaises raisons (concurrence des médecins, des avocats, des artistes) et de moins mauvaises (trafics en tous genres, fortunes rapides et ostentatoires, affaire Stavisky), avant d'être livrés par l'État vichyste aux Allemands qui les exterminèrent. Les survivants et leurs héritiers revinrent en France en 1945, brisés par la persécution, non sans une pointe de ressentiment non seulement contre Vichy, mais aussi contre la police française qui les avait arrêtés et, plus profondément, contre le modèle assimilationniste qui les avait rejetés avec hauteur, et ces Israélites français de vieille branche qui les avaient méprisés et qu'ils accusaient à demi-mot de les avoir « donnés » pour prix de leur sauvegarde.

Ce sont ces Ashkénazes résistants pendant la guerre, issus des groupes socialistes, bundistes, communistes, sionistes, qui fondèrent le CRIF en 1944, comme pour se démarquer d'un Consistoire qu'ils jugeaient trop français, trop israélite, trop compromis avec Vichy. Très vite, ils abandonnèrent ce mot israélite, pour retrouver le vieux vocable de juif, transformant le Conseil représentatif des Israélites de France en Conseil représentatif des institutions juives de France. À partir des années 1960, devenus des notables, ils furent les « patrons » de la « communauté juive française », mêlant un dédain pour la pratique religieuse et une haute idée de leur spécificité juive. Ils supportèrent mal l'arrivée bruyante et tonitruante de leurs coreligionnaires séfarades, venus de pays arabes dans les années 1960, parlant fort et pratiquant un judaïsme plus rigoriste. Les frictions étaient fréquentes.

Lors de ce dîner du CRIF de 1985, on parla beaucoup du mariage d'un Rothschild et d'une femme catholique, avec la bénédiction du Consistoire, au grand dam public du grand rabbin de France (un Séfarade né en Algérie). Mais ces incompatibilités d'épiderme et d'odeurs, de cuisine et de culture, n'étaient qu'écume des vagues. Le véritable conflit opposait souterrainement les adeptes du modèle israélite (Juifs français et Juifs d'Algérie du décret Crémieux) aux Juifs ashkénazes et Juifs marocains et tunisiens, que tout séparait, sauf leur expérience historique impériale, qu'elle fût Habsbourg, Romanov ou ottomane. Or, les Ashkénazes tenaient les institutions officielles, quand les Marocains, plus pieux, investissaient les synagogues.

La jonction se fit à partir des années 1970-1980, après cette guerre des Six Jours de juin 1967, moment décisif du destin – entre peur panique d'un nouveau génocide et fierté virile devant ses exploits guerriers – où Israël s'imposa dans les cœurs et les consciences juives comme l'élément central du judaïsme mondial. Jusqu'à ce moment-là, le modèle israélite avait résisté à la séduction sioniste.

Lorsque Jacob Tsur, l'ambassadeur d'Israël à Paris de 1953 à 1959, se rend à la synagogue des Victoires, le 11 novembre 1953, il est accueilli sans chaleur excessive : « C'était comme si ma première rencontre avec l'élite juive de Paris avait été transformée en une occasion de faire comprendre au nouvel ambassadeur d'Israël que le judaïsme français était déterminé à ne pas se laisser entraîner à trop d'intimités avec Israël. » Peu après, il rencontre des représentants de la communauté juive de Strasbourg qui lui glissent : « Vous comprenez, nous sommes des citoyens français et vous êtes l'envoyé d'un État étranger[1]. » Interrogé à la même époque par un journaliste sur Israël, l'écrivain – et héros de la France libre – Romain Gary répond avec une fausse désinvolture : « Intéressant ! Mais le pays étranger que je préfère c'est l'Italie. »

En 1962, à l'indépendance de l'Algérie, la quasi-totalité des Juifs, qui vivaient pourtant en Algérie depuis des siècles, choisit sans hésitation de suivre le sort tragique des pieds-noirs dans leur exil en France métropolitaine. En 1948, la masse déshéritée des Juifs marocains s'était, elle, rendue en Terre promise.

En cette même année 1985, Claude Lanzmann imposait par le cinéma le mot *shoah* qui remplaçait « holocauste » ; un mot hébreu à la place d'un vocable français, pour mieux enraciner le caractère à la fois unique et juif du génocide qui devint un élément central – parfois obsessionnel – de la psyché juive, faisant des Juifs français une caste d'intouchables, et du génocide la nouvelle religion obligatoire d'un pays déchristianisé.

Rivés au sort d'Israël, fascinés par le modèle américain, hantés par le souvenir de la Shoah, qu'ils interprétaient comme un échec du modèle israélite alors que ce fut plutôt le contraire, touchés par la mode du retour aux *roots*, les dirigeants du judaïsme français s'assumèrent de plus en plus comme un lobby à l'américaine, faisant pression sur les pouvoirs publics pour leurs revendications communautaires. Les « dialogues républicains » se multiplièrent, de plus en plus tendus, de plus en plus exigeants, donnant l'image d'une

---

1. Samuel Ghiles-Meilhac, *Le CRIF. De la Résistance juive à la tentation du lobby*, Robert Laffont, 2011

« communauté juive » soudée derrière un État étranger, faisant bloc pour défendre ses intérêts, et suffisamment puissante pour faire céder l'État.

C'est l'Empire de Napoléon qui avait concrétisé et imposé la conception « républicaine » de la confession israélite ; mais c'est la République française qui, à partir des années 1980, laissa les Juifs retourner à leur caractère communautaire de « nation » qui fut le leur dans tous les empires !

Ces années 1984-1985 furent celles de la mort du modèle israélite, comme si les Juifs avaient anticipé – et aggravé – la déréliction de l'État-nation. Ce basculement historique du judaïsme français avait lieu au moment où l'ouverture des frontières, la « diasporisation » de millions d'immigrés à travers la planète, la concentration des communautés juives autour de quelques mégalopoles comme New York, le mettaient sous l'égide de la finance américaine et de la langue anglaise.

Dans ses *Mémoires*, Raymond Aron revient longuement sur la fameuse formule du général de Gaulle : « peuple d'élite, sûr de lui et dominateur », qui l'avait tant ulcéré à l'époque. Avec le recul, sa colère s'est apaisée et il s'efforce de comprendre davantage que de condamner. Aron conclut que le général de Gaulle avait été exaspéré, non par l'arrogance de l'État d'Israël qui lui aurait désobéi (Israël appliquait les préceptes gaulliens de souveraineté et d'indépendance), mais par les manifestations de jeunes Juifs français dans les rues de Paris, arborant le drapeau bleu et blanc orné de l'étoile de David, et criant : « Israël vivra. »

Il avait voulu, explique Aron, donner une leçon à ces jeunes gens et leur lancer un avertissement. Comme si, avec son don de prophétie coutumier et son sens de l'Histoire, le Général avait tout de suite pressenti que les exploits guerriers de l'armée israélienne avaient réveillé chez les Israélites français, non seulement une solidarité affective naturelle avec des coreligionnaires en danger, mais aussi la ferveur patriotique d'une antique nation restaurée dans sa gloire.

Hasard ou destin, cette destruction du modèle israélite eut lieu au moment même où débarquaient dans l'Hexagone par millions des populations musulmanes, dont la religion ressemblait beaucoup au judaïsme prénapoléonien, et qui, admirant jusqu'au fantasme la puissance du « lobby juif », exigeaient les mêmes droits que ceux qu'ils prêtaient aux « Juifs de France ». Ils passeraient ainsi directement sans bien s'en rendre compte de la nation musulmane (l'Oumma) au « lobby musulman », mêlant les deux, mais ignorant les deux siècles de confessionnalisation napoléonienne.

25 septembre 1985

L'émergence du pouvoir gay

Les touristes de la place du Tertre à Montmartre n'avaient pas été à pareille fête depuis longtemps. Le soleil était de la partie, des milliers de Parisiens les avaient rejoints ; des caméras de télévision rôdaient autour d'eux. Au milieu de la foule joyeuse et empressée, un petit homme en haut-de-forme et frac et une grosse blonde décolorée en robe blanche attiraient tous les regards. Ils avaient décidé de célébrer leur mariage, en ce 25 septembre, devant le maire de la commune libre de Montmartre. Dans l'hilarité générale, chacun reconnut Thierry Le Luron à la solennité goguenarde et Coluche engoncé dans sa robe de mariée. Les deux artistes avaient été les comiques les plus populaires de la scène française des années 1970 ; leurs années 1980 avaient été assombries par le virus du sida pour Le Luron, les drogues et la dépression pour Coluche. Le Luron arborait un sourire triste, tandis que Coluche affichait une exubérance outrée. Le Luron jouait au mari attentionné et Coluche réclamait sa jarretière. À leurs côtés, le producteur de musique, roi des fêtes nocturnes et des mariages à répétition, Eddie Barclay, posait au témoin, grimé en vamp blonde transsexuelle, tandis que le fils de la psychanalyste Françoise Dolto, le chanteur Carlos, déguisé en gros bébé, figurait l'enfant du couple. On rit, on s'esclaffa, on but. On quitta la colline ensoleillée de Montmartre en calèche ; on traversa Paris, on remonta les Champs-Élysées, on déjeuna au Fouquet's. Devant les journalistes, les « époux » plastronnèrent : « Nous n'espérons pas beaucoup d'enfants, mais beaucoup d'articles dans les journaux. » Puis, ils se rendirent à quelques encablures, dans les studios d'Europe 1, afin de relater aux auditeurs amusés leur « mariage pour le meilleur et pour le rire ».

« Si notre mariage est bidon, nous au moins nous le disons », clamait, grinçant, Thierry Le Luron. Derrière le canular, pointait la cible. Sous la tradition montmartroise de la parodie, perçait la revendication politique. En organisant ce mariage « pour de rire », Le Luron se gaussait de son ancien amant Yves Mourousi, qui s'apprêtait à convoler en justes noces quelques jours plus tard avec Véronique Audemard d'Alançon. Le présentateur du journal de TF1 était réputé pour sa participation active aux folles nuits du petit monde de l'homosexualité parisienne. Si son mariage attirait les sarcasmes débonnaires de ses amis, et ulcérait son ancien amant, il était pourtant dans la grande tradition de l'homosexualité française qui, depuis le frère de Louis XIV jusqu'à André Gide, conciliait le mariage pour la famille et les enfants, et le goût des garçons pour le plaisir, retrouvant ainsi les anciennes mœurs des Grecs et Romains de l'Antiquité. La France n'était pas la puritaine Angleterre ; aucun Oscar Wilde ne fut condamné pour homosexualité depuis sa dépénalisation en 1789 ; le « petit défaut », comme on disait à la cour de Versailles, était assimilé à une sorte particulière d'adultère (des hommes, mais aussi des femmes comme Colette), qui devait seulement se garder de toute publicité pour éviter que le scandale ne rejaillisse sur le mariage, la famille, le nom.

Les années 1970 avaient tout bouleversé. Le sexe était un jeu, un plaisir ; il devenait une identité. Le mariage n'était plus une institution mais une histoire d'amour. Entre les amants, on se dit tout, on ne se cache rien ; on ne peut vivre dans le mensonge. Ces fariboles exaltées, jadis laissées au cercle étroit des femmes amoureuses et des poètes, devinrent religion d'État. L'hypocrisie fut qualifiée de bourgeoise (comme si le peuple agissait autrement) pour mieux la

déconsidérer. La discrétion protégeait la liberté individuelle ; elle serait regardée dès lors comme une entrave à
la liberté individuelle, une faute contre les sentiments.

Les passions étaient jadis dangereuses et destructrices ;
elles devenaient désirables, respectables. L'homosexuel souhaitait lui aussi « afficher son amour », même s'il en changeait souvent. Le mariage lui-même avait été transformé en
contrat à durée déterminée indexé sur les sentiments – et
encore plus fragile, le désir ; la norme se rapprochait des
comportements de la marge.

Les homosexuels qui conservaient les antiques manières de
discrétion étaient sommés de se dévoiler, sous peine de se voir
accuser d'être « des honteuses », de ne pas « assumer », d'être
dénoncés (le fameux « outing » plus ou moins volontaire).
En dépit de son allure désinvolte (nonchalamment assis
sur le bureau élyséen, il avait demandé au président François
Mitterrand s'il était « chébran »), Mourousi s'avérait un homme
de tradition, un ancien ; malgré son air d'enfant sage, ses sarcasmes redoutables sur les socialistes au pouvoir, Le Luron
était un moderne, un révolutionnaire. Le « mariage bidon »
se voulait leçon de morale ; la parodie avait l'ambition non
de singer le réel mais de le contester, de le nier ; de se substituer à lui.

Avec une grande prescience, nos deux comiques annonçaient l'ère parodique et, trente ans plus tard, la législation
autorisant le mariage homosexuel, qui en fut la plus magnifique illustration. Un mariage homosexuel ne peut être
qu'une simulation parodique, puisqu'il faut quand même un
homme et une femme pour fabriquer un enfant et fonder
cette famille, principal objectif du mariage.

Ce mariage « pour de rire » annonce le grand renversement des valeurs et des pouvoirs. De machine réactionnaire
et liberticide, le mariage devient objet de désir. Dans les
années 1970, les homosexuels goûtaient leur invisibilité qui
avait un délicieux fumet de subversion et d'underground,
des pissotières d'autrefois aux backrooms importées de
Californie. Dans les années 1980, l'épidémie de sida les
contraint à une nouvelle visibilité pour obtenir des soins et

une solidarité de la société, qu'ils arrachent par un mélange de compassion et de provocation. *Les Nuits fauves* de Cyril Collard (le roman en 1989[1] et le film en 1992), les ouvrages d'Hervé Guibert (dont la célèbre *Lettre à un ami qui ne m'a pas sauvé la vie*[2]), et avant eux, *La Gloire du paria*, le roman écrit en 1987[3] par Dominique Fernandez, imposeront une vision romantique du sida où, à la manière des grandes tuberculeuses du XIXe siècle, la mort est transfigurée en prolongement de l'amour. Mais sur leur terrible souffrance, à la manière de saint Pierre fondant la puissante Église romaine sur le sacrifice de Jésus-Christ et des martyrs, les survivants, à la surprise générale, érigeront un redoutable pouvoir gay.

Comme l'a très bien relevé, dans un livre publié en 2014[4], Marie-Josèphe Bonnet – historienne féministe, fondatrice du MLF dans les années 1960 et lesbienne revendiquée – reprenant les méthodes subversives des années 1960, et y ajoutant la force économique conquise dans le cadre de la nouvelle économie libérale et mondialisée, les gays imposent à une société sidérée leur modèle culturel et symbolique : « Après les années du sida, s'installe l'image d'une homosexualité masculine triomphante qui a pris possession des rues, des médias, de la mode, des imaginaires politiques […] le dispositif sexuel mis en place dans les "parades" est axé principalement sur l'image phallique comme valeur marchande, dans une sorte d'hommage collectif au dieu Phallus qui rappelle les fêtes ithyphalliques de l'Antiquité romaine au cours desquelles on promenait dans les rues les statues de dieux en érection. […] Le temps des "tantouzes" est révolu. C'est celui, bien plus noble, des drag queens, des transgenres et des transsexuels qui assurent le spectacle. Il faut les voir, hissés sur leurs hauts talons, exhibant des caricatures grotesques de la féminité et se faisant photographier de tous côtés. »

---

1. Éditions Flammarion.
2. Gallimard, 1990.
3. Éditions Grasset.
4. *Adieu les rebelles !*, Flammarion.

En cette même année 1985, le groupe anglais Queen enregistrait une chanson, « *I Want to Break Free* ». Dans les images du « clip », on y voyait le chanteur Freddie Mercury (homosexuel affiché qui mourut du sida en 1991) déguisé en ménagère. Le groupe français Indochine exaltait le travestissement dans une chanson intitulée « Troisième sexe » :

> *Et on se prend la main*
> *et on se prend la main*
> *une fille au masculin*
> *un garçon au féminin.*
> *Des robes longues pour tous les garçons*
> *habillés comme ma fiancée.*
> *Pour des filles sans contrefaçons*
> *maquillées comme mon fiancé*[1].

Les drag queens furent à la mode. On les invitait à la télévision. Certaines assistaient au mariage Le Luron-Coluche.

Le travestissement a pour but de troubler les identités sexuelles ; de montrer leur fragilité, leur artificialité. Les féministes voient, dans cette contestation des identités sexuelles, la seule manière d'abattre le pouvoir du mâle ; les homosexuels militants y voient l'unique moyen de sortir de la marginalité. Cette alliance entre féministes et gays, qui leur avait permis de briser dans les années 1970 le pouvoir patriarcal, tourna cette fois à l'avantage exclusif des gays. Avec habileté, leurs théoriciens délaissèrent la traditionnelle opposition du masculin et du féminin – base même des revendications féministes pour davantage d'égalité – au profit d'une nouvelle dichotomie entre les sexualités, hétérosexuelle et homosexuelle. Au nom de l'égalité (entre les sexualités et non plus les individus ou les sexes), on revendiqua les mêmes droits que les couples hétérosexuels : mariage, famille, enfants. La science (PMA, GPA) et l'argent (un marché de l'enfant sur catalogue se développe aux États-Unis

---

1. Indochine. « Troisième sexe », extrait de l'album 3, 1985.

pour les riches gays, et des usines de « ventres » sortent de terre en Inde) remplacèrent la nature. Au nom de l'égalité, les gays élimineront ou asserviront les femmes qui ne seront plus que des ventres. « Il n'y a aucune différence entre un ouvrier qui loue ses bras et une femme qui loue son ventre », dira, en plein débat sur le mariage homosexuel instauré par Christiane Taubira en 2013, Pierre Bergé, patron d'Yves Saint Laurent, qui incarnera avec une rare arrogance la puissance du nouveau pouvoir gay, fondé sur le marché et la tolérance. Au nom de l'égalité, on a entrepris la destruction des repères sexuels les plus archaïques pour remodeler un nouvel humain, ni vraiment homme ni vraiment femme. L'objectif révolutionnaire sera clairement affiché par un sociologue comme Éric Fassin, militant engagé, dans *Homme, femme, quelle différence ?*[1] : « Ce qui est en cause, c'est l'hétérosexualité en tant que norme. Il nous faut essayer de penser un monde où l'hétérosexualité ne serait pas normale. »

Un monde où l'hétérosexualité deviendrait anormale, et où l'homosexualité deviendrait la norme. Où la marge délégitimerait la norme, la briserait, la morcellerait, l'ensevelirait.

Dès 1981, dans son livre *Simulacres et simulations*[2], Jean Baudrillard nous avait avertis que le monde contemporain était emporté dans une spirale irrésistible de simulation : « L'ère de la simulation s'ouvre donc sur une liquidation de tous les référentiels. » Et quel référentiel plus fondateur, plus « naturel » que le mariage d'un homme et d'une femme ? « Nous sommes donc conviés, ajoute-t-il, à la réhabilitation fantomatique et parodique de tous les référentiels perdus. »

Un monde où la parodie remplacerait le réel détruit.

Les hommes du passé n'avaient jamais méconnu la fragilité des identités sexuelles ; jamais ignoré les apports culturels et sociaux qui s'ajoutaient à la nature de l'homme et de la femme. Bien avant Simone de Beauvoir et son célèbre

---

1. Salvator, 2011.
2. Éditions Galilée.

« On ne naît pas femme, on le devient », Blaise Pascal avait deviné : « La coutume est une seconde nature qui détruit la première. Pourquoi la coutume n'est-elle pas naturelle ? J'ai bien peur que cette nature ne soit elle-même qu'une première coutume, comme la coutume est une seconde nature. » C'est parce qu'ils étaient conscients de ces fragilités que nos ancêtres avaient choisi d'accuser et de renforcer « culturellement » les différences naturelles. C'est parce que l'homme est physiquement plus fort qu'il part chasser tandis que la femme reste dans la grotte à conserver le précieux feu ; mais son image de chasseur renforce à ses propres yeux, et à ceux de sa femme et de ses enfants, sa virilité. Le « culturel » vient renforcer le « naturel » dans un cercle vertueux. C'est le fameux « Sois un homme, mon fils », renforce tes qualités viriles, contiens ta part féminine, pour devenir un véritable homme et qu'ainsi, avec la femme qui aura de même soigné sa féminité, vous puissiez vous attirer et pérenniser l'espèce. Cette sagesse ancestrale, notre époque l'appelle « stéréotype ». Nos progressistes estiment que le culturel et le social ont toujours été déterminants, qu'ils ont remodelé à leur guise la « nature » ; c'est pour affirmer sa domination sur sa femelle que l'*Homo sapiens* chasseur a fait croire qu'il était plus fort et pris le risque de mourir face au bison !

La fameuse « théorie du genre » n'est que cela : ou une redécouverte naïve de Pascal ou, quand elle penche sans le dire vers la *queer theory,* une volonté totalitaire mal dissimulée de nous transformer en androgyne, en neutre, ni homme ni femme.

Les Mourousi donnèrent l'image d'un couple exemplaire jusqu'à la mort brutale de la jeune femme d'une méningite, un jour de l'été 1992, laissant un enfant désespéré et un mari éploré. Moins d'un an et demi après le « mariage pour rire », les deux « époux » étaient morts : Le Luron se savait déjà malade, mais on cacha à sa famille la véritable cause du décès, comme une dernière trace, une dernière « hypocrisie » de l'ancien monde ; Coluche ignorait que son goût de la vitesse à moto le conduirait jusqu'à la rencontre fatale avec un camion. Dans l'Antiquité, ces morts accumulées auraient été vues comme des présages sinistres, entourant cette parodie d'une aura funeste. Mais nous nous croyons à l'abri de toutes les malédictions des Dieux.

21 décembre 1985

Saint Coluche

« Moi, je file un rencard à ceux qui n'ont plus rien. » Sa voix gouailleuse accroche et attendrit à la fois. Coluche court sur tous les plateaux de télévision et de radio. Il est partout. Une habitude devenue une façon de vivre, qui a tourné en cette année 1985 à la frénésie. À l'automne, il a reçu le César du meilleur acteur pour son rôle de pompiste dépressif dans *Tchao Pantin.* Le 26 septembre, au lendemain de son « mariage » avec Le Luron, il s'épanche sur l'antenne d'Europe 1 : « J'ai une petite idée comme ça, un restau qui aurait comme ambition au départ de distribuer deux mille à trois mille couverts par jour en hiver. » Il s'en prend violemment aux institutions européennes qui détruisent les surplus agricoles pour protéger les revenus des agriculteurs : « Quand il y a des excédents de bouffe et qu'on les détruit pour maintenir les prix sur le marché, on pourrait les récupérer, et on essaiera de faire une grande cantine pour donner à ceux qui ont faim. » Le premier « Resto du cœur » ouvre le 21 décembre 1985.

À la fin de l'année, Coluche sollicite sans manières Jean-Jacques Goldman dans la loge de son concert au Zenith : « Salut ! Il nous faudrait une chanson pour les Restos du cœur, un truc qui cartonne, qui nous fasse gagner beaucoup d'argent. Toi, tu sais faire. » Pour l'enregistrement du clip de la chanson, on fera appel à quatre personnalités très populaires : Yves Montand, Michel Platini, Nathalie Baye et Michel Drucker. Les images montrent un camion qui sort de la brume, et des hommes déchargeant des cageots. La machine médiatique se mettra docilement au service du chef-d'œuvre

coluchien. À partir de sa sortie au début de l'année 1986, la chanson sera diffusée sans relâche sur toutes les radios :
    « Aujourd'hui, on n'a plus le droit d'avoir faim ni d'avoir froid. »
Le refrain facile devient parole d'Évangile.

Coluche achevait l'année 1985 comme il l'avait commencée, en pleine effervescence ; en pleine lumière ; comme s'il sentait qu'il n'avait plus que quelques mois à vivre. Comme s'il était soucieux de soigner sa sortie.

Dès le mois de mars 1985, il avait rejoint Renaud et sa quarantaine d'artistes, chanteurs mais aussi comédiens, qui entonnaient un SOS Éthiopie afin de collecter des fonds pour lutter contre la famine dans ce pays d'Afrique équatoriale. Cette initiative française était imitée des exemples britanniques et américains : l'Irlandais Bob Geldof et son Band Aid avaient chanté *« Do They Know It's Christmas »* ? L'Américain Michael Jackson et son USA for Africa avaient enregistré en janvier 1985 *« We Are the World »*. Tout dans la version française était copié sur les modèles anglo-saxons : l'objectif caritatif, mais aussi le nombre d'artistes (une quarantaine), la thématique altruiste, l'universalisme sans frontières, jusqu'aux images d'enregistrement dans le studio et la complicité affectée des chanteurs qui se relaient devant le micro.

Mais si ce commerce de charité était une tradition séculaire dans le monde protestant anglo-saxon, il était une innovation dans un pays catholique comme la France où l'État a évincé depuis la Révolution l'Église dans son rôle de bienfaisance sociale. Chez nous, la solidarité est assurée par l'impôt et les organismes de redistribution qui évitent le choc des humiliations entre un donateur et son récipiendaire.

Mais c'était sans doute la vocation historique de cette génération née après la Seconde Guerre mondiale que de finir dans les bras du protestantisme libéral anglo-saxon, après qu'elle eut abattu sans pitié les fondations morales puis économiques de l'État catholique-social à la française.

Deux ans après les Restos du cœur, le Téléthon, marathon télévisuel qui voit défiler pendant plus de vingt-quatre heures des artistes et des célébrités faisant des appels aux dons (pour financer la recherche sur les maladies génétiques neuromusculaires) installera le *charity business* dans notre pays.

Mais le *charity business* a sa logique, humanitaire et commerciale, à laquelle les Français s'initient laborieusement. La vente massive de disques avait permis à Bob Geldof d'organiser un double concert transatlantique, l'un à Londres, l'autre à Philadelphie, le Live Aid, le 13 juillet 1985, renouant avec les grands spectacles politico-humanitaires du précurseur George Harrison, et son fameux concert pour le Bangladesh de 1971.

Les Français ne s'intéressèrent guère à cet événement planétaire, mais ils avaient eux aussi monté quelques jours auparavant un grand concert place de la Concorde, à la gloire de SOS Racisme. Coluche était là encore aux premières loges, animant, blaguant, moquant, vitupérant, entre clown et prédicateur, entre spectacle et propagande.

Les Restos du cœur seront son chef-d'œuvre. La signature finale d'une vie. Très vite, ils s'institutionnaliseront. L'Europe était depuis l'origine coresponsable du projet. Elle livrait ses surplus qu'elle ne détruisait plus et finançait les Restos du cœur par l'intermédiaire du Programme européen d'aide aux plus démunis (PEAD). Pourtant, la création coluchienne venait prendre place à côté d'une offre abondante : Secours populaire, Armée du salut, Secours catholique, innombrables organismes qui empêchent qu'on puisse mourir de faim dans les grandes villes françaises. Cet incroyable tissu caritatif vint doubler un filet social français déjà fort généreux. Beaucoup d'étrangers, avec leurs enfants, devinrent des habitués. Parfois, des heurts opposaient ces nouveaux venus aux pauvres indigènes. Des insultes, des bagarres même révélaient cette promiscuité difficile. Mais une chape de plomb médiatique pesait sur les rares témoignages bouleversés.

Au fil du temps, les gouvernements allemand et anglais, exaspérés par ce gaspillage d'argent communautaire, voudront en finir ; mais la France lèvera chaque fois l'étendard de la révolte compassionnelle. Les médias reprendront en chœur. L'Europe cédera et payera. L'héritage coluchien est sacré en France. C'est sans doute sa mort quelques mois plus tard qui a transformé le comique iconoclaste en icône d'une époque. Un saint laïc.

Ce retournement était pourtant difficile à envisager. Toute sa vie, Coluche avait choqué, provoqué, irrité. On l'adulait ou on le haïssait. Dans ses sketchs des années 1970, il avait révélé une verve comique étourdissante, une irrévérence dévastatrice. Ce fils d'immigré italien reprenait le personnage du titi parisien malin et revenu de tout, à qui on ne la fait pas ; mais il l'enrichit d'une conscience politique libertaire et anarchisante, mêlant l'héritage surréaliste avec le sens du slogan publicitaire issu de Mai 68. Tout au long d'une carrière chaotique, il afficha un nihilisme féroce et impitoyable qui cachait un désespoir existentiel jamais apaisé par l'usage de drogues et la démesure consumériste. Coluche fut l'incarnation de l'homme insatisfait décrit par Freud dans *Malaise dans la civilisation* ; il se révéla l'arme atomique d'une génération qui imposa par son intermédiaire à la France entière ses obsessions et ses anathèmes : hédonisme libertaire, farouche individualisme, mépris des flics, de l'autorité, de l'Église, de la nation, de la famille, du capitalisme, de la publicité, des riches exploiteurs mais aussi des pauvres qui se laissent exploiter. La France est ce pays sans identité et sans gloire, qui a vu déferler toutes les invasions, où les seules femmes qui n'ont pas été violées et engrossées par les envahisseurs sont celles qui n'ont pas voulu ; un peuple de fainéants alcooliques et racistes ; une classe politique corrompue et incapable ; des voitures médiocres mais chères.

Sa campagne présidentielle de 1981 – commencée en joyeuse galéjade, mais qui s'acheva sur un mode plus âpre – avait été un cruel échec politique, mais l'avait consacré un moment héros des minorités et des intellectuels de gauche. Ceux-ci avaient eu raison de lui vouer un culte qui put paraître dérisoire et indigne d'eux : leur héros avait achevé de détruire le vieux monde agonisant. Il avait fait place nette. Le nouveau monde pouvait s'édifier sur les ruines calcinées de l'ancien.

À sa mort, quelques mois plus tard, l'abbé Pierre célébra la cérémonie funéraire. Jacques Attali, le conseiller du président Mitterrand devenu son ami, fit son oraison funèbre. L'iconoclaste provocateur Coluche finissait comme le saint Vincent de Paul de la génération 68. Celle-ci était entrée dans la carrière par la révolution, et l'achevait par la charité. Le refrain de la chanson des Restos du cœur affichait d'ailleurs sans détour cette apostasie :

Je te promets pas le grand soir
mais juste à manger et à boire
un peu de pain et de chaleur
dans les restos, les restos du cœur[1].

Les jeunes lanceurs de pavé vieillissaient en dames d'œuvre de la fin du XIXe siècle qui se rendaient dans les usines pour s'occuper des jeunes filles pauvres de la classe ouvrière. Ils avaient troqué la vertu des anciens chrétiens pour la nouvelle morale libertaire et hédoniste, antiraciste et féministe. Il est vrai que le capitalisme avait retrouvé des couleurs libérales défraîchies de la fin du XIXe siècle ; les riches devenaient plus riches, les pauvres plus pauvres. L'État, privé de ressources fiscales par la dérégulation, et débordé par l'ouverture des frontières, se retrouvait démuni face à l'explosion du chômage et une immigration de la misère venue du monde entier. Les artistes prenaient le relais. Ils étaient les consciences des années 1980, les maîtres à penser de l'époque. Ils mêlaient donc morale et charité comme les bigotes d'autrefois. Leur générosité ostentatoire était aussi un outil essentiel de stratégie commerciale, qui renouait avec les habiletés de l'évergétisme sous la Rome antique, « cet art d'acquérir du prestige en répandant des gâteries », selon Paul Veyne.

Bientôt, ils se battront pour en être, feront une cour assidue à Jean-Jacques Goldman pour qu'il les adoube ; les recalés ou oubliés se plaindront amèrement de cet ostracisme qu'ils ne comprendront pas, terrorisés à l'idée de paraître « réac », souffrant mille morts comme les aristocrates chassés de Versailles et exilés sur leurs terres par Louis XIV !

---

1. Jean-Jacques Goldman, « Les Restos du cœur », 1986.

Coluche se révéla le grand prêtre de cette nouvelle religion française, mêlant l'héritage libertaire et individualiste de la génération 68 et les restes d'une pensée sociale déchristianisée et dénationalisée confinée à la charité auprès des plus démunis, mais venus du monde entier. Sa mort prématurée (quelques mois après celle de Daniel Balavoine) le transformait malgré lui en une sorte de Moïse qui conduit le peuple jusqu'à la « Terre promise », mais est condamné par une malédiction divine à ne pas la fouler.

1986

Mai 1986

Louis Schweitzer ou la nouvelle trahison des clercs

C'était une belle journée de printemps de l'année 1986. Un homme à la mise stricte traverse la rue d'un grand pas vif, entre dans une librairie du VIIᵉ arrondissement, fonce tête baissée vers le rayon automobile, s'empare du guide Marabout : *Tout savoir sur votre automobile et comment la réparer.* Il l'achète et l'apprend en quelques instants. Louis Schweitzer s'apprête à entrer chez Renault ; et bachote à sa manière d'éternel étudiant doué. Le directeur de cabinet du Premier ministre Laurent Fabius sait qu'il vit ses dernières semaines sous les ors de l'hôtel Matignon. Les élections législatives ne s'annoncent pas sous les meilleurs auspices. Comme tous les hiérarques roses, Schweitzer prépare ses arrières. Il a jeté son dévolu sur Renault.

Pourquoi Renault ? Plus tard, il racontera sans rire à des journalistes énamourés et crédules qu'il avait conservé depuis sa prime enfance une passion pour les autos, qu'il connaissait alors tous les modèles par cœur, et dessinait des bolides sur ses cahiers d'écolier. Cette passion originale chez un petit garçon se réveilla lorsque Laurent Fabius dut nommer un successeur à Bernard Hanon à la tête de la Régie. Schweitzer lui suggéra Georges Besse : en échange, le nouveau patron de Renault s'engageait à le prendre dans ses bagages. Le directeur de cabinet n'avait pas envie de retourner à l'inspection des Finances : dans le jargon de la haute fonction publique, on dit qu'il voulait pantoufler. Un parmi tant d'autres.

À l'époque, ce transfert des technocrates vers l'industrie n'a rien de surprenant. Dans le monde colbertiste hérité du général de Gaulle, l'industrie est une annexe de l'État. Les revenus des hauts fonctionnaires du « public » sont alors du même ordre que ceux des dirigeants du « privé ». Cela est particulièrement vrai pour la « Régie », nationalisée à la Libération pour punir son fondateur Louis Renault de sa « collaboration économique », et devenue à la fois la quintessence du dirigisme de l'État gaulliste et sa vitrine sociale.

Schweitzer ne connaît rien à l'automobile et rien à l'industrie. Quand Fabius était ministre de l'Industrie, Schweitzer s'est occupé de Chapelle Darblay, de Creusot-Loire, et de Manufrance. Une suite ininterrompue d'échecs, de sauvetages ratés en faillites spectaculaires. Il n'est apparu à personne comme un gestionnaire de haut vol. Besse ne lui attribue d'ailleurs aucune responsabilité. Son destin est suspendu au sort électoral.

Mais Georges Besse est assassiné par Action directe le 17 novembre 1986. Raymond Lévy lui succède le 17 décembre. Ce membre éminent du Corps des mines n'a guère d'affinités avec l'inspecteur des Finances. Mais Mitterrand gagne la présidentielle, et Schweitzer a des amitiés politiques qui s'avéreront fort utiles lorsqu'il s'agira de renégocier avec l'État l'énorme dette de 12 milliards que Renault a accumulée après des années de gabegie. Schweitzer est nommé en 1987 à la direction de la planification et du contrôle de gestion. Il deviendra directeur général adjoint, puis directeur général. Lors des réunions secrètes du comité exécutif, il se heurte violemment à Philippe Gras, le directeur général adjoint chargé des affaires industrielles. Le technocrate contre le technicien ; l'intellectuel contre l'homme de terrain ; le financier contre le producteur ; le grand bourgeois contre le cadre sorti du rang ; E.T. (c'est le surnom dont il fut vite affublé à la Régie) contre un simple Terrien.

Schweitzer en exaspère plus d'un avec ses manières faussement simples et son phrasé doucereux au débit lent, dans une intention pédagogique, qui fait sentir combien il accepte de descendre au niveau de son interlocuteur.

Raymond Lévy résiste autant qu'il peut aux pressions de l'Élysée pour céder son fauteuil à son ambitieux second ; il reçoit le soutien d'Édith Cresson, ministre de l'Industrie, puis Premier ministre, qui voit en Schweitzer cette incarnation honnie de la technostructure arrogante. Mais Cresson doit rapidement baisser pavillon. Et Lévy de passer la main à Schweitzer en mai 1992.

Sa mission est simple : achever la transformation de Renault en « entreprise comme les autres ».

C'est que, depuis 1986, tout a changé. Une révolution est en marche. Personne en France ne l'a voulue ni comprise ni anticipée. Les privatisations, décidées par la droite, ne sont qu'une réplique aux nationalisations de la gauche en 1981. On est dans un jeu de rôle idéologique et historique. La droite chiraquienne joue à Thatcher comme les socialistes mitterrandiens avaient joué à Lénine.

La même démagogie règne à droite et à gauche : en 1981, les socialistes entendaient rendre « au peuple » le fruit de son labeur séculaire ; en 1986, la droite exalte l'actionnariat populaire. Et ça marche ! Les petits porteurs se précipitent en masse pour acheter des parts des prestigieuses Saint-Gobain ou ELF. Ils ont l'impression flatteuse d'acheter un morceau de la puissance nationale, et même de l'Histoire de France, comme s'ils avaient acquis des parts de Versailles ou des Invalides. Ils découvriront qu'à la Bourse les petits porteurs sont synonymes de « caves » qui ne peuvent même pas se rebiffer. Et, comme le corbeau de la fable, ils jureront mais un peu tard qu'on ne les y reprendra plus.

Tout cela n'est qu'esbroufe de communicants. Les deux camps s'empoignent autour du « bilan des nationalisations » et du « livre noir des privatisations. » On se lance de grands mots à la figure, de gros chiffres à multiples zéros. « Le gouvernement de l'argent », « le bradage », « le capitalisme monopolistique d'État des copains et des coquins », en écho aux hurlements des mousquetaires de la droite en 1981 qui avaient dénoncé la spoliation, le collectivisme.

Simagrées de politiciens.

En vérité, dans les deux cas, la main n'a pas changé, elle est toujours à l'État ; le propriétaire officiel change, le pouvoir reste rue de Rivoli. Pour le montrer avec éclat, Edouard Balladur, nouveau ministre des Finances en charge des privatisations, refuse de quitter son somptueux ministère et de s'exiler – pour laisser la place à l'extension du musée du Louvre – dans l'est parisien, dans les locaux modernes et lugubres de Bercy. La sauce balladurienne est libérale, mais le ragoût demeure étatique et national. Cet homme a grandi dans le sérail, auprès de Georges Pompidou ; il est de tradition colbertiste.

Les « noyaux durs », voilà la grande idée du ministre d'État Balladur. Ces participations croisées entre actionnaires stables qu'il constitue au sein de chacune des sociétés privatisées sont d'abord un moyen d'éviter que les entreprises, joyaux de la richesse nationale, ne soient enlevées et pillées par des raids boursiers commandés de l'étranger. Les participations croisées entre les grands assureurs (AGF, GAN) et les grandes banques (toujours les mêmes) ont pour objectif de rester doublement entre soi : entre compatriotes et entre gens du même monde, technocrates et bourgeoisie d'affaires. Or, celle-ci, depuis deux siècles, a l'habitude des relations étroites, voire endogames, avec l'État. Les participants aux noyaux durs sont choisis par le ministre d'État ; ils n'oublieront pas qui les a faits rois ; ils mimeront la liberté de l'entrepreneur, mais leur laisse remonte jusqu'au ministère des Finances sans qu'ils s'en émeuvent.

Bien sûr, « on » privilégiera les amis du RPR ; le financement de la campagne présidentielle de Jacques Chirac en 1988 (et celle de Balladur en 1995 ?) ne sera pas négligé par les heureux élus. Routine de la République. Les socialistes hurlent seulement parce qu'ils n'ont pas été conviés au festin. Ils ne tarderont pas à se goinfrer. Lorsqu'il prit les rênes du groupe Casino, l'ancien directeur de cabinet du socialiste Pierre Bérégovoy à Bercy, Jean-Charles Naouri, résuma cet état d'esprit dans une formule d'un cynisme quasi coluchien : « Dans la vie, il y a deux choses qui comptent : le pouvoir et l'argent. Nous avons eu le pouvoir. Maintenant, il nous faut l'argent. »

Le bilan des nationalisations ne sera jamais équitablement établi. On pourra dénoncer non sans raison les gaspillages, les pressions politiques, les investissements électoraux, les gabegies, le clientélisme. On pourra aussi remarquer que les nationalisations ont peut-être sauvé nombre de fleurons économiques français, ELF, Pechiney, etc., qui ont disparu corps et biens quand l'État leur a lâché la main.

Mais la privatisation à la française, tel le *Titanic*, rencontre bientôt un iceberg qui n'était pas sur ses cartes de navigation : la mondialisation.

Nos gouvernants commettent une erreur funeste : ils abandonnent le traditionnel capitalisme d'État – pour céder à la mode libérale – mais ne créent pas des fonds de pension qui auraient drainé l'épargne nationale vers les entreprises, car la gauche refuse de mettre en danger le système de retraite par répartition, au profit de celui par capitalisation. Le capitalisme français est nu. Dès que la fragile protection des noyaux durs sautera (il suffira de quelques années), les entreprises françaises du CAC 40 deviendront des proies pour les étrangers, richement dotés, soit par leur capitalisme d'État (Chine, Russie, Norvège, pays du Golfe, ou même *Länder* allemands), soit par leurs fonds de pension à l'anglosaxonne. Nos élites technocratiques ont résolu de se jeter dans le grand bain du capitalisme, en oubliant qu'il est d'abord une affaire de capitaux.

Le résultat ne se fait point attendre : 40 % – et même 50 % en 2014 ! – de la valeur de nos principaux groupes du CAC 40 se retrouvent entre des mains étrangères ; nos fameux « champions industriels », érigés avec les efforts de toute la nation (privilèges fiscaux, juridiques, économiques) par le général de Gaulle et Georges Pompidou, passent à l'étranger. Ils n'auront plus désormais les mêmes intérêts

que leur patrie d'origine. L'internationalisation de l'actionnariat accompagne celle de leur activité. Près de vingt ans
après les privatisations, les entreprises du CAC 40 réalisent
les trois quarts de leur chiffre d'affaires hors de France. La
croissance de leurs revenus repose à 85 % sur leurs implan-
tations à l'étranger. Les grands fonds de pension anglo-
saxons sont devenus des actionnaires majeurs des grands
groupes français ; les fonds souverains de Norvège mais aussi
du Qatar ont suivi. Les grands investisseurs français – les
anciens rois des noyaux durs désormais privés de la protection de l'État – reculent. La France a toujours souffert d'un
manque chronique d'investisseurs à long terme, car l'épargne
abondante préfère l'immobilier à l'entreprise. Quand l'État
ne soutient plus ce capitalisme sans capitaux, c'est la France
qui est désarmée.

Les méthodes anglo-saxonnes de gouvernance des entreprises s'imposent comme la norme obligatoire.

Partout, on sonne la revanche des actionnaires, marginalisés depuis 1945, sur les salariés. Pour attirer et s'attacher les
meilleurs gestionnaires, on imagine, sur l'exemple américain,
de les associer au capital par une multiplication de revenus
annexes qui transforment les discrets managers d'autrefois en
nababs des mille et une nuits. Mais, en échange, ils doivent
faire passer l'intérêt à court terme de leurs actionnaires internationaux (et leur souci obsessionnel de la « création de
valeur ») avant ceux à long terme de leurs entreprises, de
leurs ouvriers, et de leur nation. La ligne Maginot balladurienne a été contournée et une fois encore ridiculisée ; mais
la cinquième colonne était de haut lignage et richement
dotée. Dans tous les pays, une aristocratie (le fameux 1 %,
voire 0,01 %) renaissait de ses cendres, s'isolant du reste de
la population, vivant dans des endroits réservés pour elle à
travers la planète.

En France, les technocrates de la haute fonction publique
d'État, la crème de la crème, les inspecteurs des Finances,
les conseillers d'État et quelques polytechniciens triés sur le
volet, qui avaient été sélectionnés sur leurs bons résultats
scolaires pour servir l'État et la nation, acceptèrent la mort

dans l'âme, pour le bien commun et par patriotisme, de se sacrifier. Près de trente ans après les privatisations, sur les quatre cents inspecteurs des Finances vivants, seuls soixante travaillaient encore pour l'Inspection générale. Le reste (trois cent quarante !) avait quitté la fonction publique (ou été « mis à disposition »), pour exercer ses talents dans le privé, surtout la banque et l'assurance. Après quelques années, les grands patrons français étaient les mieux payés d'Europe.

C'est alors que le destin de Louis Schweitzer bascula, devenant non pas exceptionnel, mais emblématique de celui de sa caste. Tout s'accélère. Renault est privatisée en 1996. Très vite, la presse s'entiche de celui qu'elle ne tarde pas à surnommer « Loulou ». Il est libre, Loulou ! L'État français ne possède plus que 15 % du capital de l'ex-Régie. Sa force d'autrefois, l'État, est devenue un boulet ; Schweitzer est persuadé que seul l'empressement du ministre de l'Industrie Gérard Longuet a fait capoter en 1987 son alliance avec le suédois Volvo ; il est convaincu qu'il a laissé sa proie Skoda aux Allemands de Volkswagen parce que les anciens communistes tchécoslovaques étaient effrayés par la présence de l'État français et de la CGT.

En 1997, il annonce la fermeture de l'usine belge de Vilvorde. Les ouvriers d'outre-Quiévrain sont trop chers. Ils viennent pourtant d'accepter quelques années plus tôt de revenir à la journée de neuf heures pour... maintenir l'emploi. Schweitzer s'apprête à déménager les usines Renault en Slovénie pour la Clio, en Espagne pour la Mégane. Le vaste monde des ouvriers à bas coût s'ouvre devant Loulou ! En France, on est en pleine campagne électorale. Lionel Jospin promet que Renault ne fermera pas l'usine. Comme, lors de la remilitarisation de la Rhénanie en 1936 (encore une campagne électorale favorable à la gauche !), Albert Sarraut avait juré qu'on ne laisserait pas Strasbourg à portée des canons allemands. Jospin est élu. Schweitzer ne cède pas. Il ferme l'usine.

Louis Schweitzer a rompu le cordon ombilical qui le reliait encore à ses anciens mentors politiques. L'ancien directeur de cabinet d'un Premier ministre socialiste sera l'un des principaux assassins du candidat socialiste Lionel Jospin à la présidentielle de 2002. Celui-ci perdra en partie à cause de son impuissance à Vilvorde ; il théorisera quelques mois plus tard sa soumission – et avec lui, celle de l'État français et des politiques – face aux nouveaux maîtres du monde par cette phrase restée célèbre : « L'État ne peut pas tout. »

L'ancien technocrate pantouflard à la gestion approximative et dilettante avait gagné ses galons de *cost-killer*. Il payait, sur le dos des chômeurs de Vilvorde, son ticket d'entrée dans l'élite mondialisée. Un ticket à plusieurs millions d'euros par an ! Il sera glorifié par les médias comme « l'homme qui a sauvé Renault ». La justice belge sera moins élogieuse qui le condamnera à une amende de 10 millions de francs belges pour n'avoir pas respecté la législation sociale de son pays. Mais que vaut la loi d'un petit pays comme la Belgique (ou la France) quand on embrasse le monde de son regard d'extraterrestre ? Les années 2000 seront celles du grand déménagement de Renault. Turquie, Brésil, Maroc. Rien n'est trop beau, rien n'est trop loin. Renault réussit enfin à s'associer à un grand étranger : ce sera le japonais Nissan. L'ancien porte-étendard de l'industrie nationale devient un groupe mondialisé ; l'ancienne vitrine sociale court après le *low cost*. On se moque de désespérer Billancourt. Loulou se vantera d'avoir inventé la Logan, voiture inspirée des anciennes Trabant de RDA, au confort aussi spartiate qu'est sommaire sa technologie. La voiture connut en effet un grand succès en France et en Europe, alors même que notre génie visionnaire la destinait aux pays émergents, là où il avait installé ses usines. Loulou s'était pris pour un nouveau Ford ; il avait inventé la voiture qui symbolisait le déclin irrémédiable du prolétaire français appauvri par le nouveau cours du monde, et abandonné par ses élites.

À son arrivée à la Régie Renault en 1986, les effectifs en France étaient évalués à 85 962 ; ils avaient déjà beaucoup baissé par rapport à leur étiage de 1980 (104 205) ; mais au départ de Louis Schweitzer en 2005, ils ne sont plus que de

42 953 ; le successeur adoubé par Loulou, Carlos Ghosn, achèvera le travail, et descendra jusqu'à 36 304 ! Renault détient aujourd'hui le record mondial de délocalisations de sa production, ne fabriquant plus en 2012 que 17,5 % de ses automobiles dans son pays d'origine. Renault avait commencé d'abord par automatiser ses usines françaises, les vidant peu à peu de leur personnel ; puis, deuxième étape de son « adaptation à la mondialisation », avait détruit les équipementiers français, en leur préférant des copies de fournisseurs turcs ou polonais, souvent de qualité inférieure, mais bien moins chères. De nombreuses entreprises ont déposé le bilan. Notre ancien haut fonctionnaire laissa sans état d'âme à l'État, et aux organismes de sécurité sociale, le coût de ces démembrements.

En vingt ans, sous la houlette de Louis Schweitzer, Renault a aggravé le chômage en France, accéléré la désindustrialisation de notre pays, et nui à la balance commerciale de la France. Aujourd'hui, un consommateur patriote se doit d'acquérir une Toyota Yaris fabriquée à Valenciennes plutôt qu'une Renault Clio qui vient probablement de Turquie. Les patrons de Peugeot, héritiers de ces deux cents familles dénoncées jadis par la gauche, ont eu plus de scrupules que l'ancien haut fonctionnaire socialiste. Peugeot conserva davantage d'usines en France et en Europe que Renault. Au risque de son bilan. Il se trouvera en 2012 un ministre de l'Industrie socialiste pour le lui reprocher ! Une tradition historique. Comme disait Louis-Philippe désabusé en son exil londonien, après les journées de juin 1848 qui virent le général républicain Cavaignac massacrer les ouvriers révoltés : « La République a de la chance, elle peut tirer sur le peuple. » Les patrons de gauche, transfuges de la haute fonction publique d'État, ont le droit de prendre des « mesures douloureuses » que ne peuvent pas se permettre les héritiers honnis des grandes dynasties patronales françaises.

En 1988, les ouvriers de Peugeot se mirent en grève pour protester contre l'augmentation de salaire que s'était octroyée leur patron, Jacques Calvet. À l'époque, ils trouvaient scandaleux un salaire patronal de 2,2 millions de...

francs, qui correspondait à 35 fois le SMIC. Indécent, humiliant, disait-on. À la Régie, au temps de Pierre Dreyfus, on
respectait la tradition de la « pyramide inversée » : les bas
salaires étaient plus élevés qu'ailleurs ; et les hauts revenus
réduits. L'échelle des revenus était contenue entre 1 et 10.
Pierre Dreyfus touchait un salaire de haut fonctionnaire
(sans doute l'équivalent de 10 000 euros) ; sa voiture de
fonction avec chauffeur constituait son principal luxe.

En 1986, quand Schweitzer arriva chez Renault, Georges
Besse, puis Raymond Lévy atteignaient le million de... francs
par mois. Quand Schweitzer quitta la présidence active de
Renault en 2005, son salaire avait dépassé les 2 millions...
d'euros. Devenu simple président du conseil d'administration de Renault, un titre presque honorifique, il reçoit
encore la somme de 230 000 euros. Avant de quitter ses fonctions de PDG, il avait levé pour 11,9 millions d'euros de
stock-options. L'année suivante, en mai 2008, il empochait
encore pour 7,7 millions de stock-options. Depuis lors, le
conseil d'administration de Renault lui verse une « retraite-
chapeau » annuelle de 900 000 euros. Le salaire de son successeur, Carlos Ghosn (qui cumule les casquettes de Renault
et Nissan) atteint les 10,9 millions d'euros. C'est 606 fois le
salaire d'un employé de Renault à 18 000 euros bruts
annuels. Mais c'est 3 785 fois le salaire de 240 euros du smi-
card marocain de l'usine Dacia de Tanger inaugurée en
grande pompe en 2011...

Lorsque les industriels français délocalisent, ils s'en défendent au nom des coûts salariaux ; ils parlent bêtement
d'argent. Nos grandes consciences de gauche comme Louis
Schweitzer délocalisent au contraire par humanisme. Universalisme. Pour sortir de la misère des millions de Turcs,
Marocains, Brésiliens, Chinois, Indiens, etc. Pour préparer
l'avenir radieux de millions de consommateurs qui achète-
ront des voitures Renault... quand les prolétaires français
ne le pourront plus. Des génies, des stratèges et des grands
humanistes.

On comprend mieux alors pourquoi le jeune retraité
Louis Schweitzer s'est précipité pour prendre la tête de la

Halde, l'organisme créé par le pouvoir chiraquien pour lutter contre les discriminations.

Pour un grand patron de gauche, la Halde n'est pas une danseuse, mais la cerise sur le gâteau. Le sens de toute une vie. C'est le sommet de l'engagement antiraciste et universaliste du citoyen du monde Louis Schweitzer.

C'est en fait le summum de la lutte des classes. Après avoir dépouillé de leur outil de travail les prolétaires *made in France*, on les traite de « racistes » s'ils osent défendre leur mode de vie bouleversé par la destruction de leur cadre, de leurs repères, de leurs références, jusqu'à leur modeste tranquillité.

Cupidité et bons sentiments. Ce mélange détonant est une synthèse d'époque : un antiracisme militant qui défend les discriminations ici et étend les délocalisations là-bas.

Le seul point commun, c'est le mépris du prolo franchouillard, trop protégé par ses acquis sociaux, et insensible aux beautés de la diversité des cultures. Schweitzer est à la fois président de la Halde, président du festival d'Avignon et membre du conseil d'administration du musée du quai Branly. Le mélange pur et parfait de branchitude de cultureux, d'antiracisme militant et de passion pour la diversité et pour le « doux commerce ». Inspecteur des Finances, président du Siècle, il a toutes les cartes, il est de toutes les coteries, de tous les réseaux, de tous les conseils d'administration. Il est un membre éminent de la caste.

À la Halde, l'ancien PDG ne perd pas ses bonnes habitudes. Des locaux fastueux rue Saint-Georges, dans le IXe arrondissement de Paris, 2000 mètres carrés, pour un loyer exorbitant de près de 2 millions d'euros par an. Un budget de communication faramineux de 6,2 millions d'euros en quelques années ; des subventions accordées à des associations antiracistes pour un montant de 3 millions d'euros. La Cour des comptes n'en est pas encore revenue. Mais c'est la méthode Schweitzer qui soigne toujours son meilleur profil médiatique. Difficile de trouver un article hostile, dans la presse de gauche comme dans celle de droite. Loulou est œcuménique ; Loulou aime les journalistes. Il sait leur parler. Il a tout pour leur plaire : grand bourgeois resté simple ; descendant du grand Albert Schweitzer, fier surtout de son cousinage avec Jean-Paul Sartre, alors qu'il est avant tout le fils de Pierre-Paul Schweitzer, qui fut président du FMI entre 1963 et 1973 ; devenu soudain riche comme Crésus, et pingre, comme le contera un faux frère de la caste, Martin Hirsch, dans un récit savoureux[1], mais homme de gauche, grande âme anti-raciste, qui ne prononce pas le mot Arabe ou Noir de peur de choquer, blesser, discriminer.

À la Halde, son salaire – un pourboire de 6 700 € par mois – s'ajoute à ses autres revenus. Sa rémunération comprend pourtant alors sa retraite, et ses postes d'administrateurs de Volvo, BNP Paribas, EDF, L'Oréal, Philips. Rien que pour la présidence non exécutive d'AstraZeneca, il gagne 1 million de livres sterling par an. Son salaire de la Halde, c'est de l'argent de poche, mais, pour Loulou, il n'y a pas de petits profits.

---

1. Dans *Secrets de fabrication*, publié en juin 2010 chez Grasset, Martin Hirsch rapporte un dialogue avec un grand patron qu'il ne nomme pas, mais qui est de toute évidence Louis Schweitzer. La scène, racontée par Hirsch, se passe lors d'un trajet Paris-Saint-Étienne en 2007 :
« – Je me suis toujours demandé pourquoi ceux qui ont de l'argent donnent si peu aux causes qu'ils trouvent intéressantes, suggérai-je [Hirsch] avec légèreté.
– Eh bien, figurez-vous que moi aussi, me répond-il.
– Ah ?
– Oui, il se trouve que j'ai vu mes revenus très largement augmenter (je le sais car j'ai lu dans *Challenges* qu'il avait gagné 7 millions d'euros l'année précédente) et je me suis demandé pourquoi je ne donnais pas plus.
– Et pourquoi ?
– Eh bien, cher ami, je vais vous expliquer quelque chose. Les biens qui nous intéressent augmentent encore plus vite. Drouot, cela augmente, les montres de collection, cela prend de la valeur, l'immobilier aussi. En fait, on ne se rend pas compte quand on n'y est pas confronté, mais les biens qui intéressent les gens fortunés connaissent une forte inflation. »
Imparable.

Schweitzer s'affirme « très imbibé de culture protestante ». On sait que, contrairement au catholicisme, le protestantisme affirme que la réussite sociale prouve que l'individu a été touché par la grâce divine. Si l'on en croit ses émoluments pharaoniques, Dieu aime Loulou.

Ce grand patron de gauche fut le chaînon manquant entre Pierre Dreyfus et Carlos Ghosn ; entre le haut fonctionnaire colbertiste et industrialiste de Renault, champion national, vitrine sociale et forteresse ouvrière de l'ère gaullo-pompidolienne, et le *cost-killer* cosmopolite, « patricien de la multinationalité et citoyen du monde », de Renault mondialisée, délocalisée, financiarisée. Schweitzer appartient aux deux mondes ; il trahit l'héritage de Dreyfus pour se vendre à l'univers de Ghosn. Très cher. Et il le fait en toute bonne conscience puisqu'il « s'adapte au nouveau cours » ; il « sauve Renault » ; il se rapproche des marchés de consommation émergents ; il permet à une classe moyenne de naître et de s'enrichir dans les pays autrefois miséreux ; il est respectueux de la diversité. Il est membre à part entière de ces « élites sans patrie qui ont fait allégeance à la mondialisation économique et à leur propre prospérité plutôt qu'aux intérêts de la nation où elles vivent », selon le mot cruel mais juste de Larry Summers, ancien conseiller cynique de Bill Clinton et de Barack Obama. Ce n'est plus la trahison des clercs, mais la trahison des technocrates devenus oligarques, membres des élites mondialisées. Qu'importe ! Loulou est un homme de bien. Charité bien ordonnée commence par soi-même.

Juillet 1986

Buren royal

C'est une histoire qui ne pouvait avoir lieu qu'en France. Le pays où la culture fut longtemps un art et une raison de vivre ; le pays qui a forgé un ministère pour elle ; le pays de la querelle des Anciens et des Modernes. À l'origine, on l'a oublié aujourd'hui, les plus brillants, les génies que la postérité retiendra, les Racine et La Fontaine, appartenaient au camp des Anciens, défenseurs de la tradition et des sources antiques de la création, tandis que les Modernes, qui prirent orgueilleusement leur époque (le glorieux siècle de Louis XIV il est vrai) pour horizon indépassable, n'avaient qu'un Charles Perrault à se mettre sous la dent. Mais le XXe siècle avec sa religion révolutionnaire de la « table rase » bouleversa cet équilibre précaire entre conservation et innovation, tradition et transgression, pour écraser les Anciens sous les bombes. En France, l'affaire des « colonnes de Buren » est une date historique : elle marque la défaite définitive des Anciens et la victoire absolue des Modernes.

Au commencement était un parking. Les voitures garées en désordre encombraient l'élégante cour d'honneur du Palais-Royal. Le ministre de la Culture, Jack Lang, souhaitait s'en débarrasser et réaménager l'ensemble édifié avant la Révolution pour le duc d'Orléans. Le socialiste reprenait une très vieille idée d'un de ses prédécesseurs, le gaulliste Maurice Druon, qui avait déclaré le 23 mai 1973 à l'Assemblée nationale : « J'envisage une opération particulière au Palais-Royal pour faire revivre cet ensemble et, à l'instar de ce qui se fait dans certaines villes nouvelles, redonner à notre capitale le sens de la place dans la Cité, la place où l'on marche, le lieu d'échanges où se rencontrent chalands, flâneurs, visiteurs, fonctionnaires, et marchands. »

Pour la cour d'honneur, Jack Lang commanda à Daniel Buren une œuvre qui s'intitulait *Les Deux Plateaux*. Le ministre socialiste comptait bien achever les travaux avant les élections législatives du 16 mars 1986. Mais, à la suite d'une plainte des riverains du Palais-Royal, une décision de justice les interrompit. À partir de janvier 1986, *Le Figaro*, dans la grande tradition de la presse française, sonnait la charge contre ce qu'on appela avec un brin de mépris « les colonnes de Buren ». La campagne électorale s'en empara, les politiques s'empoignèrent, l'opinion se passionna. La querelle artistique devint idéologique et politique.

Daniel Buren était un artiste militant. Depuis les années 1960, il se définissait en « provocateur du système idéologique dominant » ; il était l'héritier lointain des pères de l'art abstrait, les Russes Kandinsky et Malevitch, et de la célèbre formule de ce dernier : « Ce que je veux, c'est la négation de ce qui nous précède. »

En passant commande à Buren, Jack Lang montrait qu'il ne craignait pas l'« art subversif ». Il soignait son profil révolutionnaire, le meilleur sous les projecteurs. Lang n'était pas le premier, puisque le fondateur de ce ministère, André Malraux, exaltait déjà cette « logique enragée » qui était « le ferment du siècle », tandis que le président Pompidou avait lui-même imposé en plein cœur du Paris historique un musée d'art moderne ressemblant à une usine désaffectée.

Au ministère de la Culture, régnait, depuis sa création, le complexe Van Gogh. Par peur de rater un génie, les fonctionnaires de la rue de Valois soutiennent n'importe quelle provocation, toute laideur qui se pare des atours de la transgression. Mais là où ses prédécesseurs gaullistes tentaient de compenser le nihilisme de la modernité – et de masquer leurs contradictions – par un attachement au patrimoine, Lang remettait sans complexe la révolution artistique dans sa perspective politique « progressiste ». Avec lui, et en dépit de sa culture classique réelle, le « tout se vaut » démagogique devint principe de gouvernement : le tag fut exalté comme une peinture de Léonard de Vinci ; tout rappeur fut un nouveau Mozart.

Quand on lui reprocha d'être récupéré, Buren se défendit en rhétoricien habile : « N'est-ce pas à l'intérieur de l'institution que l'on pose le mieux les questions qui la concernent ? » Quinze ans plus tôt, Maurice Druon avait moqué ceux qui « tendaient à la fois la sébile et le cocktail Molotov ». Ceux-ci ont compris la leçon du père des *Rois maudits*. Ils ne tendent plus la sébile mais s'emparent de la caisse, pillent à pleines mains, en jetant derrière eux sans se retourner un cocktail Molotov.

La Commission supérieure des monuments historiques avait émis un avis défavorable dès le 14 octobre 1985, mais le ministre n'en eut cure. Après la victoire de la droite aux législatives, et le départ de Jack Lang de la rue de Valois, les opposants à Buren crurent tenir leur revanche. L'Académie des Beaux-Arts votait à l'unanimité la remise en état des lieux. Le sénateur RPR Taittinger et le rédacteur en chef du *Figaro Magazine* Louis Pauwels proposaient de convoquer un référendum populaire. Buren, méprisant, répondit : « L'art ne peut être plébiscité pour avoir le droit d'exister. » Dialogue de sourds. L'art abstrait a depuis un siècle privilégié l'individualisme pictural, exalté la souveraineté de l'artiste, et contraint le nouveau public à suivre le parcours du créateur davantage que la beauté de son œuvre. Depuis Malevitch et son fameux *Carré noir sur fond blanc*, la beauté ne s'impose plus naturellement ; elle n'est plus, selon le beau mot de Nicolas Poussin, une « délectation » mais a besoin d'être accompagnée d'explications théoriques. L'art conceptuel cher à Daniel Buren doit incarner une idée avant de susciter une émotion.

Dans les années 1980, Jack Lang a conduit cette révolution à son terme : la coquetterie iconoclaste de Pompidou est devenue religion d'État ; l'art subversif, art officiel ; les adversaires méprisants de l'art pompier du XIXᵉ siècle se transmuent en « pompiers » de leur époque. L'académisme a changé de camp. Le slogan « L'art ne doit pas chercher à plaire » est modifié en « L'art, pour plaire, doit chercher à déplaire ». Le refus de l'esthétique du goût s'est mué en « esthétique du dégoût », selon la formule de Jean Clair. Il faut sans cesse provoquer, déranger, subvertir les esprits. L'art contemporain est pris dans une infinie surenchère de la laideur. Défigurer, c'est figurer.

Ce nihilisme éradicateur traduit en profondeur un refus d'hériter et de poursuivre ; l'hubris folle d'un créateur démiurge qui réinvente l'art dans chaque œuvre ; l'art comme ultime moyen de salir et saccager toute trace du passé. L'art comme quintessence du capitalisme et la « destruction créatrice » chère à Schumpeter. L'art comme fondamentale ligne de fracture entre classes sociales, les classes populaires rejetant un art contemporain qu'elles n'aiment ni ne comprennent, opposées à une microclasse d'« élites mondialisées » qui en ont fait l'étendard de leur nouvelle puissance.

Les tergiversations de François Léotard, successeur de Jack Lang rue de Valois, exaspéraient et échauffaient les esprits. *Le Figaro* dénonçait « le saccage du Palais-Royal » ; les « poteaux antichars » y étaient brocardés. Le magazine *Globe* sonna le rappel des partisans de Buren. BHL proposa que les intellectuels se relaient pour assurer la protection du chantier. Dans les grands médias télévisés, ceux-ci domi-naient. Le groupe d'initiative pour l'œuvre de Buren reçut le soutien de Jacques Derrida, Pierre Boulez, Georges Duby, et même Lise Toubon, l'épouse très « branchée » du secré-taire général du RPR, tandis que l'association des amis du patrimoine (Claude Lévi-Strauss, Jacques Soustelle, Henry Troyat, Michel Déon) écrivait au président de la République pour protéger la beauté du site.

Le 5 mai 1986, François Léotard, qui avait pourtant jugé quelques jours plus tôt « parfaitement inutile à cet endroit » l'œuvre commandée, décidait l'achèvement du chantier. Au nom du droit de l'artiste de finir son œuvre. Il reprenait ainsi – sans le savoir ? – l'argument majeur des Modernes qui privilégient la toute-puissance de l'artiste, se moquant du jugement esthétique qu'on peut porter sur son œuvre. Le ministre crut habile, dans un souci de compensation, d'annoncer certaines mesures en faveur de la protection du patrimoine. Il n'avait pas compris que la droite – et tout le camp des conservateurs – avait subi une défaite irrémé-diable. Pourtant, ces législatives de 1986 avaient vu éclore, chez certains politiques affiliés au RPR ou à l'UDF, ou même au Front national, souvent élus locaux, une intéressante contestation de la dictature artistique de la gauche et du modernisme abstrait et iconoclaste. Un retour à la beauté et au classicisme. À l'Assemblée nationale, la reculade de Léotard suscita sarcasmes et invectives. Le 28 mai, une dizaine de jeunes gens affublés de masques et de déguise-ments de zèbres défilèrent devant l'œuvre, saluant la victoire de l'imposture. Sur le chantier, les graffitis se multiplièrent, dénonçant le gaspillage de l'argent public jusqu'aux jeux de mots antisémites sur « Buchenwald ».

L'affaire des colonnes de Buren fut un tournant. Il n'y eut plus que des clones de Jack Lang rue de Valois. Le libéralisme de la droite s'est soumis et rallié à la subversion d'État de la gauche. Quelle que soit la majorité au pouvoir, on ouvre les musées, les galeries et les monuments historiques les plus prestigieux et les plus élégants, comme le château de Versailles, à la laideur et à la vulgarité moderniste, afin de « faire dialoguer les œuvres et les époques ». L'État français se met à la remorque et au service d'un marché de l'art contemporain devenu spéculatif, enrichissant ainsi quelques artistes retors qui savent flatter la vanité de nouveaux riches se donnant l'allure des mécènes éclairés de jadis.

Dans la cour d'honneur du Palais-Royal, les enfants jouent depuis lors au ballon entre des morceaux de béton rayés de taille variée, qui ressemblent à des ruines sans en avoir le charme.

6 décembre 1986

Né quelque part

Son nom résonne encore dans de nombreuses mémoires. Il hante chaque ministre de l'Intérieur dès que des jeunes gens s'ébrouent en foule dans la rue. Il tétanise les hauts gradés de la police. Il inspire leurs consignes de prudence, de retenue jusqu'à la dérobade. Pourtant, son nom ne dit plus rien aux jeunes générations ; et les principaux protagonistes de cette histoire sont morts ou en retraite (Mitterrand, Pandraud, Monory, Chirac, Pasqua, Devaquet). Malik Oussekine fut ce jeune étudiant de l'École supérieure des professions immobilières de 22 ans qui mourut dans la nuit du 5 au 6 décembre 1986 sous un porche d'immeuble de la rue Monsieur-le-Prince à Paris. On ne sut jamais s'il décéda à cause des coups portés par les membres du peloton des voltigeurs ou en raison de son insuffisance rénale. On ne sut jamais pourquoi ce jeune Franco-Algérien qui sortait d'une boîte de jazz fut pris en chasse par les policiers. On ne sut jamais ce qui avait causé leur hargne : leur inexpérience de moniteurs de sport de la préfecture de police, ou le racisme, comme dira la gauche, ou une violente agression de manifestants, comme diront leurs défenseurs.

La presse de gauche l'appela « Malik » ; les chiraquiens furibonds manifestaient en privé moins d'aménité pour « l'Arabe ». Le ministre délégué chargé de la Sécurité, Robert Pandraud, tenta de défendre ses ouailles avec sa truculence coutumière, qui frisait la maladresse : « Si j'avais un fils sous dialyse je l'empêcherais de faire le con dans la nuit. » La gauche se para des atours de la compassion moralisatrice. Le président de la République, François Mitterrand, rendit visite à la famille éplorée. SOS Racisme tonna contre le « crime raciste ». Le ministre des Universités, Alain Devaquet, grand scientifique mais piètre politique, démissionna. Le ministre libéral Alain Madelin expliqua dans *Libération* qu'aucune réforme ne méritait la mort d'un homme. De grandes manifestations se préparaient en mémoire de Malik. Les syndicats menaçaient d'une grève ouvrière de solidarité. À Matignon, Jacques Chirac avait connu Mai 68 auprès de Georges Pompidou ; il était hanté par ce souvenir, prêt à toutes les compromissions, à tous les renoncements, à toutes les lâchetés, pour ne pas le revivre.

Cette histoire avait été marquée du sceau de Mai 68.

Ce redoutable peloton des voltigeurs motorisés, encagoulés et casqués, et armés d'une longue matraque, le « bidule », avait été créé après les « événements » pour permettre à la police de réagir contre les « casseurs », trop agiles pour les CRS traditionnels.

La loi Devaquet était une suite lointaine de Mai 68. L'autonomie des universités décidée à l'époque par le madré Edgar Faure s'était révélée un faux-semblant pervers. L'université française avait été submergée par une population étudiante innombrable et indifférenciée qu'elle ne pouvait refuser, tandis que les meilleurs élèves la dédaignaient pour se diriger vers les grandes écoles. La droite chiraquienne, convertie depuis peu au libéralisme anglo-saxon, se proposait de sauver l'université d'un lent mais sûr affaissement en instaurant la sélection à l'entrée, et en augmentant les droits d'inscription. On était pourtant loin des dépenses somptuaires réclamées par les riches universités américaines. Mais cela suffit pour mettre dans la rue les étudiants, et bientôt les lycéens, manipulés par les réseaux trotskistes liés à SOS Racisme.

Tirant les ficelles de ses charmantes marionnettes étudiantes qui posaient dans *Paris Match* à leur piano, l'un des fondateurs de SOS Racisme, Julien Dray, jouait au bowling : derrière Devaquet, il rêvait de faire tomber le texte réformant le Code de nationalité, que préparait Pierre Mazeaud, et qui prévoyait la quasi-suppression du droit du sol.

La mort du Franco-Algérien Malik Oussekine lui permit d'engager la bataille idéologique dans les meilleures conditions. Les jeunes clamaient leur solidarité avec leurs frères, « quelles que soient leurs origines ». Quelques semaines avant la mort du jeune homme, le ministre de l'Intérieur Charles Pasqua avait frappé les esprits en renvoyant cent un Maliens dans un avion charter. La gauche avait crié au scandale ; le charter avait été assimilé au train vers Auschwitz ; les Maliens illégaux rentrant chez eux, aux Juifs déportés pour être gazés.

La machine culturelle et médiatique de propagande antiraciste se révéla une fois encore d'une redoutable efficacité pour enrayer les entreprises gouvernementales qui avaient pourtant reçu une onction démocratique fort récente lors des législatives de 1986.

Les radios et télévisions diffusèrent la reprise de « Douce France » de Charles Trénet par le groupe Carte de séjour, autour du chanteur Rachid Taha, pour mieux convaincre les populations rétives que la trame de l'assimilation à la française n'était pas déchirée par l'immigration maghrébine. Mais la réponse la plus efficace aux projets du gouvernement à l'égard du droit du sol fut la chanson de Maxime Le Forestier, « Né quelque part ». L'ancien héraut contestataire des années 1970 (« Parachutiste ») était au creux de la vague. Il avait rasé sa barbe et ses cheveux longs de hippie, mais le succès ne revenait

pas. Avec « Né quelque part », il s'invitait dans le débat politique, très bien relayé par l'industrie du disque et l'appareil
médiatique, en défendant avec talent le droit du sol menacé
par les projets gouvernementaux :

> *On choisit pas ses parents,*
> *on choisit pas sa famille.*
> *On choisit pas non plus*
> *les trottoirs de Manille,*
> *de Paris ou d'Alger*
> *pour apprendre à marcher [...]*
> *Être né quelque part,*
> *pour celui qui est né,*
> *c'est toujours un hasard [...]*
> *Est-ce que les gens naissent*
> *égaux en droits,*
> *à l'endroit*
> *où ils naissent,*
> *que les gens naissent*
> *pareils ou pas...*[1]

Le titre s'inspirait de la célèbre « Ballade des gens qui
sont nés quelque part » de Georges Brassens, dont Maxime
Le Forestier est un disciple fervent. Mais là où l'anarchiste
Brassens brocardait le chauvinisme et l'esprit de clocher :

> *Qu'ils sortent de Paris ou de Rome ou de Sète,*
> *ou du diable Vauvert ou bien de Zanzibar,*
> *ou même de Montcuq ils s'en flattent mazette,*
> *les imbéciles heureux qui sont nés quelque part*[2],

son héritier soixante-huitard revendiquait le droit pour
n'importe qui, né sur le territoire national, de s'arroger la
nationalité française. La naissance sur le sol français valait
droit absolu de possession, comme un droit de conquête,

---

1. Maxime Le Forestier, « Né quelque part », 1987.
2. Georges Brassens, « La Ballade des gens qui sont nés quelque part »,
dans l'album *Fernande*, 1972.

quelles que soient les lois et les volontés du peuple français. Cette mondialisation de la France, imposée par ses élites économiques et culturelles, était soulignée par les arrangements musicaux de la chanson, les sonorités africaines (jusqu'au refrain repris en zoulou !) qui firent de Maxime Le Forestier un des pionniers français de la World Music.

La France n'était plus un pays différent des autres, mais un coin indistinct de la planète ; plus un peuple, mais une collection d'individus indifférenciés, nés par hasard sur les trottoirs de Paris ou d'ailleurs ; plus une nation souveraine, mais des citoyens du monde sommés d'accueillir d'autres citoyens du monde, des points anonymes sur le globe contraints de faire de la place à d'autres points anonymes du globe, des n'importe qui venant de n'importe où et n'importe quand, et s'installant où ils veulent.

Dans cette bataille idéologique homérique, la mort de Malik Oussekine s'avéra une arme décisive. Dray et ses compères trotskistes s'étaient mis au service de François Mitterrand lors de sa cohabitation conflictuelle avec son Premier ministre. Le président avait nommé le chef du RPR à Matignon, après la défaite des socialistes aux législatives de mars 1986, « pour le casser. parce que c'était le plus dur ».

Cette nouvelle version du chêne et du roseau eut la même fin que la fable de La Fontaine. Le chêne gaullo-chiraquien fut brisé. La sève ne coula plus, son écorce se dessécha ; on déterra même ses racines. La mort de Malik Oussekine conduisit Jacques Chirac à la reddition complète ; une capitulation sans conditions. Il renonça à la loi Devaquet ; et enterra le code de nationalité sous le traditionnel catafalque d'une commission. Il dissout le corps des voltigeurs.

Jacques Chirac commettait ainsi la même erreur que celle de Pompidou lorsque celui-ci avait rouvert la Sorbonne en Mai 68. Mais cette fois-ci, la punition fut sans appel. Chirac fut écrasé à l'élection présidentielle en 1988. François Mitterrand fut réélu, Julien Dray devint député. La droite n'osa plus toucher à l'université ; lorsque, en 2007, Nicolas Sarkozy remit l'ouvrage sur le métier, il retira du projet Pécresse toute allusion à la sélection dès que trois ombres d'étudiants menacèrent de descendre dans la rue.

Depuis lors, la France est devenue ce pays unique où les « sans-papiers » ont droit de manifester pour réclamer leur dû, et où le terme de forces de l'ordre est un oxymore, puisque celles-ci doivent préférer un désordre même violent à un ordre qui pourrait être mortel. La plupart des manifestations juvéniles se terminent en effet par des scènes de pillages et de razzias qui épouvantent les médias internationaux, sous les regards désabusés de policiers condamnés à rester l'arme au pied, impavides et vains, tandis que les pillards banlieusards se gobergent. Malik est devenu malgré lui leur saint patron.

1987

Au revoir les enfants

Une salle de classe. Des enfants en blouse grise. Des bons pères. Un pensionnat catholique en janvier 1944. Soudain la Gestapo fait irruption et embarque trois enfants juifs et leur maître, le père Jean, résistant ; déportés à Auschwitz et Mathausen, ils ne reviendront jamais.

On a aujourd'hui l'impression d'une scène banalisée à force de l'avoir vue, revue, jusqu'à entamer une partie de sa puissance émotionnelle. En cette année 1987, le public se presse (trois millions d'entrées) et s'émeut sans compter. Il n'a pas l'habitude. Les innombrables films sur la Seconde Guerre mondiale ont depuis les années 1950 évoqué les affrontements militaires, les personnalités de Churchill, de Gaulle, Roosevelt, Staline, la guerre civile entre résistants et collabos, l'ignominie de la Gestapo. Les Juifs sont un élément du décor, un personnage secondaire d'une tragédie homérique ; leur persécution n'est nullement ignorée ou dissimulée, mais satellisée. Un détail, diront certains.

Un des rares films de l'époque sur les camps de concentration, l'italien *Kapo* de 1960, ne traitait que des prisonniers de droit commun et des politiques, et choisit de mettre l'accent sur une prisonnière abjecte qui collaborait avec ses bourreaux, avant de se sacrifier pour se racheter.

En 1975, avec *Le Sac de billes*, tiré du roman de Joffo[1], on met pour la premier fois en scène un enfant juif, qui est le narrateur ; il fuit, se cache, s'échappe ; il tombe amoureux pour la première fois ; échange son étoile jaune contre un sac de billes. Comme un roman d'apprentissage pendant une période particulière. Dans *Au revoir les enfants*, le narrateur est l'enfant non juif, Julien ; sa culpabilité écrase le film ; elle est exacerbée par l'auteur ; c'est tout le peuple français qui est sommé de se sentir responsable et coupable. Dans une interview accordée à un journal de cinéma, le metteur en scène Louis Malle, qui revendique pourtant une œuvre autobiographique, ne le cache pas : « L'idée [est] que ce qui s'est passé était profondément injuste, que ça n'aurait pas dû se passer, et qu'après tout on était tous responsables. J'ai un peu chargé Julien. En particulier il a l'impression que c'est lui qui donne Bonnet [son copain juif...] quand il se tourne vers lui dans la classe ; ça, je l'ai probablement rajouté. Mais c'est ma mémoire aussi, parce que, dans ma mémoire, je suis un peu responsable de la mort de Bonnet... »

Dans le film, les enfants juifs et leur professeur sont dénoncés par Joseph, un pauvre type handicapé, homme à tout faire de l'école et souffre-douleur des écoliers, qui commet son forfait parce qu'il a été renvoyé pour marché noir. Encore une trouvaille de Louis Malle ! Une autre scène montre en revanche Julien, sa mère, son frère et Bonnet dans un restaurant huppé de la ville : la milice débarque brutalement pour expulser un notable juif ; de nombreux clients attablés protestent avec véhémence et c'est un couple de riches aviateurs... allemands qui chasse les miliciens.

Depuis la fin de la guerre, communistes et gaullistes avaient exalté le peuple en armes (cheminots, ouvriers, etc.) et dénoncé de conserve une bourgeoisie affairiste et collaboratrice. De Gaulle avait lancé aux patrons qu'il recevait à la Libération une flèche courroucée : « Messieurs, je n'ai pas vu beaucoup d'entre vous à Londres. » Le film sonne comme

---

1. Jean-Claude Lattès, 1973.

une revanche de classe. Bientôt, le peuple français sera enseveli sous l'accusation de Collaboration. Et on laissera entendre que les seuls résistants furent des étrangers au nom imprononçable : la fameuse « Affiche rouge » du groupe Manouchian...

En cette année 1987, on se croirait revenu en 1944. En mai, a eu lieu le procès de Klaus Barbie, chef de la Gestapo de Lyon et tortionnaire de Jean Moulin, pour « crime contre l'humanité ». Mais la leçon d'Histoire promise a tourné court ; son brillant et sulfureux avocat, Jacques Vergès, avait juré qu'il livrerait les noms des résistants qui avaient « donné » Jean Moulin ; il resta coi, se contentant selon son habitude de dénoncer les crimes coloniaux de l'armée française.

Cette même année, le film *Shoah* de Claude Lanzmann fut diffusé pour la première fois à la télévision.

Et en septembre 1987, Jean-Marie Le Pen était invité à RTL et interrogé sur les chambres à gaz. Curieusement, il acceptait de répondre. L'échange fut vif :

JMLP : Je suis passionné par l'histoire de la deuxième guerre mondiale. Je me pose un certain nombre de questions. Je ne dis pas que les chambres à gaz n'ont pas existé. Je n'ai pu moi-même en voir. Je n'ai pas étudié spécialement la question. Mais je crois que c'est un point de détail de l'histoire de la deuxième guerre mondiale.

PAUL-JACQUES TRUFFAUT : Six millions de morts, c'est un point de détail ?

JMLP : Six millions de morts ? Comment ?

PJT : Six millions de Juifs morts pendant la Seconde Guerre mondiale, vous considérez que c'est un point de détail ?

JMLP : La question qui a été posée est de savoir comment ces gens ont été tués ou non.

PJT : Ce n'est pas un point de détail.

JMLP : Si, c'est un point de détail de la guerre ! Voulez-vous me dire que c'est une vérité révélée à laquelle tout le monde doit croire, que c'est une obligation morale ? Je dis qu'il y a des historiens qui débattent de ces questions.

Dans les jours qui suivirent, le tourbillon médiatique orchestré ébranla jusqu'à certains cadres du Front national ;

la laborieuse explication donnée par Le Pen – « à destination de ses coreligionnaires juifs qu'il avait pu blesser » – n'empêcha pas le député européen Olivier d'Ormesson de démissionner et d'abandonner le parti. Jean-Marie Le Pen sera accusé d'antisémitisme. En 1991, il sera condamné par la justice pour « banalisation du crime contre l'humanité » et « consentement à l'horrible ». Le Pen traînera ce « détail » tout le reste de sa carrière politique ; il ne sera jamais lavé de l'accusation d'« antisémitisme ».

Contrairement à ce qu'on a beaucoup écrit, cette « pétainisation » de Le Pen n'était pas inéluctable. Les maurrassiens avaient beaucoup évolué depuis la fin de la guerre ; l'héritier le plus brillant du vieux maître, Pierre Boutang, avait pris position contre l'antisémitisme et en faveur d'Israël lors de la guerre des Six Jours. Le Pen lui-même, en souvenir de la guerre d'Algérie, fut alors favorable aux sionistes contre les anciens alliés égyptiens du FLN. Quelque temps avant le « détail », Olivier d'Ormesson avait préparé un voyage de Le Pen en Israël. Tout fut détruit par cette émission.

Peu importent les pensées et arrière-pensées de Jean-Marie Le Pen, son amour ou sa détestation des Juifs, ses rapports à tout le moins ambigus entre admiration et aversion, dans la tradition d'un antisémitisme « vieille France ». Politiquement, il tente alors maladroitement de contenir la montée en puissance d'un « lobby juif », comme dira quelques années plus tard le président Mitterrand à un autre d'Ormesson qui, selon Mitterrand et Le Pen, se sert de la Shoah d'hier pour affirmer son pouvoir d'aujourd'hui. Cette conjonction d'opinions choquera et isolera les deux hommes au sein de la classe politique et médiatique. Et ce n'est pas un hasard. Le Pen et Mitterrand sont de la même génération ; ils appartiennent tous deux à cette tradition française qui remonte à Richelieu et rejette « tout État dans l'État ». On peut ajouter pour Le Pen un clin d'œil de boutiquier partisan – qu'aurait compris Mitterrand, un autre ancien de la IV\ :superscript:`e` ! – envoyé à certains des membres de son parti qui considèrent que l'unique projecteur mis sur les crimes des nazis permet d'occulter les crimes communistes. On peut aussi y ajouter une part de bêtise : il prétend qu'il n'a pu voir de chambres à gaz pour douter de leur existence ; mais il n'a jamais vu Jeanne d'Arc et lui célèbre pourtant un culte chaque année au 1er mai !

Mais Jean-Marie Le Pen est avant tout coupable dans cette histoire d'anachronisme. Il n'a pas tort quand il rappelle que Winston Churchill ne parle pas de l'extermination des Juifs dans ses *Mémoires de guerre* ; il aurait pu ajouter que le général de Gaulle ne l'évoquait pas non plus.

Pour ce dernier, la Seconde Guerre mondiale n'était que la suite de celle de 1914-1918, avec le même enjeu : la domination de l'Europe. L'homme du 18 Juin parle d'une nouvelle « guerre de Trente Ans » afin que les victoires et les défaites de notre pays, ses héros et ses traîtres, s'équilibrent et soient confondus dans l'Histoire de France ; que l'effondrement de mai 1940 soit englouti dans les mémoires par la gloire de 1918 et la renaissance inespérée de 1944.

Dans cette architecture grandiose, l'extermination des Juifs n'est ni négligée ni méprisée ; mais si elle est davantage qu'un « détail », elle n'occupe pas le cœur stratégique de la guerre. La Shoah a changé la face des Juifs et de l'humanité ; mais elle n'a en rien modifié l'issue du conflit mondial. Les Allemands auraient perdu même s'ils n'avaient pas massacré les Juifs ; les Alliés n'ont pas levé le petit doigt pour les sauver.

Cette conception traditionnelle de la guerre et de l'Histoire est devenue, en 1987, inaudible. C'est le fameux « retour du refoulé » tant évoqué dans tous les médias et tous les livres, après le silence gêné des années d'après-guerre. Dans la culture collective – ou plutôt l'inculture collective, car ceci est lié à cela – *Au revoir les enfants* signe le moment où tout bascule : l'histoire de la Seconde Guerre mondiale se réduit peu à peu à l'extermination des Juifs, tandis que cette « Shoah » ainsi rebaptisée et sacralisée, devenue élément central voire exclusif d'une guerre dont on ne connaît plus rien d'autre, se résume à son tour au meurtre des enfants juifs. Quelques années plus tôt, Jean-Jacques Goldmann avait déjà composé une très jolie chanson, intitulée « Comme toi », sur une petite Juive polonaise :

Elle s'appelait Sarah, elle n'avait pas huit ans.
Sa vie, c'était douceur, rêves et nuages blancs.
Mais d'autres gens en avaient décidé autrement.
Elle avait les yeux clairs et elle avait ton âge.
C'était une petite fille sans histoires et très sage.
Mais elle n'est pas née comme toi, ici et maintenant[1].

Bientôt, les historiens prendront la suite des artistes ; ils rationaliseront l'émotion collective. Ils rejetteront le découpage chronologique du général de Gaulle ; ils feront de la Seconde Guerre mondiale un moment paroxystique de l'affrontement entre le Bien et le Mal ; et de la « Shoah » le cœur de cette métaphysique apocalyptique ; on conduira les enfants à Auschwitz comme on les emmenait après 1914-1918 à Verdun ; dans certaines classes de banlieue, des enfants de l'immigration arabe et africaine refuseront avec véhémence que leur soit enseignée cette partie du programme au nom de la « souffrance des enfants palestiniens ». Enfants contre enfants, souffrance contre souffrance ; une Histoire contre l'autre. Au revoir les enfants...

1. Jean-Jacques Goldman, « Comme toi », dans l'album *Minoritaire*, 1982.

1988

1er décembre 1988

Verlaine et Van Gogh

Les adultes ne se méfient jamais assez quand on les prend pour des enfants. Pendant sa campagne présidentielle victorieuse de 1988, François Mitterrand, bonhomme et paternel (« Tonton, tiens bon », avaient vociféré ses jeunes partisans depuis des mois), redonna vie au vieux conte charmant du château qui tend la main à la chaumière ; du riche qui donne au pauvre. Le président réélu se situait à l'intersection de la lutte des classes marxiste et de la charité chrétienne. Dans le jargon technocratique que la gauche, toute fière de sa « culture de gouvernement », affectionnait, cette histoire pour enfants avait accouché du rétablissement de l'ISF (impôt sur la fortune qui avait été supprimé par Jacques Chirac) pour financer le RMI (revenu minimum d'insertion.)

Les spécialistes de la dépense publique avaient souri avec mansuétude : ils savaient, eux, qu'il est interdit d'affecter une dépense à une recette.

Mais peu importe le droit, pourvu qu'on ait la communication. L'intendance bureaucratique suivit avec diligence. La loi sur le RMI fut votée à la quasi-unanimité de l'Assemblée nationale (seuls trois élus osèrent refuser cet « acte de justice sociale ») ; promulguée au Journal officiel le

1er décembre 1988. Les premiers acomptes furent versés aux bénéficiaires avant la fin de l'année. Tous les Français de métropole et des départements d'outre-mer pouvaient en bénéficier, ainsi que les étrangers résidant légalement sur notre territoire depuis au moins trois ans ; l'intéressé devait avoir moins de 2 000 francs de ressources par mois (3 000 francs pour un couple) et s'engager par contrat à participer à des activités d'insertion sociale ou profession-nelle. Mais si le R de revenu fut payé rubis sur ongle, le I d'insertion fut jeté aux oubliettes.

La gauche se congratula ; le « virage » de 1983 n'avait été « qu'une parenthèse », comme l'avait théorisé le pre-mier secrétaire du parti socialiste, Lionel Jospin. Le réta-blissement de l'impôt sur la fortune et l'instauration conjointe du RMI prouvaient qu'après une « halte dans la boue » du rétablissement des comptes et de la compétiti-vité, la gauche avait repris sa marche en avant vers le pro-grès social.

Cette illusion ne dura pas.

Le RMI n'était pas la suite, voire la consécration du sys-tème français de protection sociale, édifié avant, pendant et surtout après la Seconde Guerre mondiale. Il en était l'anti-thèse.

Le système de 1945 était fondé sur un modèle d'assu-rances sociales, reposant sur le travail salarié et la solidarité entre le patron et l'ouvrier.

La logique du RMI est tout autre. Elle fut introduite en France par un ancien ministre de Giscard, Lionel Stoléru qui, revenu d'un séjour de travail de six mois aux États-Unis, en 1974, ramena l'idée fort originale à l'époque d'un impôt négatif. Il avait fréquenté là-bas les milieux intellec-tuels libéraux de la Brooking Institution de Washington qui tentaient de répondre à la crise du Welfare State. Ce modèle ne put endiguer, à partir des années 1970, la mon-tée concomitante du chômage, de l'inflation, et de la pau-vreté dans les pays riches qui croyaient l'avoir éradiquée. Cette crise du fordisme – on parle alors de stagflation – donna sa chance aux théories néolibérales qui devaient prendre leur essor à la fin des années 1970, avec Thatcher et Reagan.

Le RMI en constitue une étape dissimulée. L'impôt négatif est une expression plus brutale mais plus honnête. Pour les libéraux américains, et leurs élèves français, tout le monde, dans une société d'abondance, a le droit à un revenu minimum, qu'il travaille ou pas, qu'il soit salarié ou pas. Stoléru, qui n'oublie pas qu'il est français, décrit en termes lyriques cette noble ambition : « Si Van Gogh ou Verlaine avaient connu le RMI, ils auraient moins souffert. »

Le revenu minimum ne coûte pas cher : « une goutte d'eau dans l'océan des dépenses sociales ». C'est un revenu différentiel : le montant de l'allocation versée représente la différence entre les ressources éventuelles du bénéficiaire et un minimum fixé.

Dans l'esprit de ses inventeurs américains, et de leur exégète français, il n'est pas besoin de travailler pour toucher cette « allocation universelle ». Stoléru se dit convaincu que « dans un pays riche, c'est du devoir de l'État qu'aucun citoyen ne meure de froid et de faim ». On entend l'écho de la rengaine des Restos du cœur entonnée par les Enfoirés chers à Coluche. Stoléru reprend l'idée de la charité remise au goût du jour par le comique défunt et la replace dans les mains de l'État. Mais cela reste de la charité légale. Avec le RMI, l'assistanat pénétrait dans le système social français. Aux États-Unis, l'impôt négatif était un filet de sécurité tendu pour sauvegarder des populations à qui on faisait subir l'électrochoc libéral : absence de salaire minimum, ouverture des frontières, concurrence avec les bas salaires du monde entier, désindustrialisation des pays occidentaux, développement de l'informatique et robotisation des usines, chômage de masse et accroissement des inégalités. Les communicants mitterrandiens avaient deviné les temps à venir : le château redorait son blason ; une partie de la classe moyenne prolétarisée retrouverait bientôt les charmes désuets de la chaumière.

C'est le paradoxe mitterrandien. En 1981, son programme tentait de ramener la France en 1945 ; en 1988, il projetait la France dans les années 1990. Il échoua à chaque fois, mais c'est une autre histoire.

Au fil des années, le système s'alourdit, s enlisa et se pervertit. Vingt ans après sa création, 800 000 familles chaque année restent dans le RMI comme dans une prison. On s'y transmet le RMI de père en fils ! Atteindre l'âge minimum requis de 25 ans devient un objectif dans l'existence. On améliore l'ordinaire du RMI par du travail au noir et divers trafics. L'expérience soviétique nous a enseigné que, contrairement à la bicyclette, on perd assez vite l'habitude du travail, de se lever le matin, de se vêtir correctement, proprement, de se contraindre, de se faire violence. Peu à peu, les bénéficiaires du RMI (et de différents droits annexes) sont regardés avec haine par les smicards (de plus en plus nombreux) qui se « lèvent tôt le matin ». Quand ce sont des étrangers (trois ans de séjour régulier suffisent), ou leurs enfants (droit du sol), fort nombreux, qui en profitent, la haine est décuplée. Le principe de solidarité nationale ne signifie plus rien pour les élites intellectuelles et technocratiques, mais les milieux populaires n'admettent pas son abandon selon le vieil adage de Jean Jaurès : « La nation est le seul bien des pauvres. »

Dans les départements et territoires d'outre-mer, la démagogie chiraquienne a fini par faire céder les barrières qui avaient été érigées pour tenir compte de l'environnement géographique de nos confettis d'Empire ; le RMI s'ajoutait aux fameuses « allocations-braguettes » (les deux sont versées par les Caisses d'allocations familiales) pour désinciter un peu plus au travail.

C'est l'angle mort du RMI depuis l'origine. Pour les partisans cohérents de l'impôt négatif, non seulement le travail n'est pas nécessaire, mais contraire à la philosophie du projet. Comme le dit Stoléru, hanté par Verlaine et Van Gogh, « pour quelqu'un qui veut consacrer sa vie à écrire des poèmes ou à peindre des toiles qui ne se vendent pas et qui se satisfait du RMI, que signifie l'insertion ? ».

Mais cette vision romantique n'était pas partagée à l'origine par des députés, même socialistes, obsédés par le « délit de fainéantise ». Stoléru et la machine bureaucratique leur concédèrent le « I », comme un os à ronger, sans ignorer que l'administration n'avait pas les moyens de suivre chaque bénéficiaire dans « un projet d'insertion ».

Mais les inspirateurs de l'impôt négatif furent dépassés par leur succès. Ils visaient un public de quelques dizaines de milliers de bohèmes. Ils atteignirent le million.

Les ambiguïtés du texte avaient permis son adoption parlementaire. Elles accentueraient ses lacunes.

Les libéraux anglo-saxons, au moins, avaient le mérite de la cohérence : l'instauration du RMI devait être accompagnée d'une réduction massive de la protection sociale financée par des entreprises qui, jetées dans le bain européen et mondial, n'en avaient plus les moyens.

C'est ce que firent les Anglais. Les Allemands, après de multiples tâtonnements et la Réunification, se révélèrent encore plus rigoureux : pour une somme équivalente à notre RMI (400 euros), des millions d'Allemands (et d'étrangers) furent contraints de travailler, redonnant à la puissante industrie allemande une compétitivité inégalée. Le SMIC n'existait pas en Allemagne jusqu'en 2014. Au contraire, en France, il fut revalorisé massivement, de coup de pouce en coup de pouce, à l'occasion de chaque élection présidentielle ; sans oublier une augmentation des charges sociales traditionnelles.

La France est le seul pays au monde à cumuler ainsi des systèmes sociaux aux philosophies différentes : assurance sociale bismarckienne, étatisme beveridgien, assistanat libéral. Les couches s'accumulent, épaisses, étouffantes, financées à coup d'endettement public.

Au bout de vingt ans, les contradictions du système devinrent intenables. Par un amusant effet de symétrie, la droite (Sarkozy) demanda à un transfuge venu de la gauche (Hirsch) de sauver et corriger ce qu'avait mis en œuvre un transfuge venu de la droite (Stoléru) à la demande de la gauche (Mitterrand et Rocard).

Le RSA (revenu de solidarité active) remplaçait en 2008 le RMI. Il tentait de remédier à son principal défaut de

conception : avec tous les droits afférents (assurance maladie, allocation logement et divers services gratuits versés
par les collectivités locales), le bénéficiaire du RMI n'a
aucun intérêt à retrouver un emploi, mal payé, un SMIC
le plus souvent écorné par un temps de travail réduit. La
mort dans l'âme, les promoteurs de l'impôt négatif durent
en convenir : il n'y avait pas 1 million de Van Gogh et Verlaine en France. Spécialiste reconnu de ces questions de
pauvreté, Martin Hirsch élabora un système complexe
chargé de pousser les bénéficiaires à reprendre un travail.
Tout le monde applaudit. On avait changé d'époque. Dans
les années 1990, avait dominé l'idéologie de la « fin du
travail », portée par les progressistes américains (toujours
les mêmes !) autour de Jeremy Rifkin ; idéologie que les
socialistes français avaient concrétisée par la loi sur les
35 heures en 1999. En revanche, la « valeur travail » avait
été au cœur de la campagne présidentielle de 2007. Mais
la logique de l'impôt négatif se vengea : une insertion
active réclamait un interventionnisme de l'administration
sans égal ; des questionnaires interminables à remplir ; des
procédures, des formations à suivre ; une incursion de
l'État inédite dans la vie privée ; une bureaucratisation
intense. Le public visé se découragea. Certains ne parve-
naient pas à remplir les formalités administratives ; d'autres
rejetaient les contraintes liées au travail. Officiellement, les
promoteurs du RSA se plaignaient de cet échec ; en secret,
les administrations s'en félicitaient ; elles savaient, elles,
que dans le RMI, ce n'était pas le R mais le I qui coûtait
cher.

Les politiques continuèrent à gloser sur la « valeur travail » sans saisir que le chômage de masse l'avait anéantie ;
sans comprendre que l'assistanat avait brisé les cultures
séculaires du labeur et de la méritocratie, qu'avaient tour
à tour forgées et renforcées le vieux fonds paysan, la solidarité ouvrière, et la République scolaire de Jules Ferry,
pour transformer toute une partie de la population en
machines à calculer des « droits », jonglant avec les salaires
et les allocations, alternant périodes d'« activité » et de
« chômage », calculs complexes des failles de la loi dans

une recherche savante de son seul intérêt immédiat. Les politiques dénoncèrent sans relâche les méfaits de « l'assistanat » en se félicitant sans le dire de son efficacité pour garantir la paix sociale.

1989

14 juillet 1989

La défaite de la « Grande Nation » (I)

Et une locomotive à vapeur surgit sous l'Arc de triomphe, longue de 23 mètres de long, faite de liège, de plastique et de bois, fumante et hoquetante, conduite par un sosie de Jean Gabin dans *La Bête humaine*. C'était le clou du spectacle voulu par Jean-Paul Goude qui, pour commémorer le bicentenaire de la Révolution française, fit défiler sur les Champs-Élysées l'humanité tout entière, ou plutôt l'humanité telle que la voyait son cerveau de publicitaire parisien en vogue à la fin du XXe siècle : *tommies* britanniques de la guerre de 1914, orchestres de jazz, danseurs de *moonwalking* comme Michael Jackson, Israéliens et Palestiniens embarqués sur un même chariot, cent cinquante percussionnistes guinéens frappant des pyramides de bidons métalliques, attelages de zèbres, femmes géantes habillées de robes corolles, Russes pop...

Le publicitaire avait vu grand (grandiloquent, diront certains), cher (on le lui reprochera), génial et branché pour les uns, mégalomane et ridicule pour les autres.

Pour cette célébration de la Révolution française, il ne manquait rien sauf l'histoire de la Révolution française. Pas le moindre sans-culotte à bonnet phrygien, ni aristocrate poudré, ni fourche, ni tête sur une pique, ni guillotine au milieu des zèbres et des éléphants.

Goude se montrait – sans le vouloir ni le savoir sans doute – un bon reflet de son milieu et de son époque : il ne gardait de la Révolution française que le message des droits de l'homme. D'où sa succession de tableaux qui avait l'ambition de montrer la planète dans sa diversité (encore un mot d'époque voué à un grand destin). On pouvait considérer que c'était là une ultime fidélité aux héros qui avaient commencé la Révolution en 1789, et avaient rédigé une Déclaration des droits à destination de tous les hommes. Deux siècles plus tard, on n'avait conservé que l'ambition universaliste ; on avait vu dans cette générosité française notre supériorité sur la Révolution britannique ou même la Déclaration d'indépendance américaine qui nous avaient précédés, mais avaient confiné l'espace de la Liberté aux peuples anglo-saxons.

Notre temps n'avait plus le recul d'un Mirabeau notant, sarcastique, qu'aucun des rédacteurs de la Déclaration des droits de l'homme et du citoyen « n'avait pensé à déclarer les droits des Cafres ni ceux des Esquimaux, pas même ceux des Danois ni des Russes ».

En revanche, l'histoire de la Révolution, pleine de bruit et de fureur, de massacres, voire de génocide, de guerres et d'occupations militaires de l'Europe, faisait tache dans ce récit que nous avions réécrit sous les oripeaux du pacifisme et du cosmopolitisme.

Même « La Marseillaise » – surtout elle ? – apparaissait alors comme un hymne sanguinaire défendant sauvagement contre « ces féroces soldats qui viennent jusque dans nos bras égorger nos fils et nos compagnes… » une terre natale que nos progressistes rêvaient d'ouvrir à tous les « citoyens du monde ». Dix ans plus tôt, Serge Gainsbourg avait paré « La Marseillaise » de Rouget de Lisle des atours des rythmes reggae pour confier notre geste révolutionnaire aux peuples du Sud qui la méritaient bien plus que nous. Afin d'éradiquer le caractère belliqueux de notre hymne national, et surtout cet insupportable ancrage quasi barrésien dans une terre et des morts, Goude drapa de tricolore la cantatrice Jessye Norman qui avait le grand mérite (outre sa voix sublime) d'être étrangère et noire.

Ce fut un moment rare de liesse et d'autosatisfaction où la France plastronnait, se pavanait, riait de se voir si belle dans ce miroir qu'elle se tendait, mère de la Liberté dans le monde, grande institutrice des peuples en route vers leur émancipation, destin qu'avait rêvé pour elle Victor Hugo en substitut de la domination impériale sur l'Europe perdue à Waterloo.

Cet effacement méthodique de tout ce que la Révolution avait eu de patriotique – comme un criminel efface les traces de son forfait – était le reflet d'une idée révolutionnaire en crise. Depuis les années 1980, le discrédit croissant des régimes communistes avait entraîné par ricochet le reflux des thèses marxistes-léninistes et des gardiens du temple de l'historiographie française, les Mathiez, Aulard, Soboul, qui avaient fait de son versant jacobin et robespierriste le cœur battant de la Révolution. Cette revanche de 89 sur 93, des droits de l'homme sur la « vertu », du cosmopolitisme sur le patriotisme, de la Liberté sur l'Égalité, de Voltaire sur Rousseau, de Mme Roland sur Robespierre, porte alors le nom et le visage (très médiatisé) de François Furet. Revenu de ses engagements communistes de jeunesse, le brillant historien ne s'arrête pas, comme nombre des apostats en religion marxiste, aux errements sanguinaires du stalinisme, mais, se souvenant sans doute que Trotski et Lénine admiraient la Révolution française et en particulier la période de la Terreur, traque sans pitié les sources du totalitarisme dans sa matrice robespierriste.

L'ancien marxiste prenait ainsi place dans le panthéon libéral des Burke, Constant, Tocqueville ou Guizot qui avaient rejeté les dérives terroristes de la grande Révolution. Politiquement, sa mutation conduira Furet sur les rivages centristes, voire du centre droit, où il plantera, avec ses amis Pierre Rosanvallon et Jacques Julliard, le décor d'une République du centre, libérale, modérée et européenne, qui chassait l'État et la nation du paysage hexagonal. Et c'est sur cette ligne – la « France unie » est la version publicitaire et politicienne de la « République du centre » – que François Mitterrand, vampirisant le programme de Raymond Barre, et rejetant artificiellement son adversaire Jacques Chirac dans les limbes de l'extrême droite libérale, xénophobe et quasi factieuse, s'était fait réélire en 1988 sans coup férir.

Le président Mitterrand n'était pas alors le moins mécontent des Français : il avait vaincu l'impopularité, Chirac et la droite ; il avait pris sa revanche historique sur le général de Gaulle, qui sera resté moins de temps que lui à l'Élysée ; il avait même vaincu – du moins le crut-il alors – son cancer. Il songe que Louis XIV eut moins de pouvoirs que lui, mais que deux septennats sont bien courts ; il est au paroxysme de sa puissance, et reçoit tous les chefs d'État de la planète, charmés par le goût français.

Seule l'Angleterre – de son Premier ministre à sa presse gouailleuse – se moque alors de la prétention de ces *Froggies* qui osent leur contester un bien – les droits de l'homme ! – que les Britanniques conservent par-devers eux depuis la *Glorious Revolution,* un siècle avant 1789 – et peut-être même depuis la *Magna Carta* de 1214 ! Mais la foule parisienne se venge en faisant de Margaret Thatcher le seul dirigeant étranger sifflé sur le passage de sa limousine officielle.

François Furet écrirait bientôt un grand livre sur la révolution soviétique qui s'intitulerait : *Le Passé d'une illusion*[1]. En 1989, nous vivions le présent d'une illusion. Illusion d'une société apaisée, consensuelle, qui avait mis fin à la guerre civile larvée depuis deux siècles entre partisans et adversaires de 89. Illusion d'une France rassemblée derrière un président recentré, qui semble accomplir le rêve giscardien d'une société décrispée et apaisée. Illusion d'une classe moyenne dominatrice et unificatrice – les « deux Français sur trois » – alors que la mondialisation des années 1990 dynamitera cette classe moyenne, prolétarisant les ouvriers et les employés, tandis qu'une infime partie des managers et des financiers s'agglomérera à une aristocratie mondialisée. Illusion du pays des « Lumières », alors que l'islam les voile à Creil.

La France ne tardera pas à découvrir les ambiguïtés de la « religion des droits de l'homme » ; les effets délétères du

---

1. Robert Laffont/Calmann-Lévy, 1995.

juridisme sous couvert de « l'État de droit » ; la fragmen-
tation irréversible et anxiogène d'une société qui voit son
État s'affaisser, alors qu'elle ne tenait depuis deux siècles
que sur le tête-à-tête entre celui-ci et l'individu ; le retour
des communautés et des tribus. La France célèbre son
« invention » de la modernité, quand pointe déjà le nez de
la postmodernité. Rares sont les intellectuels qui, tel Michel
Maffesoli, décortiqueront cette authentique contre-révolution
de l'émotion contre la raison, de la religion contre la laïcité,
des tribus contre les citoyens, du féminin contre le masculin.
De la postmodernité de l'an 2000 contre la modernité née
en 1789.

Mais la France – et surtout ses élites qui s'autocongratulent
en ce bicentenaire – ne veut rien entendre, et continue à psal-
modier ses dogmes : République, laïcité, citoyen, raison ; sans
voir qu'ils sont pourris de l'intérieur. Qu'ils ont été retournés,
dessoudés, vérolés. Les mots s'imposent toujours dans le débat
public, mais ils sont vidés de leur substance. « La France qui,
ayant inventé la modernité (Descartes au XVIIe siècle, la philosophie des Lumières au XVIIIe siècle, les systèmes sociaux du
XIXe), a bien du mal à accepter l'émergence d'une postmodernité, certes plus sauvage, mais plus dynamique aussi[1]. »

Il faut suivre Jacques Julliard dans son *Histoire des gauches*[2]
pour bien mesurer l'ampleur du désarroi français : « La
France est déjà le pays du cartésianisme, ou ce qu'il est
devenu dans le langage commun, c'est-à-dire l'abstraction
universaliste. Si on y ajoute le moralisme abstrait du protestantisme, que reste-t-il ? Rien. »

Afin d'éclairer notre lanterne, Julliard exhume un texte
méconnu de Balzac. Nous sommes en 1786, dans le sublime
hôtel particulier de la place Vendôme. Mme de Saint-James
reçoit ses habitués, Lavoisier, Beaumarchais, Calonne et deux
convives inconnus, un avocat poudré et un médecin hirsute
et farouche. Le premier raconte comment Catherine de

---

1. Michel Maffesoli, *Les Nouveaux Bien-pensants*, éditions du Moment,
2014.
2. Fayard, 2013.

Médicis lui est apparue en rêve. L'ancienne reine mère justifie hardiment la Saint-Barthélemy : « J'ai condamné les huguenots sans pitié, mais sans emportement. Reine d'Angleterre, j'eusse jugé de même s'ils eussent été catholiques. Pour que notre pouvoir eût quelque vie à cette époque, il fallait dans l'État un seul Dieu, une seule foi, un seul maître. » Son seul regret n'est nullement d'avoir massacré des innocents, mais au contraire d'en avoir laissé s'échapper : « L'entreprise, mal conduite, a échoué... Il a fallu faire la révocation de l'édit de Nantes qui a coûté plus de larmes et de sang et d'argent que trois Saint-Barthélemy. » L'avocat reconnaît qu'une partie de lui-même adopte peu à peu « les doctrines atroces déduites par cette Italienne ».

La contestation du Pape, et donc de Dieu, par Luther, le droit pour les individus de discuter de choses sacrées, fut la mère de toutes les dissidences, de toutes les révolutions, et sapa à la base les fondements de l'autorité et de l'unité du pays. On découvre à la fin de la nouvelle que le médecin s'appelle Marat et l'avocat, Maximilien Robespierre.

Cette défense farouche de l'autorité du pouvoir et de l'unité de la nation contre les effets délétères de l'individualisme des droits de l'homme a rassemblé les réactionnaires maurrassiens et les jacobins, marxistes-léninistes, ou républicains farouches qui reconnaissaient à Robespierre le mérite d'avoir sauvé « la patrie en danger ». Le jeune Bonaparte n'a jamais celé son admiration pour l'Incorruptible ; et son amitié pour Augustin Robespierre, son frère exécuté lui aussi le 9 thermidor, lui valut quelques ennuis aux débuts du Directoire.

C'est cette Histoire-là qu'on enseigna aux enfants jusqu'à la fin des années 1960 ; cette Histoire-là que la nouvelle historiographie autour de François Furet abattit peu à peu au nom des droits de l'homme et de l'individu, et de l'hostilité au nationalisme.

Balzac et Catherine de Médicis n'avaient pas tout perdu ; ils avaient été entendus... en Chine. Place Tien'anmen, la grande révolte libérale de la jeunesse urbaine et éduquée de cette année 1989 échoue. La répression est féroce. Les images de l'homme face au char ont fait le tour du monde, mais les hiérarques communistes de Pékin n'ont pas cédé. Contrairement au Russe Gorbatchev qui accepte à la même époque le démantèlement pacifique de l'Empire soviétique, ils ont refusé d'accompagner le versant économique de leur libéralisme par des réformes démocratiques. En cette année 1989, la Chine forge un nouveau modèle, si l'on excepte les dictatures sud-américaines (Chili de Pinochet) où la liberté économique est associée à la tyrannie politique. Cette alliance inédite dans l'Histoire deviendra très vite un paradigme idéologique d'une efficacité redoutable, à la grande joie des multinationales occidentales, qui exploitent sans vergogne les millions d'esclaves mis à leur disposition, et des dictateurs d'Afrique et d'Asie qui n'entendent plus recevoir les leçons de morale de l'Occident. Cette transgression chinoise rend caduques toutes les théories françaises et anglaises selon lesquelles le libéralisme économique s'accompagnerait inéluctablement de sa version politique des droits de l'homme, démocratique et libérale. Le libéralisme est écartelé, mutilé, déconsidéré. Chaque grande nation, chaque civilisation, Chine, Inde, Turquie, pays arabes, Brésil, etc., entend défendre ses particularités philosophiques et politiques, ses racines culturelles et son Histoire, sa conception de la démocratie et des droits de l'homme. La Révolution française est finie.

18 septembre 1989

La défaite de la « Grande Nation » (II)

On ne sut d'abord comment l'appeler. Un voile. Un tchador. Un foulard. Un morceau de tissu. Un fichu... fichu. Cette incapacité à nommer en disait long sur la surprise, la sidération, qui saisit alors la société française ; comme un extraordinaire voyage dans l'espace et le temps.

Quand Fatima (13 ans) et Leïla (14 ans), ainsi que Samira furent renvoyées du collège Gabriel-Havez de Creil, pour avoir refusé d'ôter pendant les cours leur voile islamique, le 18 septembre 1989, l'événement prit une ampleur nationale – et même internationale. La France rejouait le rituel psychodrame de la guerre civile froide inventé lors de l'affaire Dreyfus ; les journaux télévisés « ouvrirent » là-dessus, les pages de la presse écrite s'emplirent de tribunes, les politiques de tous bords s'en mêlèrent ; SOS Racisme et le journal *Libération* défendirent sans ambages les gamines voilées bien que l'origine antillaise du proviseur qui avait pris la décision d'exclusion, Ernest Chénière, et donc la couleur noire de sa peau, troublât la pensée simpliste de l'anti-racisme. Malek Boutih, alors président de SOS Racisme, jugea « scandaleux que l'on puisse au nom de la laïcité intervenir ainsi dans la vie privée des gens, malmener les convictions personnelles ». Le 22 octobre, un millier de personnes manifestèrent à Paris contre l'interdiction du port du voile islamique à l'école. Le Premier ministre Michel Rocard, et le ministre de l'Éducation nationale Lionel Jospin, s'efforçant de ménager la chèvre de la laïcité et le chou de la liberté, ne parvinrent pas à trancher.

Ce n'était pas la première fois que des affaires de voiles empoisonnaient la vie des établissements scolaires. Quelques mois plus tôt, *Le Quotidien de Paris* avait déjà évoqué une querelle semblable autour de la fille du président de l'association musulmane culturelle des Vosges dans un collège d'Épinal. Et ce ne sera pas la dernière. À travers toute la France, pendant la décennie qui suivra, de semblables batailles du voile se multiplieront.

Mais l'État tardait toujours à trancher. Lionel Jospin avait fini par demander au Conseil d'État de le faire à sa place. Selon ses habitudes, le Conseil élabora une doctrine balancée qui conciliait le respect des principes contradictoires de laïcité et de liberté individuelle. Les juges du Palais-Royal, en grands juristes, crurent jouer leur habituel rôle pacificateur en estimant que « le port du voile islamique est compatible avec la laïcité », en rappelant qu'un refus d'admission ou une exclusion dans le secondaire « ne serait justifié que par le risque d'une menace pour l'ordre dans l'établissement ou pour le fonctionnement normal du service de l'enseignement ».

Le ministre s'empressa de mettre ses pas dans ceux des juges administratifs ; et édicta une circulaire statuant que les enseignants avaient la responsabilité d'accepter ou de refuser le voile. Au cas par cas. Un magnifique et rare modèle de défausse de l'État qui laissait aux fonctionnaires le soin de régler eux-mêmes un conflit majeur. Cela ne suffirait pas. Quelques années plus tard, le centriste François Bayrou ne s'en sortirait pas mieux en distinguant entre le signe religieux « ostentatoire » – interdit – et les autres – autorisés. Mais qu'était-ce qu'un signe religieux ostentatoire ?

Au bout de quinze ans de tergiversations, le président Jacques Chirac osa en 2004 interdire le voile islamique à l'école. Mais lui aussi se dissimula derrière les « signes religieux ostentatoires », faisant semblant d'inclure dans sa législation les croix trop visibles ou les calottes portées par certains enfants juifs. Personne ne fut dupe.

La « République », par son pouvoir judiciaire, puis législatif, avait cru à deux reprises régler la question. En vain. Elle avait donné deux grands coups d'épée dans l'eau.

Le Conseil d'État avait invoqué le droit ; mais celui-ci n'est jamais loin de l'idéologie. Depuis les années 1970, les juges administratifs n'étaient plus les cerbères de la nation et du Code civil républicain que Napoléon avait façonnés. Les élites administratives françaises – et en particulier la crème de la crème du Conseil d'État – avaient adhéré à l'idéologie mondialiste et multiculturaliste, exaltant la diversité et l'égalité des cultures, fondée sur une lecture simplifiée et même dévoyée des travaux de Claude Lévi-Strauss.

Avant sa décision de 1989 autorisant le port du voile à l'école, le Conseil d'État avait approuvé en 1980 le regroupement familial d'Africains polygames (arrêt Montcho) ; et c'est un tribunal administratif qui avait interdit au maire de Paris (Jacques Chirac) de verser une allocation réservée aux familles françaises.

Il faut reconnaître cependant que la tâche du Conseil n'était pas aisée. Les règles de la laïcité à la française, déposées dans la fameuse loi de 1905 de séparation des l'Églises et de l'État, ne concernaient pas les élèves, mais les professeurs. Ces derniers étaient tenus de respecter une neutralité religieuse de bon aloi. Dans un monde chrétien (à part les rares confettis israélites), la religion des élèves ne suscitait aucun souci. C'était leur liberté d'esprit qu'il fallait respecter et façonner par l'enseignement des Lumières. Cette complexité de la tradition républicaine – entre liberté et endoctrinement – butait soudain sur le voile islamique qui symbolisait l'emprise du religieux sur les jeunes esprits. On pouvait espérer que l'école finirait par ouvrir ces esprits rétifs. Les « Républicains progressistes » pensaient au fond d'eux-mêmes que la Déesse Raison finit toujours par l'emporter et arracher les individus éclairés au fanatisme de la religion.

Le débat dériva ensuite vers le droit des femmes. La liberté des filles soumises à l'oppression masculine : le chapelet féministe des années 1970 fut récité jusqu'à satiété ; mais il contredisait la tendresse compassionnelle de ces femmes de gauche pour les enfants des anciens colonisés, les « déshérités », les « populations fragiles. » Une pétition fut publiée dans *Libération* le 6 novembre 1989 qui, tout en reconnaissant dans le voile « le signe de l'oppression et de la contrainte exercée sur les femmes », voyait en l'exclusion des filles « la pire des solutions ». Les signataires étaient des féministes célèbres, de Marguerite Duras à Catherine Lara, jusqu'à Ségolène Royal ou Alima Boumediene.

Mais le balancement circonspect de ces beaux esprits – qui semblait parodier celui du Conseil d'État – mettait lui aussi à côté de la plaque. La question ne concernait pas, contrairement aux apparences et aux obsessions féministes, la liberté ou l'oppression de ces jeunes filles. Dans toutes les campagnes, jadis, les grands-mères portaient des fichus analogues pour cacher leurs cheveux, lointaine trace, dira Balzac, de la passion érotique des peuples méditerranéens pour la chevelure féminine.

Pour les musulmans rigoristes, mais aussi pour d'autres moralistes non musulmans, et même certaines féministes, la liberté et la dignité de la femme sont bien plus méprisées par la pornographique de la publicité et du cinéma que par un anodin fichu sur la tête. Avec le voile, puis plus tard le *hijab,* ces femmes rejettent l'injonction du désir, l'aliénation du consumérisme, et pour tout dire la loi du marché.

Le voile ne concerne les femmes qu'en ce qu'il marque leur reprise en main, non par les hommes, mais par la communauté des croyants. C'est pour cette raison que les débats démocratiques, les incantations féministes, les décisions du Conseil d'État ou les lois n'ont pas de prise. Ce voile est le symptôme d'un commencement d'organisation islamique de la cité. Il fait de la femme qui le porte un modèle et un remords pour celles qui ne l'ont pas encore adopté. Il signifie que la communauté contrôle et surveille ses ouailles.

La question posée par ce morceau de tissu n'était donc pas celle de la laïcité, mais celle de l'assimilation. Parce qu'on avait renoncé à celle-ci, on essaya de faire jouer son rôle à celle-là. On prit donc la mauvaise arme pour frapper, et on s'étonna de manquer la cible.

En France, le modèle d'intégration républicain des étrangers s'était accompli par l'assimilation, imitant le lointain exemple de l'Empire romain : « À Rome, fais comme les Romains. » Dans la Rome antique, les nouveaux citoyens devaient porter la toge et changer de prénom, voire de nom, qu'ils latinisaient. Les premiers dérèglements annonciateurs de la chute de l'Empire romain furent le refus croissant des « barbares » de changer de patronyme et... la décision de garder leurs armes.

Dans un autre monde à une autre époque, c'est-à-dire la France jusqu'aux années 1960-1970, Fatima, Leïla et Samira se seraient prénommées Catherine, Nathalie et Françoise. Le préfet y aurait veillé, refusant tout prénom en dehors du calendrier ; la pression sociale des voisins, des proches, de la famille même parfois, aurait contraint les parents récalcitrants. Le voisinage – ouvriers français ou immigrés de longue date – aurait, à force de brocards, censuré les manifestations les plus choquantes du culte musulman, renvoyé aux poubelles de l'Histoire les sacrifices dans la baignoire, interdit la polygamie, l'excision des jeunes filles, comme les vêtements imités du prophète, pour imposer un strict costume occidental plus adapté au climat du nord de l'Europe.

Il aurait adouci la rigueur des pères à l'encontre des filles
et ridiculisé l'autoritarisme des frères. Mais rien ne s'était
passé comme d'habitude avec les immigrés venus d'Afrique.
D'abord parce que les pouvoirs publics, et les immigrés
eux-mêmes, étaient restés longtemps persuadés qu'ils ren-
treraient chez eux. Puis, le discours assimilationniste, le
« À Rome, fais comme les Romains », fut regardé comme
un ignoble héritage de la colonisation, un corset insupportable, une trace honnie du complexe de supériorité de
l'homme blanc. Au nom du rejet de l'ancien colonisateur,
on prit le risque de favoriser une colonisation à l'envers sur
le sol français.

Ces principes de l'assimilation interdisaient la manifestation de tout signe religieux dans l'espace public. Cette
règle non écrite, mais respectée, poussait par exemple les
enfants juifs à ôter dans la rue la *kipa* de leur tête et à
ranger leur étoile de David sous la chemise. Ce n'était pas
la peur, si ce n'est celle du ridicule et de la grossièreté,
qui les animait, mais le respect de l'autre qui ne devait
pas être gêné par l'affirmation ostentatoire (on retrouve
ce mot) de sa foi.

C'est ce respect, cette discrétion, cette élégance qui furent
abandonnés dans la France des années 1980 au bénéfice,
crut-on, de l'expression libérée du Moi tout-puissant ; mais
dans la béance provoquée par l'irruption de cet individualisme arrogant et nihiliste, l'angoisse existentielle, la solitude, le désarroi et le déracinement qu'il entraîna, l'islam
s'engouffra pour imposer son modèle holiste, impérieux
mais chaleureux, contraignant mais rassurant, se servant de
la volonté farouche des enfants de l'immigration maghrébine d'utiliser leur religion comme un manifeste identitaire,
profitant de la déréliction d'un État républicain qui s'interdisait d'interdire, et retrouvant par là même la puissance
politique de la tradition coranique.

Dans son livre *Quatre-vingt-treize*[1], publié plus de vingt ans
après les faits, Gilles Kepel révélait que dans l'ombre des

---

1. Gallimard, 2012.

jeunes filles voilées, de Creil et d'ailleurs, s'agitaient des militants islamistes.

Kepel explique leur échec par la volonté des familles de profiter de la chance de promotion sociale offerte à leurs filles par « l'école de la République ». Cette hypothèse séduisante et rassurante contredit pourtant le souci des nombreuses familles d'interdire à leurs filles toute émancipation sociale par le mariage en les liant, dans le strict respect de l'endogamie islamique, à des garçons du bled d'origine de leurs parents. Surtout, cette scolarisation des filles croise l'évolution inverse des garçons qui fait de la Seine-Saint-Denis le seul département de France où le nombre de diplômés baisse depuis vingt ans.

Mais il y a des victoires à la Pyrrhus et des défaites fondatrices.

Pendant que la République gagnait laborieusement la bataille du voile à l'école, elle ne se rendait pas compte qu'elle perdait la guerre du *halal*. Peu à peu dans les quartiers où la population musulmane devenait majoritaire, elle imposait sa domination culturelle et cultuelle. La multiplication des boucheries *halal* était le symptôme d'une islamisation par le bas qui dépassait de loin les seules habitudes alimentaires, touchant tous les domaines de l'existence, habillement, langage, sexualité, sociabilité, mariage, éducation des enfants, famille, donnant raison à l'adage : « On est ce que l'on mange. »

La République avait réussi vaille que vaille à circonscrire le feu à un endroit, qu'il prenait aussitôt à un autre. Le voile, prohibé à l'école, était porté dans les entreprises, les crèches ; les mères de famille voilées venaient chercher leur enfant à l'école ; elles réclamaient, avec plus ou moins de violence, que leurs enfants puissent manger de la viande *halal* à la cantine, allant parfois jusqu'à exiger des tables séparées des « infidèles » ; des élèves récusaient certaines matières : le darwinisme qui rejette l'enseignement sacré du Coran, les croisades, Voltaire le mécréant, Mme Bovary la femme infidèle, la Shoah des Juifs assassins de Palestiniens, etc. Les filles étaient privées de gymnastique, les garçons désertaient en

masse ; les rares bons élèves étaient traités de « bolos », de
« Juifs » ou de « sales Céfran ». Dans certaines cours de récréation, les petits musulmans qui mangeaient ou buvaient pendant le ramadan étaient molestés, tandis que leurs camarades
chrétiens, minoritaires, tentaient de suivre le courant dominant pour ne pas être marginalisés, voire méprisés ou martyrisés, en imitant les adeptes du Coran, voire en se convertissant.
Dans la cité, au pied de certaines barres d'immeubles, les
grands frères rabrouaient les jeunes filles qui sortaient
habillées en jupe, même décente, les traitaient de salopes, de
putes, et pire encore de « Françaises », obligeant leurs sœurs
à se vêtir de survêtements informes pour ne pas exciter la
concupiscence masculine.

Selon la lettre du Coran, ces musulmans-là n'avaient pourtant pas le droit de résider en terre impie. Le monde est
en effet partagé par la Tradition en Maison d'Islam (Dar
al-Islam) et en Maison de la guerre (Dar al-Harb). Entre les
deux, il n'y a rien. Quand il construit une mosquée quelque
part, le musulman sacralise le lieu, le transforme aussitôt en
un territoire rattaché au Dar el-Islam, le sanctifie, le lave de
ses péchés et de ses impuretés, chasse les mécréants et cor-
rige les mauvais musulmans. Comme l'explique Boualem
Sansal dans son livre *Gouverner au nom d'Allah*[1] : « toute Terre,
tout lieu, tout domaine matériel ou immatériel, réel ou vir-
tuel, est regardé sous l'angle de cette dualité. Il y a le monde
de l'islam qu'il faut protéger et il y a le monde du mal dans
lequel il faut porter la guerre. » Pour masquer cette dichotomie fort choquante pour les esprits occidentaux les mieux
disposés à l'égard de l'islam, le roué Tarik Ramadan inventa
un troisième monde, celui du témoignage. Mais témoignage
de quoi ? Du message du prophète, bien sûr !

Pendant les années 1960 et 1970, les immigrés musulmans
furent considérés comme perdus par les tenants de la loi
sacrée. La plupart des immigrés étaient des Kabyles, anciens
chrétiens convertis de force mille ans plus tôt, bien heureux de cet éloignement géographique qui leur permettait

---

1. Gallimard, 2013.

d'alléger les contraintes religieuses. C'était le temps de
« l'islam des darons » (des pères), comme dit Kepel en reprenant le langage des jeunes banlieusards. L'arrivée des femmes
et des enfants dans le cadre du regroupement familial
détruisit cette authentique « intégration ». Devant leurs
femmes et leurs enfants, les pères se devaient de reprendre
la transmission des rites séculaires.

La technologie de la fin du XXᵉ siècle renforça cette réislamisation. Alors qu'au XIXᵉ siècle, l'éloignement de leur
pays poussait les immigrés à se détacher peu à peu de leur
confession d'origine, pour adopter une distance très française et très chrétienne par rapport aux strictes pratiques
religieuses, le développement de la télévision satellitaire et
d'internet permit au contraire aux gardiens du temple islamique – Frères musulmans ou salafistes, et tous les tenants
du retour à la pureté du prophète – de diriger à distance
les esprits de leurs ouailles et d'entreprendre un fantastique
travail d'endoctrinement religieux et d'édification d'une
Oumma mondialisée, globalisée, même si, comme le notait
avec ironie Gilles Kepel, elle était réinventée.

L'islam est à la fois une synthèse et une dissidence du
judéo-christianisme qui l'a précédé : pur monothéisme
comme le judaïsme, reposant avant tout sur des rituels très
stricts (orthopraxie) et non sur la seule foi (orthodoxie chrétienne), l'islam est aussi, contrairement au judaïsme, une
religion prosélyte, rivalisant alors avec le christianisme.
Comme le judaïsme, son rituel (le *halal* à la place de la
kashrout) isole et sépare ; mais comme le christianisme,
l'islam, religion universelle, convertit de gré ou de force.

« À la différence de la kashrout, qui accompagne des fidèles
peu nombreux parmi lesquels les observants cherchent à se
protéger de l'adultération mais s'abstiennent de tout prosélytisme, le halal appartient à une religion qui concerne près
d'un Français sur dix, est majoritaire dans certains quartiers
populaires, et déploie un fort prosélytisme exprimé par des
conversions régulières. Le contrôle de la certification représente, de la sorte, une image des stratégies poursuivies par
certains groupes pour tenter de conquérir l'hégémonie sur
la représentation politique d'une communauté dont ils veu-

lent transformer les identités de consommateurs en mobilisation politico-religieuse. Celle-ci, qui suppose le contrôle exigeant de la norme et de la traçabilité du halal, est une stratégie hégémonique qui se substitue [...] à l'échec de la mobilisation autour du port du voile à l'école[1]. »

Au bout de plusieurs décennies de cette lente transfiguration de quartiers et de villes, c'est tout le pays qui en sortait bouleversé, comme le montrait l'emblématique Seine-Saint-Denis, surnommée à l'anglaise le 9-3, par une jeunesse africaine fascinée par les Noirs américains.

« Le 9-3 ce n'est pas la France, c'est même très différent. D'une certaine façon, le 9-3 est un peu comme un morceau du Sud au Nord. Le département est extrêmement jeune, la pyramide des âges tout à fait comparable à celle des pays d'Afrique du Nord ou de l'Égypte, c'est là que l'on trouve de grandes familles avec les difficultés éducatives que cela pose dans une société où la réussite sociale passe par une progéniture étroite. L'idée que la poussée de la religiosité soit à l'échelle individuelle une forme de consolation face à l'expérience vécue de la précarité ne me semble pas complètement validée. Le port du voile n'est pas un choix électif mais une exigence qui s'impose dans l'espace public local [...] la collectivité qui est rassemblée fonctionne alors comme communauté plus que comme société, la norme sociale qui impose des conduites sexuées est, comme dans les quartiers des pays pauvres du Sud, absolument impérative [...] le lien observé entre les formes de l'islam et les situations sociales dans les pays du Sud – par exemple l'emprise des Frères musulmans et des salafistes dans les périphéries populaires du Caire [...] éclaire la compréhension des dynamiques des islams d'Europe[2]. »

L'auteur de cet article iconoclaste, Hugues Lagrange, est un de nos sociologues les plus avisés ; il n'est hostile ni aux communautés, ni aux évolutions qu'il observe. Il estime que la laïcité ne peut plus confiner la religion dans le domaine du privé ; nous incite au « dépassement du cadre national »

---

1. G. Kepel, *op. cit.*
2. Hugues Lagrange, dans la revue *Le Débat*, mars-avril 2012.

et à « l'intérêt de favoriser la reconnaissance d'entités collectives infranationales ». Pour lui, « faire vivre ensemble des minorités religieuses et linguistiques comme les parties d'une totalité plus vaste n'est pas plus incompatible avec l'idée de faire société que d'articuler les intérêts sociaux divergents ». C'est un des adeptes de la « postmodernité » chère à Michel Maffesoli.

Mais derrière le jargon sociologisant, cette réflexion a le grand mérite de dessiller les yeux des bien-pensants, persuadés que l'intégration des immigrés venus d'Afrique prend le même chemin que leurs prédécesseurs européens et chrétiens. Il marque le refus irréductible de l'islam de se fondre dans le creuset français. Sa préconisation ultime le rapproche des ennemis farouches de l'État-nation – des libéraux mondialistes à l'extrême gauche internationaliste – qui tendent ainsi la main aux islamistes – salafistes et Frères musulmans – eux aussi internationalistes, mais dans le cadre de l'Oumma, pour contraindre la France à s'auto-détruire.

Au nom de la liberté, on a favorisé l'instauration d'une société « totalitaire », c'est-à-dire qui prend en charge l'existence « totale » de chaque individu, privé et public mêlés ; au nom du primat de l'individu, on a fait le lit d'une organisation holiste qui ne connaît que la « soumission » de ses membres à la loi de Dieu ; au nom de la République, on a déconstruit la France ; au nom des droits de l'homme, on a érigé un État dans l'État, ce qui avait poussé Richelieu à combattre les protestants lors du terrible siège de La Rochelle. Pour « intégrer » l'islam, il faudrait que la France renonce à mille ans d'Histoire, renie Philippe Le Bel, Richelieu, Louis XIV, Napoléon, de Gaulle ; on passerait peu à peu d'une société multiethnique à une société multiculturelle qui deviendra multiconfessionnelle à la manière libanaise.

Plus de vingt ans après « l'affaire du voile de Creil », nous sommes arrivés au bout du voyage : ce n'est pas à l'islam de s'adapter à la nation française, mais à la France de s'adapter à l'islam. L'islam est à la fois le révélateur et le détonateur de la désintégration de l'État-nation.

Après le regroupement familial des années 1970, l'expulsion des Français de souche et de tous les Européens à partir des émeutes de 1981 et de la marche des Beurs de 1983, l'affaire des filles voilées de Creil fut la troisième étape du processus de défrancisation et d'islamisation des banlieues françaises. L'offensive sur le voile échoua, mais permit la conquête, par la voie de la « halalisation », de territoires disséminés mais nombreux où tous les actes de l'existence des populations, nourriture, amis, relations sexuelles, mariage, vêtements, sociabilité, furent peu à peu soumis au contrôle vétilleux de la Loi religieuse, forgeant la naissance balbutiante mais vigoureuse et redoutable d'une Dar el-islam française.

9 novembre 1989

La défaite de la « Grande Nation » (III)

Il semblait que Dieu eût le fétichisme des dates : 89 lui apparaissait sans doute le chiffre parfait pour les révolutions. À l'automne de l'année 1989, on n'avait d'yeux que pour cette Europe où les foules reprenaient la Bastille. Le Tout-Paris politique, économique, médiatique, intellectuel, s'enflamma. On se précipita à Berlin pour voir le Mur tomber. On exalta la Liberté qui partout triomphait de la tyrannie communiste. On chantait « La Marseillaise » en français. On criait « Nous sommes le peuple » en allemand. On offrait des fleurs aux soldats de la RDA qui n'avaient pas tiré sur la foule. On vendait à la sauvette les morceaux du Mur, comme jadis ceux de la Bastille.

Les mêmes causes produisirent les mêmes effets. La Révolution de 1789 avait accouché de la « Grande Nation » française, comme l'avaient surnommée les Allemands. En ce 9 novembre 1989, la chute du mur de Berlin ne sonnait pas seulement les cloches de la Liberté, mais aussi le retour de l'Allemagne sur la scène de l'Histoire, la vraie, pas celle qu'on commémore, mais celle que l'on fait. La question allemande se rappelait à notre cruel souvenir.

Sans le dire, les Français avaient compté depuis 1945 sur les Soviétiques pour contenir le retour de la puissance germanique. Or, le 7 octobre 1989, alors même que les frontières hongroises et autrichiennes permettaient déjà aux Allemands de l'Est de contourner le Mur, Gorbatchev annonçait qu'il excluait tout recours à la force armée. On ignorait alors qu'un plan secret du KGB avait prévu de tuer mille personnes, pour effrayer la foule, et sauver le régime de la RDA. Mais, au dernier moment, pris par un réflexe « hamletien », Gorbatchev et ses hommes refusèrent de tuer encore et encore. Il fallait faire une fin, euthanasier ce régime communiste criminel, quitte à perdre l'Empire. Un soir, pris de mélancolie devant la désagrégation de l'Union soviétique, Gorbatchev confia à un de ses proches cette sentence qu'aurait pu prononcer notre Louis XVI : « Je suis un mauvais tsar ; un bon tsar est celui qui tue. »

La réunification allemande devint inexorable lorsque les manifestants berlinois transformèrent leur slogan « Nous sommes le peuple » en « Nous sommes un peuple ». Elle n'était pourtant pas aussi inéluctable qu'on le crut et le proclama. Après l'érection du mur de Berlin par les Soviétiques, le géographe américain Saul Bernard Cohen avait rappelé, dans un livre controversé[1], que la frontière entre les deux Allemagne était « l'une des plus vieilles de toute l'Histoire humaine », puisqu'elle séparait déjà les tribus franques et slaves au Moyen Âge. Pour le géographe américain, la division de l'Allemagne, « géopolitiquement cohérente et stratégiquement nécessaire », matérialisait l'affrontement séculaire ente les puissances maritimes et continentales du *Hinterland*. Le fondateur de la géostratégie, le célèbre Mackinder, n'avait-il pas écrit, dès 1919, alors même que l'Allemagne avait réussi à sauvegarder l'essentiel de son unité nationale héritée de Bismarck : « La ligne qui

---

1. *Geography and Politics in a World Divided*, New York, Random House, 1963, p. 79-83.

sépare l'Allemagne [...] est celle qui, ailleurs, sépare stratégiquement les terres centrales et les terres côtières[1] » ?

Mais Helmut Kohl sut saisir l'Histoire par les cheveux. Seule Margaret Thatcher était prête à faire la guerre pour l'en empêcher ; elle pressa François Mitterrand de la suivre. Le président français n'avait pas besoin du Premier ministre britannique pour comprendre ce qui se passait. Il était né en 1916, pendant la Première Guerre mondiale, et fut prisonnier des Allemands pendant la seconde. Il aurait pu signer les phrases célèbres de Mauriac écrites en 1963 : « Tant qu'il y a eu des Allemagne, nous nous y sommes promenés ; lorsqu'une Allemagne est née enfin, ce fut pour nous fini de rire. Aujourd'hui qu'il y en a deux, nous pouvons de nouveau dormir, au moins d'un œil. Quand les deux morceaux seront recollés, il faudra redevenir ce lièvre qui dort les yeux ouverts. »

Son malheur fut que cette catastrophe géopolitique pour la France tombât sous sa présidence.

Mitterrand avait tout compris, même ce qu'il ne pouvait pas dire. Il tenta une dernière parade, par une visite précipitée à Berlin-Est en novembre 1989, qui lui serait tant reprochée par les zélotes du droit des peuples à disposer d'eux-mêmes, puis par un soutien à peine dissimulé aux communistes putschistes qui, en août 1991, tentèrent de renverser Gorbatchev, pour sauver l'Union soviétique.

Mais Mitterrand, dont Helmut Kohl analysera très finement dans ses *Mémoires* le « comportement schizophrène », était aussi un Européen convaincu.

Alors, Mitterrand l'Européen vainquit Mitterrand le patriote dans un combat inégal. Mitterrand traita son conflit intérieur en dépassant sa contradiction. Il n'avait pas le choix. L'Amérique de George Bush soutenait sans faille Helmut Kohl, confirmant ainsi la constante germanophilie des dirigeants américains tout au long du XXe siècle en dehors des

---

1. Halford John Mackinder, *Democratic Ideals and Reality : A Study in the Politics of Reconstruction*, Washington, National Defense University, 1919.

périodes de guerre : on se souvient des plans Dawes et Young de 1924 et 1929 qui permirent à l'Allemagne de Weimar de sortir des griffes de la France et de ses fameuses réparations – une France caricaturée dans la presse américaine pendant l'occupation de la Ruhr en 1923 sous les traits d'un reître odieux sans cœur ni pitié. Même après l'arrivée de Hitler, de nombreux Américains, dont le père du futur président Kennedy, voyaient d'un bon œil le retour de la puissance germanique.

Mitterrand, acculé, tenta de sortir par le haut de son impasse stratégique. Il fit, selon l'expression de Jean-Pierre Chevènement, un « pari pascalien sur un au-delà des nations » qui disparaîtraient dans l'Europe. Il choisit contre mauvaise fortune bon cœur d'accompagner la réunification allemande puisqu'il ne pouvait ni ne voulait l'empêcher. Il contraignit le chancelier allemand à reconnaître l'intangibilité de la frontière Oder-Neiss avec la Pologne ; Kohl regimba pour des raisons électoralistes, mais prit sa revanche en reconnaissant les nouvelles républiques de Slovénie et de Croatie, qui feraient exploser la Yougoslavie. Bientôt, toutes les anciennes démocraties populaires sous tutelle soviétique formeraient l'arrière-cour économique de l'Allemagne qui y installerait ses usines avec des ouvriers expérimentés aux salaires modiques.

Mitterrand crut conjurer la déroute française en arrachant le Deutsche Mark aux Allemands, et en noyant la puissante Bundesbank dans l'aréopage d'une Banque centrale européenne (sise à Francfort quand même !). Mitterrand comparait la puissante monnaie germanique à une arme atomique. Il comptait que l'unification monétaire entraînerait mécaniquement le reste : unification budgétaire et donc unification politique. Mais toutes les habiletés, tous les traités, toutes les normes bureaucratiques ne pouvaient régler le problème fondamental de cette monnaie fédérale d'une union qui n'est pas une fédération. Tous les rêves d'une Europe fédérale se briseront sur l'absence de peuple européen. Il y a un peuple américain, un peuple indien, un peuple brésilien, et même un peuple allemand (on l'a encore vu en 1989) ; mais s'il y a une culture européenne, il n'y a pas de peuple européen.

L'Allemagne effaçait ainsi toute l'Histoire du XXe siècle, ses deux défaites militaires, et retrouvait sa domination économique, politique, et même culturelle et linguistique sur l'Europe. Elle renouait le fil interrompu du Saint Empire romain germanique, comme l'avaient rêvé successivement les Habsbourg et les rois de Prusse. La carte de l'Allemagne réunifiée de 1989 occupait à peu près le même territoire que le Saint Empire du XIe siècle. On trouvait à l'époque tout autour des terres de l'Empire, des duchés qui se contentaient du statut d'État-région plus ou moins vassalisé : Bourgogne, Bohème, Poméranie, Estonie. Mille ans plus tard, l'essentiel de ce canevas carolingien était reconstitué avec les régions du Bade-Wurtemberg, Rhône-Alpes, Lombardie, Catalogne. La construction européenne leur avait permis de se libérer du carcan de leurs États-nations respectifs ; la Catalogne préparerait bientôt fiévreusement son indépendance et enverrait ses ingénieurs travailler en Allemagne ; la Lombardie rêverait de connaître le même destin, et notre région Rhône-Alpes, sous l'instigation du dynamique maire de Lyon, s'arracherait peu à peu à la tutelle pesante du dernier État unitaire d'Europe, à la manière d'un Charles le Téméraire essayant d'échapper à la main de fer de Louis XI.

L'Histoire européenne remontait sur ses tréteaux fatigués une de ses pièces favorites.

Pendant des siècles, le Saint Empire romain germanique avait joué au chat et à la souris avec le roitelet capétien qui refusait de se soumettre et avait la prétention de se « vouloir empereur en son royaume ». Pour abattre leur trop puissant voisin, nos rois les plus audacieux tentèrent de prendre la tête du Saint Empire ; mais l'argent des Fugger plébiscita Charles Quint contre François Ier ; et Louis XIV, pas plus que le Valois, ne surmonta les résistances allemandes. C'est finalement Napoléon qui réussit là où avaient échoué François Ier et Louis XIV. Après Austerlitz, il détruisit le Saint Empire. Le français s'érigea un instant Empire d'Occident. Mais un empire à la française, c'est à dire centralisé, qui dédiait encore ses pièces de monnaie à la République française. Une sorte d'État-nation impérial qui préfigurait avec deux siècles d'avance ceux que nous connaissons aujourd'hui, américain, chinois, brésilien ou russe.

Pour maintenir l'ordre en Europe centrale, Napoléon avait créé la Confédération du Rhin dont il se fit le protecteur. Mais cette organisation ne résista pas à la défaite militaire du « maître des batailles ». De nombreux historiens allemands – et Jacques Bainville avec eux – ont depuis expliqué que cette simplification de la carte des territoires de l'Europe centrale avait été la matrice de l'unification d'une Allemagne travaillée par le sentiment national et le rejet de la domination française.

Toute l'histoire du XIXe siècle après Waterloo peut se résumer à la lente érosion de l'hégémonie française, et son remplacement par son frère siamois germanique. La fin de Napoléon Ier sonna le glas de l'imperium français sur l'Europe ; mais ce fut la chute de son neveu qui transforma l'ancien prédateur français menaçant en une proie convoitée et craintive.

Depuis sa défaite inattendue de 1870, notre pays a la hantise de se retrouver seul et isolé. Jusqu'alors, ses armées glorieuses et redoutées, celles de Louis XIV ou de Napoléon, ne mordaient la poussière que face à de vastes coalitions européennes. Après le brutal succès des Uhlans prussiens, un monde s'écroula. Les contemporains (certains pour s'en réjouir comme Marx et Engels, d'autres pour le déplorer comme Taine et Renan) avaient alors enregistré la clôture définitive d'une période qui s'était ouverte avec le traité de Westphalie en 1648, celle de l'hégémonie française sur le continent.

La France, consciente de sa nouvelle faiblesse, résuma désormais sa diplomatie à une quête effrénée d'alliés, à laquelle elle était prête à tout sacrifier. Elle ruina son épargne (la première du monde) sur l'autel de l'alliance avec la Russie ; s'engagea dans l'effroyable hécatombe de la Première Guerre mondiale, dont elle ne se relèverait jamais, pour d'obscures querelles balkaniques, qui n'intéressaient que notre ami le tsar ; les Russes ne furent pas ingrats, leur sacrifice sur le front Est permit « le miracle de la Marne » sur le front Ouest ; mais la paix de Brest-Litovsk signée par les bolcheviks faillit donner la victoire aux Allemands au début de l'année 1918. Vinrent alors nos « sauveurs américains » pour payer la dette de La Fayette. Mais les Américains étaient atteints du complexe de M. Perrichon, qui déteste celui qui lui a sauvé la vie, et préfère celui à qui il l'a sauvée. Le président Wilson retint les troupes de Foch et de Pétain qui rêvaient d'entrer triomphalement dans Berlin, à la manière de Davout en 1806, légitimant ainsi la thèse fallacieuse du « couteau dans le dos » parmi des populations allemandes convaincues de ne pas avoir perdu la guerre. Puis le même allié américain (et son acolyte anglais qu'obsédait le souvenir de Napoléon) nous empêcha de récupérer la rive gauche du Rhin, et nous interdit par ailleurs de ramener l'Allemagne à l'âge des principautés prébismarckiennes, double recul français qui donnait à l'État allemand – comme le comprit avec un instinct très sûr Jacques Bainville dès ses *Conséquences politiques de la paix*[1] – l'occasion de prendre un jour sa revanche, quels que soient son régime et son chef. La City et Wall Street redressèrent et soutinrent l'Allemagne contre les méchants bellicistes français pendant les années 1920 ; et les Anglais lièrent les mains françaises lorsque Hitler, ayant remilitarisé la Rhénanie en 1936, pouvait encore être balayé par notre armée. À chaque fois, le souci obsessionnel de ne pas se retrouver seul, de ménager nos alliances, poussa nos dirigeants de la IIIᵉ République à prendre des décisions qu'ils savaient contraires à nos intérêts nationaux, nous conduisant à la catastrophe finale.

Après la Seconde Guerre mondiale, on put croire les leçons tirées : ce fut pire. Le bouclier nucléaire américain ne nous empêcha nullement de perdre l'Indochine, mais se retourna contre nous à Suez ; l'Amérique anima en sous-main la protestation internationale qui, bien exploitée par le FLN, finit par avoir raison de la résistance de De Gaulle.

---

1. Nouvelle Librairie nationale, 1920.

Celui-ci crut trouver en l'Allemand Adenauer un allié fidèle ;
il rêva à la reconstitution de l'Europe carolingienne pour
retrouver « le rang perdu à Waterloo » ; mais le président
Kennedy vint lui arracher à Berlin sa conquête allemande.
Les députés allemands désavouèrent Adenauer le Rhénan
francophile, et se rangèrent derrière les Américains. Dès
1963, alors qu'il avait espéré compenser la perte de l'Algérie
par la création du fameux « couple franco-allemand »,
de Gaulle voyait son pari perdu. Par rétorsion, il quitta les
institutions militaires intégrées de l'OTAN, se libérant du
« protectorat américain » pour se lancer dans une politique
d'alliances tous azimuts, avec l'URSS, l'Europe de l'Est (Rou-
manie) jusqu'en Amérique du Sud (« *Mexicanos con francos
mano en la mano* ») ou en Amérique du Nord («Vive le Qué-
bec libre»). Ce fut le sommet de la volonté gaullienne
d'indépendance nationale. Une mise en œuvre tardive de
la « France seule » chère à Charles Maurras. Mais cette
grande politique mondiale, brillante mais, fondée sur notre
nouvelle force nucléaire, gesticulatoire, n'eut guère de lendemain.

François Mitterrand fut le dernier président, après de
Gaulle, à connaître cette tragique Histoire de France depuis
Waterloo et Sedan. Il était l'héritier direct de cette suite de
dirigeants français hantés par la peur de se retrouver seul.
Alors que l'Allemagne se réunifiait, il prit les décisions qui
engageraient ses successeurs, qui n'auront ni la culture ni
la volonté de les contrarier. En tenant la main de Kohl à
Verdun, le 22 septembre 1984, il poursuivait et approfondis-
sait la réconciliation franco-allemande engagée par de
Gaulle avec Adenauer ; mais le rapport des forces s'inversa
après la réunification allemande. De Gaulle s'était allié à une
Allemagne de l'Ouest maritime et francophile, celle que nos
rois et notre empereur avaient conquise par la langue et les
armes ; la France était alors, selon l'expression célèbre du
Général, « le jockey, et l'Allemagne, le cheval » ; Mitterrand,
lui, devenait par la force des choses l'allié privilégié d'une
Allemagne réunifiée qui avait retrouvé sa position centrale
et dominante au cœur du continent européen, en recollant

les deux morceaux, l'Allemagne de la Mer et l'Allemagne des Terres, cette Allemagne-Unie qui avait fait sa gloire bismarckienne et sa désolation wilhelmienne et hitlérienne ; la France était ravalée au rang de cheval et l'Allemagne se dressait en fier jockey.

Dès l'année suivante, Mitterrand engageait par ailleurs la France dans la première guerre du Golfe, sous les ordres du grand frère américain. Là encore, il semblait mettre ses pas dans ceux du général de Gaulle, en allié rétif défendant une autonomie stratégique et diplomatique, alors même qu'il commençait à les effacer. Il poursuivait en réalité le lent travail inauguré par son prédécesseur pour nous ramener au sein de ce que Nicolas Sarkozy appellerait plus tard la « famille occidentale ». De G5 giscardien en discours mitterrandien au Bundestag, de guerre du Golfe en guerre d'Afghanistan, en passant par le Kosovo et le bombardement de nos historiques alliés serbes, la France giscardienne, mitterrandienne, chiraquienne, se remit sous la férule du protecteur américain, lors d'interventions militaires contraires à nos alliances traditionnelles et à nos intérêts. La seule exception serait la coalition continentale nouée entre le Français Chirac, l'Allemand Schroeder et le Russe Poutine, contre la seconde guerre du Golfe en 2003 ; mais ce rêve gaullien d'une Europe de l'Atlantique à l'Oural ne fut qu'un feu de paille vite éteint, jusqu'à ce que Nicolas Sarkozy révèle en 2007 le sens profond de cet obscur travail souterrain : le retour dans les instances militaires intégrées de l'OTAN. Double paradoxe français : les officiers français revenaient aux côtés de leurs homologues occidentaux au moment où l'Organisation n'avait plus de raison d'être, privée d'ennemi par la dissolution du pacte de Varsovie ; Sarkozy trompetait son apostasie gaullienne au nom de l'Europe de la défense, chimère française que les autres nations européennes appellent OTAN. Mais alors, la France ne souhaitait plus tant mener une politique indépendante que devenir le fils préféré du père américain à la place du fils aîné britannique, dans un grand ensemble impérial que l'on pouvait qualifier de Saint Empire américano-germanique.

En 1989, l'incroyable et ironique coïncidence qui liait le bicentenaire de la Révolution française et la chute du mur de Berlin faisait une nouvelle fois basculer l'Histoire. Mitterrand et Kohl croyaient accomplir le rêve de Thomas Mann d'une Allemagne européenne en lieu et place d'une Europe allemande. Mais une fois digérée l'ancienne RDA, on se retrouva avec une Allemagne européenne dans une Europe allemande. L'Allemagne réunifiée retrouvait sa domination naturelle dans un ensemble confédéral, qui minait en revanche les fondements de l'État-nation à la française, dont la souveraineté farouche avait toujours été la seule protection contre les tentations et les fascinations de l'engloutissement impérial.

1991

10 janvier 1991

Évin for ever

Ce fut le cadeau de Noël des parlementaires. Adoptée juste avant la trêve des confiseurs, la loi Évin fut promulguée le 10 janvier 1991. Le ministre de la Santé, ami du Premier ministre Michel Rocard, était très fier d'avoir résisté à la pression des lobbies du tabac et de l'alcool. Ceux-ci pestèrent contre l'interdiction de vanter leurs produits à travers des publicités ou des parrainages de grands événements sportifs. Finis le cow-boy Camel ou le raid Gauloises. Puis ils s'habituèrent. Leurs bénéfices ne diminuèrent guère, le nombre de fumeurs ne réduisant pas, les jeunes remplaçant les vieux, les femmes les hommes, les Africains et Asiatiques les Occidentaux. Seuls les producteurs de vins souffrirent, mais sans que cela entraîne une réduction espérée de l'alcoolisme : la jeunesse française troqua le vin contre des alcools exotiques (whisky, vodka, etc.).

Même les fumeurs applaudirent en renâclant. Au « Nuit gravement à la santé », succédera le plus inquiétant « Fumer tue ». Mais on s'habitue à tout, même à l'idée de sa propre mort inscrite en lettres énormes sur un paquet de cigarettes.

Les derniers rebelles contestèrent la notion de tabagisme passif, avant d'être ensevelis sous les preuves scientifiques.

Les non-fumeurs respiraient. La loi confinait les fumeurs dans des espaces clos. On réinventait les fumoirs. Ces anciennes courtoisies avaient été assimilées à des reliquats ignominieux d'un monde bourgeois et très masculin. Les nouvelles générations avaient jeté l'ancienne civilité avec le vieux monde ; la grossièreté avait remplacé la politesse ; la goujaterie révolutionnaire avait balayé la distinction patricienne. Jusqu'à ce que les non-fumeurs fussent excédés de subir l'effronterie des fumeurs.

Claude Évin fut un précurseur. En France. Mais un lointain imitateur des Américains. Dès les années 1980, le tabac y était là-bas interdit dans tous les lieux publics, et les rues de New York donnaient ce spectacle, encore incongru à nos yeux de Français, de cohortes de fumeurs réchauffant leurs doigts noircis par la nicotine. Le chemin était tracé ; nous ne tarderions pas à l'emprunter, après avoir brocardé son puritanisme.

On ne s'arrêterait pas en si bon chemin. Les lois se multiplieraient, les campagnes dites de « santé publique » se succéderaient sans relâche ; il faudrait en finir avec la cigarette, réduire notre consommation d'alcool, manger cinq fruits et légumes par jour, marcher trente minutes par jour, bouger, mettre un préservatif pour éviter le sida, prévenir le cancer du sein et de l'utérus, surveiller son taux de cholestérol et sa tension, mettre sa ceinture de sécurité au volant, son casque à moto, réduire sa vitesse sur les routes. L'État voulait notre bien. Prenant appui sur le pouvoir médico-scientifique, les politiques investirent cette nouvelle sphère de compétences avec d'autant plus d'enthousiasme que le libéralisme ambiant – pas seulement économique – avait réduit leur domaine d'action. Le gouvernement Rocard était le premier de gauche à avoir accepté et même théorisé ce recul historique de l'État ; il lui appartenait d'inaugurer cette substitution. En 2002, à peine réélu, le président Chirac annoncera les trois priorités de son quinquennat qui s'ouvrait : lutte contre le cancer, lutte contre l'insécurité routière et insertion des handicapés ; des objectifs dignes d'un président de conseil général.

Depuis les années 1970, les individus s'étaient émancipés en brisant la tradition religieuse ; une nouvelle morale s'érigeait sur les ruines de cette dernière. Après un pouvoir patriarcal, d'essence virile (l'État, l'Église, le père), un État maternel qui infantiliserait et culpabiliserait. Les journaux féminins furent actifs pour relayer ces « bons plans », « conseils », « recettes », sur un ton de plus en plus comminatoire. Cette évolution servait les plans d'un marché qui évacuait les conflits collectifs pour vanter la prétendue rationalité d'un individu-consommateur. Le corps était un capital à gérer, une machine dont on pouvait changer les pièces défectueuses. Les médecins réalisaient sur nos corps une sorte d'autopsie de notre vivant. Cette médicalisation officielle accentuait la psychologisation systématique des maux de l'existence qui poussait les individus à dédaigner les facteurs économiques et sociaux.

Autrefois, la société était régie par des rites religieux ou des récits culturels. L'individualisme hédoniste des années 1970 les avait balayés, les renvoyant dans les placards de l'Histoire au rayon des folklores désuets ; la société ainsi « libérée » forgeait ses nouvelles normes sur la santé et non plus sur la moralité ou la légalité. L'émergence de ce nouveau pouvoir fondé sur l'évaluation et la surveillance permanente avait été annoncée par Michel Foucault avec son concept de « biopouvoir ». On avait renoncé à gouverner les individus, mais on contrôlait la collectivité par l'hygiène, l'alimentation, la sexualité. Le pouvoir avait troqué la police traditionnelle contre des moyens bureaucratiques et médicaux ; l'alliance redoutable de l'expert et du communicant.

La libération des corps décrétée dans les années 1960 s'achevait par l'intériorisation de nouvelles normes hygiénistes et médicales. Celles-ci imposaient des conduites normalisées et uniformisées ; traquaient sans pitié les pratiques déviantes au nom du « droit au bonheur ». On rétablissait la censure qu'on avait abolie : les cigarettes (et les boissons alcoolisées) étaient interdites des plateaux télévisés, des films, des photos (Malraux sans sa cigarette sur un timbre-poste) ou même des bandes dessinées (Lucky Luke troquant la cigarette contre un brin d'herbe entre ses lèvres). Dans les films, aussitôt après un hold-up, le voleur fuit la police en moto, mais doit mettre son casque au préalable ; et les policiers qui le poursuivent à une vitesse folle attachent leur ceinture de sécurité.

Toute contestation est impossible, d'avance disqualifiée. Personne ne peut être contre la santé. Personne ne peut s'opposer à la réduction du nombre de morts sur la route. Personne n'est hostile à ce qu'on vive plus longtemps, même si on ne cherche plus à savoir quel contenu aura cette vie plus longue. La transparence a remplacé la transcendance.

Juin 1991

Les Rap-petout

Leurs patronymes originaux leur paraissaient sans doute trop sages, trop banals, et surtout trop français. Didier Morville, Antillais habitant dans le XVIIIe arrondissement de Paris, et Bruno Lopes, fils d'immigré portugais et footballeur émérite, devinrent Joey Starr et Kool Shen. Cependant, cette américanisation des noms de scène était elle-même fort peu originale depuis le temps lointain de l'invasion du rock and roll au début des années 1960, et des Johnny Hallyday, Eddy Mitchell et autres Dick Rivers. Pour attirer l'attention, il était nécessaire de provoquer, de choquer davantage, ce qui fut fait avec le nom de leur groupe : NTM pour Nique Ta Mère.

En quelques mots, en quelques titres, avec une remarquable économie de moyens, tous les codes du rap français furent posés : fascination pour l'Amérique, et plus particulièrement sa face noire ; liens d'admiration toujours et d'intérêts souvent avec l'univers des voyous – allure de parvenu, mépris affiché de la loi, vulgarité de l'argent qui coule à flots, voitures de sport et filles faciles, violence et usage banalisé des armes à feu –, incarné au cinéma par le célèbre personnage de Scarface et musicalement par le *gangsta rap* ;

virilité exacerbée, et désir affiché pour les femmes-objets aux
rotondités savoureuses, « machisme » interdit à tout autre
qu'eux ; discours victimaire et antiraciste entre lamentations
du « peuple qui a beaucoup souffert » et revendications
égalitaristes, encore inspirées de l'histoire américaine de
l'esclavage ; provocations du « bourgeois » – sur le modèle
tant de fois imité de Marcel Duchamp et des débuts de l'art
moderne – aseptisées et récupérées, commercialisées et ren-
tabilisées, exploitées jusqu'à satiété par des révolutionnaires
autoproclamés, commerçants cyniques de leur rébellion mise
en scène.

Le paradoxe du rap résidait dès l'origine dans cette insis-
tance mise sur les paroles au détriment des mélodies, cette
déclamation martiale et obsédante, qui rimait (la seule rime
évidente) avec la pauvreté du langage et la syntaxe misé-
rable, comme si les rappeurs voulaient à toute force donner
raison à ceux qui les traitaient de « barbares », qui vient du
mot *barbaroï*, signifiant en grec ancien, nous dit Lucien
Jerphagnon, les « bafouilleurs ». Même aux États-Unis, où on
est moins sensible à l'élégance de la langue, l'accumulation
de *fuck* et autres interjections salaces finit par lasser et exas-
pérer les esprits les mieux disposés et les plus *cool*.

En France, au contraire, on les encensa, on les flatta, on
exalta un art de la chronique, du récit minimaliste et précis ;
avec le tag et le hip hop, cette sous-culture fut érigée au
rang d'art majeur de l'époque ; on évoqua les mânes révoltés
de Rimbaud, des nouveaux Gavroche ; on les compara à nos
plus grands poètes de la chanson, les Brel, Brassens, ou
Ferré. Le dernier géant vivant, Charles Aznavour, étala son
admiration devant la qualité de leurs textes, sans que l'on
distingue chez l'immortel auteur de « La Mamma » ce qui
tenait de l'inconscience, de la complaisance, de la lâcheté,
ou d'un exercice de restriction mentale que n'auraient pas
désavoué les maîtres jésuites.

Canal+ propulsa les deux garnements de NTM sur ses
écrans et dans le haut de son top 50. Leur titre phare,
« Le monde de demain », sorti pendant les émeutes de
Vaux-en-Vélin, à l'automne 1990, fut érigé en bande-son
explicative et justificative du « malaise des banlieues » :

[...] depuis tout jeune je gravite
Avec le but unique
D'imposer ma présence
Trop paresseux pour travailler
Trop fier pour faire la charité
[...] Y en a marre des promesses
On va tout foutre en l'air[1].

En cette année 1991, le rap français passait de l'ombre des années 1980 à la lumière. Kool Shen avait prévenu : « Le rap, ça doit être revendicatif. » On comprit très vite que cette « revendication » trouvait ses sources dans l'engagement révolutionnaire et l'anticolonialisme militant, dans la haine de la France, de son drapeau, de son Histoire, de son patriotisme, de son État, incarné avant tout par la police (les keufs !), une haine ostentatoire et brûlante, jamais assouvie, exprimée avec une profusion de mots et de gestes, le pacifisme émollient du discours antiraciste (« *il est blanc, je suis noir / la différence ne se voit que dans les yeux des bâtards* »), l'inévitable dénonciation du vote Front national et le racisme de petit blanc (« *Dix pour cent pour Le Pen aux élections, c'est une défaite / En fait, prends ça dans ta face, quelle que soit ta race...* ») venant conforter le combat inlassable et impitoyable contre une France raciste et colonialiste[2]. Le rap confirmait avec éclat l'intuition de Frantz Fanon : « Le colonisé est un persécuté qui rêve en permanence de devenir persécuteur. »

Quelle gratitude devrais-je avoir pour la France ?
Moi Joey Starr qu'on considère comme un barbare
Donc j'encule tous les moutons de fonctionnaires,
Tous ces pédés de militaires
Qui pendant presque plus d'une année
M'ont séquestré, malmené
Sous prétexte de faire de moi
Un homme, un vrai.

---

1. NTM, « Le monde de demain », dans l'album *Authentik*, 1991.
2. NTM, « Blanc et noir », dans le même album.

Avec les couilles dans le béret,
Avec le cerveau dans le paletot
Et à la place du cœur
Une saloperie de drapeau[1].

Leur premier album, *Authentik*, sorti en juin 1991, s'est écoulé à 90 000 exemplaires. Le groupe remplit la salle du Zénith de Paris en juin 1992. On ne comptait plus depuis leurs appels vibrants à « niquer la France », à tuer les flics, à pisser sur le drapeau, « incitations à la haine et à la violence » que la justice protège car le rap est « un style artistique permettant un recours possible à une certaine dose d'exagération » (*sic*). Les successeurs et petits frères de NTM tentèrent d'imiter et de supplanter leurs aînés dans une surenchère prévisible autant qu'acharnée.

En accueillant le rap dans ses bras, la machine médiatique et discographique tenta de lui gagner les cœurs (et les poches) du grand public français en édulcorant le message, en l'égayant d'amourettes et de couchers de soleil, en polissant et adoucissant la rudesse de la forme, le fameux et obsédant *flow*. Le « système » propulsa un MC Solaar, moins politisé et moins revendicatif, le consacra « grand poète » ; le « métier » lui accorda une Victoire de la musique parce que ses rimes étaient un peu moins sommaires, et ses harmonies plus *jazzy*. On s'efforça de forger un clivage entre rap *cool* et rap *hardcore*, entre bons et mauvais rappeurs, sur le modèle indépassable des Beatles et des Rolling Stones dans les années 1960. Les radios suivirent le mouvement, ne passèrent que du « rap *cool* ». Mais la sauce ne prit pas. Le reste du pays ne s'enticha pas de MC Solaar qui ne devint jamais dans leur cœur un nouvel Aznavour ou un successeur de Reggiani, ces enfants d'immigrés qui avaient renoué avec l'âme de la poésie française.

Contrairement au jazz et au rock, venus aussi des ghettos noirs américains, le rap ne sera jamais relayé par les grands médias populaires nationaux, comme TF1 ou RTL. Même les

---

1. NTM, « Quelle gratitude ? », dans l'album *Authentik*, 1991.

radios issues des années 1980, autour de NRJ, continuèrent à préférer le rock ou même la variété française.

Mais, en 1998, constatant l'épuisement créatif de la musique rock et pop des années 1960 et 1970, la station Skyrock osa ouvrir son antenne au proscrit. Elle devint la grande station du rap français, jouant sur l'obligation légale de quotas de musique française pour lui vouer 80 % de son temps d'antenne. À l'époque, personne n'approuva le pari risqué de Skyrock. Les banques françaises se défilèrent. Seules la Deutsche Bank et la Goldman Sachs financèrent le développement de la radio. Comme un symbolique trait tiré entre les acteurs principaux de la mondialisation et le développement de la culture rap sur le territoire français.

Le choix de Skyrock sauva la radio de la faillite, mais la transforma aussi en une sorte de station communautaire, où la jeunesse issue de l'immigration arabo-africaine confia au micro toujours ouvert les amourettes cachées des filles, la découverte de ses émois sexuels, puis rappela les consignes du ramadan et les subtils distinguos entre *halal* et *haram*.

Le patron de cette radio fit mine de croire que le rap se situait dans la continuité de la musique populaire, avec des textes en langue française qui exprimaient à la fois la réalité du quotidien et les révoltes d'une jeunesse marginalisée et mal-aimée ; le rap, selon lui, avait remplacé la variété française (Sheila, Claude François, etc.) comme marqueur générationnel, avec des mélodies et des paroles simples – voire simplistes – et populaires.

Pourtant, la progéniture des bourgeois et des classes populaires se tint plutôt à l'écart de cet univers. Quand la jeunesse blanche cherchait la transgression du monde de ses parents, elle plongeait dans l'oubli alcoolisé et souvent amphétaminisé de la *house music*, déluge de bruits métalliques sans paroles, au cours d'interminables et épuisantes *rave parties*. Les rares à se tourner vers le rap avouaient une dilection particulière pour le modèle américain, sans doute parce qu'ils ne comprenaient pas les paroles. Les rappeurs les plus engagés, les plus « conscientisés » aurait-on dit naguère, ne s'y trompaient pas. Ils se voulaient au service d'une « communauté » qu'ils érigeaient en nation dans la nation, dont ils espéraient pré-cipiter le sentiment d'unité comme jadis les communistes exaltaient la conscience de classe, dissidence qu'ils rêvaient de conduire à la révolte et à l'affrontement final. MC Solaar fut toujours considéré comme « un traître ».

Et lorsque, en 2007, le rappeur Doc Gynéco, aimable fumiste et grand fumeur de « pétards », s'engagea auprès de Nicolas Sarkozy et dénonça l'islamisation du rap français, il fut vitupéré, menacé, ostracisé, subissant un silencieux mais efficace « interdit professionnel » :

Personne ne nous respecte et je crois savoir pourquoi
On est avares et divisés [...]
Incapables de s'organiser en lobby [...]
On se plaint du racisme mais ne l'est-on pas nous-mêmes [...]
Et ceux qui entrent en politique nous trahissent
Se complaisent dans le rôle du Noir ou de l'Arabe de service[1].

Alors, quand le même Kery James écrit une « Lettre à la République », ce n'est pas le citoyen français qui s'adresse à Marianne, mais l'éternel étranger qui se voit jusqu'à la fin des temps héritier des esclaves, et des colonisés, qu'il n'a jamais été, refusant de faire sienne l'Histoire de France, la voyant toujours comme étrangère et même ennemie de son peuple musulman et africain :

Pilleurs de richesses, tueurs d'Africains
Colonisateurs, tortionnaires d'Algériens [...]
Maintenant vous devez assumer [...]
J'ai grandi à Orly dans les favelas de France [...]
Narcotrafic, braquage, violence... Crimes ! [...]
Parce que moi je suis Noir, musulman, banlieusard et fier de l'être [...]
Que personne ne s'étonne si demain ça finit par péter[2].

« C'est l'écrit qui pousse au crime, encore pire que l'alcool » (Céline).

---

1. Kery James, « Constat amer », dans l'album *Dernier MC*, 2013.
2. Kery James, « Lettre à la République », dans l'album *92.2012*, 2012.

1992

Hélène et les jeunes filles

Ils ont des gueules d'ange et se tiennent la main. Elles sont étudiantes, ils sont musiciens ; mais ce pourrait être l'inverse. Les cours, les examens, les profs sont absents de leur univers, seulement occupé par la cafétéria, la salle de sport, ou leur chambre de colocataires, et parfois le studio d'enregistrement : elles se piquent de chanter et eux de composer. Ce ne sont que tendres effusions et délicates attentions. On se découvre, on se plaît, on s'embrasse, on s'aime, on se querelle, on se sépare, on se reprend et on se déprend. Les filles se racontent leurs histoires de cœur ; les garçons aussi. Ils sont sentimentaux en diable. Ils aiment ou s'interrogent sur leur amour. Si on ferme les yeux, on ne sait pas qui parle, fille ou garçon, indifférencié. Le couple est leur seule quête, leur graal, leur unique intérêt. Le monde n'existe pas, la politique n'existe pas, les études n'existent pas, l'Histoire n'existe pas, le pouvoir n'existe pas, la révolution n'existe pas, l'argent n'existe pas, les classes sociales n'existent pas. On ne lève pas le poing mais on tend la main ; on ne se révolte pas mais on verse une larme sur l'amour perdu d'un ami. Même le sexe n'existe pas. On s'embrasse chastement, on pose sa tête sur l'épaule de l'autre, on se contemple les yeux dans les yeux. On dit :

« Laisse-lui le temps de t'aimer ! » On dit : « Sois heureux avec celle que tu aimes, mais je serai toujours là pour toi. » On psychologise à tout va. Les garçons sont transformés en bonnes copines des filles. On n'a pas de secrets pour eux ; on étale ses états d'âme. Tout est rose bonbon, mièvre, acidulé.

L'objectif pédagogique n'est plus : « Tu seras un homme, mon fils », mais plutôt : « Tu seras une femme, mon fils ! » La jeune fille est l'avenir de l'homme. ✓

Par le passé, la télévision avait déjà fourni à foison des séries sur le couple et les intermittences du cœur, qui affolèrent les sens des adolescents et le cœur des femmes, leur laissant à l'âge adulte un tendre souvenir et une douce nostalgie. Les *Vive la vie* ou *Comment épouser un milliardaire*, ou *La Demoiselle d'Avignon* dans les années 1960-1970 avaient eu un succès comparable à celui d'*Hélène et les garçons*.

Mais, dans chacune de ces histoires, l'amour, irrésistible bien sûr, devait surmonter les différences de caractères, de classes sociales, les soucis professionnels ou les difficultés familiales ; devait rapprocher des hommes et des femmes que tout séparait : l'inaltérable différence des sexes, à la fois tragédie et moteur de l'existence. Dans *Hélène et les garçons*, cette complexité irréductible des rapports entre les sexes, cette altérité fondamentale, était aplanie, évacuée, supprimée, niée par la conversion des garçons au modèle féminin.

Hélène et les garçons fut le porte-drapeau flamboyant de la *sitcom* à la française de 1992 à 1995, avec répliques nunuches et rires enregistrés ; le tiroir-caisse de AB productions. La série attira chaque jour 6 millions de téléspectateurs, avec des audiences atteignant jusqu'à 50 % de parts de marché, dont 90 % de filles de 7 à 24 ans. Un marqueur générationnel pour les adolescents de l'époque. La comédienne Hélène Rollès entama une carrière de chanteuse, et fut nommée (on dit « nominée » dans le jargon américano-médiatique) aux Victoires de la musique. Son passage au Modem de Cannes provoqua une émeute de fans, et le *Sunday Times* lui consacra sa une : « The New Bardot ».

Pour une fois, les Anglais se trompaient. Rollès était l'anti-Bardot.

L'égérie de Vadim incarnait l'explosion sexuelle et libertaire des années 1960, l'individu et ses pulsions telluriques brisant le couple et la famille ; Hélène Rollès annonçait le triomphe de l'amour et du couple, une nouvelle sentimentalisation du monde. Déjà, dans les années 1930, l'amour avait subverti le mariage arrangé ; mais la révolution sexuelle des années 1960 avait brisé les chaînes de l'amour ; elle était une révolution masculine succédant à une révolution féminine ; les deux se répondaient, se corrigeaient, se contestaient comme le libertinage du XVIIIᵉ siècle avait répliqué à la galanterie du XVIIᵉ. Bardot incarnait, malgré elle, un univers hédoniste où triomphait la recherche du plaisir, mais où les femmes s'efforçaient de prendre leur part ; Hélène incarnait un retour au puritanisme amoureux, mais où le moralisme de sacristie avait été remplacé par un autre moralisme, celui du sentimentalisme féminin.

Une nouvelle époque s'ouvrait. Un féminisme se substituait à un autre.

Dans les années 1970, un féminisme revendicatif et libertaire avait tenu le haut du pavé. Elles scandaient : « Mon corps m'appartient » ; elles arrachaient leurs soutiens-gorge et leurs illusions romantiques ; elles rêvaient d'en finir avec ce qu'elles dénonçaient comme la malédiction sentimentale du sexe féminin. Elles ne voulaient plus faire l'amour comme des femmes, mais baiser comme des hommes. Avec qui elles voulaient, comme elles voulaient, quand elles voulaient, autant de fois qu'elles voulaient. Libres d'être infidèles, libres de suivre leurs passions et leurs pulsions ; ne plus se donner mais prendre ; en riant, elles songeaient même qu'elles pourraient elles aussi payer pour avoir un mec. Elles revendiquaient haut et fort leur droit au plaisir.

Simone de Beauvoir leur avait appris qu'on ne naît pas femme, mais qu'on le devient ; elles deviendraient des hommes.

Dans les années 1980, elles découvrirent que la virilité, même d'emprunt, avait un prix. La solitude pour la liberté. Elles chantaient : « *C'est pas si facile d'être une femme libérée* », ou « *Elle a fait un bébé toute seule [...] et elle fume, fume, fume, au petit déjeuner* »[1].

Cohérentes avec elles-mêmes, les grandes figures féministes comme Simone de Beauvoir avaient renoncé à enfanter, comprenant que dans l'évolution de la femme, ses rapports avec les hommes, son besoin de protection et de soumission, et ses élans de tendresse et ses besoins d'affection, l'enfant était une étape décisive. À la fois une chance, une puissance inouïe – donner la vie – et un boulet. Mais l'inflexibilité de cette idéologie de « mort », puisqu'elle obligeait les femmes à renoncer à la procréation, ne pouvait concerner qu'une infime minorité d'entre elles. Les autres voulaient continuer à porter, nourrir, aimer leurs enfants, tout en faisant fi de l'avertissement misogyne de Schopenhauer : « Tout ce que font les femmes, est pour la reproduction de l'espèce. » Les plus intelligentes de la nouvelle génération de féministes s'efforcèrent de concilier l'inconciliable, de dénouer le nœud gordien de l'héritage beauvoirien sans le trancher, et revendiquèrent à la fois la maternité et l'indépendance. Exigence de grande bourgeoise qui n'a pas besoin de la protection financière du père de leur enfant pour élever sa progéniture.

L'État français, sous la pression des élites féministes et de l'entrée massive des femmes dans le monde du salariat, réorganisa son système de protection sociale. La France devint un modèle. Les femmes concilièrent – au prix d'un mode de vie frénétique et exigeant – leur vie familiale et leur vie professionnelle. Leur existence devint une acrobatie permanente.

Alors, la bataille se déplaça. Les « luttes » gagnèrent la sphère privée. Puisque les femmes avaient réussi leur entrée dans le monde du dehors, les hommes devaient à leur tour ne plus retarder leur débarquement dans le monde du dedans. L'égalitarisme du quotidien (la vaisselle, le ménage,

---

1. Cookie Dingler, « Femme libérée », 1984, et Jean-Jacques Goldman, « Elle a fait un bébé toute seule », 1987.

la cuisine, le soin des enfants) devint la condition *sine qua non* de l'épanouissement professionnel mais aussi personnel des femmes. La théorie du genre donna un substrat intellectuel et totalitaire à ces revendications éparses : la distinction entre les êtres ne reposait plus sur la dualité sexuelle homme-femme, mais sur la libre détermination de chacun à choisir son genre, selon ses envies, ses désirs, ses besoins, ses caprices. Les travailleurs étaient sommés de devenir des ménagères ; les pères étaient sommés de devenir des mères ; les hommes étaient sommés d'aimer comme des femmes.

L'égalitarisme avait répandu son venin. Le culturalisme absolu avait fait son œuvre. Puisque les femmes n'avaient pas réussi à devenir des hommes comme les autres, il fallait que les hommes devinssent des femmes comme les autres. La libido virile, reposant sur la brutale pulsion et la mise à distance, goguenarde ou farouche, par le caractère ou par l'argent, du monde des sentiments, fut criminalisée. On déclara la guerre à une sexualité masculine faite de violence et de domination. On confondit les violences faites aux femmes – qui relèvent du Code pénal – et les complexités de la vie intime. On négligea, contesta, méprisa l'avertissement pourtant si pertinent de Stendhal : « Au premier grain de passion, il y a le premier grain de fiasco. » L'homosexualité féminine devint à la mode ; Mylène Farmer chanta la gloire des amours saphiques ; les journaux féminins déculpabilisèrent leurs lectrices rétives.

C'était une revanche historique inouïe contre le sexe fort, mais aussi contre les premières féministes qui auraient détesté cet univers mièvre, sentimental, féminin qu'elles abhorraient, auquel elles s'étaient arrachées, et qu'elles croyaient avoir éradiqué. Les précieuses ridicules avaient vaincu les femmes savantes.

20 septembre 1992

La démocratie meurt
à Maastricht comme d'Artagnan

Il attendait dans sa loge, en tirant sur sa cigarette. Il n'était pas loin de Julien Clerc et de José van Dam qui chanteraient en fin de programme, l'un « Terre de France », et l'autre l'« Hymne européen ». Il regardait son écran de télévision ; il s'était amusé de la coiffure hirsute du présentateur Guillaume Durand, et avait été surpris de l'audace de certains « Français du panel représentatif » qui n'avaient pas hésité à rudoyer le président de la République. Lorsque Mitterrand, interrogé par Serge July et Jean d'Ormesson, avait ridiculisé l'écrivain du *Figaro* d'un sourire assassin : « Si je vous comprends bien, monsieur d'Ormesson, si j'échoue vous voulez que je parte, et si je réussis, vous voulez que je parte aussi, au nom d'une certaine forme d'élégance... », il avait songé que le vieux n'était pas mort ; et qu'il avait pris un risque inconsidéré en acceptant d'être son contradicteur ultime. Philippe Séguin avait compris depuis le début que, dans cette émission spéciale consacrée au référendum sur Maastricht, point d'orgue de la campagne sur le traité européen, il « jouerait à l'extérieur », selon l'expression consacrée en football. Les élites politiques, économiques, financières, médiatiques, culturelles, étaient toutes favorables au « oui » ; la télévision prenait sa part pour convertir – de gré ou de force – un peuple au mieux dubitatif, au pis rétif. Jusqu'aux meubles de couleur bleu Europe, que Guillaume Durand avait empruntés à l'hôtel Crillon, tout allait dans le même sens ; mais Philippe Séguin, ne pouvant contenir une immense fierté d'avoir été choisi par le président Mitterrand – dont il admirait la culture littéraire et historique –, avait décidé de jouer crânement sa chance. Ce débat était en soi une consécration. Une victoire. Il gagnait dix ans sur les petits camarades rivaux de sa génération, Alain Juppé par exemple, Alain Juppé surtout ; Alain Juppé seulement. Le soir même, Séguin demanderait et obtiendrait de conserver la table sur laquelle il avait débattu avec le président, conservant pieusement la relique dans son bureau.

Mais l'affrontement qui promettait tant tourna court avant de commencer lorsque, sortant de sa loge, Philippe Séguin découvrit qu'une unité mobile de soins avait été envoyée par l'Élysée à la Sorbonne pour « régénérer » le président Mitterrand au cours d'une longue, très longue pause de publicité.

Celui qu'on surnommait « le Florentin » maîtrisait l'art de Volpone. Son cancer n'était pas inventé, il finit par le tuer dans d'atroces souffrances quatre ans plus tard ; mais le président avait choisi d'en faire une arme dans le dernier combat politique de sa vie ; une arme décisive pour déstabiliser son adversaire. Un quitte ou double. Philippe Séguin aurait pu révéler la gravité du mal du président et l'incroyable logistique hospitalière qui entourait l'émission. Il accepta de se taire, de jouer un jeu dont les règles étaient biaisées ; Séguin le Méditerranéen à fleur de peau, l'enfant émotif et irascible de Tunis, ne pouvait pas ne pas être intimidé face à un moribond. Philippe Séguin ne voyait plus en face de lui un adversaire mais un cadavre en sursis, sans comprendre que cette mort qui rôdait autour de la table lui était destinée. Une mort politique, une mort symbolique, car la pugnacité émoussée de son champion, la courtoisie excessive, les sourires trop complices, l'argumentaire trop rationnel refusant les effets de manche et la mauvaise foi, ôtèrent sans doute au camp du non les quelques milliers de voix qui lui manquèrent pour faire basculer le destin.

Pourtant, Séguin, mieux que personne, connaissait l'enjeu. Il en allait de la souveraineté de la nation française, de la pérennité de son État, de la vitalité de sa démocratie, de la survie de sa République. C'était en ces termes solennels que le député d'Épinal avait posé, quelques mois plus tôt, le 5 mai 1992 à la tribune de l'Assemblée nationale, « l'exceptionnelle importance, l'importance fondamentale du choix auquel nous sommes confrontés », dans un discours ambitieux et émouvant prononcé de cette voix magistrale qui faisait de Séguin l'héritier des grands orateurs de la IIIᵉ République, Gambetta, Jaurès, Clemenceau ou Briand.

« La logique du processus de l'engrenage économique et politique mis au point à Maastricht est celle d'un fédéralisme au rabais fondamentalement antidémocratique, faussement libéral, et résolument technocratique. L'Europe qu'on nous propose n'est ni libre, ni juste, ni efficace. Elle enterre la conception de la souveraineté nationale et les grands principes issus de la Révolution : 1992 est littéralement l'anti-1789. Beau cadeau d'anniversaire que lui font pour ses 200 ans les pharisiens de cette République qu'ils encensent dans leurs discours et risquent de ruiner dans leurs actes. »

Philippe Séguin avait tout saisi, tout compris, tout deviné. On parlait d'une Europe mythique, il voyait l'Europe réelle ; on exaltait « le partage de notre souveraineté pour retrouver nos valeurs », il rappelait que « la souveraineté, cela ne se divise ni ne se partage et, bien sûr, cela ne se limite pas ». Il décelait derrière les grands discours sur l'union économique et monétaire, l'Europe antidémocratique ou plutôt adémocratique qu'on nous préparait.

En vérité, il n'avait pas besoin d'être sorcier pour le deviner. L'Europe renouait avec le très ancien projet de Jean Monnet. « L'inspirateur », comme disait avec mépris de Gaulle qui le haïssait, était sorti de l'expérience des deux guerres à la fois lié aux services américains, et convaincu que la guerre avait pour origine les passions nationalistes des peuples. Il fallait donc les débrancher par tous les moyens possibles, y compris l'assèchement des voies démocratiques. Monnet et les « pères de l'Europe » retrouvaient l'ancienne résolution des libéraux depuis la Révolution française, qui avaient eux aussi tenté de canaliser les passions populaires ayant engendré les excès et les massacres de la Terreur. L'Europe technocratique des bureaux s'avéra la camisole idoine pour empêcher le chien national et démocratique de mordre. Mais nos émules de Jean Monnet mirent quarante ans à trouver la bonne muselière, gênés qu'ils furent par l'échec de la CED, puis par le retour du général de Gaulle qui, lui, au contraire, se servait de la démocratie pour restaurer la souveraineté française. De Gaulle disait : « La

démocratie pour moi se confond exactement avec la souveraineté nationale. » Pour abattre la démocratie, il fallait donc
détruire la souveraineté nationale. Et pour forger l'Europe
fédérale, il fallait abattre la souveraineté nationale, quitte à
détruire la démocratie.

Jean Monnet et ses amis attendirent la chute du général
de Gaulle, se contentant d'un Marché commun, c'est-à-dire
une union douanière qui restât internationale, favorisant le
commerce entre les six pays fondateurs, sans remettre en
cause la souveraineté de chacun des États. Cette union douanière fut achevée vers 1968. Mais chaque pays, privé de ses
droits de douane, continuait à protéger ses industries locales
par diverses normes techniques afin d'éloigner les concurrents européens. Les théoriciens libéraux et libre-échangistes
expliquèrent que le salut viendrait de l'éradication de ces
« obstacles non tarifaires » ; on se devait d'imposer un grand
marché sur lequel régneraient des normes uniques et uni-
formisatrices, afin que le principe de « concurrence libre et
non faussée » pût accomplir le miracle de restaurer une
croissance économique anémiée.

Plus profondément encore, les mouvements contestataires
des années 1960, et le développement de la social-démocratie,
commençaient à inquiéter les élites occidentales. En 1975,
dans un rapport de la Trilatérale, intitulé « The Crisis of
Democracy », trois experts, le Français Michel Crozier, l'Américain Samuel Huntington et le Japonais Joji Watanuki, regrettaient que les gouvernements démocratiques fussent désormais
incapables de gouverner à cause de l'emprise excessive des gou-
vernés sur la vie politique et sociale. L'Europe se devait de
contenir cette démocratie désormais incontrôlable.

C'est au début des années 1980 que les trois rêves des
élites occidentales accoucheraient de cette nouvelle Europe :
le rêve pacifiste, le rêve technocratique, et le rêve libéral.

Pour réussir ce coup d'État postdémocratique, nos élites
utiliseront la méthode redoutablement efficace de « l'engrenage » : chaque étape de la construction européenne entraîne
la suivante comme une nécessité dont la remise en cause
coûterait trop cher. La transformation du Marché commun
en Marché unique appellerait la création de la monnaie

unique, qui exigerait à son tour des règles budgétaires communes. Une tutelle technocratique de fer serait peu à peu apposée sur les États à grands coups de directives et de normes.

La Banque centrale fut elle aussi rendue indépendante pour échapper au contrôle démocratique. On se dissimula derrière les nécessités de la lutte contre l'inflation pour éloigner les peuples – et leurs représentants – du Veau d'or. « Pas touche au grisbi, salope ! » comme disait l'inénarrable Francis Blanche dans *Les Tontons flingueurs*. Séguin avait dit les choses avec plus d'élégance : « Nul ne peut nous garantir que les dirigeants de cette banque, qui n'auront de comptes à rendre à personne, feront toujours la meilleure politique possible. Ou alors doit-on considérer l'irresponsabilité comme le gage le plus sûr de l'efficacité ? »

1992 n'était plus seulement l'anti-1789, mais aussi l'anti-1936.

La construction européenne élèvera un mur entre une représentation sans pouvoir (les gouvernements des États) et un pouvoir sans représentation (les technocrates, les juges et les lobbies à Bruxelles).

Le « déficit démocratique », tant dénoncé ensuite par les partisans de l'Europe qui firent mine de s'en lamenter, n'était pas une lacune mais un projet. Un libéralisme autoritaire deviendra le régime indiscutable d'un continent qui s'unifierait sous la férule technocratique de Bruxelles.

Au fil des années, le corset fut resserré. À l'étouffée.

L'Europe intégrée devint le laboratoire d'une gouvernance mondiale encore dans les limbes. Dans ce schéma fort ingénieux, l'État-nation ne disparaissait pas, mais prêtait au nouveau pouvoir technocratique son bras séculier et recouvrait du manteau de sa légitimité historique, et presque charnelle, des normes et règles européennes qui, sans lui, apparaîtraient aux populations comme une violence inacceptable. Pour la première fois dans l'Histoire de la France et de l'Europe, le droit n'était plus formulé par le politique.

Cette campagne de Maastricht se révéla la dernière de la démocratie française ; elle eut la beauté crépusculaire des soleils couchants. Le talent des opposants, à la fois lyrique et tellurique, Séguin, Pasqua, Villiers, Chevènement, sans oublier un Le Pen ostracisé par les autres, y fut pour beaucoup. Sûrs d'eux et dominateurs, pleins de suffisance, voire d'arrogance au début de la campagne électorale, les partisans du oui, de Mitterrand à Giscard, en passant par Delors, finirent effrayés, affolés : on vit le Premier ministre socialiste Pierre Bérégovoy supplier le chef du RPR, Jacques Chirac, de sauver le oui.

Les opposants au traité avaient tout : talent, lucidité, audace. Il ne leur manqua que courage, caractère et constance.

Le soir du référendum, Charles Pasqua plastronnait à la télévision : « Plus rien ne sera comme avant. » C'était une antiphrase : tout serait comme avant. Dans la fureur de la bataille référendaire, un nouveau clivage avait été forgé qui montrait la désuétude de l'antique opposition entre droite et gauche : entre les oui et les non, à Maastricht, un nouveau monde idéologique et politique naissait avec, d'un côté les centristes de tous bords, les libéraux-sociaux, les partis de gouvernement, les médias, les élites économiques et financières, culturelles et artistiques, les vainqueurs de la mondialisation, les diplômés et les grandes métropoles ; de l'autre, groupés autour des partisans du non, la gauche antilibérale et les souverainistes et gaullistes de droite, les classes populaires, les moins diplômés, les hommes plus que les femmes, les petites villes et les provinces déshéritées, les vaincus de la mondialisation. Mais ce terreau idéologique, sociologique et culturel ne donna jamais de fruits politiques et partisans. Chevènement réintégra les rangs de la gauche éternelle ; les élus RPR, qui avaient fait campagne pour le non, sollicitèrent humblement Chirac, Balladur et Juppé – les chefs du parti qui avaient sauvé le oui – pour leur investiture aux législatives de 1993. Jean-Marie Le Pen ne parvint jamais à sortir du ghetto où on l'avait enfermé – et où il s'était finalement complu. Tout serait comme avant.

Le soir du référendum, dépité par cet échec d'un souffle, Philippe de Villiers fut accueilli par ses deux compères gaullistes à leur luxueux QG de campagne, rue François-Iᵉʳ, une coupe de champagne à la main, éméchés et soulagés, tentant de l'entraîner dans leur joie mauvaise, à coups de bourrades dans l'épaule : « On l'a échappé belle. Qu'est-ce qu'on aurait

pu faire si on avait gagné ? On aurait été bien emmerdés. »
Villiers entendit longtemps dans ses cauchemars la voix pagno-
lesque de Pasqua répétant à plusieurs reprises : « On l'a
échappé belle », comme pour mieux s'en convaincre lui-même.

Vingt ans après, Philippe Séguin est mort, Jean-Marie Le Pen
écrit ses *Mémoires* ; Charles Pasqua a été rattrapé par l'âge et
les juges ; Jean-Pierre Chevènement et Philippe de Villiers, marginalisés dans leur camp respectif, écrivent de remarquables
livres d'histoire. Tel Jacques de Molay, le dernier maître des
Templiers, qui, sur l'échafaud, avait maudit Philippe le Bel et
sa progéniture royale, Jacques Delors avait de même menacé
pendant la campagne de 1992 : « Messieurs, ou vous changez
d'attitude, ou vous abandonnez la politique. » Les anti-
Maastricht abandonnèrent la politique, mais, avec eux, ce fut
la politique qui s'abandonna. Et la démocratie, avec elle,
deviendra un théâtre d'ombres.

Septembre 1992

Paroles, paroles, paroles...

Bernard Kouchner : « Avec Maastricht, on rira beaucoup
plus. »

Martine Aubry : « L'Europe, ce sera plus d'emplois, plus
de protection sociale et moins d'exclusions. »

Jack Lang : « La France est une locomotive. Elle n'a pas
le droit d'être dans le wagon de queue. [...] Le train de
l'espoir ne passe pas deux fois. »

Pierre Bérégovoy : « Le trafic de drogue ou la grande cri-
minalité ne connaissent pas de frontières. Il était grand
temps de développer une coopération pour la justice et les
affaires intérieure. Maastricht est une nouvelle étape. La
France agit en faveur d'un espace social européen, non seulement pour éviter la concurrence déloyale, mais aussi pour
donner une vraie cohérence humaine à cette Communauté.
"Un jour viendra, disait Victor Hugo, où l'on verra ces deux
groupes immenses, les États-Unis d'Amérique et les États-Unis

d'Europe, placés en face l'un de l'autre, se tendant les mains par-dessus les mers, échangeant leurs produits, leur commerce, leur industrie, leurs arts, leurs génies [...]. Et ce jour-là, il ne faudra pas quatre cents ans pour l'amener [...]. À l'époque où nous sommes, une année fait parfois l'ouvrage d'un siècle." »

Élisabeth Guigou : « L'Europe ne vous enlèvera rien. Et surtout pas vos avantages sociaux. La monnaie unique permettra de nous protéger contre les effets des désordres monétaires internationaux et des récessions chez les autres. »

Michel Sapin : « L'Europe est la réponse d'avenir à la question du chômage. En s'appuyant sur un marché de 340 millions de consommateurs, le plus grand du monde ; sur une monnaie unique, la plus forte du monde ; sur un système de sécurité sociale, le plus protecteur du monde, les entreprises pourront se développer et créer des emplois. Pour la France, l'union économique et monétaire, c'est la voie royale pour lutter contre le chômage. Si vous voulez que la Bourse se reprenne, votez oui à Maastricht. »

Michel Rocard : « La monnaie unique, ce sera moins de chômeurs et plus de prospérité ; la politique étrangère commune, ce sera moins d'impuissance et plus de sécurité ; et la citoyenneté, ce sera moins de bureaucratie et plus de démocratie. »

Valéry Giscard d'Estaing : « Si le traité était en application, finalement la Communauté européenne connaîtrait une croissance économique plus forte, donc un emploi amélioré. »

Alain Madelin : « Le traité de Maastricht agit comme une assurance-vie contre le retour à l'expérience socialiste pure et dure. »

Jean-Luc Mélenchon : « Il y va, je le répète, d'un enjeu de civilisation. L'alternative au monde violent et injuste, où la chute du mur de Berlin reçoit en écho les émeutes de Los Angeles, c'est l'avènement de la nation européenne porteuse de paix, de civilisation et de solidarité. Mes chers collègues, quand on aime la France – et on peut l'aimer de bien des façons – on sait qu'on ne peut la faire dans un seul pays. Si j'adhère aux avancées du traité de Maastricht en matière de citoyenneté européenne, bien qu'elles soient insuffisantes à nos yeux, vous devez le savoir, c'est parce que le plus grand nombre d'entre nous y voient un pas vers ce qui compte, vers ce que nous voulons et portons sans nous cacher : la volonté de voir naître la nation européenne et, avec elle, le patriotisme nouveau qu'elle appelle. »

Edouard Balladur : « La création de cette monnaie européenne n'aura rien d'automatique […]. En outre, chaque État conservera la maîtrise de sa politique budgétaire et fiscale, dans des limites qui ne seront pas plus étroites que celles d'aujourd'hui. »

François Loncle : « [Les opposants au traité sont] un cartel de beaufs et de franchouillards. »

Jacques Delors : « On a voulu créer un grand marché avec la libre circulation des personnes, des biens, des services et des capitaux. L'exigence des règles du jeu communes explique que le Conseil des ministres a adopté 280 lois. Mais ce qui était indispensable étant fait, il y aura dans l'avenir moins de lois européennes. »

« En 1998, plus de 80 % des lois nationales seront communautaires. »

« L'euro nous apportera la paix, la prospérité, la compétitivité et, rien que pour la France, il se traduira par la création d'un million d'emplois. »

« [Les partisans du non] sont des apprentis sorciers. […] Moi je leur ferai un seul conseil : Messieurs, ou vous changez d'attitude, ou vous abandonnez la politique. Il n'y a pas de place pour un tel discours, de tels comportements, dans une vraie démocratie qui respecte l'intelligence et le bon sens des citoyens. »

1993-2007

« Les pères ont mangé des raisins trop verts ;
les dents des enfants ont été agacées. »

Ézéchiel

1993

Le prénom

La proposition de loi avait traîné cinq longues années sur le bureau du Sénat sans susciter l'intérêt des hôtes du Palais du Luxembourg. Un député communiste de Seine-Saint-Denis, Marcelin Berthelot, reprit en 1992 l'idée de sa collègue de parti, Marie-Claude Beaudeau. Avec davantage de succès, même si le débat ne fut guère animé ni relayé.

En ouverture de la discussion parlementaire, le ministre de la Justice, le socialiste Michel Vauzelle, dans une longue introduction balancée, montrait quelque embarras, comme s'il ne voulait pas vraiment ce qu'il voulait, pressentant d'avance les conséquences néfastes de ce qu'il s'apprêtait à faire sans avoir le courage de les empêcher.

« Nulle institution n'est plus indispensable à la vie sociale. Sans identité, sans nom, sans prénom, une personne perd ce qu'elle a de spécifique au sein de la société, c'est-à-dire son individualité irréductible en tant qu'être humain, pour devenir une unité abstraite parmi d'autres, porteuse d'un numéro administratif. Aussi n'est-il pas étonnant de constater la sensibilité particulière de nos concitoyens à la matière des prénoms et des noms. Prônant volontiers la prééminence de la volonté individuelle et brandissant, au moins pour ce qui concerne les prénoms, le rempart de la vie privée, certains comprennent mal que les officiers de l'état civil puissent refuser le choix d'un prénom ou qu'il ne soit possible de se débarrasser d'un nom ridicule ou grossier qu'au terme d'une longue procédure nécessitant de multiples démarches et des examens divers. Nos textes, il faut en convenir, ne sont plus adaptés. Ils datent de la Révolution française, mais n'ont de révolutionnaire que l'époque de leur promulgation car ils entendent avant tout assurer la stabilité de l'identité des personnes et opérer un contrôle social, en réaction à certains excès passés. L'évolution des mœurs et des mentalités est aujourd'hui évidente et rend ce carcan difficilement supportable si l'on en juge par le nombre élevé des protestations et réclamations qui parviennent chaque année à la Chancellerie. Un aménagement est nécessaire, mais il doit s'agir d'un aménagement équilibré qui préserve la liberté individuelle tout en se gardant de l'anarchie. »

Une fois encore, on enterrait la Révolution française. Une fois encore, la gauche s'en chargeait sans tambour ni trompette. Une fois encore, avec une insouciance mêlée d'arrogance. Une fois encore, les politiques entérinaient une évolution de la société qu'ils n'avaient ni encouragée ni maîtrisée, encore moins empêchée. Une fois encore, les juges avaient imposé leur souveraine jurisprudence à la loi. Une fois encore, les Français n'avaient été ni consultés, ni même informés.

La législation sur le prénom était jusqu'alors fixée par la loi du 11 germinal de l'an XI, sous le Consulat. L'article 1 précisait qu'« à compter de la publication de la présente loi, les noms en usage dans les différents calendriers, et ceux des personnages connus de l'histoire ancienne, pourront seuls être reçus comme prénoms sur les registres de l'état civil destiné à constater la naissance des enfants ; et il est interdit aux officiers publics d'en connaître aucun autre dans leurs actes ».

Ce n'est pas un hasard si le régime de Bonaparte instaura à la fois le Code civil, les préfets, les lycées, et cet impératif du prénom choisi dans le calendrier. Le futur Empereur est l'enfant de la Révolution, mais veut se débarrasser des scories de violence et de désagrégation de la société qu'elle a charriées dans son flot tumultueux. Napoléon s'apprête à réaliser une somptueuse synthèse historique entre l'Ancien Régime et la Révolution, entre la liberté et l'ordre, l'égalité et la hiérarchie des talents, la tradition catholique séculaire et un voltairianisme anticlérical qui avait viré à la Terreur quelques années auparavant ; entre la liberté individuelle et l'unité de la nation qui n'avait plus la personne sacrée du monarque pour rassembler ses peuples. Napoléon n'a aucune envie que la « Grande Nation » redevienne cet « agrégat disparate de peuples désunis » que dénonçait Mirabeau à la veille de la Révolution. La loi du 11 germinal an XI est un élément fédérateur rarement évoqué, et pourtant essentiel.

À l'instar de ses autres « masses de granit », celle du prénom dura près de deux siècles. Une instruction ministérielle du 12 avril 1966 assouplit le principe en tenant compte « de la force de la coutume » ; mais c'était toujours dans les limites du « bon sens ». À partir des années 1970 et 1980, les conflits se multiplièrent, la loi fut de plus en plus contestée. Les juges choisirent de ne pas l'appliquer, privilégiant la liberté individuelle sur les nécessités de l'unité nationale. Ils légitimèrent ce choix politique et libéral – tout à fait dans l'air du temps – en surinterprétant la circulaire de 1966 qui avait incité les officiers d'état civil à appliquer la loi de germinal « avec souplesse », à une époque où ne se posaient ni la question des prénoms identitaires, ni celle des américanismes et autres exotismes. Le juge fit alors semblant d'oublier que la loi de germinal an XI avait toujours été appliquée « avec souplesse ».

Le juge contourna la loi en décidant que le calendrier servant de référence aux parents ne devait plus forcément être le calendrier officiel et sa cohorte de saints de la religion catholique. La Cour de cassation créa pour cela le critère de « l'intérêt légitime de l'enfant ». Un critère individualiste et esthétique remplaçait celui de l'ancrage dans la tradition et le roman national. C'était la mort annoncée de

la loi du 11 germinal de l'an XI. Parce que le juge n'appliquait plus ce texte, la loi l'abrogea.

Après la loi du 8 janvier 1993, l'article 57 du Code civil
relatif au prénom se bornait à indiquer que « les prénoms
de l'enfant sont choisis par ses père et mère. » L'officier
d'état civil pouvait encore interdire le port d'un prénom en
saisissant le ministère public, mais s'il était contraire à l'intérêt de l'enfant (prénom ridicule, péjoratif, ou grossier, comme
Titeuf, Fleur de Marie, Jihad…).

La Cour européenne des droits de l'homme viendra plus
tard mettre son grain de sel pour couronner le travail de
sape du juge français. Le 24 octobre 1996, elle rendait une
décision en se fondant sur l'article 8 de la Convention européenne des droits de l'homme, qui traite du respect de la
vie privée et familiale – tout en reconnaissant elle-même
qu'elle n'en avait aucun droit ! « Si l'article 8 ne contient
pas de dispositions explicites sur le prénom, le refus du prénom peut porter atteinte à la vie privée et entre dans l'application du texte car c'est un moyen d'identification au sein
de la famille et de la communauté. Cela revêt un caractère
intime et affectif pour les parents et relève de la sphère de
la vie privée. »

Le juge européen ne ratait jamais une occasion de renforcer son idéologie individualiste et communautariste.

En acceptant ce bouleversement d'apparence anodin, les
élites juridiques et politiques françaises entérinaient sans le
dire le passage de l'assimilation au multiculturalisme. Les
immigrés les plus récents s'en réjouirent, l'assimilation étant
toujours une souffrance, un arrachement, plus encore lorsque
le prénom marque une identité séculaire, une fidélité à une
origine, à une foi, et l'appartenance à une communauté de
croyants. Au XIXᵉ siècle, alors que la loi du 11 germinal an XI
était encore strictement appliquée, les Israélites (comme on
disait alors) avaient trouvé une parade discrète et habile en
baptisant, lors de la circoncision du garçon, ou de la naissance
de la fille, d'un prénom issu de la tradition rabbinique, mais
qui ne serait usité que lors des cérémonies religieuses à l'intérieur de la synagogue, tandis que le prénom de l'état civil

– « français » – était utilisé pour tous les actes officiels et la vie courante.

Ce discret fumet de marranisme ne gênait alors aucune narine, même la plus délicatement juive : la liberté et l'égalité des citoyens, leur assimilation à la « Grande Nation » valaient bien une messe !

Mais à partir des années 1970, lorsque les premiers enfants de l'immigration maghrébine débarquèrent en France, ou naquirent dans l'Hexagone, l'esprit public avait beaucoup changé. L'heure était à l'accomplissement individuel ; à la liberté personnelle qui se niche dans les moindres détails et ne supporte plus la moindre contrainte ; à l'ouverture vers le monde ; à la haine ou au moins au mépris de tout ce qui rappelle ou incarne la France. Le choix du prénom devint un signe politique ou en tout cas militant. Les Bretons bretonnisèrent sans honte ; les Juifs plongèrent à pleines brassées dans la Torah ; bientôt, certains d'entre eux abandonneront même les textes sacrés pour se plonger dans les registres de l'état civil israélien, révélant ainsi une « Alyah » dans les têtes qui précédait parfois l'installation en Terre promise ; les passionnés de séries de télévision s'américanisèrent ; au retour d'un voyage enchanteur au Maroc ou en Thaïlande, on donnait à son enfant un prénom arabe ou asiatique, sans rien comprendre de la symbolique culturelle de ces patronymes. Mais ces choix individuels – qui se croyaient libres de toute influence – se révélèrent encombrés d'arrière-pensées sociales et identitaires. Kevin ou Enzo devinrent les prénoms des classes populaires défrancisées, tandis que Louis, Pierre et Paul, les anciens prénoms traditionnels, s'embourgeoisèrent.

Les juges s'efforcèrent de canaliser la crue qu'ils avaient eux-mêmes provoquée ; nos pompiers pyromanes éteignirent les feux de broussailles infamants ou ridicules (Goldorak), mais laissèrent flamboyer les incendies communautaires.

Pour d'évidentes raisons démographiques, et géographiques (la concentration dans certains quartiers), voire sécuritaires (la délinquance d'origine maghrébine ou africaine), historiques (la guerre millénaire entre Islam et Chrétienté) ou encore

géostratégiques (le terrorisme islamique médiatisé), la multiplication des prénoms musulmans focalisa l'attention et
l'inquiétude. Dans de nombreuses cités françaises, Mohamed
devint le premier prénom de l'état civil. Une suprématie
qui sonnait comme une promesse de domination et de
conquête. Une fois encore, le primat de la liberté de choix
individuel conduisait non pas à l'émergence d'individus
libres, mais à l'emprise d'une autre communauté que celle
de la nation.

Pris entre des fidélités et des exigences contradictoires, la
plupart des familles musulmanes s'en tint à un respect scru-
puleux de la tradition, les Mohamed succédant aux Karim,
et les Farida aux Aïcha. Une minorité d'entre elles, cependant, conscientes de l'écho répulsif dans la société française,
souhaitant que leurs enfants soient mieux acceptés, mais
sans accomplir ce qu'elles regardaient comme une apostasie
– donner un prénom de « roumi » à leur descendance – tentèrent de trouver un compromis avec des choix qu'elles
croyaient neutres comme « Ryan », sans se rendre compte
que cela les faisait entrer dans un camp doublement détesté,
à la fois musulman et américain, comme si, malgré eux, ces
gens bien intentionnés passaient de la tradition du bled à
celle de l'Oumma mondialisée, sans jamais s'arrêter à la case
hexagonale.

Dans la vie de tous les jours, au bureau, dans les cafés,
la convivialité populaire fit contre mauvaise fortune bon
cœur. Mohamed devint Momo ; et les consonnes guttu-
rales furent adoucies, francisées. Le peuple tentait avec ses
pauvres armes de défendre son euphonie nationale. Les
moins complaisants estimaient que ces prénoms musulmans
étaient bien le signe d'un rejet de la France, d'où les regards
de travers, les mauvaises querelles, ou même les refus
d'embaucher.

Face à cette réalité déplaisante, mais inéluctable, le législateur aurait pu revenir à une stricte application de la loi
de l'an XI. Cela aurait montré aux nouvelles générations
d'immigrants venues d'outre-Méditerranée qu'elles étaient
traitées comme celles qui les avaient précédées, selon le prin-

cipe séculaire : «À Rome, fais comme les Romains » ; cela aurait aussi permis à ces musulmans, par une contrainte salutaire, de s'arracher à l'emprise d'une identité fondée sur la tradition religieuse. Il préféra punir les autochtones de leur mauvaise volonté. Ce ne furent que discours sur le racisme des Français, lois contre les discriminations, ou même CV anonymes. À chaque fois, on prenait la question à l'envers, car ce n'est pas le défaut d'intégration (économique) qui retarde et finit par empêcher l'assimilation dans la nation française, mais le refus tacite d'assimilation (symbolisé par ce sacré prénom) qui retarde et empêche l'intégration.

On découvrit, mais un peu tard, que le choix contraint d'un prénom, dans le calendrier empli de saints, nimbait le nouvel arrivant d'une onction catholique et française, d'une grâce nationale qui lui permettait d'être mieux accueilli. La loi du 11 germinal an XI était l'équivalent de « Nos ancêtres les Gaulois » enseigné dans toutes les écoles de la République à tous les enfants quelle que soit leur origine : une assimilation au pas de charge, un arrachement sans douceur à ses anciennes fidélités, mais aussi un tampon moral qui accélérait son entrée dans la Communauté nationale.

La question n'était plus l'intégration des Mohamed et Karim mais leur acceptation par les « Français de souche » des classes populaires, ou même les descendants lointains d'immigrés qui ne supportaient pas que les nouveaux arrivants fussent dispensés des efforts que leurs ancêtres avaient dû accomplir. Avec cette querelle – apparemment dérisoire, en vérité essentielle – sur les prénoms, le fossé se creusait un peu plus entre le pays légal et le pays réel, entre la nationalité de papier et la nationalité de cœur, entre la loi et la fraternité. Les enfants d'immigrés, de nationalité française, ne comprenaient pas l'ostracisme qu'ils subissaient à cause de leur prénom, et accusaient les autochtones de racisme. Les Français ne comprenaient pas que ceux-ci continuent d'appeler leurs enfants Mohamed ou Aïcha, et pas François et Martine, voyant dans cette obstination la volonté farouche de ne pas s'intégrer, de ne pas devenir comme eux, de rester un autre pour l'éternité. Tout le monde était furieux, tout le monde était malheureux, tout le monde était piégé.

Dans cette affaire, les élus communistes avaient suivi leurs électeurs issus des bouleversements démographiques de la Seine-Saint-Denis.

Les politiques avaient suivi les juges. Les juges avaient suivi une idéologie libérale et communautariste à la fois. Seuls les Français n'avaient pas suivi, mais ils n'avaient plus leur mot à dire.

20 mai 1993

La chute du Berlusconi français

On ne se méfie jamais assez de ses bonnes intentions. Bernard Tapie voulait éviter à tout prix que les délicats mollets de ses joueurs de l'Olympique de Marseille ne fussent égratignés par les rudes crampons des footballeurs de Valenciennes, obscure équipe de championnat de France, avant une prestigieuse finale de coupe d'Europe. Il se souvenait que les Verts de Saint-Étienne, trois jours avant la finale disputée contre le Bayern de Munich, en 1976, avaient perdu leur arrière gauche Gérard Farison, et leur attaquant phare Dominique Rocheteau, blessés par des adversaires nîmois agressifs, lors d'une rencontre sans enjeu. Il se dit que quelques liasses de billets apaiseraient les tempéraments les plus vindicatifs.

Depuis qu'il dirigeait l'OM, il avait découvert que le football français, et international, était accoutumé à ces matchs truqués, à ces arbitres circonvenus par de superbes filles offertes pour un soir, à ces joueurs piqués par la mouche tsé-tsé.

Lorsque Basile Boli inscrivit le but vainqueur pour l'OM d'une tête souveraine, et qu'il put tenir enfin entre ses mains la célèbre coupe aux oreilles, Bernard Tapie se persuada encore qu'il avait eu raison, et qu'il demeurait « Nanard la baraka ».

Quelques mois plus tard, Bernard Tapie se retrouvait en prison et devait abandonner ses mandats politiques ; l'Olympique de Marseille était déchu de l'élite nationale.

Entre-temps : un Valenciennois forte tête incorruptible, Jacques Glassmann ; 250 000 francs enterrés au fond d'un jardin ; une plainte de la Ligue de football ; un parquet dirigé par un procureur de choc, Éric de Montgolfier, qui ouvre une information judiciaire pour « corruption passive et active » ; des médias en folie ; des faux témoignages, des serments d'innocence, des menaces, des insultes, des rodomontades : « J'ai menti, mais c'était de bonne foi » ; des juges implacables : deux ans d'emprisonnement, dont un ferme, trois ans d'inéligibilité et 20 000 francs d'amende (environ 3 000 euros). « T'as pas vu qu'ils veulent ma peau ? S'ils pouvaient même rétablir la peine de mort... »

Quand l'Olympique de Marseille avait en ce soir de mai 1993 vaincu le Milan AC en finale de coupe d'Europe, Bernard Tapie avait reçu les félicitations du président du club italien, Silvio Berlusconi. Comme un adoubement. Un passage de témoin. Une succession. Tapie serait le Berlusconi français. Tout rapprochait les deux hommes. Le groupe industriel qu'avait édifié Bernard Tapie à force de reprises d'entreprises acrobatiques, n'aurait jamais l'envergure ni la solidité de l'empire du magnat italien · mais Tapie estimait que ses hâbleries médiatiques compensaient et faisaient illusion. Séduit par son culot et sa vitalité exceptionnels, le président Mitterrand lui avait mis le pied à l'étrier politique, comme le socialiste Bettino Craxi avait lancé Silvio Berlusconi, avant de le recommander à son ami François, qui cherchait en 1985 un homme de télévision compétent pour créer la « Cinq ».

La télévision avait fait les deux hommes. Berlusconi possédait le plus grand groupe privé de l'histoire des médias transalpins ; Bernard Tapie s'était révélé une exceptionnelle bête télévisuelle qui crevait les écrans et les adversaires.

Ils avaient tous deux une réelle sensibilité d'artiste ; avaient poussé dans leur jeunesse la chansonnette ; et, toute leur vie, ils avaient « *voulu être un artiste / pour dire au monde pourquoi j'existe* ».

Ils avaient non seulement assimilé les codes de la société du spectacle, mais aussi les nouvelles formes prises par la

vie des affaires ; et su moderniser les vieilles ficelles du clientélisme politique. Leur incursion dans l'univers du football
leur avait donné une médiatisation démesurée, une incomparable et inaltérable popularité, une aura internationale
(les matchs de leurs clubs dans les compétitions européennes étaient regardés par des dizaines de millions de
téléspectateurs à travers le continent) ; et une connaissance
approfondie de milieux interlopes : dès les années 1950, la
mafia sicilienne investissait dans le football transalpin, et
c'est la mafia napolitaine qui acquit pour le compte du FC
Naples Diego Maradona, le meilleur joueur du monde des
années 1980 ; l'ancien patron de l'Olympique de Marseille,
Pierre-Louis Dreyfus, évoqua, peu de temps avant sa mort,
l'influence majeure du « Milieu » dans la vie de l'Olympique
de Marseille.

Le destin des deux hommes fut lié aux juges de leur pays ;
mais pas de la même façon.

Berlusconi devait tout aux juges italiens et à leur opération « Mani pulite » du début des années 1990. En éliminant
les principaux dirigeants de la Démocratie chrétienne et du
parti socialiste, convaincus de corruption, les juges avaient
permis à Forza Italia de Berlusconi, construction politique
de bric et de broc, de rassembler tous ceux qui s'opposaient
à l'avènement du parti communiste, resté seul debout dans
les décombres de la partitocratie italienne. Les juges ne ces-
sèrent ensuite de harceler Berlusconi par des procédures
innombrables ; mais ils mirent vingt ans à l'abattre, ne pouvant l'empêcher de devenir à deux reprises président du
Conseil.

Les juges français furent à la fois moins puissants et plus
prompts que leurs homologues italiens. Il n'y eut jamais
d'opération « mains propres » à la française, en dépit de
l'impressionnante série de politiques inculpés en ces mêmes
années 1992-1993 : Carignon, Noir, Botton, Boucheron,
puis, plus tard, Emmanuelli, Juppé, etc. Mais les partis politiques traditionnels français résistèrent mieux que les italiens ; leur marginalisation relative par la Ve République les
sauva ; dans le régime bonapartiste légué par le général de

Gaulle, les partis politiques n'incarnaient pas le régime, contrairement aux partis italiens ; le « système » français se défendit mieux : on élagua quelques mauvaises branches ; on réforma la législation sur le financement des partis politiques ; surtout, l'organisation judiciaire française, au contraire de l'italienne, ne permit jamais aux juges du siège d'atteindre la police qui demeura entre les mains de sa hiérarchie administrative et ministérielle.

En revanche, ces particularités étatistes françaises se retournèrent contre Bernard Tapie. Celui-ci rêvait d'un destin berlusconien, avant même qu'il ne brise l'ambition élyséenne de Michel Rocard lors des élections européennes de 1994. Mais il n'était alors qu'un missile tiré par François Mitterrand contre cet adversaire de longue date, que le président haïssait et méprisait.

Dès qu'il apparut aux yeux de tous que Tapie se mettait à son propre compte, une coalition inédite de dirigeants du parti socialiste, de hauts fonctionnaires et de juges se forma pour arrêter celui qui se croyait inarrêtable.

Quelques jours après la victoire de l'OM en coupe d'Europe, le maire de Valenciennes, Jean-Louis Borloo, vieux complice de Bernard Tapie au temps où ils écumaient de concert les tribunaux de commerce pour s'enrichir, trouvait avec Tapie un compromis honorable pour sortir de cette affaire dérisoire. Mais le président de la Ligue nationale de football, Noël Le Graët s'obstina à maintenir la plainte en justice. Les relations entre Le Graët et Tapie n'avaient jamais été chaleureuses. Un jour, le petit patron breton avait lancé à la vedette marseillaise : « Bernard, tu as des qualités formidables. Mais il y a en toi 20 % de vice. » Le Graët n'avait été que le prête-nom d'une entreprise plus vaste.

Au contraire de ses rivaux italiens, espagnols ou anglais, le football professionnel français n'était pas encore soumis à la seule loi de l'argent et des magnats, français et internationaux ; il évoluait alors sous la férule de hauts fonctionnaires missionnés par l'État pour régner sur un royaume qui n'était à leurs yeux qu'une excroissance – un peu folklorique – du sport olympique. En 1993, le cadavre du colbertisme footballistique bougeait encore, comme au bon vieux temps où Georges Boulogne et... Philippe Séguin (de son bureau à l'Élysée sous Georges Pompidou) rénovaient les structures de formation des clubs dont les plus beaux fruits s'appelleraient quelques années plus tard Michel Platini et Zinedine Zidane...

L'aristocratie d'État observait depuis des années Bernard Tapie avec le mépris que manifestait le duc de Saint-Simon pour la finance enrichie et anoblie sous Louis XIV. Elle découvrit à sa grande surprise que le football se révélait une arme improbable pour faire mettre un genou à terre à l'odieux parvenu ; puis, d'autres juges, d'autres hauts fonctionnaires, traquèrent ses irrégularités et ses illégalités dont il n'était pas avare. Tapie tomba le nez dans la sciure. Avant de se relever à la manière d'un Monte-Cristo. Mais plus rien ne serait comme avant.

Quelles que soient ses rocambolesques aventures, Tapie resterait Nanard et ne deviendrait jamais « Sua Emittenza ».

1995

16 juillet 1995

De Gaulle raflé au Vél' d'Hiv'

« Il est, dans la vie d'une nation, des moments qui blessent la mémoire et l'idée que l'on se fait de son pays. [...] La France, patrie des Lumières et des droits de l'homme, terre d'accueil et d'asile, la France, ce jour-là, accomplissait l'irréparable. Manquant à sa parole, elle livrait ses protégés à leurs bourreaux... » Ce fut à Brutus, son fils adoptif, qu'il revint, selon la légende, d'achever César, transpercé de coups de poignards ; ce fut à Jacques Chirac, héritier revendiqué du gaullisme, qu'il appartint de détruire la mystique gaullienne. Celle-ci reposait sur la distinction entre un Vichy légal mais illégitime, autorité de fait et non de droit, et la France libre, incarnation de la légitimité nationale, de la seule France, la France qui se bat...

Si la France, ce jour-là, celui de la rafle du Vél' d'Hiv', le 16 juillet 1942, « commet l'irréparable », c'est que la France réside alors à Vichy, et non à Londres ; Pétain est bien le chef de l'État français et de Gaulle redevient un général rebelle et factieux, condamné à mort par contumace.

Avec les phrases égrenées à la fin de son discours, évoquant Bir Hakeim et Londres et « la certaine idée de la France, droite, généreuse, fidèle à ses traditions, à son génie », le président Chirac accordait quelques miettes pour

solde de tout compte à un mythe qu'il abattait de ses mots
Un mythe, ce n'est pas l'Histoire, mais ce n'est pas un mensonge non plus. Il ne s'agissait pas, contrairement à ce qu'ont dit tant d'historiens, de communier dans une France résistante – résistants que de Gaulle brocardait souvent. L'enjeu était ailleurs. Pour de Gaulle, une France vaincue, sous la botte des Allemands, obéissant à son vainqueur, ne pouvait pas être la France, car elle n'était plus souveraine. Reconnaître la responsabilité de la France à travers les actes de Vichy, c'était donner raison à l'Allemagne mais aussi a l'Amérique de Roosevelt qui avait préféré conserver le contact avec Vichy, plutôt qu'avec l'insupportable « apprenti dictateur » protégé par ce sentimental Churchill.

C'était ruiner la distinction très française entre légitimite et légalité. Ainsi, par la magie d'un discours, Vichy n'étaiı plus coupable d'un crime contre la souveraineté française, mais d'un crime contre l'humanité. Pour le général de Gaulle, la Seconde Guerre mondiale n'avait été que la revanche de la première, les deux conflits confondus dans une même guerre de Trente Ans, où les défaites (mai 1940) se mélangeaient avec les hauts faits d'armes (la Marne, Verdun), les héros (Foch, Galliéni, Clemenceau... et Pétain) avec les vaincus et les traîtres (Laval... et Pétain).

Cette mystique gaullienne fonda toute l'œuvre politique du Général. Quand il s'opposa au putsch des généraux en 1961, de Gaulle invoqua « l'entreprise de redressement national commencée au fond de l'abîme, le 18 juin 1940 ».

Mais seuls quelques vieux grognards du gaullisme furent sensibles à cet argumentaire. Pierre Messmer, Pierre Juillet, Marie-France Garaud et Philippe Séguin comprirent mais un peu tard qu'ils n'avaient été qu'un marchepied à l'ambition du Rastignac de Corrèze. Leurs yeux s'étaient dessillés depuis plusieurs années, lorsque Marie-France Garaud avait jeté à son ancien protégé : « Je vous croyais du marbre dont on fait les statues ; vous n'êtes que de la faïence dont on fait les bidets » ; mais ils ne pensaient pas que Chirac oserait pousser l'apostasie jusqu'à ces extrémités. Ils ne furent ni entendus ni compris. Les mots qu'ils employaient, indépendance, souveraineté, grandeur, légitimité, ne faisaient plus partie du vocabulaire de l'époque.

Le discours de Chirac consacra une nouvelle approche de la Seconde Guerre mondiale, vue comme un unique combat contre le nazisme, régime presque sorti de l'espèce humaine, extérieur à l'Allemagne et même à l'Histoire, loin des luttes des nations pour l'hégémonie européenne et mondiale. Scénario commode qui autorisait les démissions futures. Bien que Mitterrand fût le président qui abolît des pans essentiels de la souveraineté française en paraphant le traité de Maastricht, il était révulsé par ce renoncement symbolique : « Ceux qui réclament que la France s'excuse n'aiment pas leur pays. »

Diminué par la maladie, Mitterrand s'était débattu, sans jamais céder. Il avait consacré une « Journée nationale commémorative des persécutions racistes et antisémites commises sous l'autorité de fait de Vichy (1940-1944) », croyant que la concession suffirait. Il s'était longuement et passionnément justifié devant Jean-Pierre Elkabbach après les révélations faites par Pierre Péan sur son amitié persistante avec René Bousquet, l'organisateur de la rafle du Vél' d'Hiv', et la parution de la fameuse photographie – que le général de Gaulle avait refusé de rendre publique pendant la campagne présidentielle de 1965 – où l'on découvre le jeune Mitterrand recevoir la francisque des mains du vieux Maréchal.

Mitterrand subit sans ciller, le 16 juillet 1994, les sifflets des jeunes militants juifs, tandis que Robert Badinter, hors de lui, les houspillait : « Vous me faites honte ! » Les pires attaques vinrent de ceux qu'il avait faits. Lionel Jospin, pressé de donner corps à son « droit d'inventaire », jeta sa petite pierre : « On voudrait rêver d'un itinéraire plus simple et plus clair pour celui qui fut le leader de la gauche française des années 1970 et 1980. Ce que je ne peux comprendre, c'est le maintien, jusque dans les années 1980, des liens avec des personnages comme Bousquet, l'organisateur des grandes rafles des Juifs. »

Épuisé, le jour de son départ de l'Élysée, Mitterrand fulminait encore, à l'oreille de Jean d'Ormesson, contre « le lobby juif » qui l'avait tant tourmenté.

L'expression choqua, révulsa, suscita mille traits acides sur l'incoercible antisémitisme du président Mitterrand.

Serge Klarsfeld était visé. Mitterrand l'accusait d'avoir remué ciel et terre, Juifs français et américains, pressions nationales et internationales, pour le faire plier. Mitterrand n'avait jamais cédé ; Chirac n'aura jamais résisté. Klarsfeld triomphait. C'était le combat de sa vie.

Chirac fut acclamé, encensé par les médias et une classe politique presque unanime. Les médias et la gauche avaient déjà oublié qu'ils dénonçaient, quatre ans plus tôt, le « xéno-phobe » et le « raciste » Chirac pour ses propos sur « le bruit et les odeurs », qui décrivaient l'exaspération de l'ouvrier français qui se lève tôt, et gagne moins que son voisin de palier venu d'Afrique, vivant d'allocations diverses. En cette même année 1991, le grand rival de Chirac, Giscard, avait agité le spectre de « l'invasion » pour alerter le pays sur le sort tragique qui l'attendait – et faire remonter sa cote de popularité dans les sondages. Mais Chirac, élu en 1995, avait vaincu son ennemi de toujours et ses démons. Il était temps de changer de peau. On effaçait les traces lointaines de « Facho Chirac » pour réécrire la geste de Chirac l'antira-ciste, amateur de civilisations exotiques et d'arts premiers, le réconciliateur qui n'hésitait pas à « regarder l'Histoire de la France avec ses lumières et ses ombres ».

Chirac, n'oubliant jamais la petite politique, en rajoutait, mêlait les souffrances des Juifs envoyés dans les camps avec les plaisanteries de mauvais goût de Jean Marie Le Pen (sans le nommer) ; il achevait même son homélie sur les affronte-ments qui déchiraient la Yougoslavie, dans un salmigondis droit-de-l'hommiste. Mais personne ne lui en fit grief ; ce dis-cours du Vél' d'Hiv' serait toujours mis à son crédit, même par ses détracteurs les plus farouches ; il resterait comme son chef-d'œuvre, son legs à la postérité reconnaissante, son abo-lition de la peine de mort.

La victoire de Serge Klarsfeld et, derrière lui, de tous ceux qui attendaient que la France arrogante des « droits de l'homme » reconnût – enfin – ses crimes, était totale ; mais ce fut une victoire à la Pyrrhus.

Après la longue résistance mitterrandienne, cette expiation française serait vécue par certains comme la preuve aveuglante de l'écrasante et impudente domination juive, capable de soumettre le chef de « la cinquième puissance du monde ». Depuis de nombreuses années, la lente érection de la « Shoah » comme crime des crimes, et des Juifs comme victime absolue, avait déjà beaucoup agacé les survivants et héritiers d'autres massacres de l'Histoire. Dès 1976, Charles Aznavour, d'origine arménienne, avait déclaré, en commentant sa chanson « Ils sont tombés » : « Qui ne fait pas siens tous les génocides, n'en fait sien aucun. »

Les Antillais s'offusqueraient de plus en plus de ce qu'ils ressentaient « comme un deux poids deux mesures ». La concurrence victimaire des mémoires, qu'Alain Besançon qualifia un jour d'« amnésie et hypermnésie historiques », fut la conséquence inéluctable de cet avènement de la Shoah en religion officielle de la République française. Le comique Dieudonné, ancien compère d'Élie Semoun, furieux de ne pas trouver les financements nécessaires à un film qu'il voulait consacrer à l'histoire du Code noir de Colbert, deviendrait la figure de proue de cette concurrence victimaire. Avec une talentueuse truculence désacralisatrice, Dieudonné accumulerait brocards et provocations, comme ce « prix de l'infréquentabilité » qu'il fit remettre au négationniste Robert Faurisson par un acteur en pyjama rayé de déporté. Les institutions juives se récrièrent, ripostèrent, obtinrent sa condamnation en justice, chassèrent le comique de la télévision, des radios, parvinrent même à lui fermer les salles de spectacle. Dieudonné et ses admirateurs, de plus en plus nombreux, en particulier parmi les jeunes Arabes et Noirs de banlieue, furent convaincus de la puissance irrésistible et sectaire de la « Communauté » ; d'autant plus redoutable qu'on n'avait pas le droit – tel le Dieu de l'Ancien Testament – de prononcer son nom.

L'incendie Dieudonné fut circonscrit un instant ; mais, grâce à internet, son succès se poursuivit.

Le président Chirac dut cependant tenir compte de cette frustration des militants de la cause noire. Ils obtinrent, eux aussi, leur journée commémorative de la traite des Noirs et de l'esclavage, et leur loi mémorielle. L'engrenage s'avéra diabolique. On vota aussi une loi sur le génocide arménien ; et la conquête coloniale fut stigmatisée.

Chaque « communauté » exigeait sa loi mémorielle et sa journée commémorative, son crime contre l'humanité, son génocide. Chaque « communauté » réclamait à l'État français qu'il payât la dette contractée à son égard. La France n'était plus cette madone adorée dont on célébrait les hauts faits, mais une marâtre détestée qui avait accumulé crimes et injustices dont de sourcilleux créanciers tenaient une comptabilité vétilleuse et vindicative. On abandonnait le temps glorieux des « morts pour la France » pour entrer dans le temps hargneux des « morts à cause de la France »[1].

Chacun rêvait de devenir victime, et d'acquérir la puissance – réelle et fantasmée à la fois – que cette condition victimaire avait apportée aux Juifs.

Un historien fut menacé d'un procès, parce qu'il ne voulait pas reconnaître le caractère « génocidaire » de la traite des Noirs ; il arguait pourtant avec raison que « l'esclave devait être conservé vivant pour être rentable ». Les plus grands historiens défendirent leur jeune collègue. Les politiques s'émurent enfin. On confia à l'historien André Kaspi le soin d'étudier la question des commémorations en France ; il préconisa la remise en cause de journées commémoratives nationales annuelles. « Il n'est pas sain qu'en l'espace d'un demi-siècle, le nombre de commémorations ait doublé. Il n'est pas admissible que la Nation cède aux intérêts communautaristes et que l'on multiplie les journées de repentance pour satisfaire un groupe de victimes. »

Après ces fortes paroles, on ne fit rien. Les journées commémoratives sont désormais un droit acquis au nom de « la réconciliation des mémoires ». Une belle antiphrase.

Le 16 juillet 2012, pour célébrer avec éclat son arrivée récente à l'Élysée, et afin de s'opposer à son prédécesseur qui avait cru bon de dauber sur la repentance, François

1. Serge Barcellini, in *Les Guerres de mémoires,* Pascal Blanchard et Isabelle Veyrat-Masson dir., La Découverte, 2008.

Hollande dénonça « le crime commis en France par la France ». En une phrase, le nouveau président donnait sa pleine mesure à la transgression de son ami corrézien ; il avait effacé les quelques précautions oratoires dont Chirac avait encore parsemé son discours. Hollande avait éliminé toute référence à l'Allemagne, aux nazis, à la guerre, à la défaite, comme si la volonté exterminatrice des Hitler, Himmler et Eichmann avait été négligeable, comme si toute contextualisation historique était inutile ; la geste gaullienne était renvoyée au mythe, pour sauver l'honneur. La survie des trois quarts des Juifs de France fut tout entière mise au crédit des Français, ces « héros anonymes », ces Justes, reprenant ainsi la thèse pourtant matériellement impossible de Serge Klarsfeld. La France était cette nation coupable en soi, pour toujours, à jamais. De toute éternité.

12 décembre 1995

Mai en décembre

Il ne monta pas sur un tonneau et ne harangua pas les ouvriers sortant de l'usine ; mais, affublé d'une sobre veste sans cravate, il s'assit à la tribune. Hésitant, butant parfois sur les mots, devant une salle des spectacles du comité d'entreprise de la gare de Lyon bourrée de cheminots en grève, il lança : « Je suis ici pour dire notre soutien à tous ceux qui luttent depuis trois semaines contre la destruction d'une civilisation associée à l'existence du service public, celle de l'égalité républicaine des droits, droits à l'éducation, à la santé, à la culture, à la recherche, à l'art, et par-dessus tout au travail. »

Le sociologue Pierre Bourdieu n'avait pas l'aura de Jean-Paul Sartre, ni son talent littéraire ; sa prose était complexe, parfois absconse. Mais sa seule présence auprès des cheminots en ce 12 décembre 1995, après trois semaines de grève dans les services publics des transports, rompit l'affrontement inégal entre le « cercle de la raison » des experts et les passions populaires irrationnelles de « corporatismes arc-boutés sur leurs privilèges », que les médias avaient mis en scène depuis le début du mouvement. Entre les élites qui font le bonheur du peuple malgré lui, et le peuple qui fait son malheur par ignorance.

C'était l'originalité profonde de ce conflit. Le plan Juppé de réforme de la Sécurité sociale avait été présenté par le Premier ministre le 15 novembre à l'Assemblée nationale, sous les acclamations, debout, des députés de la majorité, mais aussi d'une grande partie des élus de gauche. Le soir à la télévision, l'ancien ministre de la Santé du gouvernement Rocard, Claude Évin, faisait assaut d'enthousiasme pour défendre ce plan qui osait à la fois poser des plafonds quantifiés aux dépenses médicales, mais aussi – et surtout – réformer les retraites (passer de 37,5 à 40 annuités de cotisations) et supprimer les régimes spéciaux qui permettaient aux cheminots de partir en retraite dès l'âge de 50 ans. Cette ultime audace avait fait hésiter le président de la République, Jacques Chirac, mais il avait laissé faire son impérieux Premier ministre. L'enthousiasme de l'ancien ministre de Michel Rocard avait le mérite de la cohérence : Juppé mettait en application les mesures préconisées par le « Livre blanc sur les retraites », rédigé sous le gouvernement Rocard, dont celui-ci avait lui-même prophétisé qu'il contenait « de quoi faire sauter plusieurs gouvernements ».

Le 24 novembre, à l'initiative de la revue *Esprit*, un « appel pour une réforme de fond de la Sécurité sociale » était signé par de nombreux intellectuels, professeurs, experts. Autour de Pierre Rosanvallon, on retrouvait Jacques Julliard, ou Jean-Paul Fitoussi, tous membres d'une gauche modérée, social-démocrate, rocardienne, qui tenaient avant tout à soutenir la patronne de la CFDT, Nicole Notat, qui avait approuvé le plan Juppé, et était fort contestée par la CGT, mais aussi dénigrée, et insultée à l'intérieur de sa centrale syndicale.

Le plan Juppé était en effet rationnel et raisonnable. Le temps de Gabin dans *La Bête humaine* était bien révolu, et les chauffeurs de TGV ou de métropolitain ne souffraient plus de conditions de travail inhumaines ; leurs revendications paraissaient excessives et désuètes ; on pouvait dénoncer leur archaïsme et leur conservatisme. Pour une fois, le changement, le progrès, la lutte contre les privilèges semblaient avoir changé de camp, et se retrouvaient dans celui des dirigeants et des experts.

C'était un retournement sémantique inouï. Les cheminots grévistes, les anciens damnés de la terre, les personnages sortis de *Germinal* soudain caricaturés en conservateurs ventrus et bedonnants, personnages de Daumier défendant leurs droits acquis et leurs privilèges ! Et, de l'autre côté de la rive, des gouvernants, de droite comme de gauche, qui s'autocélébraient en réformateurs audacieux, abolissant des privilèges au nom de l'intérêt général et du progrès ! La machine idéologique infernale ne se grippera plus : toute réduction – même la moins justifiée, même la moins légitime – des avantages sociaux se parera des atours de « la réforme », tandis que la défense des acquis sociaux par ses bénéficiaires sera diabolisée sous le terme de « conservatisme ».

Cette grâce technocratique sembla un moment porter Alain Juppé qui affrontait la tempête gréviste « droit dans ses bottes ».

Il avait l'appui unanime des élites de tous bords, tous ceux qui se réclamaient du « cercle de la raison », et revendiquaient encore de défendre « une pensée unique », version française du célèbre acronyme libéral TINA, cher à Margaret Thatcher : « *There Is No Alternative* ». Mais les grévistes étaient soutenus en silence par une population de millions de salariés d'Île-de-France qui se rendaient à leur travail à pied, et bientôt les pieds dans la neige, mais sans maudire ceux que les médias leur avaient présentés pourtant comme une caste arrogante de privilégiés.

Le climat politique était tendu. Quelques semaines avant le plan Juppé, Jacques Chirac avait expliqué à la télévision qu'il renonçait à son programme de « réduction de la fracture sociale », bien que celui-ci lui eût permis d'être élu président de la République ; il avait « sous-estimé l'ampleur des déficits » ; il mettait le cap sur une politique d'économie et de rigueur, afin de « qualifier la France pour la monnaie unique européenne ».

Un tel cynisme tranquille confirmait à tous ceux qui en avaient douté que la campagne « sociale » défendue par le candidat Chirac lors de la présidentielle de 1995 n'avait eu d'autre but tactique que de vaincre son « ami de trente ans », Edouard Balladur, qui avait osé le défier, en dépit de ses promesses réitérées. « Je vous surprendrai par ma démagogie », avait averti Chirac devant son dernier carré de fidèles effarés.

La grève de décembre fut la première réponse populaire à cette imposture chiraquienne ; elle serait suivie de la défaite cuisante des partis de la majorité lors des élections législatives de 1997 provoquées par la dissolution de l'Assemblée nationale.

Au bout de trois semaines de blocage, le patronat français contraignit Alain Juppé à capituler. Le talon d'Achille du Premier ministre fut qu'il possédait encore les apparences du pouvoir ; ou plutôt qu'il en avait les stigmates. Technocrate français à l'ancienne mode, Juppé incarnait un pouvoir personnalisé et hiérarchique, qui impose et assume sa politique. Dans le schéma autoritaire, mais démocratique, légué par le général de Gaulle, le peuple sait qui dirige et à qui s'opposer. La grève de décembre 1995 serait une période de transition qu'avait fort bien diagnostiquée Pierre Bourdieu : « Cette noblesse d'État qui prêche le dépérissement de l'État et le règne sans partage du marché et du consommateur, substitut commercial du citoyen, a fait main basse sur l'État ; elle a fait du bien public, un bien privé, de la chose publique, de la République, sa chose. Ce qui est en jeu aujourd'hui, c'est la reconquête de la démocratie contre la technocratie : il faut en finir avec la tyrannie des experts, style Banque mondiale ou FMI, qui imposent sans discussion les verdicts du nouveau Léviathan, "les marchés financiers", et qui n'entendent pas négocier mais "expliquer". »

C'est ce que diront les amis d'Alain Juppé et tous les successeurs du Premier ministre à chaque fois que la rue les fera reculer : « La politique est bonne mais n'a pas été suffisamment expliquée. »

Il faudra près de quinze ans pour que les intellectuels, experts, éditorialistes qui avaient soutenu le plan Juppé reconnaissent qu'ils mettaient alors un doigt dans un engrenage mortifère et que l'Europe et la mondialisation étaient des machines de guerre à défaire la protection sociale des salariés et à accroître les inégalités au profit d'une infime minorité de riches. Au bout de quinze ans, Rosanvallon et consorts retrouveraient un discours hostile au capitalisme, après qu'ils eurent permis à celui-ci, par leurs analyses complaisantes de la fondation Saint-Simon, de détruire les acquis des Trente Glorieuses.

Bourdieu ne s'y était pas trompé. Il avait attaqué sans le nommer Pierre Rosanvallon qui avait dénoncé, dans une interview, le « gouffre entre la compréhension rationnelle du monde et le désir profond des gens ». Mais Pierre Bourdieu et ses alliés d'extrême gauche ne tireraient guère avantage de leur lucidité précoce. On convoqua des états généraux, on discuta, on théorisa, on pétitionna. On mena d'inlassables luttes d'appareils syndicaux, partisans, et universitaires. On engagea de grandes luttes égalitaristes et internationalistes. On se dispersa en faveur des « sans-papiers », des « sans-logement », de la cause des femmes, du « genre », des homosexuels, des immigrés. On poursuivit la quête d'une solidarité universaliste sans comprendre que le capitalisme mondialisé assumait ces mêmes objectifs cosmopolites et progressistes avec bien plus d'efficacité et de constance que les « représentants autoproclamés des damnés de la terre ». Le rapprochement de la gare de Lyon resta un moment éphémère.

Le peuple français demeura seul face à la mondialisation.

15 décembre 1995

Le voyage triste du football après Bosman

C'est un joueur belge qui a eu plus d'influence sur l'évolution du football mondial que Di Stefano, Pelé, Cruyff, Beckenbauer, Maradona, Platini et Zidane réunis. Sa réputation n'avait pourtant guère dépassé les limites de la ville de Liège ; il fut d'autant plus affecté par le refus que les dirigeants liégeois opposèrent à son transfert vers le club français de Dunkerque. Ce n'était pas le Pérou, ni même le Real Madrid, mais Jean-Marc Bosman n'avait pas les moyens de faire la fine bouche. Le conflit s'envenima ; chacun se tint sur ses positions. Bosman fut exclu de Liège et ne put jouer à Dunkerque, ni dans aucune autre équipe. Il saisit la justice. L'affaire remonta jusqu'à la Cour de justice des Communautés européennes.

Le 15 décembre 1995, la Cour donna raison à Bosman, estimant que les règlements de l'UEFA étaient contraires à l'article 48 du traité de Rome sur la libre circulation des travailleurs dans les États membres.

Le football était dans le collimateur des institutions européennes depuis de nombreuses années. Les technocrates bruxellois, enivrés d'idéologie libérale, ne comprenaient pas que ce « marché » ne fût pas comme les autres régi par les lois de la concurrence. Ils estimaient que ce fatras baroque de contraintes et interdits, ces contrats de travail corsetés, ces indemnités de formation acquittées lors de tout transfert, ce paternalisme éhonté des présidents de clubs et des entraîneurs, et enfin, *last but not least,* comme on dit dans les instances européennes, ces quotas de joueurs étrangers – deux, puis trois par club –, tout cela ne correspondait ni à la théorie libérale ni à l'esprit européen, relevait d'un autre temps, désuet, dépassé, sentait le soufre des corporations, devait être éliminé, abattu, rasé, comme les murs de la Bastille. Les commissaires avaient tenté à plusieurs reprises de briser ces « barrières » à la libre circulation des joueurs (des marchandises, des capitaux, des services et des hommes, avait proclamé l'Acte unique européen), mais les fédérations nationales du foot, appuyées par leurs gouvernements respectifs, tenaient – à l'instar des milieux culturels en France – à leur « exception », leurs spécificités même les plus archaïques et les plus folkloriques. Le football ainsi articulé autour de querelles pacifiques de clochers – jusqu'au plus gros clocher qui était la patrie – donnait un jeu de qualité et passionnait des foules qui s'identifiaient au club de leur cité, de leur région, de leur nation, avec des joueurs qui leur ressemblaient, qui étaient comme eux, qui auraient pu être leurs enfants, qui avaient épousé Madame tout le monde, et gagnaient fort bien leur vie, mais pas mieux qu'un cadre supérieur de Renault ou Volkswagen.

Depuis sa codification en Angleterre, au début du XXᵉ siècle, le foot, inventé par des aristocrates britanniques, était très vite devenu le jeu préféré des ouvriers, sur le terrain à côté de l'usine, édifié par le patron pour le loisir de ses ouailles, pas loin de l'église. Les enfants les plus doués de la classe ouvrière devenaient professionnels. Ainsi, Raymond Kopa fut-il arraché à la mine, où il avait rejoint son père venu de Pologne. Le football était la distraction du dimanche après-midi des classes populaires, qui venaient voir jouer leurs enfants. On passa ainsi du patronage (catholique ou laïque) aux clubs professionnels, des affrontements de villes de foire aux coupes d'Europe des clubs champions, instaurées dans les années 1950, pour accompagner les débuts de « la construction européenne » sans que rien fût altéré. Le monde du football fut lui aussi balayé par le souffle de Mai 68, les joueurs réclamant – et obtenant – un peu plus de souplesse et de liberté dans la gestion de leur carrière, pour ne plus être les « esclaves » du club qui les avait découverts et formés. Mais l'ancrage à la fois populaire et national fut vaille que vaille maintenu.

Comme souvent dans l'histoire de la dérégulation européenne, selon une impeccable répartition des rôles d'une redoutable efficacité, les juges réussiraient là où les commissaires avaient échoué. L'arrêt Bosman fut célébré par les

médias français comme une grande victoire de la
« Liberté » ; les associations d'extrême gauche et antiraciste
se réjouirent d'un recul de la xénophobie et du racisme.

Le résultat fut conforme à leurs espérances. En quelques
années, le football européen devint la vitrine glaçante de la
mondialisation libérale. Les transferts se multiplièrent ; les
tarifs des joueurs explosèrent, atteignant des sommets verti-
gineux. Les clubs anglais, enhardis par les encouragements
de Margaret Thatcher, poussèrent les premiers la logique
libérale de l'arrêt Bosman jusqu'au bout ; les joueurs britanniques devinrent minoritaires dans les équipes du championnat anglais.

Parfois, des voix s'élevaient pour protester contre cette élimination radicale des autochtones, et la baisse corrélative
du niveau de l'équipe nationale ; on les fit taire en les traitant de xénophobes et de racistes. Les classes populaires ne
se reconnaissaient plus dans ces milliardaires cosmopolites
parés des couleurs traditionnelles de leurs clubs séculaires ;
on trouva le prétexte des violences des fameux hooligans
pour les expulser des stades, en augmentant le prix des
places.

Les catégories sociales les plus élevées et les femmes se
substituèrent au jeune mâle blanc de la *working class* devenu
indésirable. Les gradins des stades de football furent remplis
par les *happy few*, invités par les grandes entreprises mondialisées, qui privatisèrent les meilleures places.

Tous les clubs européens suivirent l'exemple britannique.
Les joueurs passèrent d'une équipe italienne à sa rivale espagnole, et finirent leur carrière dans un club turc ou chinois.
Ils se vendirent au plus offrant, sans état d'âme. Une nouvelle division internationale du travail distingua les pays ache-
teurs de joueurs (Angleterre, Italie, Espagne) et les pays
pauvres fournisseurs (Amérique du Sud, Afrique). La France,
qui avait tout misé sur la formation des joueurs – une sorte
de foot de terroir – fut prise à revers par la déferlante libérale. Ses centres de formation furent préservés, mais accueil-
lirent de nombreux joueurs venus des pays pauvres (Afrique
surtout) d'où, formés à la française, ils repartiraient vers des
clubs huppés, après que leur talent eut éclaté aux yeux de

tous les observateurs, lors des compétitions européennes.
Certains présidents de clubs français rechignaient contre ce
statut de « négriers » pour les clubs anglais ou espagnols qui
les écrasaient dès qu'on accédait aux phases finales des compétitions. Ils se plaignaient non sans raison des taxes et
impôts qui les empêchaient de concurrencer à armes égales
les grands prédateurs européens. Mais ce discours patronal
traditionnel oubliait que les clubs français, même avant
l'arrêt Bosman, ne possédaient ni la richesse ni la puissance
de leurs voisins européens, n'ayant jamais su drainer derrière eux les masses de supporters, les fameux « socios », qui
suivaient les équipes italiennes, anglaises ou espagnoles.

La sociologie du football en sortit bouleversée : les entraîneurs devinrent des « coachs » habillés en Paul Smith ; les
présidents de clubs, des nababs du pétrole ou de la finance
au mieux, des mafieux au pire, parfois les deux à la fois ;
les agents de joueurs, des grands frères au mieux, des fournisseurs de came et de filles au pire ; les joueurs incarnèrent
le chic abouti des élites mondialisées, collectionnant mannequins et Ferrari.

Le football s'affirma, avec la finance, comme l'autre grand
vainqueur de la dérégulation mondialisée des années 1990.

L'éthique sportive fut brisée ; les résultats des compétitions suivirent la courbe des investissements engagés. Le
dieu du football passait du côté des gros chéquiers. Les
meilleurs clubs furent les plus riches. L'heure des « petits
poucets » en coupe de France, et plus encore en coupe
d'Europe, était révolue. La défaite était interdite aux grosses
machines ; elle leur coûtait trop cher. Le football avait cessé
d'être un jeu pour devenir un spectacle. Il était parfois de
très grande qualité ; mais devait avant tout être un investissement rentable.

Le football avait été conceptualisé par ses promoteurs de
l'aristocratie victorienne comme l'exutoire de la violence
d'une classe populaire asservie ; il s'était peu à peu civilisé
en une version laïcisante du repos dominical et un moyen
de promotion sociale pour ceux qui ne brillaient pas à
l'école. Avec l'arrêt Bosman, le sport d'hier s'est transformé
en un combat de mercenaires, de gladiateurs romains. Le

public s'identifiait aux joueurs d'autrefois qui représentaient leurs couleurs comme un chevalier portait aux tournois le ruban de sa dame ou de son roi ; il admire avec déférence, mais avec une distance à la fois respectueuse et froide, les exploits de ceux d'aujourd'hui.

À chaque compétition qui engage des équipes nationales, on sent les joueurs perdus, loin de leurs références commerciales habituelles ; l'imaginaire des passions nationales n'est plus le leur, ils flottent dans des vêtements trop grands, trop vieux. C'est la ferveur populaire de chaque nation, transmise par les médias, qui les harcèle, les somme de se transformer en champions de nations auxquelles ils sont désormais étrangers, à la manière des patrons du CAC 40 ou des financiers de la City. Les dirigeants des fédérations, leurs agents, les politiques, les patrons de chaîne, qui craignent de perdre leurs électeurs, leurs affiliés, leurs clients, leurs cibles publicitaires, imposent aux joueurs qu'ils se soumettent aux volontés populaires. On les contraint à chanter (brailler ou balbutier) leurs hymnes nationaux avec ostentation, à déclarer leur foi patriotique, leur joie de se retrouver entre compatriotes.

Tout cela est de plus en plus fabriqué, affecté, factice.

Le juge européen a gagné. Le football est devenu un meilleur des mondes capitalistes possibles, composé de producteurs et de consommateurs, tous plongés dans « les eaux glacées du calcul égoïste » (Marx). Il n'est plus cet univers magique, à la fois enfantin et héroïque, qui portait les passions populaires et peuplait les rêves des enfants. Il transforme les aficionados désillusionnés en « mendiants du beau jeu », selon la belle expression de l'auteur uruguayen Eduardo Galeano. Tous les sports collectifs, jusqu'au rugby qui longtemps conserva son accent du terroir, l'ont servilement imité.

Le football est devenu cet « opium du peuple », ce *panem et circenses*, dénoncé avec hauteur par les intellectuels, en particulier français, quand ce jeu ne méritait pas tant d'opprobre. Ceux-ci ont fini par avoir raison au moment même où nos élites arrogantes et méprisantes se convertissaient avec le zèle des néophytes à une foi qui n'était plus que l'ombre d'elle-même.

« L'histoire du football est un voyage triste, du plaisir au devoir. À mesure que le sport s'est transformé en industrie, il a banni la beauté qui naît de la joie de jouer pour jouer. En ce monde de fin de siècle, le football professionnel condamne ce qui est inutile, et rend inutile ce qui n'est pas rentable. Il ne permet à personne cette folie qui pousse l'homme à redevenir enfant un instant, en jouant comme un enfant joue avec un ballon de baudruche et comme un chat avec une pelote de laine[1]. »

---

1. Eduardo Galeano, *Le Football, ombres et lumières*, Climats, 1997.

1996

22 février 1996

De Louis XVIII à Jacques Chirac

Pour une fois, il a décidé seul, sans tergiverser ni consulter. Il a « tourné une page de notre histoire » sans se retourner ; il n'a jamais aimé « pleurer sur le lait renversé ». Depuis sa jeunesse passée dans les Aurès au cours de la guerre d'Algérie, Chirac est « fana-mili » ; l'armée, c'est son truc ; et sa professionnalisation, son dada. En supprimant le service national, il s'est octroyé une popularité facile auprès des jeunes générations, sans risquer de grandes manifestations syndicales dans la rue : l'armée n'est pas pour rien la « grande muette ». Chirac fut, une fois n'était pas coutume, soutenu par la plupart des médias et des éditorialistes. On s'interrogea un instant sur la fin d'une machine de brassage social et ethnique de la République française, au moment où le danger du « communautarisme » commençait à poindre son museau. Mais la discussion fut vite éludée ; l'immigration ne pouvait être qu'une « chance pour la France ». La conscription était devenue au fil du temps une vaste fumisterie hypocrite, où l'illusion égalitaire du creuset républicain s'était inclinée devant le piston et les relations, tandis que la « nation en armes » de jadis s'était affadie dans le confort émollient des longues périodes de paix.

La conscription était l'héritière de l'« appel aux armes » de 1792, qui avait tant effrayé les Prussiens à Valmy ; puis, codifiée par la loi Jourdan de 1798, elle avait forgé l'épée de la France, confiée au « grand maître des batailles », avant que cette épée, trop sollicitée, ne finisse par se briser. Après Waterloo, la Restauration démobilisa la Grande Armée. Pour montrer sa nouvelle vocation pacifique, le régime de Louis XVIII reprit les chemins anciens de l'armée de métier. Un grand débat parlementaire vit s'affronter les partisans de la « qualité » et ceux de la « quantité ». Le pouvoir promit que ces effectifs réduits seraient mieux équipés (Napoléon se moquait comme d'une guigne de l'intendance, bien à tort d'ailleurs : en Russie, ses soldats manquaient de vêtements et de chaussures pour affronter les grands froids ; à Leipzig, ils étaient affamés). Cette loi Gouvion-Saint-Cyr de 1818 est l'ancêtre de la réforme de 1996. La qualité contre la quantité, c'est ce qu'offrit Jacques Chirac. Le président avait pour habitude de ne pas lésiner sur les promesses qui « n'engagent que ceux qui les reçoivent ».

La querelle reprit à la fin du second Empire. Après la défaite autrichienne de Sadowa en 1866, devant la montée en puissance prussienne, Napoléon III voulut revenir à la « quantité » qui avait tant servi son cher oncle, il n'avait pas tort ; elle lui aurait peut-être évité la capitulation de Sedan ; mais il n'avait plus la force physique (il était malade) ni politique (il avait libéralisé et « parlementarisé » son régime) de l'imposer ; il y perdit son trône. Et ce furent les républicains – députés d'opposition à la Chambre impériale, ils l'avaient combattue ! – qui établirent la conscription en 1889. La « nation en armes » permit de résister et de vaincre en 1914 ; mais n'empêcha pas la déroute de 1940. L'arme nucléaire, à partir des années 1960, sembla déclasser la conscription pour la défense ultime du sol sacré de la patrie et l'« assurance contre l'imprévisible », selon la formule du général Gallois ; mais le général de Gaulle refusa, en pleine guerre froide, de la jeter aux poubelles de l'Histoire.

En 1996, Chirac ignorait qu'il mettait ses pas dans ceux de Louis XVIII ; l'aurait-il appris qu'il eût balayé cet héritage monarchique suranné d'un désinvolte et paillard : « Ça m'en touche une sans faire bouger l'autre. » François Furet avait eu raison d'annoncer que la Révolution était finie.

Les républicains opportunistes au pouvoir en 1889 avaient doublé leur texte militaire d'une loi de nationalité qui, votée le 26 juin de cette même année, imposait la nationalité française aux enfants nés en France de parents étrangers, eux-mêmes nés en France. Les républicains montraient à l'époque de la constance et de la cohérence dans leurs idées. Ce « double *jus soli* » répondait aux besoins des armées – qui devaient supporter la baisse drastique de la natalité française au XIXe siècle face à l'exubérance démographique allemande. Le pouvoir apaisait la fureur des jeunes ouvriers français qui ne toléraient plus que leurs collègues italiens et belges à l'usine restassent chez eux, « prendre leurs boulots et leurs femmes » pendant qu'ils remplissaient leurs devoirs militaires.

Cette liaison pourtant évidente – armée de masse et droit du sol ; armée professionnelle et droit du sang – ne fut même pas évoquée par Jacques Chirac, ni par aucun commentateur, alors même que le droit du sol – et son éventuelle suppression – avait agité les esprits depuis une dizaine d'années. Mais la droite avait renoncé à ce combat, et une fois encore s'était inclinée devant l'imperium idéologique de la gauche. On préféra envelopper l'instauration du droit du sol d'une aura quasi mythologique – « France généreuse, ouverte », etc. – pour mieux enfouir ses arrière-pensées utilitaristes et militaristes.

Au nom d'une conception erronée et dévoyée de la République – qu'auraient rejetée les ancêtres républicains –, on refusait de s'interroger rationnellement sur les intérêts de la France.

Loin des querelles de principes, le chef des armées s'était contenté de faire ce que les « managers » appellent du *downsizing* : trancher à la hache dans les effectifs, mais anesthésier la douleur par de grands discours enthousiasmants sur le « nouveau départ », le « redéploiement des forces à l'international », « les synergies dans le cadre de nouvelles alliances industrielles ». Le verbe chiraquien projeta « son armée ramassée », mais « aux équipements modernisés », sur tous les théâtres d'opération de la planète, où elle prouverait que « la France est toujours une grande puissance ».

La réforme de 1996 se limita à une réduction drastique du format de nos armées.

Près de vingt ans plus tard, notre force aérienne de combat a été ramenée à trois cents appareils et notre marine à moins de trente grandes unités navales dont un seul porte-avions ; nous avons perdu notre statut de marine mondiale.

Le budget de la défense fut, sous toutes les majorités, de Lionel Jospin à François Hollande, en passant par Nicolas Sarkozy, le seul qui subit une diminution constante et persévérante jusqu'à descendre sous la barre critique des 2 % du PNB. En cinquante ans, du général de Gaulle à François Hollande, l'effort de défense sera passé de 5,44 % du PIB à 1,56 % en 2012. En 2020, il atteindra le chiffre famélique de 1,26 %.

En 2008, le général Jean-Claude Thomann avait ri jaune en expliquant qu'au rythme où allaient les réductions d'effectifs, l'armée de terre tiendrait bientôt tout entière dans le stade de France (81 338 places !).

Si on ajoute les 6 000 militaires non opérationnels et les 9 000 civils de l'armée de terre, on parvient à 103 000 hommes. Le chiffre de 100 000 soldats n'est pas innocent dans notre Histoire récente : c'est à cet étiage humiliant que le traité de Versailles réduisit l'armée allemande en 1919 ; c'est, en réponse du berger à la bergère, ce qui fut accordé à l'armée française vaincue en 1940 dans le cadre de l'armistice signé par Vichy !

À cette époque, une armée de 100 000 hommes était tout juste bonne à rétablir l'ordre intérieur.

Nous sommes depuis quelques années entrés dans l'ère des guerres « asymétriques ». Nos effectifs resserrés sont donc envoyés aux quatre coins de la planète, pour poursuivre les « terroristes », rétablir la démocratie, protéger « les petites filles afghanes qui veulent aller à l'école », séparer les combattants, ou sauver les innocents menacés par un tyran. Notre armée est devenue « le soldat de l'idéal ». Nos gouvernants, de droite ou de gauche, ont accompli le rêve d'Aristide Briand et de la SDN, transformant nos troupes en unités déterritorialisées, combattants hors sol d'un ordre juridique abstrait.

Notre armée ne défend plus le territoire (mission dévolue à la seule arme nucléaire), elle est devenue une sorte de gendarmerie internationale menant des actions de police. Mais la multiplicité des OPEX – opérations extérieures dans le jargon militaire – finit par affaiblir une armée aux effectifs réduits, de plus en plus sous-équipée. La faux des coupes budgétaires a atteint aussi l'investissement.

Pour une fois, nos politiques avaient anticipé. Nos troupes « resserrées » n'agiraient plus seules ; leurs équipements seraient complétés par des achats « sur étagères » de programmes déjà réalisés, aux États-Unis ou ailleurs.

On s'aperçut ainsi que la réforme de 1996 n'était pas limitée – comme on l'avait cru – à la suppression du service national, et à la fermeture de certaines casernes, douloureuse pour l'économie locale des régions concernées. C'était toute notre politique de défense héritée du général de Gaulle qui était retournée comme une crêpe.

Jadis, l'armée française intervenait seule, pour défendre ses intérêts, avec des équipements que notre industrie avait mitonnés à son intention.

Changement de perspective complet : l'« interopérabilité » devenait la règle ; nos matériels devaient être coordonnés avec ceux de l'OTAN. La suppression de la conscription entraînait donc – inéluctablement – le retour de la France dans les instances militaires intégrées de l'OTAN.

Cette décision ne fut annoncée qu'en 2007 par le président Sarkozy ; mais elle fut en fait préparée par son prédécesseur. Dès 1996, la France réintégrait 36 des 38 comités de l'OTAN, dont le sacro-saint comité militaire.

Le culte nouveau de la « mutualisation » des armes et de l'« interopérabilité » fut le prétexte à tous les renoncements, entraînant un décrochage technologique de l'industrie française qui ne devrait bénéficier qu'aux seuls États-Unis.

« Sauf exception, toutes nos opérations militaires se dérouleront dans un cadre multinational. Celui-ci peut être préétabli, dans le cas de l'Alliance atlantique ou de l'Union européenne, ou *ad hoc*, dans le cas de coalitions de circonstance » (Livre blanc de la défense de 2008).

« Pour un peuple libre, la sécurité se confond avec la sauvegarde de cette liberté fondamentale qui est la première de toutes les autres et qui s'appelle l'indépendance de la nation » (Livre blanc de la défense de 1972).

L'Histoire repasse les plats avec des sauces et des épices différentes. La victoire de la « qualité » sur la « quantité » a toujours les mêmes causes et les mêmes conséquences. Sous la Restauration, la France, vaincue par l'Europe coalisée contre Napoléon, renonçait à ses rêves de domination continentale, et se soumettait à ses vainqueurs, regroupés sous la houlette de la puissance hégémonique de la première mondialisation qui s'annonçait : la Grande-Bretagne. La France rentrait dans le rang, mais, comme toujours, prétendait devenir le meilleur élève de cette nouvelle classe. Ce fut le temps de la Sainte-Alliance ; on défendit la chrétienté et la légitimité monarchique ; on intervint en Espagne, en 1823, pour protéger un Bourbon menacé par une révolution libérale.

Nous revivons la même histoire : nous nous rangeons, après la parenthèse gaullienne, sous le drapeau de la puissance hégémonique de la seconde mondialisation : l'Amérique ; nous ferraillons partout, en Afghanistan ou au Kosovo, non pour défendre nos intérêts nationaux, mais au nom des droits de l'homme et de la démocratie qui ont remplacé la monarchie et la chrétienté. Une fois encore, nous rêvons d'être le fils préféré de la « famille occidentale », selon la formule de Sarkozy, comme Talleyrand rêvait de voir la France avoir enfin « droit de bourgeoisie » au sein de la famille monarchique.

La France semble depuis Waterloo condamnée à l'anachronisme. Nous réintégrions alors la grande famille des

Rois, alors que le siècle annonçait leur mort, partout en Europe. La France réinvestit l'OTAN au moment où l'Alliance occidentale a perdu son fondement avec la dissolution du Pacte de Varsovie. Pour les stratèges américains, leurs partenaires européens sont devenus davantage un boulet qu'un soutien. Surarmés, suréquipés, ils n'en ont besoin nulle part ; ils ne s'en occupent guère, menant leurs interventions comme ils l'entendent. Les discussions interminables entre chefs des armées alliées au Kosovo en 1999 avaient déjà exaspéré nos bons maîtres. Les Français, *embedded* en Afghanistan, ne servirent à rien, ne furent consultés sur rien, ne contrôlèrent rien ; ne furent bons qu'à se faire tuer dans une guerre américaine.

Par ailleurs, depuis la présidence d'Obama, les Américains ont pris la mesure de la menace chinoise, jusqu'à l'obsession, se désintéressant des théâtres secondaires, Europe, Afrique, et même Moyen-Orient.

Au moment où le vide américain nous permettrait de redevenir le seul gendarme de notre zone géographique, méditerranéenne et africaine, nous réduisons notre outil militaire au-delà de toute mesure, et ne jurons plus que par l'interopérabilité, la défense européenne, le droit international, la lutte contre le « terrorisme ». Nous voulons imiter tardivement un modèle anglais – alliance avec les États-Unis, soumission stratégique – qui a ruiné l'industrie militaire britannique, et conduit l'armée de Sa Majesté dans des expéditions folles (Irak) jusqu'à l'explosion de ses capacités limitées.

Après la débâcle de juin 1940, Churchill avait demandé aux officiels Français qui venaient réclamer le soutien de l'allié britannique « *Where are the reserves ? »*

Cette fois encore, nous les avons bradées à nos illusions pacifiques et nos chimères idéologiques. Nous avons oublié que l'Histoire est une succession de surprises stratégiques.

Avril 1996

La gloire de Ritchie'D

Il promenait son chien rue de Rennes, où il habitait. Il avait abandonné ses cheveux gominés et sa queue-de-cheval de jadis, mais n'avait pas renoncé à soigner « son allure de *rock star* ». Il s'affichait aux côtés d'un lion en peluche sur son site Facebook, pour mieux illustrer l'alliance nécessaire, inspirée de Machiavel, de « la force du lion et la ruse du renard ». Il y avait aussi un marsupilami. Son profil personnel était rempli de photographies de lui, dans son bureau, dans les escaliers de l'école, avec ses étudiants ou sa femme, au bord d'une piscine, au milieu de poèmes, de citations, parfois érotiques. Il répondait lui-même à tous, élèves et professeurs ; il envoyait des courriels à 3 heures du matin, truffés de fautes d'orthographe, voire de syntaxe. Il traînait dans les couloirs de la rue Saint-Guillaume, s'attardant dans la « péniche », provoquant le contact avec les étudiants, discutant, ferraillant, leur disant : « Je suis plus marxiste que vous. » Il n'hésitait jamais à recevoir sans façons dans son bureau. Il surprenait encore par sa diction saccadée, son langage déstructuré, ses interjections dérobées au parler juvénile, qui détonaient avec son passé d'énarque né en 1958, ayant suivi sa primaire avant 1968, alors que l'école de la République, pur produit de l'élitisme à la française (lycées Montaigne, Louis le Grand et Henri IV, prépa littéraire, puis IEP de Paris, ENA, Conseil d'État), brillait de ses derniers feux. Comme s'il avait désappris ce qu'on lui avait enseigné pour se rajeunir dans un fantasme de Peter Pan et partager ainsi ce laisser-aller formel avec la nouvelle génération.

Il conjuguait le talent d'un manipulateur et l'ingénuité d'un adolescent attardé. Il aimait jouer, se mettre en scène, le monde était pour lui un vaste théâtre, une parade permanente. Son modèle affiché était Larry Summers, ancien professeur à Harvard avant de devenir ministre de Bill Clinton, qui savait lui aussi si bien parader. Il devint directeur de Sciences Po, affichant une homosexualité narcissique et festive, comme en cette soirée à Berlin où, au milieu des élèves de l'école, il monta sur une table pour y danser ; il acheva son quatrième mandat de directeur, près de vingt ans plus tard, marié à Nadia Marik, pour qui il manifestait une passion fusionnelle, tout en restant fidèle à son compagnon de toujours, Guillaume Pepy, patron de la SNCF, formant un trio bourgeois qui aurait enchanté Oscar Wilde. Avant son intronisation rue Saint-Guillaume, il avait été un homme de gauche, collaborateur de Jack Lang et de Michel Charasse ; il se découvrit plus tard une dilection enthousiaste pour Nicolas Sarkozy, profitant de cette auguste amitié pour imposer ses volontés à des administrations rétives. La vie était un jeu.

Les élèves le surnommaient Ritchie'D. En tout cas, c'est ce qu'il désirait qu'on sût ou qu'on crût. Ancien élève dans les années 2000, le jeune écrivain Thomas Gayet assure, railleur, que son surnom était en réalité Tricky Dick comme Nixon ; s'il l'avait appris, il en aurait été ravi, l'essentiel étant que son patronyme fût américanisé.

Lorsque Richard Descoings arriva à la tête de Sciences Po en 1996, l'école était encore – en dépit des efforts de son prédécesseur Alain Lancelot – la moins cotée des grandes écoles (à côté de Normale ou de Polytechnique), et la plus chic des universités. Descoings eut l'habileté de transformer ce handicap en avantage, cette ambivalence en atout, profitant des spécificités françaises qu'il connaissait fort bien de l'intérieur. Depuis l'échec spectaculaire de Devaquet en 1986, les deux tabous de l'enseignement supérieur français demeuraient la sélection à l'entrée de l'université et les droits d'inscription élevés. C'étaient les deux caractéristiques majeures des grandes universités anglo-saxonnes. Descoings doubla le nombre d'élèves (de 4 000 à 9 600) et porta les droits d'inscription jusqu'à 12 000 euros par an pour les familles les plus aisées qui, à Sciences Po, sont aussi les plus nombreuses. Grâce à sa richesse nouvelle, Descoings multiplia les achats immobiliers pour caser ses « nouveaux » étudiants et attira les meilleurs professeurs en économie ou en droit, en leur offrant des salaires substantiels. Sciences Po avait aussi la particularité de recevoir un financement public à travers une fondation privée. C'était le fruit de l'héritage de l'ancienne École libre des sciences politiques, « étatisée » en 1945. Cet hybride très français, Descoings en usa et en abusa, en se faisant voter un salaire mirobolant de 500 000 euros par an. La commission des rémunérations était composée il est vrai de gens pour lesquels l'unité de compte était le million d'euros, qui ne pouvaient s'offusquer des libéralités accordées à Descoings et à quelques professeurs triés sur le volet : Louis Schweitzer, ancien PDG de Renault-Nissan, Michel Pébereau, ancien PDG de BNP, ou Henri de Castries, président du directoire d'Axa. Lorsqu'il sera sermonné par la Cour des comptes après les révélations de Mediapart, au bout de son quatrième mandat, quelques mois avant sa mort en avril 2012, il fera la même réponse que les patrons français du CAC 40 à qui on reprochait leurs émoluments astronomiques : c'est la norme dans les universités anglo-saxonnes !

Descoings se croyait dans la chanson de Joe Dassin, qu'il avait fredonnée jeune homme : « *L'Amérique, l'Amérique,* [...] *je l'aurai ! [...] Si c'est un rêve, je le saurai*[1]. » Un rêve américain revisité par les élites technocratiques françaises de l'après-guerre. Il avait l'ambition de transformer le poussiéreux Institut d'études politiques en moderne *university*, en *business school* à la manière de ses grandes sœurs américaines qui semblaient dominer le monde dans ces années 1990, après la chute du communisme soviétique. Sciences Po deviendrait « l'école du marché ». Descoings renouait avec le comportement du fondateur de l'École libre des sciences politiques, Émile Boutmy, qui, convaincu que la science et l'université allemandes avaient vaincu la France à Sedan en 1870, ambitionnait de régénérer les élites françaises par l'imitation de son glorieux vainqueur. Mais le

---

1. Joe Dassin, « L'Amérique », dans l'album *La Fleur aux dents*, 1970.

modèle de Descoings fut cette Amérique des *west and east coasts*, libérale et libertaire, individualiste, inégalitaire, multiculturaliste et féministe (et *gayfriendly*), adepte d'un protestantisme *cool* et festif, où le culte de l'argent a détruit l'antique morale des pères fondateurs et les anciennes solidarités communautaires. Le patriotisme hautain d'Émile Boutmy était remplacé par un cosmopolitisme antiraciste, qui ne dissimulait pas le mépris souverain, virant souvent à la haine goguenarde, des élites françaises pour la France et son peuple.

Descoings transforma les enseignements ; un jour, il organisait une rencontre « minorités visibles » avec l'association *breakdance* du 93 ; un autre jour, avec des étudiants handicapés ; on introduisit des cours sur les discriminations subies par les femmes, à la manière des *gender studies* des universités américaines. Il fit de l'anglais la matière phare, une quasi-obsession que rien, aucune exigence, ne pouvait jamais assouvir, le critère majeur de la sélection, la référence suprême de l'école, alors que la langue étrangère n'avait été jusque-là qu'une décoration superflue et méprisée par les meilleurs.

La bible des étudiants n'était plus le journal vespéral *Le Monde*, mais le *Financial Times*, à lire chaque matin.

On ouvrit les portes de la rue Saint-Guillaume au monde. Descoings exigeait que les jeunes Français, qu'il suspectait toujours de provincialisme attardé, et pis encore de franchouillardise impardonnable, se frottent à la jeunesse universelle. Descoings se fit globe-trotter et exhiba ses innombrables accords de coopération avec les universités étrangères. On ajouta deux années d'études aux trois initiales, pour envoyer ces jeunes gens aux quatre coins de la planète. Sciences Po devint un film de Klapisch : *L'Auberge espagnole*.

Il n'y avait pas d'université américaine sans discrimination positive. En 2001, Richard Descoings importa donc à Sciences Po cette invention américaine des années 1960 pour favoriser l'entrée des jeunes Noirs – héritiers lointains des esclaves ! – dans les temples du savoir, au moment même où certains esprits aux États-Unis en constataient l'échec et en remettaient en cause le principe. Quelques années après la décision prise par Descoings, le grand romancier Tom Wolfe publierait un roman truculent, *Moi, Charlotte Simmons*[1], qui décrivait les ravages causés par cette mesure sur le niveau intellectuel des universités américaines. Qu'importe d'ailleurs, l'Ivy League n'était plus qu'une pouponnière pour riches héritiers. Mais nos élites françaises étaient restées branchées sur l'Amérique des *sixties*. La nouvelle fit grand bruit dans l'Hexagone. Tous les anciens élèves, nombreux, dans les ministères comme dans les médias, se sentirent concernés. On s'affronta, se combattit, s'étripa à coups de grands principes. On joua l'universalité du concours contre les inégalités sociales, le mérite contre l'équité.

Cette bataille homérique fut la première victoire de Richard Descoings. Faire parler de Sciences Po et de lui-même était un objectif en soi. Les « conventions ZEP » furent son coup de génie. Descoings légitimait auprès des élites de gauche la transformation de Sciences Po en *business school* par l'internationalisation et la discrimination positive. « Descoings prit la grosse tête et perdit la tête », se moquait un professeur. Il devint autoritaire, arrogant, ne supportant plus la critique. Il ne pouvait avoir tort. Il vantait avec passion ces jeunes venus des ZEP, « atypiques, mais accrocheurs », qui suivaient leur scolarité comme les autres, qui avaient eux aussi passé un concours, même si ce n'était pas celui de tous les étudiants ; une centaine d'élèves par an, à la fois beaucoup pour leurs profs de banlieue « qui ont de nouveau un but » et peu pour l'école. Il fallait réagir, ne se lassait-il pas d'expliquer, aux enquêtes sociologiques sur l'origine sociale de ses étudiants. Sciences Po avait toujours été une terre bourgeoise où les enfants des beaux quartiers parisiens étaient chez eux, faisant de la rue Saint-Guillaume le modèle de référence et d'expérimentation des thèses

1. Robert Laffont, 2006.

de Pierre Bourdieu sur la reproduction des élites. Mais la situation s'aggravait encore. Jusqu'aux années 1970, l'école française, héritière de ce système méritocratique de la IIIe République, qui avait pris la relève de l'Église, parvenait encore vaille que vaille à porter jusqu'aux grandes écoles les meilleurs des classes populaires. Ce n'était sans doute pas suffisant et cela suscitait alors les sarcasmes des progressistes marxistes et bourdieusiens. Mais, à partir des années 1980, alors que l'école républicaine s'entichait des méthodes modernes du pédagogisme, au nom de la lutte contre les inégalités, la situation s'aggrava. Le niveau faiblit partout et s'effondra dans les établissements scolaires des quartiers populaires, ne permettant plus, même aux meilleurs d'entre eux, de rattraper le niveau des bons lycées. Autrefois, les enfants des milieux défavorisés qui débarquaient rue Saint-Guillaume ne connaissaient pas les codes sociaux, et subissaient parfois les moqueries des enfants mieux nés ; mais, à partir des années 1980, leurs successeurs ne possédaient même plus les codes scolaires qui leur auraient permis de les rejoindre. La situation était encore plus grave pour les enfants d'immigrés. Même la progéniture des professeurs et des cadres moyens, reléguée loin des centres-ville par la spéculation immobilière, peinait à y accéder. Sciences Po devenait l'école des riches. Il fallait répondre à cette discrimination négative par une discrimination positive.

Ce n'était pas tout à fait la vraie, la pure et dure à l'américaine, mais cela y ressemblait. Les jeunes n'étaient pas reçus sur leurs exploits en basket ou en football, mais on encourageait les jurys à favoriser les candidats « atypiques », les meneurs, les artistes, les sportifs, tous ceux qui n'avaient pas le profil traditionnel du bon élève, du « polar ». Autrefois, les cancres brocardaient et rejetaient les forts en thèmes binoclards et timides ; désormais, leurs professeurs eux-mêmes les rejetaient avec mépris ! La culture générale, jadis fleuron du concours d'entrée à Sciences Po, devint le symbole de ces barrières intolérables mises à l'entrée des enfants d'immigrés dans l'élite française ; Pascal, Voltaire et Molière furent suspectés de racisme ; l'épreuve fut supprimée.

Descoings et les dirigeants de l'école de la rue Saint-Guillaume se retrouvaient pris dans l'engrenage implacable de la modernité : quand on commence à abandonner les principes qui ont fait la grandeur d'une institution, on ne peut plus revenir en arrière ; la transgression appelle plus de transgression ; les reniements, toujours plus de reniements. L'école de la République avait été endommagée par la conjonction des nouvelles méthodes pédagogiques, du collège unique, de la massification et de l'immigration ; mais pour pallier les effets délétères de cette destruction, on était contraint de poursuivre toujours plus loin la démolition des principes traditionnels. En l'occurrence, au nom de l'égalité, on abolit le principe d'égalité devant le concours. Pour défendre quelque temps après son décès la mémoire de Richard Descoings, son protecteur Michel Pébereau évoqua « un vrai projet républicain », oubliant que l'égalité devant le concours avait été un des principaux acquis de la République.

Mais cet abandon ne leur avait guère été douloureux. Richard Descoings et ses soutiens – tous représentants de la crème de la crème des élites françaises – n'avaient plus foi dans les dogmes qui les avaient faits ; ils ne reconnaissaient plus la légitimité du concours et de la méritocratie. Ils étaient comme les abbés de cour à la veille de la Révolution qui ne croyaient plus dans les Évangiles, ni même en Dieu. Voltaire les avait déniaisés. Bourdieu fut le Voltaire de nos prélats modernes ; il leur avait expliqué que la méritocratie n'était que le paravent de la reproduction des élites bourgeoises qui se donnaient la bonne conscience de l'excellence. Le mérite, quel mérite ? interrogeaient-ils avec goguenardise. Et ils évoquaient avec dérision le « fétichisme des concours ».

En dépit des ultimes polémiques sur ses méthodes et ses salaires, et de sa mort énigmatique dans un hôtel de New York, Richard Descoings avait gagné. Les élèves de Sciences Po n'étaient plus ces filles en foulard Hermès et ces garçons en loden un peu ridicules qui rêvaient d'intégrer l'ENA et de servir l'État. Ils ne parlaient que de *biz* et de fric, se projetaient dans un monde globalisé, pensaient en *globish english*, rejetaient l'Administration comme une chaussette trouée. Les candidatures à l'ENA se réduisaient d'année en année, tandis que Sciences Po croulait sous le nombre. Sciences Po était devenu un « must », aurait plastronné Ritchie'D.

À sa mort, près de deux cents personnes se réunirent dans la cour intérieure, déposant des bougies sur les marches. Tous les cours furent annulés. On criait aux fenêtres : « Merci Descoings ! » Un élève écrivit : « Sciences Po sans Descoings, c'est Poudlard sans Dumbledore. » Les bougies restèrent un mois dans le hall, devant le portrait du défunt. Bienvenue dans le monde de la « postmodernité », où les tribus remplacent les citoyens et où l'émotionnel se substitue au rationnel. Les discours à ses obsèques commencèrent par « chère Nadia, cher Guillaume ». Certains esprits se gaussèrent de ce culte de la personnalité soviétique. Ils avaient tort. C'était la dévotion de foules sentimentales qui avait déjà surpris nos esprits forts lors de la mort de la princesse Diana. Ritchie'D aurait sans doute aimé qu'Elton John vînt chanter sur sa tombe « Candle in the Wind ».

Août 1996

L'invention du sans-papiers

Elle était ravissante. Un petit bout de femme au sourire triste, aux yeux rougis et à la lippe boudeuse, même si certaines mauvaises langues trouvaient que son chirurgien esthétique l'avait ratée. Emmanuelle Béart avait la peau laiteuse et soyeuse ; et la pâle blondeur de sa chevelure tranchait à l'écran avec les mains noires des Maliens allongés sur des grabats de fortune, qui poursuivaient, sous l'œil compatissant de l'actrice et des caméras, leur grève de la faim à l'intérieur de l'église, afin d'obtenir les « pa-pi-ers » auxquels ils estimaient avoir droit. Elle fit mine de ne pas voir le désordre à l'intérieur de l'édifice, les objets de culte souillés par l'urine et les excréments, chaque symbole du rite catholique saccagé ou tourné en dérision. Les caméras de télévision avaient elles aussi détourné le regard ; Emmanuelle se dit que ce qui ne passe pas à la télévision n'existe pas.

On n'avait jamais vu autant de belles dames et de messieurs de qualité dans une église depuis les convulsionnaires jansénistes de Saint-Médard sous la Régence. Les esprits revêches pouvaient faire remarquer qu'aucune de ces belles dames ni aucun de ces messieurs de qualité ne passeraient la nuit dans l'église, rentrant chez eux le soir venu, après avoir pris leur comptant de lumière et de gloire compassionnelle ; qu'ils ne logeraient pas un seul de ces malheureux dans leur hôtel particulier du Marais ou leur villa à Saint-Tropez, que leurs enfants ne côtoieraient jamais les petits Maliens à l'école, et qu'aucun d'entre eux ne se retrouverait en concurrence sur une liste d'attributaires de HLM ; mais les esprits revêches n'avaient pas droit à la parole. Les représentants des Maliens furent accueillis en triomphateurs à la Cartoucherie de Vincennes, par Ariane Mnouchkine. Quelques mois plus tard, Arnaud Desplechin et une soixantaine de metteurs en scène lancèrent un appel à la désobéissance civile. D'autres acteurs et militants antiracistes se rendirent à la gare de l'Est (d'où partaient les trains de déportés pour Auschwitz) en pyjamas rayés, filmés par toutes les caméras.

Le « sans-papiérisme » – mouvement idéologico-mondain – est né dans la chaleur des derniers jours d'août 1996, alors que l'église Saint-Bernard, dans le XVIIIe arrondissement de Paris, était occupée par un « collectif » de trois cents clandestins pour la plupart maliens, mais aussi mauritaniens et sénégalais, qui réclamaient leur régularisation.

Le « sans-papiérisme » est un bel exemple de créativité sémantique qui prouve que les ateliers d'écriture d'extrême gauche n'ont jamais fermé leurs portes depuis Mai 68. « Ils ont inventé l'euphémisme de "sans-papiers" pour parler des irréguliers. "Irréguliers" renvoie à la fraude ; "sans-papiers" à la perte de quelque chose d'important comme "sans famille" : c'est un bel exemple de manipulation linguistique », expliquait dans *Le Figaro* du 1ᵉʳ février 1997 l'ancien prêtre Jean-Claude Barreau, qui avait été conseiller du ministre de l'Intérieur Charles Pasqua entre 1993 et 1995.

Ce n'était plus le clandestin qui était en faute parce qu'il n'avait pas de papiers, mais l'État qui était en faute de ne pas les lui avoir donnés. Le philosophe Jacques Derrida résumait cet admirable renversement de sophistes : « Les sans-papiers ne sont pas clandestins [...] la plupart d'entre eux travaillent et vivent, ont vécu et travaillé au grand jour pendant des années [...] c'est l'iniquité de la répression gouvernementale à l'égard des sans-papiers qui souvent crée de la clandestinité là où il n'y en avait pas. »

Comme en 1968, ces jeunes « humanistes défenseurs des sans-papiers » étaient des rejetons de la bourgeoisie qui se croyaient en rupture de ban avec leurs familles. Ces braves enfants travaillaient sans le savoir pour leurs parents, patrons du bâtiment ou de grandes chaînes de restaurant – ou cadres du tertiaire qui pourraient s'offrir un appartement sur plan moins onéreux, ou un restaurant chinois, japonais ou italien, ou même un bistrot bien de chez nous pour une somme modique dans une grande métropole mondialisée –, leurs parents, donc, qui pourraient embaucher les « sans-papiers » ainsi rendus intouchables et inexpulsables grâce au talent sémantique de leurs progénitures.

C'était une vieille histoire toujours recommencée. En 1846, Auguste Mimerel, filateur à Roubaix, fondait la première organisation patronale française. Il posait deux grands principes :

1) il faut qu'une permanente menace de chômage pèse sur l'ouvrier pour contenir ses revendications ;

2) il faut laisser entrer la main-d'œuvre étrangère pour contenir le niveau des salaires.

En 1924, une Société générale d'immigration (SGI) fut créée par le comité des Houillères, qui ouvrit des bureaux de placement partout en Europe. On recommença dans les années 1950 avec les pays du Maghreb. Le président Pompidou reconnaissait à la fin de sa vie avoir trop cédé aux patrons : « Ils en veulent toujours plus. »

Selon le FMI, en 2009, l'économie souterraine représentait 14,8 % de la richesse nationale française.

Dans un article de *Capital,* toujours en 2009, la journaliste Marie Charrel estimait le coût du travail clandestin pour les finances publiques à 25 milliards d'euros. La fraude entraîne la fraude ; la fraude sociale des petits bricoleurs de la triche aux réseaux mafieux qui industrialisent les fausses fiches de paie et les faux arrêts maladie.

Les deux piliers de l'économie souterraine sont, selon ces organismes internationaux, le travail clandestin et le trafic de drogue. Entrés illégalement sur le territoire national, nos bien-aimés « sans-papiers » sont contraints de rembourser au plus vite les exigeants réseaux criminels qui les ont amenés en France : quand ils ne trouvent pas assez vite un travail dans le bâtiment ou la restauration, le trafic de drogue leur tend ses bras rémunérateurs. Au fil des années, et des installations, des liens se perpétuent et se renforcent : ce sont les mêmes passeurs, les mêmes familles, les mêmes ethnies, les mêmes régions. Ici et là-bas. Pour de nombreux pays d'émigration, les revenus envoyés par les immigrés à leurs familles sont la première recette de leurs balances des paiements. On comprend que de nombreux États ne fassent aucun effort, ni pour arrêter ni pour reprendre leurs ressortissants. Aux ministres français excédés, le président du Sénégal, Abdou Diouf, répondra entre fatalisme et ironie : « On n'arrête pas la mer avec les bras. Tant qu'il y aura un quartier nord riche et un quartier sud pauvre, dans notre village Terre, toutes les barrières du monde ne pourront empêcher des hommes d'être attirés par le Nord riche. »

Au petit matin du vendredi 23 août, à 7 h 30, passant par la rue Saint-Bruno, à l'arrière de l'Église, les CRS s'ouvrirent un chemin à coups de hache, devant un ballet endiablé de caméras et de commentateurs qui croyaient assister à la rafle du Vél' d'Hiv'. Le mot rafle fut d'ailleurs employé avec une rare complaisance par tous les médias. Les cloches de l'église se mirent à sonner. Le père Coindé improvisa une prière. Le porte-parole des sans-papiers, Ababacar Diop, fut embarqué par les gendarmes mobiles ; on apprit plus tard sa régularisation.

Les CRS triaient comme ils pouvaient entre les grévistes de la faim, les clandestins et leurs soutiens qui criaient : « Première, deuxième, troisième génération, nous sommes tous des enfants d'immigrés ! »

Une femme africaine portant son enfant sur le dos maniait l'ironie grinçante devant les caméras de télévision : « La dignité de la France, vous nous l'avez montrée aujourd'hui, messieurs. Merci, messieurs les colonisateurs que nous avons connus. Merci, la France de Chirac, de Juppé, de Debré. »

Autour, les manifestants criaient en écho rédempteur : « On est là. »

Mercredi 28 août, un avion charter conduisait à Bamako des clandestins, dont certains des occupants de l'église Saint-Bernard. Au même moment, plusieurs milliers de personnes défilaient de la République à Stalingrad, pour protester contre ces expulsions. Au premier rang, on reconnaissait Miou-Miou, Patrice Chéreau, Marina Vlady, Alain Krivine, Jack Ralite, Robert Hue, Martine Aubry, Dominique Voynet, Harlem Désir, Mgr Gaillot, Théodore Monod et Léon Schwartzenberg. Autour de l'église Saint-Bernard, quelques centaines de jeunes gens se heurtaient aux policiers, les accablant de pierres et d'insultes.

Les CRS devenaient enfin ces SS qu'on leur assurait qu'ils étaient près de trente ans plus tôt. Le ministre de l'Intérieur, Jean-Louis Debré, ne s'est jamais tout à fait remis de l'image de Reichsführer Himmler qu'une habile propagande lui accola alors, et qu'il n'a cessé depuis de vouloir effacer à force de bien-pensance, de propos politiquement corrects sur l'immigration ou le mariage homosexuel, et même d'écriture appliquée de romans policiers. Longtemps après, il ne se lassait pas de conter, avec l'ironie désabusée de celui qui est revenu de tout, les appels téléphoniques réitérés et furibonds du cardinal de Paris, Mgr Lustiger : « Écoutez ce que vous dit le curé de Saint-Bernard, ce n'est pas possible de ne rien faire ! » ; et le communiqué de presse publié par l'épiscopat quelques minutes après le début des opérations d'évacuation, plein d'émotion réprobatrice : « Comment ? La police est entrée dans une église en fracassant une porte ?! »

Pour toutes les belles actrices qui posaient à leurs côtés ; pour le comité « Des papiers pour tous » qui bloquait un camion cellulaire sortant du tribunal ; pour les juges qui traquaient l'erreur procédurale de la police ; pour tous les commandants de bord qui refusaient de prendre les « sans-papiers » renvoyés dans leur avion ; pour tous les militants associatifs qui leur trouvaient des logements subventionnés, les nourrissaient et leur donnaient des conseils juridiques pour ne pas être expulsés ; pour tous les inspecteurs du travail qui refusaient avec hauteur de contrôler les travailleurs clandestins ; pour tous les collégiens qui protestaient contre l'expulsion de leur « camarade » scolarisé avec eux, le « sans-papiers » se révéla une aubaine inespérée, un « Juif » idéal qui permettait de se parer des atours prestigieux du « Juste » sans risquer de tomber sous les balles des SS ou de la Milice. À tous les Français qui n'avaient pu, ou su, ou voulu, ou osé, ou désiré sauver des Juifs en 1942, l'Histoire, bonne fille, donnait une seconde chance.

Le « sans-papiers » n'était pas seulement le Juif idéal. Il était aussi le retour de la figure christique, pauvre étranger persécuté, venu sauver malgré lui une société française qui, décadente et corrompue, avait beaucoup péché. Le « sans-papiers » est une de ces magnifiques « idées chrétiennes devenues folles » annoncées par G. K. Chesterton. Il sonnait le retour du bon sauvage de Rousseau, innocent de toutes les souillures morales et écologiques de la civilisation. Il ressuscitait le prolétaire de la geste marxiste-léniniste, travailleur exploité et agent révolutionnaire de la grande rédemption communiste, tandis que le prolétaire occidental s'était abîmé dans la consommation petite-bourgeoise, et que le flamboyant prolétaire russe de naguère avait vu s'effondrer son infâme dictature soviétique. Le « sans-papiers » était l'ancien colonisé à qui on devait éternelle réparation, qui ne manquait jamais de nous rappeler notre crime originel pour relativiser et excuser son délit anodin ; qui excipait de notre invasion passée de son territoire pour absoudre et occulter son invasion présente de notre territoire.

Le « sans-papiers » est la quintessence, l'ultime et dérisoire avatar de toutes nos utopies millénaires, de nos rêves, de nos mythes, de nos illusions, de nos doutes, de nos culpabilités ressassées, de nos honte et haine de soi. « Tant qu'une nation conserve la conscience de sa supériorité, elle est féroce et respectée. Dès qu'elle la perd, elle s'humanise et ne compte plus », disait Cioran.

Le « sans-papiers » est l'incarnation emblématique de l'alliance objective entre le MEDEF et la LCR, entre les libéraux et les libertaires, entre l'univers patronal et le monde associatif, entre le costume trois-pièces et le blouson-pataugas, les uns pour « faire du fric », les autres pour noyer sous la masse venue d'Afrique la patrie du « mâle blanc hétérosexuel », comme ils disent, et se « gratter sur les subventions copieuses » versées par l'État et les collectivités locales pour entretenir cette cohorte de pauvres attirés par un pays de cocagne, mais si malade qu'il permet à des étrangers illégalement entrés sur son sol de manifester à visage découvert et même de faire grève. Quelques mois après l'évacuation de l'église Saint-Bernard, Ababacar Diop publiait un livre intitulé *Dans la peau d'un sans-papiers*[1].

Payée (grassement) par les uns, et nourrie idéologiquement par les autres, une caste de comédiens, de chanteurs, de metteurs en scène, d'écrivains, de philosophes, de sociologues, tout un monde et un demi-monde égocentrique et arrogant, souvent domicilié en Suisse ou en Belgique pour payer moins d'impôts – sans qu'ils se

1. Le Seuil, 1997.

demandent une seconde s'il n'y a pas un rapport entre l'immigration et l'alourdissement continuel des impôts et des charges sociales imposés aux citoyens français –, relie ces alliés improbables, prêchant le bon peuple de sa chaire cathodique, l'inondant de moraline et de culpabilisation.

1997

Cent millions de morts...
et moi, et moi, et moi

Lionel Jospin jubilait. Il goûtait avec délectation ces joutes parlementaires pendant lesquelles il se posait au milieu de l'arène, un fouet à la main, pour dresser les lions de la droite. Jospin était un Premier ministre de hasard, nommé à la suite d'une dissolution baroque décidée par le président Chirac sur l'instigation de son conseiller Dominique de Villepin ; mais il avait revêtu avec aisance les habits de sa fonction. Jospin était au fond un grand bourgeois louis-philippard attaché au parlementarisme britannique, qui détestait l'esprit monarchique et bonapartiste de la Ve République. L'Assemblée nationale devait à ses yeux redevenir le cœur de la vie politique française ; il s'y employait en rabattant dans l'hémicycle les débats intellectuels, idéologiques, historiques qui agitaient la Cité.

Quand *Le Livre noir du communisme*, dirigé par Stéphane Courtois[1], parut, il n'hésita pas une seconde, se jeta dans la bataille, et déclara : « Le communisme est représenté dans mon gouvernement et j'en suis fier ! » au milieu des

---

1. Robert Laffont, 1997.

tumultes et charivaris dans les travées de l'opposition, qu'il était toujours ravi de provoquer. Il ne fut pas le seul. Le Tout-Paris intellectuel et médiacrate noircit des tribunes enfiévrées. Personne ne discutait le sérieux du travail historique accompli par les nombreux auteurs de cet ouvrage collectif. Le texte de Nicolas Werth (un livre dans le livre) fut couvert d'éloges. L'historien iconoclaste détruisait pourtant ce qui avait été, depuis la mort de Staline en 1953 et la révélation de ses crimes par son successeur Khrouchtchev, la principale ligne de défense du communisme : l'hermétique séparation entre Lénine et Staline, entre le bon et le méchant, le sincère et le fourbe, le révolutionnaire romantique et le bureaucrate paranoïaque. Mais la distinction se révélait fallacieuse, et Lénine fut reconnu massacreur en chef, avant même que la guerre civile ne justifiât une radicalisation qu'avait anticipée un Vladimir Ilitch hanté par la figure historique de la Terreur, voulant réussir là où Robespierre avait échoué. Mais il fallait pour nos plaideurs du communisme parer au plus pressé ; sacrifier Lénine pour sauver le communisme ; diviser et opposer les collaborateurs à l'œuvre commune afin d'isoler le responsable de l'ouvrage, Stéphane Courtois.

Pour remplacer au pied levé Lénine comme héros immaculé, on improvisa la promotion de Rosa Luxemburg, révolutionnaire allemande qui avait la double chance rétrospective d'avoir contesté les manières autocratiques de Lénine dès 1917, et d'avoir été noyée dans les eaux glacées de la Spree par les hommes du pouvoir social-démocrate allemand lors de la révolution spartakiste de 1919. Surtout, elle avait l'avantage qui commençait alors à devenir inestimable d'être une femme. Ainsi, après Rosa Luxemburg, Olympe de Gouges supplanterait dans les livres d'Histoire de France la figure de Robespierre qui l'avait sans doute livrée à la guillotine sans même s'en apercevoir...

Ces précautions prises, on fit haro sur le Courtois. L'historien, dans sa préface, avait commis un double sacrilège. D'abord, il avait montré un rare talent commercial en livrant à la sagacité publique le chiffre de 100 millions de victimes du communisme, qu'il opposait lui-même, avec un brin de perversité, aux 25 millions de morts provoqués par le nazisme. Ces additions de carottes et de tomates ne signifiaient pas grand-chose en soi, mais, aussitôt, ses contempteurs surenchérirent dans le ridicule en lui opposant les millions de morts du « capitalisme », chiffre encore plus mythique, forgé à partir des guerres coloniales, des accidents de mine ou même des deux guerres mondiales.

Mais la querelle des chiffres n'était qu'un amuse-gueule. Le plat de résistance fut constitué par la comparaison établie par Stéphane Courtois entre communisme et nazisme. Bien sûr, il n'était pas le premier : Hannah Arendt avait associé les deux totalitarismes, avant que Vassili Grossman ne fasse de ce rapprochement alors tabou le fondement idéologique de son chef-d'œuvre romanesque, *Vie et destin*[1] ; François Furet, dans son *Passé d'une illusion*[2], deux ans avant *Le Livre noir du communisme*, avait repris la dangereuse comparaison ; mais il l'avait fait avec plus de retenue, concédant une certaine exceptionnalité du crime exterminateur de Juifs des nazis. Son livre avait été accueilli avec un plus grand respect. Furet avait d'ailleurs été approché pour rédiger l'introduction au *Livre noir du communisme* ; mais il était mort avant de l'écrire. Stéphane Courtois n'avait pas pris les précautions de son aîné. Il systématisait la comparaison entre les deux grands totalitarismes et reprenait, pour caractériser les crimes communistes, les catégories juridiques forgées par le tribunal de Nuremberg : crimes contre la paix, crimes de guerre, crimes contre l'humanité ; il osait établir, transgression suprême, l'égalité symbolique entre le « génocide "de classe" et le génocide "de race" : la mort de faim d'un enfant de koulak ukrainien, délibérément acculé à la famine par le régime stalinien, "vaut" la mort d'un enfant juif du ghetto de Varsovie acculé à la famine par le régime nazi ».

Il prenait ainsi à revers vingt ans de culture savante et populaire qui avait fait de l'enfant juif arraché au ghetto de

---

1. L'Âge d'homme, 1980.
2. *Op. cit.*

Varsovie pour être exterminé dans les chambres à gaz d'Auschwitz la quintessence ontologique du mal.

Courtois désacralisait délibérément : « Après 1945, le génocide des Juifs est apparu comme le paradigme de la barbarie moderne jusqu'à occuper tout l'espace réservé à la perception de la terreur de masse du XXe siècle. »

Il fallait donc selon lui relativiser le crime nazi pour laisser remonter à son étiage le crime communiste. Ses contempteurs les plus acharnés s'empressèrent de remettre sur la marmite Courtois le couvercle de « l'irréductible singularité de la Shoah ». Ils n'hésitèrent pas à tordre la réalité avec des arguments farfelus, expliquant que la famine en Ukraine avait été accidentelle – alors qu'elle fut organisée par Staline –, que les Ukrainiens ou les koulaks pouvaient s'ils se soumettaient au pouvoir communiste sauver leur peau (encore faux !), comparant les rébellions contre les communistes russes avec la révolte vendéenne contre la Révolution française (alors que les conventionnels avaient décrété l'extermination de tous les Vendéens, femmes et enfants compris !).

Face à ce torrent de mauvaise foi, Courtois eut le seul tort de prétendre que la sacralisation quasi théologique de la « Shoah » avait été orchestrée pour celer l'ampleur des crimes communistes. Cette réduction du débat public autour de la Seconde Guerre mondiale – et même de l'Histoire du XXe siècle – à l'extermination des Juifs – et même des enfants juifs – n'avait pris corps qu'à partir des années 1970, avant de devenir obsessionnelle dans la mémoire collective des années 1980, c'est-à-dire des décennies après les grandes hécatombes communistes et alors même que la machine terroriste soviétique s'était apaisée. Mais Courtois avait repris l'argumentaire qui avait poussé une partie de l'extrême droite française vers les thèses négationnistes. C'est ce qu'on lui reprocha : faire le jeu de l'extrême droite, et de ce Front national qui deux ans plus tôt, lors de la présidentielle de 1995, avait confirmé sa place dans la vie politique française. Rien de nouveau sous le soleil : les avocats du communisme retrouvaient le vieil argument forgé jadis par Staline, qui avait recommandé dès les années 1930 aux membres de l'Internationale communiste d'accuser leurs adversaires de faire le jeu du fascisme !

Au-delà du « détour » par l'extermination des Juifs ou des koulaks, c'est la similitude des deux totalitarismes qui continuait d'être niée : le nazisme n'était pas un progressisme, au contraire du communisme ; on ne s'engageait pas derrière Hitler par idéal, alors qu'on le fit pour suivre Lénine et Staline ; des communistes se sont repentis des crimes du communisme, alors qu'aucun dignitaire nazi n'a jamais dénoncé Auschwitz.

Cet argumentaire bien rodé pouvait être retourné, comme le fit Jean-François Revel, qui rétorqua que le communisme était en réalité plus pervers que son *alter ego* nazi puisqu'il se « dissimule derrière un discours progressiste et humaniste ; au moins, le nazisme annonce la couleur ».

On pouvait même répliquer que le nazisme, à l'instar du communisme, était une autre utopie révolutionnaire, qui voulait aussi forger un homme nouveau et imposer non la dictature du prolétariat mais celle de la race supérieure, par-delà les désuets attachements à sa classe, à sa nation, aux hiérarchies traditionnelles. Deux avenirs radieux de l'Humanité, deux Empires de mille ans, deux religions nouvelles érigeant leurs terribles dieux assoiffés de sang sur les ruines du « Dieu » judéo-chrétien dont Nietzsche avait annoncé prophétiquement « la mort ».

À voir le Tout-Paris s'agiter, s'étriper, s'insulter, s'indigner, on se demandait ce qui motivait cette défense acharnée d'une « illusion » près d'une décennie après la chute de la patrie du socialisme, l'URSS, et alors qu'en France le PCF était devenu une force marginale de la vie politique nationale.

Sans doute nos intellectuels de gauche ne défendaient-ils pas tant le communisme qu'une conception progressiste de l'Histoire, la possibilité de continuer à croire, le principe même d'un messianisme millénariste, et la légitimité de l'imposer d'en haut à tous, quels que soient les moyens et les résistances. Ce n'était pas le communisme mais le totalitarisme qu'ils aimaient, et ils révélaient sans le savoir cette obstination des « philosophes », même abâtardis, qui depuis Platon ne cessent de vouloir révéler aux pauvres hères ce qui se cache derrière les ombres de la caverne, pour les gouverner en « rois ». Orwell avait déjà déploré en son temps que la gauche était toujours « antifasciste » mais rarement « antitotalitaire ».

Nos intellectuels progressistes souhaitaient avant tout continuer à pérorer, morigéner, vitupérer, sermonner, moraliser, imposer, diriger, remodeler, condamner, excommunier.

« Le parti-prêtre », disait Michelet.

1998

Black-blanc-beur

Le même George Orwell aimait à parler de « l'indécence extraordinaire des dominants ». On en vécut une magnifique démonstration en la douce soirée d'été du 12 juillet 1998. Alors qu'un million de personnes se répandaient sur les Champs-Élysées (« la mer » chère au général de Gaulle à la Libération de Paris), l'Arc de triomphe était éclairé à la gloire du meilleur buteur de cette finale (qui avait pourtant accompli un tournoi plutôt terne) : Zidane président ! Les hommes politiques de tous bords, les intellectuels de tout acabit, qui n'avaient manifesté jusque-là que mépris pour ce « sport de beauf », exaltèrent avec des trémolos dans la voix la victoire de la France « black-blanc-beur ».

Cette victoire inespérée que les authentiques amateurs de football attendaient depuis cinquante ans (Thierry Roland poussa ce cri : « Maintenant que j'ai vu ça, je peux mourir ! »), cette victoire que la France avait effleurée en 1982 et 1986, et qu'à chaque fois les Allemands avaient arrachée des mains de l'équipe de Platini, cette victoire qui ne consacrait pas l'équipe la plus talentueuse de l'histoire du foot français mais la plus opiniâtre et combative, cette victoire préparée avec un soin méthodique par le « coach » (c'est alors qu'on découvrit ce mot) Aimé Jacquet dans un petit carnet qu'il tenait serré dans ses bras comme un bébé, cette victoire qui n'avait pas été annoncée par des médias sportifs ayant déversé pendant des mois avant la compétition un tombereau d'injures sur l'équipe de France, cette victoire qui couronnait, on l'a vu, le système de formation du football français sorti de la tête de quelques hauts fonctionnaires (hé oui !) au début des années 1970, cette victoire que tout un peuple fêta dans la liesse – cette victoire fut dérobée, subtilisée, transformée, transfigurée, un soir d'été, par nos élites politiques, intellectuelles et médiatiques et devint un fantastique objet de propagande.

En une nuit de folie, on sortit de la guerre du football pour entrer dans la guerre idéologique ; on sortit du jeu pour entrer dans la morale. Nos trois couleurs n'étaient plus bleu, blanc, rouge, mais black-blanc-beur. Ce n'était plus la victoire de la meilleure équipe du monde mais celle du métissage et de l'intégration à la française. Zidane était kabyle, Desailly africain, Karembeu kanak, Thuram guadeloupéen ; même Barthez redevenait pyrénéen et Jacquet forézien. C'était la foire du retour aux origines, venues de partout, sauf de la terre de France. On entendit une militante antiraciste exaltée affirmer que l'équipe aurait été encore meilleure si on y avait incorporé un joueur asiatique. Même les journaux allemands conclurent de l'élimination pour une fois précoce de la Mannschaft à l'abolition urgente du droit du sang germanique. Les idéologues et intellectuels français prouvaient une fois encore qu'ils n'avaient pas tout à fait perdu la main. Ils n'avaient rien prévu ni rien préparé, encore moins comploté ; mais ils s'étaient montrés de remarquables opportunistes, des experts dans l'art de la récupération. Tout le travail de sape antiraciste et multiculturaliste de trois décennies trouvait soudain son issue, son moment fatidique, son *kairos*.

Au milieu des transes dithyrambiques des intellectuels les plus posés, de l'enthousiasme incoercible des politiques même les plus insipides, le mot du député RPR des Hauts-de-Seine Patrick Devedjian les résuma tous : « Ce soir il y en a un qui a vraiment l'air d'un con, c'est Le Pen. »

L'utilisation du football à des fins de propagande idéologique, nationaliste et politique avait été jusqu'ici l'apanage
des régimes autoritaires, fascisme, franquisme, dictature de
généraux brésiliens ou argentins. Les mêmes méthodes
furent empruntées par la mouvance antiraciste et multiculturaliste dans une France de 1998 qui voulut croire au
miracle.

Des années plus tard, une fois l'ivresse retombée, un sociologue de gauche fort bien-pensant (pléonasme ?), Stéphane
Beaud, dans un livre intitulé *Traîtres à la nation*[1], remit les
pendules ethniques à l'heure sociale. Quand on étudiait
sérieusement les milieux d'où venaient les joueurs de
l'équipe triomphante de 1998, on constatait qu'ils étaient
tous issus de cette France rurale et ouvrière qui jetait ses
derniers feux, où le sens de l'honneur, le respect des
anciens, l'humilité individuelle qui se perd et se grandit dans
le groupe, sans oublier l'amour de la patrie, n'étaient pas
encore de vains mots. Quels que soient leurs origines et leurs
lieux de naissance, ces joueurs étaient rassemblés par les
valeurs de la France traditionnelle. Mais la passion irrésistible des élites intellectuelles et politiques françaises pour
les racines, l'origine, l'obsession racialiste de l'antiracisme
dominant depuis les années 1980, avaient recouvert et effacé
l'ancienne matrice marxisante qui mettait la classe sociale
en lumière et à l'honneur. On pourrait poursuivre la
réflexion fort pertinente de notre sociologue. L'équipe de
1998 n'était pas plus métissée que sa glorieuse devancière
de 1982 ou même celle de 1958 ; le football français a toujours puisé, à l'instar de ce qui se passait dans les usines,
dans l'immigration du moment, belge, polonaise, italienne,
espagnole, kabyle, africaine ; c'était le regard qu'on portait
sur elle qui avait changé. Kopa et Platini (ou Tigana, Amoros,
Piantoni, Genghini, Janvion, Trésor) étaient regardés comme
des Français, pas des descendants de Polonais, Italiens, Espagnols, Antillais, Africains. On insistait d'abord sur la chance

1. La Découverte, 2011.

qu'ils avaient eue de le devenir, et non sur la « chance » qu'ils étaient pour la France. L'équipe de 1998 était dirigée d'une main de fer par deux hommes, l'entraîneur (le coach !) Aimé Jacquet et le capitaine Didier Deschamps, deux « Français de souche », purs produits de cette France rurale et ouvrière, qui agirent comme l'avaient fait leurs ancêtres ouvriers et paysans, accueillant, souvent roides, les nouveaux venus, leur inculquant le savoir-vivre et le savoir-être français, leur servant de référent dans leur lent et exigeant travail d'assimilation au vieux pays. Entre le hussard noir de la République Jacquet et le chef d'atelier – « taulier », dit-on dans le foot comme à l'usine –, les traditions étaient maintenues.

Aimé Jacquet quitta son poste au soir de sa victoire en Coupe du monde ; Didier Deschamps abandonna l'équipe de France deux ans plus tard après un triomphe (encore plus brillant) aux championnats d'Europe. Depuis lors, le football français n'a plus remporté une seule compétition internationale.

Mais n'idéalisons pas. Le ver multiculturaliste était déjà dans le fruit assimilationniste. Le soir de la victoire, dans les vestiaires de l'équipe de France, alors que le président Chirac venait les congratuler, et que le champagne coulait à flots, Lilian Thuram réclama une « photo entre Noirs » sous les yeux écarquillés de certains de ses partenaires « blancs ». Le même Thuram, posant ensuite à l'intellectuel engagé, devint dans les années qui suivirent une figure de proue de l'antiracisme militant et un insupportable donneur de leçons. Son partenaire Karembeu se fit le héraut de l'indépendantisme kanak ; Youri Djorkaeff défendit la mémoire du génocide arménien ; et Bernard Lama parraina des écoles en Afrique. Seul Zidane garda un silence prudent, sans que l'on sût ce que son mutisme signifiait, patriotisme français révélé par ses furieux baisers portés à son maillot après son but en finale de Coupe du monde, ou attachement viscéral, mais censuré par des agents vigilants, à l'Algérie de ses pères, comme il le déclama lors d'un voyage sur la terre natale de ses ancêtres.

L'histoire aurait pu s'arrêter là. Les glorieux vainqueurs passèrent leur repos du guerrier estival au milieu des fêtes et des jolies femmes, le footballeur français remplaçant soudain le pilote de course et le joueur de tennis dans le cœur des mannequins.

Mais le facteur sonne toujours deux fois.

La première fois, le 6 octobre 2001. La Fédération française a eu l'heureuse idée d'organiser un match amical entre la France (le maillot bleu frappé d'une étoile pour sa victoire de 1998) et l'Algérie. Le résultat n'a guère d'importance, la supériorité des champions du monde est trop évidente ; c'est la fraternité entre les deux nations que les ingénus dirigeants de la FFF veulent promouvoir avec Zidane, « trait d'union » ente deux nations, deux cultures. Ils seront servis. Le Stade de France est empli de jeunes spectateurs venus de la Seine-Saint-Denis environnante. Ils sont pour la plupart de nationalité française, mais acclament l'équipe d'Algérie, sifflent son adversaire, conspuent Zidane, « le traître », à chaque fois qu'il touche le ballon. Les authentiques « supporters » de l'équipe d'Algérie sont sidérés par ce comportement si outrageant à l'égard du pays d'accueil de ces jeunes « Français ». Les joueurs « bleus », abasourdis, ont l'impression désagréable de « jouer à l'extérieur ». Dès le début, « La Marseillaise » est huée, et couverte d'injures et de sarcasmes. Dans les tribunes, le Premier ministre Lionel Jospin et la ministre des Sports, la communiste Marie-George Buffet, ne savent quelle attitude adopter, entre colère rentrée et compréhension infinie, hésitent à quitter le stade, restent. Ils le regrettèrent amèrement. Au cours de la seconde mi-temps, les ballons s'accumulent dans les filets du gardien de but de l'Algérie ; la victoire de l'équipe de France est trop écrasante pour les jeunes admirateurs de l'Algérie qui, soudain, envahissent le terrain pour interrompre l'insupportable humiliation de « leur équipe nationale ». Le service d'ordre (les fameux « stadiers ») n'a pas cillé, surpris ou complice, la plupart d'entre eux venant des mêmes cités que les spectateurs. Sur le terrain comme dans les tribunes officielles, la confusion règne : les arbitres suspendent le match ; Thuram, furibond, attrape par le bras un jeune « supporter » et l'agonit d'injures ; Marie-George Buffet s'empare du micro et supplie de « respecter la joie » ; une bouteille d'eau lancée à toute force la manque de peu. Le regretté Philippe Muray écrivit quelques jours plus tard une chronique savoureuse, dans laquelle il rappelait, sarcastique, que jadis on respectait le deuil, ou la nation, mais jamais la joie. Seul Zinedine Zidane semble hors d'atteinte au milieu du tumulte, échangeant maillot et plaisanteries avec des joueurs algériens qui le photographient dans les vestiaires.

L'illusion de la France black-blanc-beur était déchirée ; l'escroquerie idéologique antiraciste apparaissait sans fard. Ses auteurs en boiront la coupe jusqu'à la lie.

Des matchs France-Tunisie et France-Maroc eurent lieu dans les années qui suivirent. Les mêmes causes produisirent les mêmes effets. Le terrain ne fut pas envahi, mais « La Marseillaise » sifflée et les joueurs arabes sous le maillot bleu invectivés. On eut beau demander à une chanteuse maghrébine d'entonner l'hymne national, et mélanger les joueurs des deux équipes lors de leur entrée sur le terrain, rien n'y fit.

La punition céleste poursuit toujours les méchants là où ils ont péché.

Le discours black-blanc-beur avait emporté l'adhésion des esprits. Dans le milieu du football, formateurs, recruteurs et entraîneurs étaient convaincus qu'il suffirait d'un « petit Arabe » au milieu du terrain pour qu'il ait le talent de Zidane, et de « grands Noirs » derrière pour que leur défense fût inexpugnable. Dans un livre truculent, et documenté, *Racaille football club*[1], le journaliste Daniel Riolo relate les tribulations de ce recruteur lensois à Livourne, en Gironde : « Vous avez des grands Noirs costauds ? Même s'ils ont les pieds carrés, c'est pas grave, on les redressera », ou d'un dirigeant lyonnais en repérage dans une cité autour de la capitale des Gaules : « Nous ici, on va taper dans une

---

1. Éditions Hugo et Cie, 2013.

tour et hop, on en a dix qui tombent des comme ça ! » Il conte comment à Clairefontaine, centre national de formation des meilleurs jeunes joueurs français, on organise des matchs « Blancs contre Noirs ». Pour voir...

Comme si nos dirigeants du football français ressuscitaient dans leur sport la « force noire » du général Mangin et les tabors marocains du maréchal Juin à Monte-Cassino.

Le foot, c'est la guerre. On ne va pas tarder à s'en rendre compte.

Les jeunes de « cités » deviennent majoritaires dans les centres de formation de France et de Navarre ; y importent leurs mœurs violentes : « Le centre de formation, c'est la jungle. Je l'ai vécu comme ça, avoue un jeune joueur qui, par crainte de représailles sans doute, souhaite conserver l'anonymat. C'est la loi du plus fort. Les mecs qui viennent des quartiers imposent cette mentalité. Ils ont la rage, une volonté de s'en sortir, d'oublier les galères qu'ils ont pu connaître. Beaucoup vivent avec l'idée qu'ils ont connu le rejet, une forme d'exclusion. Dans le foot, ils sont d'un coup majoritaires, dominants. Et ce sont leurs codes qui s'imposent. Il est difficile de parler d'éducation parce que la règle semble devenue la mauvaise éducation. Et puis les mecs comme moi, on devient les céfrancs, quand ce n'est pas les gouers. Dans cet univers, il faut être costaud pour s'en sortir quand tu es différent[1]. »

En moins d'une décennie, le football français devient le football des banlieues françaises. L'invasion de la pelouse lors du match France-Algérie avait été prémonitoire. Les mêmes – ou leurs frères – évolueraient dans tous les clubs de l'Hexagone, jusqu'en équipe de France, y amenant les mœurs et coutumes de la « cité ». Les directeurs de centres de formation le notaient avec amertume : « Quand le gamin rentre chez lui, jamais il ne dira qu'il est français, c'est la honte ! » Les jeunes farouches ne respectent plus ni entraîneur ni formateur. Ils n'acceptent de se soumettre à l'autorité qu'à l'étranger, dans les clubs anglais ou italiens ou allemands,

1. *Racaille football club*, p. 146.

comme si ce n'est pas l'autorité en soi qui pose problème, mais la France. L'islam se répand dans les vestiaires, on prend sa douche en short par pudeur, on exige des mets *halal*, à la grande surprise des joueurs étrangers, sud-américains par exemple, qui seront les seuls à oser se rebeller contre le prosélytisme des musulmans les plus exaltés.

Cette transformation du football français demeura un temps méconnue du grand public, alimentant les conversations privées des dirigeants et les réunions professionnelles. Au cours de la décennie 2000, dirigeants, entraîneurs, joueurs, croquant goulûment les fruits de l'arrêt Bosman, n'auront pas envie de tuer la poule aux œufs d'or ; et les journalistes sportifs se tairont de peur de « faire le jeu du Front national ». La machine mettra dix ans à exploser. Lors de la Coupe du monde de 2010, en Afrique du Sud, des joueurs révoltés refuseront de s'entraîner et s'enfermeront dans leur bus, devant les caméras du monde entier. Alors, la France découvrira, toute honte bue, ce qu'est devenu le foot français, et son équipe nationale. Vikash Dhorasoo, un joueur talentueux, engagé à gauche, et plus cultivé que la moyenne, vendra la mèche : « Cette équipe représente la France des banlieues, la France des ghettos, des quartiers populaires qui sont devenus très durs. Je viens d'un milieu ouvrier, mon père travaillait comme ceux de Deschamps ou de Blanc. Mais aujourd'hui, dans les quartiers populaires, le pouvoir a été abandonné aux caïds, et c'est ce qu'on retrouve en équipe de France[1]. »

On apprendra que les repas servis à table aux joueurs de l'équipe de France étaient *halal* ; que les joueurs étaient sous la coupe de ceux qu'on appelait des « caïds » : Ribéry, Evra, Anelka, tous trois convertis à l'islam ; que ce dernier traitait son « coach » « d'enculé » ; que le joueur Gourcuff, trop bien élevé, « trop français », était victime d'un violent ostracisme. Cette équipe de 2010 se révélait l'exacte antithèse de celle de 1998 et son duo « tradi » Jacquet-Deschamps, avec Raymond Domenech, son sélectionneur « bobo » progressiste,

1. *Ibid.*, p. 49.

militant de gauche, « qui se rêvait acteur », demandait à la télévision sa fiancée en mariage le soir d'une défaite de son équipe, et avait accepté sans mot dire l'exclusive *halal*, tandis que le nouveau « taulier » de l'équipe, Franck Ribéry, était un quasi-illettré, s'exprimant dans une langue approximative, incarnation flamboyante de ce lumpenprolétariat français du XXIᵉ siècle, parfait exemple d'intégration à l'envers qui gagne les jeunes « Français de souche » demeurés dans nos banlieues.

Le football, hypermédiatisé pour la défense conjointe d'énormes intérêts commerciaux et la bonne cause antiraciste, mettait sous une lumière crue les maladies mortelles d'une France que les médias avaient l'habitude de dissimuler. Dans les déclarations officielles des politiques, des journalistes, des intellectuels, le football redevint alors un jeu, et non plus une morale ; les joueurs n'étaient que des « sales gosses pourris par l'argent et l'individualisme moderne », et non plus des exemples de « l'intégration à la française ». C'est dans ce contexte d'urgente rectification idéologique et médiatique, que le sociologue Stéphane Beaud publia son étude sur la sociologie des joueurs bénis de 1998. Mais il était trop tard. Les publicitaires et les affairistes s'affolaient, serrant leur cassette contre leur cœur. Le foot risquait de connaître le sort funeste de la boxe, grand sport populaire avant guerre, ramené à un stade artisanal et confidentiel à partir des années 1980. La classe moyenne blanche française retrouvait dans le football, source de divertissement, ses angoisses sécuritaires et identitaires. Elle n'envoyait plus ses enfants dans les clubs, lui préférant le basket ou le tennis ; ne regardait plus les matchs à la télévision ; retournait le mépris et la haine que lui avaient manifestés les joueurs « bleus ». Un marché risquait de s'effondrer en même temps qu'une mystification idéologique.

L'indécence extraordinaire des dominants était devenue boomerang.

1999

José Bové ou la trahison d'Astérix

Il était fait pour le rôle. Un corps trapu, une gouaille naturelle, des bacchantes épaisses. José Bové était un Astérix
de chair et d'os. Quand, avec ses amis, il mit à sac un
Mc-Donald's en construction à Millau, au cœur de l'Aveyron,
la France entière le prit en affection : le roquefort était la
potion magique de ce petit qui n'avait pas peur des grands,
de ce Gaulois qui osait défier les légions romaines de notre
époque. Son combat contre la « malbouffe » ne pouvait être
que populaire dans un pays persuadé d'avoir la meilleure
cuisine du monde. Il fut arrêté, condamné, emprisonné. La
rigueur du tribunal de Montpellier fut sa chance. De partout
en France, mais aussi d'Europe, d'Afrique et d'Asie, et même
des États-Unis, on envoya des chèques pour payer sa caution
de 105 000 francs – « la rançon » disaient ses amis – exigée
par la Justice pour sa libération.

Son histoire avait fait le tour du monde. Elle était le point
d'orgue d'une longue bataille qui avait commencé dans les
années 1980, lorsque les agriculteurs américains avaient
piqué leurs bœufs avec des hormones pour les engraisser.
Sous la pression des consommateurs, les autorités sanitaires
européennes avaient interdit le bœuf aux hormones en
1988.

Les grands groupes agroalimentaires comme Tyson Foods ou Cargill avaient convaincu le gouvernement américain de saisir le tribunal de l'OMC (Organisation mondiale du commerce) qui faisait ses premières armes institutionnelles. En 1999, l'Europe était condamnée, mais maintenait sa réglementation. En rétorsion, les États-Unis établissaient une liste noire de soixante produits agricoles français surtaxés à 100 % à l'importation, dont le roquefort.

Le 12 août 1999, les paysans du Larzac et les producteurs de brebis saccageaient le chantier du McDonald's de Millau.

À son procès, Bové avait lancé : « C'est le roquefort contre le bœuf aux hormones. » Il avait été condamné, mais sa victoire fut totale.

José Bové devint un « bon client » des médias. Sa rhétorique redoutable, son aisance devant les caméras, jusqu'à son anglais *fluent*, révélaient l'enfance patricienne, une jeunesse vagabonde aux États-Unis, une formation idéologique dans les rangs de l'extrême gauche, avant que ce fils de bourgeois objecteur de conscience ne débarque comme beaucoup de ses congénères, au milieu des années 1970, pour combattre le camp militaire du Larzac, et découvrir les splendeurs et misères du « retour à la terre » en vogue à l'époque parmi ceux qu'on appelait encore des hippies.

Mais Bové, lui, s'était accroché ; était devenu un producteur réputé de roquefort, avait même fondé un syndicat d'agriculteurs rival de la FNSEA, gagné depuis l'origine au productivisme et à l'alliance avec le pouvoir gaullo-chiraquien. Avec le « démontage » du McDonald's de Millau, il connaissait son quart d'heure de célébrité warholien qu'il exploitait avec une rare finesse tactique. Il plaçait son combat sous les auspices de Gandhi et des théoriciens pacifistes ; il n'acceptait de sortir de prison qu'après que McDonald's France eut retiré sa plainte ; il ne tardait pas à saccager une serre de plants de riz génétiquement modifiés (OGM) ; il était reçu à l'Élysée et à Matignon, par Jacques Chirac et Lionel Jospin. Il se précipitait au sommet de l'OMC à Seattle.

En ce mois de novembre 1999, notre Astérix aveyronnais découvrait qu'il n'était pas seul. Des milliers de jeunes protestataires venus du monde entier tentaient de bloquer la tenue de la réunion commerciale de l'OMC à Seattle, poussant une police américaine débordée à sortir matraques et gaz, devant les caméras accusatrices des médias internationaux.

Jamais des négociations commerciales de ce genre n'avaient été ainsi placées sous les projecteurs de l'opinion. On était dans le droit fil du procès de Bové : bien au-delà de la « malbouffe », un mouvement émergeait contre l'expansion indéfinie du commerce mondial, sous la houlette des grands groupes transnationaux ; une opposition juvénile internationale à ce qu'on appelait en français la « mondialisation » et, de façon beaucoup plus pertinente en anglais, *globalization.*

Ces émeutes de Seattle constituèrent l'acte de naissance de l'« altermondialisme » ; le mouvement organisa deux ans plus tard son premier forum social mondial en janvier 2001, dans la ville brésilienne de Porto Alegre.

Les nouveaux amis de José Bové étaient marxistes, socialistes, pacifistes, libertaires, « citoyens du monde », féministes, écologistes, héritiers de tous les gauchismes des années 1970, sans oublier d'inévitables « casseurs » qui s'agrégeaient à chaque manifestation pour affronter les forces de l'ordre.

Ils se qualifièrent d'« antimondialistes ». Ils combattaient les théoriciens libéraux pour qui « la mondialisation » était la conséquence « naturelle » des évolutions économiques et technologiques du capitalisme. Il y a depuis l'origine une tentation providentialiste parmi les théoriciens du libre-échange. Ils ont tendance à considérer que la liberté des échanges est une bénédiction des peuples venue du Très-Haut pour apporter la prospérité et la paix entre les hommes ; tous ceux qui sont hostiles ou réservés sont des émanations du démon. Quand il voulut se moquer des réflexes corporatistes et protectionnistes, le grand penseur français du libéralisme du XIXᵉ siècle, Frédéric Bastiat, n'évoqua pas par hasard une révolte des marchands de bougie suppliant l'État de les protéger de la concurrence scandaleuse du soleil ! Au XIXᵉ siècle, l'homme qui abolit les Corn Laws (les droits sur

les blés) et fit entrer l'Angleterre dans l'ère du libre-
échange, Robert Cobden, avait failli devenir prêtre et était
porté par une vision messianique de son action politique.
En cette extrême fin du XXᵉ siècle, l'esprit divin souffle toujours, seules les références ont changé. On interprète l'Histoire des années 1930, et on en conclut que le réflexe
protectionniste américain (le fameux tarif Smoot-Hawley)
fut à l'origine de l'arrivée de Hitler au pouvoir et de la
Seconde Guerre mondiale. Les résistants à la vague libre-
échangiste sont des fauteurs de guerre, des fascistes, des
nazis. Ils sont au mieux accusés d'égoïsme, d'être des partisans du repli frileux sur les anciens parapets, des ringards
et d'archaïques réactionnaires qui refusent le développement économique des pays pauvres d'Afrique et d'Asie, et
protègent des rentes et des industries dépassées par de
vaines lignes Maginot.

Ce bombardement d'une puissance de feu inouïe fit céder
les défenses de leurs adversaires, qui troquèrent l'« antimon-
dialisme », pour un « altermondialisme » de meilleur aloi.
Ces héritiers de Gramsci ne pouvaient pas ignorer les conséquences de leur choix sémantique. Ce changement pudi-
bond de nom signait leur reddition ; mais ils préférèrent la
soumission à la diabolisation. Les idéologues libéraux
avaient retourné avec succès, contre ces anciens marxistes
de toutes obédiences, l'antique tactique chère à Joseph Staline
de « fascisation » de l'adversaire.

En devenant « altermondialistes », pour ne pas être accusés de repli frileux sur les vieilles nations, les « antimondialistes » se soumettaient à l'universalisme abstrait de leurs
adversaires. Ces socialistes avouaient qu'à l'instar des libéraux, ils étaient les héritiers communs de la pensée des
Lumières. Ils dénigraient le capitalisme, mais continuaient
à se référer à l'universalisme des droits de l'homme qui en
constituait la matrice. Ils se faisaient les hérauts d'une « autre
mondialisation », d'une « mondialisation plus humaine », une
« mondialisation citoyenne », mais c'était toujours la mondialisation, s'inclinant devant son caractère « systémique ».
Ils s'opposaient à la « mondialisation néolibérale » sans comprendre que l'expression était un pléonasme. Ils voulaient

réguler le « marché » dans le cadre d'une « gouvernance mondiale », qui ne pourrait être mise en œuvre que par le bras armé du libéralisme (FMI, G7, OMC, etc.). Ils dénigraient le libéralisme économique, mais faisaient l'apologie du libéralisme sociétal, sans comprendre, malgré les analyses fines d'un Jean-Claude Michéa, que les deux étaient liés. Ils exaltaient le retour aux productions locales, pour lutter contre la malbouffe et le réchauffement climatique, mais encourageaient avec passion les mouvements migratoires les plus massifs au nom du « métissage ». Ils se voulaient d'ardents « citoyens du monde » et rejoignaient ainsi dans leur cosmopolitisme méprisant pour les peuples, leurs cultures, leurs racines, leur art de vivre, les patrons des grands groupes globalisés qu'ils vouaient aux gémonies.

Le destin personnel de José Bové fut le reflet de cette défaite sémantique, idéologique et politique. Il devint député européen sous la bannière des Verts ; se lia d'amitié avec Daniel Cohn-Bendit ; après avoir voté non au référendum de 2005, il se convertit, sous l'influence de son nouvel ami, aux mânes de l'Europe fédérale. Il ne renia aucun de ses combats ; se révéla un député européen pugnace, pourchassant les lobbies, la corruption, les atteintes à la santé publique des grands groupes du tabac, des OGM, ou de l'industrie pharmaceutique. Sa lutte n'était pas vaine ; mais résiduelle. Un député isolé dans le Parlement marginalisé d'une Europe obsédée par la seule « concurrence libre et non faussée ».

Il s'était rendu populaire par son combat contre la « malbouffe ». Celle-ci se répandit comme jamais. L'Europe, depuis la réforme de la PAC en 1992, était devenue le cheval de Troie de « l'américanisation » des assiettes. On n'avait pas le bœuf aux hormones ni les OGM, mais le productivisme effréné de l'industrie agroalimentaire française (la Bretagne !) et européenne (Prusse-Orientale ou Espagne), et l'efficacité redoutable de la grande distribution à « tirer » les prix au plus bas. Cette dérive irrépressible avait transformé l'alimentation des Français et des Européens en une folle machine à fabriquer des maladies (obésité, cholestérol, cancers, dia-

bêtes, maladies cardio-vasculaires) que l'industrie pharmaceutique traitait avec d'innombrables médicaments pour le
plus grand profit de ses actionnaires.

Bové ne l'admettrait jamais, mais il était devenu l'« idiot
utile », la « caution démocratique » de ses ennemis de toujours. Comme si, à la fin de l'histoire, au moment du traditionnel banquet gaulois, alors que tous festoyaient,
qu'Obélix se gavait de sangliers et qu'Assurancetourix
bâillonné se désespérait de ne pas chanter, Astérix était
passé dans le camp des Romains.

2000

Airbus story

Les hommes restent longtemps des enfants. Ils aiment à construire des Lego de plus en complexes, de plus en plus gros, de plus en plus majestueux. C'est la course à la taille. Avec leur théorie des économies d'échelle, les économistes ont donné une apparence rationnelle à ces pulsions enfantines. Alors qu'on approche du mythique an 2000, et qu'on joue à se faire peur sur le « bug informatique », les seigneurs de l'aéronautique mondiale jouent au Lego. On appelle cela des fusions-acquisitions.

La partie a commencé aux États-Unis où Boeing a avalé son rival McDonnel Douglas en 1997. Aussitôt, les gouvernements des trois grands pays européens, France, Grande-Bretagne, Allemagne, annoncent qu'ils se lancent à leur tour dans ces grandes manœuvres. European Aeronautic Defence and Space Company (EADS) naîtra en juillet 2000. Entretemps, chaque pays a fait le ménage chez lui, selon la stratégie des champions nationaux, si chère naguère au président Pompidou. Les Français Aérospatiale et Lagardère se sont mariés avant de rejoindre l'allemand Dasa, qui était déjà né dix ans plus tôt du rachat par Daimler de l'antique Messerschmitt. Pendant quelques mois, les Allemands avaient envisagé de convoler avec les Anglais de British

Espace avant de choisir d'épouser les Français, sans qu'on sût si cette ultime tergiversation n'avait été qu'une habileté tactique pour faire monter les enchères du prétendant.

Un siècle plus tôt, les mêmes, Anglais, Français, Allemands, Américains, se disputaient déjà le privilège de traverser l'Atlantique sur leurs coucous brinquebalants. L'industrie est beaucoup plus déterminée par l'Histoire qu'on ne le croit. L'heure n'était plus aux exploits des Blériot et Lindbergh, mais aux commandes de gros-porteurs et au *cash-flow*. En quelques décennies, les Européens avaient réussi l'inimaginable, rivaliser et dépasser le géant américain.

Tout commença donc au début du siècle avec les exploits des chevaliers du ciel. Mais les deux guerres mondiales révélèrent que l'avion pouvait être un jouet remarquable pour observer (1914-1918), bombarder, terroriser, raser (1939-1945). Les pilotes allemands avaient montré par leurs exploits qu'ils valaient bien les meilleurs Français et Britanniques, et la puissante industrie germanique de l'aviation n'avait ployé que devant le géant américain. Les Alliés de la Seconde Guerre mondiale retinrent la leçon et interdirent à l'Allemagne de construire des avions. Ce diktat dura jusqu'en 1955. Comme les Docteur Folamour avaient pris le chemin de Washington ou de Moscou, les meilleurs ingénieurs aéronautiques allemands désœuvrés traversèrent le Rhin pour s'installer en France.

On ne le sait pas, mais Airbus est né. Enfin, pas encore. Pour l'instant, on bricole. En 1958, les Français et les Allemands construisent ensemble un avion militaire : le Transall. En 1962, les Français pactisent avec les Anglais pour accoucher du Concorde, merveille technologique qui sera commercialement assassinée par la crise du pétrole et surtout le protectionnisme américain. En 1970, le Groupement d'intérêt industriel (GIE) Airbus est fondé par les Français et les Allemands. Les Espagnols et les Anglais les rejoindront pour édifier l'Airbus A310.

La France est le pivot stable de toutes ces alliances nationales. C'est l'Europe telle que la conçoivent les Français autour du général de Gaulle, celle des ententes entre États-nations.

La réussite de l'Airbus est vantée par les thuriféraires énamourés de l'Europe, alors que c'est sans doute l'une des activités économiques les plus liées aux génies et tempéraments nationaux. On la donne en modèle d'une Europe qui marche, alors qu'elle est le produit d'alliances nationales et étatiques qui auraient été interdites dans l'Union européenne régie depuis les années 1980 par le dogme de la concurrence.

À l'époque, la politique d'aménagement du territoire n'est pas un vain mot. Le pouvoir gaulliste installe l'aéronautique nationale à Toulouse. La ville rose n'est alors qu'une charmante bourgade de province au milieu des champs ; personne ne se doute que la capitale régionale deviendra en quelques décennies, par la grâce d'Airbus, pour le meilleur et pour le pire, une métropole mondialisée. La « légion étrangère » des ingénieurs allemands exilés goûte les charmes de la vie de province française ; ils se sont regroupés autour du génial Felix Kracht, qui forge, avec le Français Roger Béteille, l'organisation industrielle d'Airbus. L'Allemand fait passer le souci d'efficacité avant les susceptibilités nationales. Il impose que le partage entre industriels des deux pays soit établi en fonction de leurs compétences. Les Français de l'Aérospatiale se taillent donc la part du lion, se réservant les « morceaux nobles » : systèmes, assemblage, conception générale ; tandis que les Allemands se contentent des bas morceaux : aménagements intérieurs et cylindres du fuselage. Cette division du travail suscite susceptibilités, frictions, disputes, cris ; les Allemands se lassent vite de fabriquer des « tuyaux de poêle » ; les Français les regardent de haut, sûrs de leur supériorité technique, qui crève alors le ciel avec la Caravelle et surtout le Concorde, ne pouvant dissimuler une pointe d'arrogance derrière leurs moqueries gouailleuses. Les Français retrouvent les réflexes historiques hérités de Richelieu, Louis XIV ou Napoléon, qui considéraient avec faveur les alliances avec des Allemands – Rhénans, Badois, Saxons – tant qu'ils œuvraient pour la gloire de la « Grande Nation ». Les ingénieurs français de l'Aérospatiale sont à l'époque d'enthousiastes Européens au sens où on l'est en France, c'est-à-dire l'Europe vue comme la France en grand. Les Allemands, tancés par Kracht, font le dos rond et grignotent, à chaque nouvel avion, du travail industriel supplémentaire.

La première rupture a lieu en 1989. Le mur de Berlin tombe, l'Allemagne se réunifie ; elle redevient un sujet des Relations internationales et de l'Histoire. La même année, l'industrie aéronautique germanique (Dasa) est rachetée par le prestigieux Daimler (Mercedes), et Berlin obtient sa première usine d'assemblage à Hambourg. Le nouveau patron allemand, Jürgen Schrempp, n'a pas l'humilité cordiale de Kracht. Patron rigoureux, intransigeant et patriote, il ne ménage pas les arrogants Français, comme s'il voulait leur faire comprendre que les temps ont changé, que ses compatriotes réunifiés sont bien décidés à retrouver leur domination d'avant-guerre, sous-entendant que la supériorité française n'avait été que le produit d'un malencontreux hasard de l'Histoire, de la défection forcée des Allemands ; comme si ces derniers n'avaient jamais cessé de ressasser la réflexion outrée du général Keitel apercevant lors de la capitulation allemande à Berlin, le 8 mai 1945, la figure du général de Lattre de Tassigny auprès des Américains, des Russes et les Anglais : « Quoi ! Les Français aussi ? »

Alors, l'arrogance changea de camp, le combat changea d'âme ; la quête de l'hégémonie devint une obsession allemande.

Un malheur n'arrive jamais seul : tandis que les élites allemandes redécouvraient avec un ravissement jubilatoire les sensations viriles de la souveraineté et de la puissance, leurs homologues françaises – de droite comme de gauche, politiques, mais aussi économiques et intellectuelles – bradaient une souveraineté nationale vieille de plus de mille ans, comme un vieux buffet Henri II dont on n'a plus ni le goût ni l'usage, au profit d'un ameublement moderne dont on vante le confort et le design épuré : l'Europe.

Tout bascule lors des négociations autour de la naissance d'EADS : alors qu'elle apporte les deux tiers des actifs et l'essentiel des compétences, la France accepte une fusion 50-50 et une stricte parité des pouvoirs.

En d'autres temps, on aurait appelé cela une trahison. En 2000, les médias français exaltèrent ce « geste fort » du Premier ministre, Lionel Jospin, et de son ministre de l'Économie, Dominique Strauss-Kahn, en faveur de la « construction européenne ». Le président gaulliste Jacques Chirac ne moufta pas.

Dans les années qui suivirent, les Allemands n'eurent de cesse de donner une réalité juridique et industrielle à ce nouvel équilibre, et de conquérir l'hégémonie au sein du consortium, par un insatiable grappillage de compétences et d'emplois, pendant que les dirigeants français étaient trop occupés à se battre entre eux, se disputant l'héritage du brillant Jean-Luc Lagardère, mort sur une table d'opération en 2003.

En 2007, on découvre que l'arrogance des Français ne reposait pas sur du sable. L'A380 se révèle un accident industriel de grande envergure, causé par des erreurs de câblage, opéré sur le site de Hambourg. À Toulouse, des bagarres éclatent entre ouvriers français et ouvriers allemands venus refaire les câblages. La querelle tourne à l'affaire d'État. À peine élu, Nicolas Sarkozy rencontre Angela Merkel. Les deux dirigeants décident la fin du « double commandement ». Le Français Louis Gallois devient le seul patron d'EADS, tandis que l'Allemand Tom Enders prend la direction de la principale filiale, Airbus. Sarkozy, qui se moque volontiers de « la grosse allemande mal coiffée », croit avoir gagné la bataille. Mais alors que les Français veulent en finir avec « les poisons du nationalisme » (Louis Gallois), les négociateurs de Daimler imposent la domination de l'Allemagne dans tous les domaines : emplois, nominations, etc.

En quelques années seulement, l'Allemagne devient la première nation industrielle d'Airbus, avec 39 % de la fabrication contre 28 % en 1976, tandis que la France passe de 42 % à 37 %. Et s'il y a encore aujourd'hui plus d'emplois en France (22 000 contre 19 000), la différence tient à la présence du siège social à Toulouse.

La glorieuse histoire d'Airbus ne s'arrête pas là. Tom Enders a remplacé Gallois à la tête d'EADS. Les actionnaires français et allemand, Lagardère et Daimler, étaient pressés de vendre leurs parts pour empocher une grasse plus-value. Enders en profite pour négocier une réforme de la « gouvernance » de l'entreprise, qui réduit l'influence des États renonçant à leur droit de veto (même si, pour la première fois, le gouvernement allemand assume son entrée au capital). L'objectif de « Major Tom » est de transformer l'édifice baroque dont il a hérité de l'Histoire en une entreprise « normale ». Ce terme signifie une société globalisée, mondialisée, sans attaches nationales, qui ne poursuit que son seul souci de la rentabilité, et la satisfaction de ses gros actionnaires avant tout, leur soumettant tout le reste : sort des salariés, conditions de travail, recherche, etc.

En 2013, alors même que les ventes d'Airbus se multipliaient aux quatre coins du monde, Enders annonçait, en langue anglaise, à ses salariés, la suppression de 5 000 postes, pour améliorer la rentabilité financière de l'entreprise qu'il jugeait – et la Bourse avec lui – insuffisante. En 2014, on apprenait qu'EADS s'appellerait Airbus : stratégie de communication habituelle des groupes globalisés (Orange, Danone, etc.) qui prennent comme enseigne internationale leur produit le plus célèbre.

Tom Enders n'a pas tardé à donner les preuves de sa détermination. Il regroupait à Toulouse les sièges parisiens et bavarois d'EADS, suscitant des cris d'orfraie à Munich. Il tentait de forcer la main du gouvernement allemand rétif, pour fusionner EADS avec le britannique BAE. Devant le veto d'Angela Merkel, il reculait, mais n'hésitait pas à s'opposer à son gouvernement. Il refusait le transfert de bureaux d'études à Berlin exigé par la chancelière.

La situation est singulière : seul un Allemand ose résister à la puissance retrouvée de l'État-nation réinstallé à Berlin. Les Allemands ne relâchent pas leur pression ; ils cherchent leur ultime revanche, la technologie : que l'A320 soit le premier Airbus conçu en Allemagne. Les dirigeants français – naguère sous Sarkozy, aujourd'hui sous Hollande – se cachent derrière Major Tom, n'ayant pas le courage de défendre les intérêts nationaux à visage découvert.

Mais si le patron d'Airbus cède, ou est remplacé, l'Allemagne aura gagné ; s'il continue à résister, ce n'est pas la France qui gagnera, mais une conception anglo-saxonne de l'entreprise. Pour la France, c'est la défaite assurée sur les deux tableaux.

2001

25 mars 2001

Paris ne sera pas toujours Paris

On était aveuglé par nos passions. On confondait l'écume et la vague, le décor et la pièce, la forme et le fond. L'anecdotique et l'historique. Les querelles de la droite, les états d'âme dépressifs de Philippe Séguin, le « bon bilan » arboré par le sortant Jean Tibéri, ou encore les savants calculs électoraux imposés par la loi PLM (Paris-Lyon-Marseille) qui donnaient la mairie de Paris au socialiste Delanoë malgré un total de voix inférieur à celui de son adversaire. On calcula, on glosa, on commenta. Les plus politiciens s'amusèrent de l'habileté diabolique de Jacques Chirac qui avait favorisé l'élection d'un adversaire socialiste afin d'écarter la concurrence d'un rival ombrageux. Les plus historiens d'entre nous sonnaient le grand retour de la gauche dans la capitale, d'où elle avait lancé toutes les révolutions, mais d'où elle avait été chassée, à la fin du XIXe siècle.

Le mouvement était encore plus profond. La victoire de Bertrand Delanoë avait une signification qu'on ne tarda pas à déchiffrer : Paris était devenue une ville-monde.

Le concept de ville-monde avait été forgé par le grand historien Fernand Braudel, dans son chef-d'œuvre : *Civilisation matérielle, économie et capitalisme – XVe-XVIIIe siècles*[1].

---

1. Belin, 1979.

La ville-monde est le cœur battant de ce que Braudel appelle l'économie-monde. « Les informations, les marchandises, les capitaux, les crédits, les hommes, les ordres, les lettres marchandes y affluent et en repartent. » Plus on est près de la ville-monde, plus on est riche et puissant ; plus on en est éloigné, dans une périphérie de cercles concentriques, plus est faible et pauvre.

La ville-monde change selon les époques. À cette aune braudelienne, Gênes, Venise, Amsterdam, Londres, New York s'étaient succédé comme les villes-monde d'une économie déjà mondialisée, mais pas encore « globalisée ». Paris n'avait jamais fait partie de cette catégorie huppée. Elle relevait d'un autre registre, celle de capitale politique d'un État-nation en devenir.

Selon Braudel, l'Histoire de notre pays se singularisait et s'expliquait par cette carence ; Paris envoyait ses soldats pour arraisonner la « ville-monde » du moment, la conquérir, la domestiquer, la posséder. C'est François Ier en Italie, Louis XIV et la guerre de Hollande, Napoléon et le camp de Boulogne vers l'Angleterre. Mais à chaque fois, les troupes royales, républicaines ou impériales arrivèrent trop tard, s'emparant de sa proie quand le trésor ne s'y trouvait plus (les armées de Napoléon prenant l'Italie et Amsterdam, mais pas Londres).

Cette Histoire française se clôtura lorsque le flambeau de la ville-monde passa à New York.

Mais Paris demeura un siècle encore la ville-capitale, modèle politique, administratif et architectural de toutes les capitales des États-nations qui se forgèrent sur l'exemple français : Bruxelles, Berlin, Madrid, Rome, Vienne, Budapest, Saint-Pétersbourg, Moscou, Bucarest, Istanbul, ou encore Washington.

Comme Paris, elles devinrent ces antres balzaciens où les carrières se font et se défont, les ambitions s'entrechoquent, les rêves se dégradent en illusions perdues. Mais Paris conserva deux spécificités irréductibles. D'abord, sa petite taille. C'est une ville ronde et fermée de 105 kilomètres carrés quand Madrid s'étend sur 608 kilomètres carrés, Moscou 2 511 kilomètres carrés, et dont la densité (21 347 habitants au kilomètre carré) ne se compare qu'à celle... des villes d'Asie. Tout ce qui compte dans la presse, la mode, la politique, l'économie, le cinéma, la finance, la médecine, se côtoie, fréquente les mêmes cafés, les mêmes restaurants, les mêmes immeubles cossus, les mêmes lieux de plaisir, se croise et se balade dans les mêmes rues.

Paris est une bulle ronde qui a grossi en faisant sauter cinq enceintes successives (celles de Philippe Auguste, de Charles V, de Louis XIII, des fermiers généraux et de Thiers). La dernière enceinte est celle métallique du périphérique posée en 1973, que tous les promoteurs du grand Paris rêvent à leur tour de dépasser. Avant, il y avait les « fortifs » et au-delà la zone. La zone d'où venaient les hordes de « barbares » qui envahissaient la capitale et menaçaient les pouvoirs en place.

Cette tradition révolutionnaire – la seconde spécificité parisienne –, exaltée depuis la prise de la Bastille, explique que le pouvoir central, qu'il fût monarchique, impérial ou républicain, a toujours gardé la main au collet de la ville qui fascinait et inquiétait à la fois. Les distances étaient trop réduites entre le fastueux « axe du pouvoir » (du Louvre à l'Arc de triomphe, autour duquel se construisaient les hôtels particuliers et s'installaient riches, puissants et élégantes) et les classes laborieuses, classes dangereuses, qui pouvaient à tout moment les subvertir. On attendit un siècle après la Révolution pour que les maires des communes ne soient plus nommés mais élus ; mais il fallut encore cent ans pour que le maire de Paris fût libéré de sa sujétion spécifique.

Giscard regretterait sa libéralité puisqu'il donna sans le vouloir les clés à son pire ennemi. Cependant, bien qu'élu, Chirac, qui avait gardé une âme de haut fonctionnaire sous sa carapace de politicien souriant aux dents longues, se considéra comme le super-préfet du département parisien, ne consultant les autres élus que pour la forme, ne faisant confiance qu'aux fonctionnaires de la ville, triés sur le volet, dont le recrutement et la formation avaient été, sur sa demande, rattachés à l'ENA. Chirac ne revêtait les habits de lumière de maire de Paris que pour recevoir les hauts dignitaires étrangers, guerroyer contre ses ennemis politiques, Giscard, puis Mitterrand, et enfin Balladur, et transformer l'Hôtel de Ville en une forteresse pour y panser les blessures de ses défaites et de ses trahisons, et un coffre-fort finançant fidèles et affidés, une large clientèle à qui il accordait, souverain fastueux et dispendieux, prébendes diverses, emplois, logements, subventions.

Le profil psychologique et politique de Jacques Chirac, technocrate, gaulliste, industrialiste, chef d'un parti « bonapartiste », à la fois député de Corrèze et ministre, par ailleurs grand coup de fourchette et grand buveur et homme à femmes, le rattachait en droite ligne au personnel politique de la IIIᵉ République ; il fut le premier maire de Paris élu et le dernier maire de Paris du XIXᵉ siècle. Son successeur socialiste, refusant le cumul des mandats, ami du show-biz et ancien publicitaire, habitant la butte Montmartre, par ailleurs homosexuel assumé, annonçait le Paris du XXIᵉ siècle, tertiarisé, boboïsé, diplômé, écologisé, piétonnisé, « velibisé », féminisé, mondialisé, dépolitisé, métissé, communautarisé. Après Delanoë, deux femmes sollicitèrent en 2014 sa succession. Comme une évidence...

En ce début de XXIᵉ siècle, Paris accédait au graal braudelien de la ville-monde, mais dans un contexte différent. L'économie-monde décrite par l'immense historien avait été transformée par la « globalisation ».

Les villes-monde d'aujourd'hui ont pour nom New York, Londres, Tokyo, Francfort et Paris. Ou encore Shanghai. Elles ne se succèdent plus dans le temps, mais se connectent dans l'espace. Elles s'inscrivent dans une hiérarchie subtile, établie par les organismes internationaux, et scrutée par les « élites mondialisées » qui passent de l'une à l'autre sans plus rien voir des territoires qui entourent chacune d'entre elles.

Elles furent décrites par l'économiste et sociologue néerlando-américaine Saskia Sassen, dans un livre intitulé :

The Global City[1]. À traduire non par « La ville globale », mais plutôt « La ville de la globalisation ». Une métropole mondialisée, ont conclu les géographes français.

Une ville-monde d'aujourd'hui n'appartient plus ni à son histoire, ni à ses habitants, ni même au pays dont elle est souvent la capitale. Ses richesses ne viennent plus du territoire national qui l'entoure, mais des liens qu'elle entretient avec ses sœurs à travers la planète, ce que les spécialistes appellent des « flux » : flux de marchandises, de capitaux, d'informations et flux migratoires. Elles sont les produits de cette « globalisation », qu'elles conduisent, orientent, façonnent, imposent à tous. Elles centralisent les sièges sociaux des grands groupes internationaux, les institutions de la « gouvernance mondiale », les centres de recherche et d'innovation. Le PIB du grand New York est supérieur à celui de l'Espagne, celui du grand Chicago plus élevé que la Suisse. La ville-monde doit posséder des infrastructures de transport et de communication (aéroports, gares, routes, réseaux internet) qui permettent aux élites mondialisées d'y débarquer, de s'y balader, d'y travailler et d'y consommer, avant de repartir vers d'autres villes-monde, en ayant eu le moins de contacts possibles avec la population et le territoire alentours.

Ses maîtres mots sont : tertiarisation, verticalisation, gentrification, éviction et ségrégation.

Une ville-monde transforme sa population, créant même un nouveau type sociologico-journalistique : le « bobo ». Ce concept, né aux États-Unis, en l'an 2000, a été très vite adopté par les Français ; mais il y a des bobos à Londres, Francfort, Berlin, Shanghai même. C'est Maupassant qui, dans *Bel-Ami*, paru en 1885, créa cet oxymore littéraire que le journaliste David Brooks croira avoir inventé un siècle plus tard : « Ce fut elle alors qui lui serra la main très fort, très longtemps ; et il se sentit remué par cet aveu silencieux, repris d'un brusque béguin pour cette

---

1. Princeton University Press, 2001.

petite-bourgeoise bohème et bon enfant, qui l'aimait vraiment, peut-être. »

Ces bobos sont des bourgeois qui refusent l'embourgeoisement.

Les journalistes Laure Watrin et Thomas Legrand, dans leur excellent livre intitulé *La République bobo*[1], ont tenté de cerner cette notion qui reste suspecte aux yeux des sociologues professionnels : « Un bobo est une personne dont le capital culturel (élevé) a plus de poids que le capital économique (variable) pour déterminer son lieu de vie, et les valeurs qu'il considère comme positives ou négatives. »

C'est l'univers des familles recomposées, du commerce équitable, de la consommation bio et des baguettes à l'ancienne, des droits de l'homme, de l'écologie et du vote socialiste ou vert. Au milieu du XIXe siècle, les bourgeois avaient quitté les quartiers du centre et de l'est de Paris, pour s'installer à l'ouest de la ville, afin de ne plus côtoyer les « classes laborieuses, classes dangereuses[2] ». Un siècle plus tard, les bobos s'y installent. Les Américains parlent de gentrification.

La géographe marxiste Anne Clerval note avec raison que la gentrification est avant tout une manifestation nouvelle de la lutte des classes, « une appropriation matérielle et symbolique d'un espace populaire, de résidence ou de production, par une autre classe sociale, mieux placée dans le rapport de classe urbain[3] ».

La désindustrialisation et le développement d'une économie nouvelle ont privilégié les classes montantes (en tout cas par l'éducation et le nombre), publicitaires, journalistes, créateurs de mode, intermittents du spectacle, enseignants, petits fonctionnaires, chercheurs, universitaires, etc. Le géographe Christophe Guilluy, qui fut l'un des premiers à importer le terme de bobo, et à prophé-

---

1. Stock, 2014.
2. Titre de la thèse de Louis Chevalier, en 1958 chez Plon.
3. *Paris sans le peuple. La gentrification de la capitale*, La Découverte, 2013.

tiser la victoire de Delanoë aux municipales de 2001, ne dit pas autre chose : « En investissant les quartiers populaires, les classes montantes participent aux mouvements de relégation des ouvriers et des employés vers le péri-urbain. »

Autrefois, les usines étaient dans les villes, et les ouvriers habitaient à côté. C'était ce qui subsistait du Paris du XIXᵉ siècle. Dans les années 1930 encore, les militants communistes sonnaient le clairon dans les cours des HBM (les ancêtres des HLM) pour appeler à une manifestation. Aujourd'hui, les classes populaires ont été chassées de la ville-monde. Pour la première fois dans l'Histoire, les classes populaires ne résident pas là où se créent les richesses.

Les bobos sont des prédateurs aux paroles de miel. Ils vénèrent « le peuple », sans doute pour effacer leur sentiment de culpabilité de l'avoir chassé, ou en tout cas de l'avoir remplacé dans ses anciens lieux d'élection : Marais, faubourg Saint-Antoine, Belleville, Ménilmontant, canal Saint-Martin. Ils exaltent la « diversité » à l'abri de leurs lofts cossus avec de multiples codes électroniques ; ils vantent l'école publique et le « vivre-ensemble », mais profitent de leurs relations pour contourner la carte scolaire dès que l'école de leurs enfants est submergée d'enfants de l'immigration. Ils déplorent la perte d'identité de leur quartier qu'ils ont eux-mêmes provoquée. Dans le Marais, ils pleurent la fermeture du restaurant casher Goldenberg, alors que c'est le départ du petit peuple juif, remplacé par nos chers bobos, qui a conduit à son remplacement par une boutique de vêtements.

Les seules classes populaires qui subsistent ne sont pas françaises ; mais le discours bien-pensant refuse d'établir la moindre différence entre « des humains ». Un sabir technocratique et lénifiant occulte cette réalité. On se lamente sur une ville qui se vide de tous ceux qui ne sont pas « très aidés ou très aisés ». Quand les édiles parisiens affirment : « Paris n'a pas renoncé à la mixité sociale », ils songent sans oser le dire à la mixité ethnique, et acceptent l'idée, au nom de la « diversité », que les populations arabo-africaines deviennent majoritaires dans de nombreux arrondissements du nord et de l'est parisien. Quand ils ajoutent, fiers d'eux : « Paris construit du logement social conformément à la loi SRU », cela signifie qu'ils accordent en priorité à ces populations immigrées les logements sociaux qu'ils ont bâtis et rénovés ; mais quand ils concluent, un brin dépités, que leur objectif est de « ramener la classe moyenne à Paris, chassée par la spéculation immobilière », ils avouent, sans l'assumer, qu'ils espèrent le retour des « petits blancs », ouvriers et employés « Français de souche ». Mais ils n'insistent pas ; ils savent qu'ils ne l'imposeront jamais.

La gauche est cohérente dans son hypocrisie : cet électorat populaire de « petits blancs » est perdu pour elle, alors que leurs remplaçants (bobos et enfants de l'immigration) assurent sa domination politique sur la ville.

Les bobos furent la boussole idéologique de la municipalité Delanoë qui forgea pour eux les couloirs de bus, Paris Plages, Nuit Blanche, Vélib' et Autolib', le Paris des pavés et des placettes, les quartiers verts, tranquilles, sans voitures, la défense des arbres, tout ce qui a contribué à la hausse des prix de l'immobilier, et fini de chasser les derniers représentants des classes populaires, mais aussi toute une petite activité économique faite de commerçants, d'artisans qui n'ont plus le droit de livrer, de stationner, de circuler. À Paris, les boutiques furent transformées en *concept-stores*, les commerces de bouche (boucherie, poissonnerie, crémerie, charcuterie) fermèrent les uns après les autres, tandis que s'ouvrirent salles de sport, agences de rencontre, de télécommunications, de voyages ; la restauration rapide se substitua au bar-tabac, le soin du corps ou la distribution de cassettes vidéo aux quincailleries.

Certains font un distinguo subtil entre bobos « gentrificateurs » et « mixeurs » ; ceux-là tiennent le rôle des méchants qui embourgeoisent les quartiers qu'ils investissent (dans tous les sens du terme) ; ceux-ci seraient au contraire les nouveaux hussards de la République, les seuls qui accepteraient de vivre au contact des populations

immigrées, et empêcher ainsi les ghettos. Ils seraient les
« défaiseurs de ghettos », glorifiés par le géographe
Jacques Lévy.

Mais ces distinctions sont fallacieuses. La parenthèse du
« mixeur » est précaire, condamnée à se refermer : ou la
gentrification l'emporte, ou le ghetto finit par avoir raison de la résistance du bobo mixeur qui abandonne une
terre trop inhospitalière, trop violente pour ses enfants.

Le bobo a en effet une différence décisive avec l'ancien
ouvrier français qui accueillit les précédentes vagues de
migrants. Ce dernier était assimilationniste, imposait le
mode de vie et la culture français aux nouveaux arrivants,
non sans rudesse parfois, et un zeste de xénophobie mâtinée d'un complexe de supériorité. Le bobo est multiculturaliste ; il est un adepte de la vulgate différencialiste
– inspirée des travaux de Claude Lévi-Strauss qui, à la fin
de sa vie, reniait vivement ses pseudo-héritiers ! –, il
déteste la franchouillardise à l'égal du péché ; il voit l'assimilation comme un concept néocolonial ; il ne jure que
par l'échange des cultures d'égale dignité. Il est fier de
favoriser le « vivre-ensemble » qui est au mieux un côte
à côte. Il applique sans même le connaître l'article 1 des
« Principes de base communs » de l'Union européenne
adoptés le 19 novembre 2004 en matière d'immigration :
« L'intégration est un processus dynamique, à double
sens, de compromis réciproque entre tous les immigrants
et résidents des États membres. »

Au nom de la République, qu'il proclame avec la ferveur
des soldats de l'an II, le bobo renie toute l'histoire de la
République. Celle-ci défendait farouchement la Nation, ses
frontières et son intégrité, sa culture chrétienne et gréco-
romaine – contre les aristocrates, le roi, et les étrangers ;
le bobo dissout la France dans sa quête humanitariste et
mondialiste. Il se vante d'être un héros, « défaiseur de
ghettos », alors qu'il en est l'agent inconscient. Les immigrés rejettent les valeurs de la France, incarnées par le
bobo ; et le plus souvent, un musulman – même éloigné
de la pratique religieuse – réprouve les familles recomposées, la tolérance à l'égard des homosexuels, l'égalité entre

les hommes et les femmes, et l'éducation moderne de leurs enfants.

À l'ouest de la ville, les véritables bourgeois, français ou étrangers, sont mondialisés par l'argent, entre banques et paradis fiscaux ; à l'est, les bobos sont mondialisés par la tête ; les immigrés sont mondialisés par le cœur : l'entre-soi prend les couleurs de la mère patrie, par les langues qu'ils parlent encore, la télévision (par satellite) qu'ils regardent, la religion (l'islam) qu'ils pratiquent, les amis et la famille qui les entourent, voire la nourriture qu'ils consomment ou les vêtements qu'ils portent.

La « ville-monde », peu à peu, se défait de ses atours français, jusqu'à devenir étrangère au pays qui l'environne. Pour Paris, c'est un reniement de mille ans d'Histoire. Devenue ville-monde, Paris s'éloigne de la France. Le cosmopolitisme des Lumières, sans cesse revendiqué, répandait les idées françaises dans le monde ; le cosmopolitisme du bobo traduit le phénomène inverse : l'importation des cultures et des valeurs (et des produits, des nourritures, etc.) du monde entier pour mieux détruire ce qui reste du caractère français de la capitale de la France.

Paris a partout des petites sœurs qui imitent la grande : Lyon, Bordeaux, Toulouse, Montpellier, Strasbourg, Lille. Seule Marseille n'arrive pas à coller au peloton, et demeure une vraie cité populaire. C'est pourquoi les socialistes ne parviennent pas à la reprendre à la droite, tandis que le FN y fait des scores inenvisageables dans toute vraie métropole mondialisée.

Mais Paris, dans l'imaginaire national, a un statut à part. C'est la ville qui a fait la France. L'a dirigée d'une main de fer ; lui a imposé son mode de vie, sa langue, ses idées, sa mode, et bien sûr ses tourments révolutionnaires, ses passions idéologiques et politiques.

En devenant une ville-monde, Paris est atteinte de schizophrénie, prenant son autonomie par rapport à l'État-nation, tout en continuant d'abriter le lieu d'un pouvoir étatique de plus en plus vidé de sa substance. Paris – et sa région – continue d'assurer la redistribution à l'échelle nationale, mais ses richesses, et ses habitants, deviennent de plus en plus extérieurs au reste du pays.

Paris incarne cette France moderne, qui bénéficie des retombées favorables de la mondialisation, chérie à la fois par les élites mondialisées et par les représentants de l'État français, ceux-ci désormais inféodés à celles-là. Auparavant, il y avait Paris et, au-delà des fortifs, la Zone. Aujourd'hui, il y a la ville-monde et le reste est « la Zone ».

Paris installe des socialistes rose pâle à sa tête et vote oui à tous les référendums européens, abrite la jeunesse favorisée et diplômée qui ne jure que par la diversité et le multiculturalisme. Paris incarne cette France des métropoles globalisées, polarisées entre classes supérieures et immigrés, que le reste de la France (classes moyennes et populaires dans le périurbain et les petites villes, qui souffrent des délocalisations industrielles et des suppressions de services publics, postes, tribunaux, casernes, hôpitaux, au nom des économies budgétaires) regarde avec un mélange d'envie, de ressentiment, de tristesse, de sentiment d'abandon et d'incompréhension. Les colères de la « manif pour tous » contre le mariage homosexuel, ou la fureur des « bonnets rouges » bretons contre l'écotaxe, ont en 2013 exprimé la fureur de la France des parias contre la ville-monde Paris et ses petites sœurs globalisées. Auparavant, il y avait Paris et le désert français. Désormais, ce sera de plus en plus Paris et la désespérance française.

11 décembre 2001

Un destin de Mezzogiorno

Ce fut l'autre événement de l'année 2001. L'autre entrée dans le XXIᵉ siècle. Moins spectaculaire, plus décisive. Les Chinois négociaient depuis quinze ans. Cette entrée dans l'Organisation mondiale du commerce (OMC), entérinée par les accords de Doha (Qatar) de novembre 2001, était le couronnement de la politique libérale d'ouverture sur le monde, inaugurée à la fin des années 1970. Cette intronisation solennelle dans la « Communauté internationale » était pour l'ancien empire du Milieu une révolution économique et politique, voire philosophique. Il ne tarderait pas à se transformer en « atelier du monde » et à s'asseoir sur un tas d'or. Les dirigeants des autres pays étaient aussi empressés de conclure, même les Américains ou les Français, pourtant de forte tradition protectionniste. La foi dans les bienfaits du libre-échange était alors irrésistible ; c'était une autre version de « la fin de l'histoire » chère à l'Américain Fukuyama, la paix, la démocratie et la liberté des échanges. Les élites occidentales imaginaient l'entrée de la Chine dans l'OMC comme un phénomène de dégel qui conduirait, par des progrès convergents du marché, du droit et de la démocratie, vers un rapprochement lent mais inexorable avec leur modèle économique et politique.

Arrière-pensée non avouée, mais confiée à mi-voix avec un air entendu et non dénué d'une pointe d'arrogance, les élites françaises – et occidentales – étaient alors convaincues que la Chine se contenterait de profiter de son « avantage comparatif » dans l'industrie bas de gamme, et ne pourrait jamais – pas à l'échelle humaine en tout cas – rivaliser dans les productions de haut de gamme. « À eux les chaussettes et les tee-shirts ; à nous les Airbus et les TGV ! »

Il ne fallut que quelques années pour que cette prophétie ne fût démentie. La France sacrifia les ultimes reliquats de ses industries de main-d'œuvre, sans pour autant préserver ses trésors de haute technologie. Ce fut perdant-perdant. Les mêmes théoriciens libéraux assuraient, sûrs de leurs théorèmes ricardiens et de leurs équations mathématiques, que la faible valeur de la monnaie chinoise (le yuan avait été dévalué en 1994) correspondait à un moment donné de l'économie chinoise, avec ses salaires misérables et sa faible productivité ; l'accumulation des excédents commerciaux de la balance des paiements provoquerait très vite, selon eux, un ajustement à la hausse de la monnaie chinoise, qui équilibrerait les échanges entre la Chine et le reste du monde. Ainsi, le Japon, l'ogre des années 1980, avait-il dû revoir ses prétentions à partir des années 1990, à cause d'une réévaluation du yen, l'*endaka*, qui réduisit les formidables excédents commerciaux que ce pays accumulait alors.

Ce « rééquilibrage » n'eut jamais lieu en Chine. Les autorités monétaires de Pékin, alertées par le précédent japonais, ne laissèrent jamais le yuan se revaloriser. Les excédents commerciaux de l'« atelier du monde » ne se résorbèrent pas ; la concurrence des produits fabriqués en Chine ne fut pas compensée par une monnaie plus forte, pour le plus grand profit des grands groupes internationaux, et le plus grand malheur des ouvriers et chômeurs occidentaux. Les multinationales avaient inventé des « chaînes de fabrication mondiales », qui reliaient une matière première prise le plus souvent en Afrique, un composant en Asie, la fabrication en Chine, avant de vendre le produit achevé dans les centres commerciaux des pays développés. Ce « *made in world* », exalté aveuglément par le patron de l'OMC, Pascal Lamy, piloté le plus souvent de Californie par des ordinateurs surpuissants, donnait raison à l'économiste Paul Krugman qui avait résumé la mondialisation comme « l'alliance entre Walmart et le Parti communiste chinois ». L'accueil complaisant de la Chine dans l'OMC par la Maison Blanche – au détriment des intérêts des *blue collars* américains, alors même que le président Bill Clinton était issu du parti démocrate – avait été le signe éclatant de l'influence déterminante du *big business* sur la vie politique américaine, et de la corruption croissante de celle-ci.

La Chine écrasait les prix, tous les prix, même ceux du travail. L'entrée de la Chine dans l'OMC en 2001 fut la cause majeure de la stagnation des salaires pendant toute la décennie qui suivit, dans les pays riches, aux États-Unis comme en Europe.

Pour résister à cette bourrasque déflationniste – encore aggravée par le poids hors du commun de l'économie chinoise – et maintenir le pouvoir d'achat des classes moyennes, on favorisa l'endettement. Dans les pays anglo-saxons, mais aussi en Espagne, on incita les individus à s'endetter par une politique de crédit peu onéreux et abondant. En France, c'est l'État qui s'endetta sur les marchés internationaux, pour continuer à financer la protection sociale.

C'est ce moment-là que les socialistes français choisirent pour réduire le temps de travail à 35 heures par semaine. Ce « partage du gâteau », opéré avec brutalité par Martine Aubry, aggrava encore la baisse relative des salaires. On donnait du temps, on ne pouvait pas aussi donner de l'argent. Afin de compenser le coût de cette mesure pour les entreprises, l'État allégea leurs charges sociales. L'État finança cette décision par un nouvel accroissement de la dette publique.

On ne s'aperçut de rien. Les consommateurs français, comme leurs pairs du monde entier, profitaient à plein des baisses de prix ; ils ne se rendaient pas compte que les satisfactions qu'ils tiraient en tant que consommateur plombaient la feuille de paie du salarié, et menaçaient l'emploi du chômeur en puissance qu'ils étaient. Les économistes médiatiques chantaient les louanges du libre-échange en accumulant les chiffres du commerce international, sans voir que l'essentiel de cette hausse provenait des voyages internes aux grands groupes mondiaux (en porte-conteneurs au sein des mêmes entreprises, dans le cadre de la nouvelle organisation mondiale des chaînes de production). Maurice Allais, notre seul prix Nobel français d'économie alors vivant, de formation pourtant libérale et favorable à un libre-échange raisonnable, prêchait dans le désert : « La politique de libre-échange mondialiste poursuivie par Bruxelles a entraîné à partir de 1974 la destruction des emplois, la destruction de l'industrie, la destruction de l'agriculture, et la destruction de la croissance [...]. La mondialisation ne profite qu'aux multinationales. Elles en tirent d'énormes profits. »

Quelques semaines après l'entrée de la Chine dans l'OMC, au 1er janvier 2002, les citoyens européens trouvaient l'euro dans leurs poches. On avait pris soin de ne pas graver sur les billets de personnages de l'Histoire ou de monuments réels. On flottait dans l'air avec une monnaie sans racines. Sans État pour la garantir. Une monnaie hors-sol. On était au comble de la « modernité » virtuelle. On croyait ainsi éluder le poids du passé, des nations, et des rapports de force. La réalité se vengerait, mais attendit son heure.

Les taux de change entre les différentes monnaies nationales avaient été gelés en 1999. Ils correspondaient aux forces et faiblesses économiques du moment. Le niveau d'introduction du Deutsche Mark était faible par rapport aux autres devises européennes. L'Allemagne était un géant encore fragile. Sa réunification, dix ans plus tôt, lui avait coûté des sommes colossales (entre 150 et 200 milliards de Deutsche Marks de transfert de l'Ouest vers l'Est). L'ouest de la République fédérale avait ainsi payé un prix exorbitant la décision prise par le chancelier Kohl d'échanger 1 DM de la RDA pour 1 DM de la RFA. Décision politiquement fondée, mais économiquement folle, au vu du délabrement de l'économie communiste, et qui prouvait que le mythe de l'indépendance de la Bundesbank – imposé pour la Banque centrale européenne – n'était pas aussi absolu que le disaient les germanophiles élites françaises.

Le poids de la réunification pesait lourd sur la machine ouest-allemande. Afin d'éviter une poussée inflationniste, les autorités monétaires allemandes avaient augmenté les taux d'intérêt dès le début des années 1990. Parce qu'elle était déjà dans une logique de monnaie unique, liée par les accords du « serpent monétaire », la Banque centrale française avait suivi, provoquant une récession artificielle, et une hausse du chômage (dans les années 1992-1993) que certains évaluèrent à un million d'emplois perdus !

Attaquées sur les marchés des changes, les monnaies anglaises, italiennes et espagnoles finirent, elles, par céder, et, contrairement à la monnaie française (soutenue par la Bundesbank), durent dévaluer. Les autorités allemandes saisirent alors toute l'utilité d'une monnaie européenne unique – ils rechignaient jusque-là au nom d'une attache sentimentale au Mark – qui interdît aux voisins européens de dévaluer pour échapper à la concurrence de l'industrie allemande. La leçon ne serait pas perdue.

En revanche, en dépit de la crise ravageuse des années 1992-1993, les élites technocratiques et politiques françaises continuèrent de privilégier une approche idéologique de la monnaie européenne.

La situation fragile de l'économie allemande de la fin de la décennie aggrava leur myopie. Pour la première fois depuis longtemps, les Français engrangeaient des excédents commerciaux sur leur grand voisin rhénan. La gauche et la droite célébrèrent les vertus de la « désinflation compétitive » engagée depuis 1983 et crurent que le « franc fort » avait assuré la domination conjoncturelle de l'industrie française. Naïveté et présomption gauloises se donnaient la main pour courir vers le précipice. Par ailleurs, la « bulle internet » troublait encore les esprits. L'argent affluait aux États-Unis, faisant grimper le dollar, ce qui permit à la nouvelle monnaie européenne de baisser dès sa naissance, pour le plus grand bien de nos industries exportatrices.

À partir de 2003, tout bascula. Les réformes engagées par le chancelier social-démocrate Schroeder rétablirent la compétitivité allemande aux dépens des salariés peu qualifiés, qui se virent offrir des « mini-jobs » à 400 euros par mois. Pour l'industrie allemande, l'augmentation de la TVA et la réduction des charges des entreprises firent fonction de dévaluation compétitive. Pendant ce temps-là, les entreprises françaises subissaient les 35 heures qui, réduisant leurs marges, les poussaient à délocaliser ou à réduire leurs investissements. La machine allemande reprit peu à peu belle allure. Ses automobiles de luxe se vendaient comme des petits pains à la fois aux Européens, Français, Espagnols, Italiens et même Grecs, qui s'endettaient pour les acquérir, mais aussi aux nouveaux riches chinois. Les excédents commerciaux allemands atteignaient des montants astronomiques. Deux cents milliards d'euros par an.

En bonne logique économique, la monnaie allemande aurait dû être réévaluée. Mais l'euro l'interdisait.

L'Allemagne, entre sa politique de dévaluation compétitive et ses excédents commerciaux, entraînait la zone européenne dans un processus déflationniste. L'Allemagne était à l'Europe ce que la Chine était au monde. Les mêmes prédateurs commerciaux qui avalaient les industries concurrentes tels des boas constrictors ; les mêmes effets déflationnistes ; le même effet de cliquet idéologique qui empêchait les ajustements économiques.

On voulut croire que l'augmentation des échanges dans la zone euro était le signe de maturité de la monnaie unique, alors qu'elle signifiait que l'industrie allemande était en train d'avaler ses rivales française et italienne. En 2000, un tiers des voitures étaient fabriquées en Allemagne. Dix ans plus tard, on atteignait 49 %. Quinze ans après la mise en place de l'euro, la production industrielle italienne avait chuté de 21 %, l'espagnole de 15 %, la française de 12 %, l'anglaise (sans l'euro) de 5 %. Durant la même période, la production allemande avait progressé de... 34 % !

Les élites françaises persévérèrent néanmoins dans leur aveuglement. L'euro, c'était l'Europe ; et l'Europe, c'était la paix. La droite comme la gauche refusèrent de transgresser ce dogme religieux. C'était une vieille habitude. Déjà, dans les années 1930, nos dirigeants furent les derniers à sortir de l'étalon-or qui avait pourtant les mêmes effets récessifs que l'euro ; ils se révélèrent alors incapables de s'arracher à la puissante nostalgie de la « relique barbare », qui évoquait le charme suranné du monde d'avant 1914.

Pourtant, les oracles – souvent libéraux de surcroît – avaient prévenu : la zone euro n'était pas une zone économique optimale dite de Mundell ; les niveaux de compétitivité étaient trop divers ; les mouvements de capitaux étaient aisés (même si on assista à une renationalisation des crédits bancaires dans la panique qui suivit en 2010 la crise de la dette grecque) mais ceux des travailleurs étaient ralentis par les cultures nationales (même si le traitement de choc austéritaire que subit l'économie espagnole pousserait à partir des années 2010 les ingénieurs ibériques vers les usines bavaroises).

L'américain Paul Krugman – de tendance néokeynésienne – avait obtenu un prix Nobel d'économie en montrant notamment que, dans toute zone unifiée par une monnaie commune, les régions déjà les mieux dotées et les plus riches aspiraient à leur profit l'essentiel du développement économique de toute la zone. Dans un État-nation traditionnel, le budget central redistribue vers les zones déshéritées une partie des richesses dégagées dans les régions privilégiées. C'est le cas de la France avec la Lozère ou les Antilles, des États-Unis avec les régions pauvres entre l'East Coast et la West Coast, ou de l'Italie, avec le Mezzogiorno, dominé et ruiné par l'industrie du Nord dès les débuts de l'unité italienne. Mais en Europe, l'Allemagne, cœur de la zone, refusa d'abord de jouer ce rôle de guichet redistributeur au profit des « cigales » du Sud. Et même si, à partir de la crise de la dette grecque en 2010, Angela Merkel accepta de garantir les dettes des pays méditerranéens, ce sauvetage *in extremis* de l'euro – aux conséquences sociales cruelles – n'était qu'un pis-aller : la transformation de l'Europe du Sud (France y compris) en un vaste Mezzogiorno de la zone euro, annoncée par Paul Krugman, semblait inéluctable. On pouvait même se demander si ce n'était pas l'objectif ultime et secret de la stratégie allemande : imposer à l'Europe par l'industrie et la monnaie son hégémonie, qu'elle n'avait pu obtenir à deux reprises au cours du XXe siècle par les armes.

Mais les élites technocratiques françaises ne virent dans ces prophéties de mauvais augure que le ressentiment et la volonté de nuire des Anglo-Saxons, craignant que la monnaie continentale ne mît en danger l'hégémonie de la City et du dollar. Cette concurrence demeura chimérique.

La France a subi une double peine germano-chinoise. Son industrie bas de gamme a été ravagée par la concurrence chinoise ; ses automobiles (voitures de moyenne gamme) se sont révélées trop chères avec un euro fort tiré vers le haut par la santé époustouflante de l'Allemagne. Au sein du marché européen, les déficits s'accumulaient ; face à la puissante industrie germanique, son homologue française, qui avait laissé filer les coûts salariaux et refusait de baisser le niveau des dividendes versés aux actionnaires pour investir, ne pouvait plus compter sur une dévaluation de la monnaie

nationale pour sauver sa peau. La part de marché des exportations de la France dans la zone euro passa de 17 % en
1999 à 12,8 % en 2013. Selon une étude de la direction
générale du Trésor, la France avait perdu 2 millions
d'emplois industriels entre 1980 et 2007. Et le phénomène
s'accélérait sur la période 2000-2007, avec les délocalisations
vers les pays émergents : 63 % des destructions d'emplois
s'expliquaient par la seule concurrence étrangère. Le
rythme des suppressions d'emplois au cours de cette période
se révélait deux fois plus intense que pendant les années
1980-2000.

Nos déficits extérieurs avec la Chine et l'Allemagne consti-
tuaient le cœur de notre déficit commercial abyssal. En 2013,
le déficit avec la Chine de 21,6 milliards d'euros représentait
40 % du déficit commercial total de la France. Celui avec
l'Allemagne s'établissait à 16,45 milliards. Année après
année, ceux-ci furent une fois encore financés par l'État –
et sa dette ! – qui soutenait la consommation par des transferts sociaux s'élevant jusqu'au tiers des revenus des ménages.

L'industrie française revenait à son point de départ
d'avant de Gaulle et Pompidou. Les grands groupes, for-
gés sous le magistère colbertiste des deux premiers présidents de la Ve République, avaient disparu, ou avaient
été avalés, ou n'avaient survécu que par la grâce de délocalisations massives. Ils étaient morts ou de moins en
moins français. La géographie industrielle redessinée par
la politique d'aménagement du territoire des années
1960-1970 était ruinée (mis à part l'aviation à Toulouse)
par la désindustrialisation. Entre 2000 et 2013, la France
vit le poids mondial de ses exportations divisé par deux.
L'industrie française retournait à son niveau de la fin du
XIXe siècle, quand ce grand pays agricole ne comptait
guère dans la compétition industrielle mondiale.

2002

21 avril 2002

No pasarán

« No pasarán. » Ce fut le slogan de l'année comme il y a le tube de l'année, la voiture de l'année, le film de l'année. Certains tentèrent de ravauder l'antique cri qui sentait un peu trop sa guerre d'Espagne. Avant même la fermeture des bureaux de vote, en ce dimanche 21 avril 2002, alors que la « nouvelle » de la qualification de Jean-Marie Le Pen au second tour de la présidentielle courait déjà les rédactions depuis près de deux heures, les Guignols de l'info sur Canal+ exhortaient les Français à « entrer en Résistance ». Mais les trouvailles restèrent pauvres (la « honte » ; « F-Haine ; F comme Facho, N comme Nazi ») et toujours obsédées par le souvenir de la Seconde Guerre mondiale.

Peu d'analystes gardèrent la tête assez froide pour remarquer que le score de Jean-Marie Le Pen n'était guère plus élevé que ceux des présidentielles de 1988 et 1995, et que c'étaient avant tout la médiocrité de la campagne du candidat socialiste, l'enfermement idéologique et sociologique de la caste technocratico-européiste au pouvoir (« Le mot ouvrier n'est même pas dans le programme du candidat, avait remarqué Pierre Mauroy, ce n'est pourtant pas un gros mot ! ») et l'extrême division de la gauche éparpillée en de multiples candidatures qui avaient entraîné l'élimination de Lionel Jospin. Bien des années plus tard, celui-ci le reconnut sans ambages : « Pendant toutes les années du mitterrandisme, nous n'avons jamais été face à une menace fasciste, donc tout antifascisme n'était que du théâtre. Nous avons été face à un parti, le Front national, qui était un parti d'extrême droite, un parti populiste à sa façon, mais nous n'avons jamais été dans une situation de menace fasciste et même pas face à un parti fasciste. »

Dans cette comédie antifasciste, Jospin tint un rôle mineur et discret, n'apportant sa voix à Jacques Chirac que contraint et forcé par les pressions amicales de toutes parts. Lui seul, avec le vieil adversaire de Chirac, Giscard, semblait épargné par cette folie qui s'était emparée du pays. Chaque soir, les télévisions diffusaient des images d'archives, retraçant la montée des nazis au pouvoir, l'extermination des Juifs, la Seconde Guerre mondiale. Les lycéens descendaient en masse dans la rue, encouragés quand ils n'y étaient pas obligés par leurs professeurs. Leurs slogans étaient humanistes : « Hitler, une chose bien, son suicide ; Le Pen, on attend » ; « Le Pen charogne » ; « Il faut brûler Le Pen ». Toute la classe politique appelait à voter Jacques Chirac « afin de faire barrage au fascisme ». Les belles âmes qui, quelques jours auparavant, le traitaient de voleur et lui reprochaient sa campagne centrée sur l'« insécurité », qui l'avaient naguère surnommé « Facho Chirac », et s'étaient offusquées de ses propos sur « le bruit et les odeurs des immigrés qui rendent fous son voisin, l'ouvrier français », exaltaient le « rempart de la démocratie ». La machine de propagande tournait à plein régime ; l'unanimité vindicative traquait les mal-pensants ou les rétifs. Chaque syndicat, chaque corporation, chaque autorité y allait de son appel pour sauver la République : les évêques ; les rabbins ; les imams ; les sportifs ; les acteurs ; les magistrats ; les postiers ; les avocats ; les francs-maçons ; la CGT, la CFDT et FO ; la CGC ; les ligues antiracistes ; les mouvements homosexuels ; même le juge Halphen, qui lui avait envoyé, quelques mois plus tôt en recommandé à l'Élysée, une convocation dans le cadre de l'affaire du financement de la ville de Paris, envoya son petit appel ! Chirac refusa d'accorder à Jean-Marie Le Pen le traditionnel débat télévisé d'entre-deux-tours, de peur de salir son manteau tout neuf de « père de la nation » ; mais cette dérobade lui valut un concert de louanges. Comme disait Saint-Just : « Pas de liberté pour les ennemis de la Liberté. » Ou Gabin dans le film *Le Président* : « Dites-vous bien que lorsqu'un mauvais coup se mijote, il y a toujours une République à sauver. » Son élection triomphale (82 % des suffrages) qui rappelait les scores des potentats africains dont il était le grand ami, ne suscita qu'une intense admiration, et une infinie reconnaissance. Tout le monde avait déjà oublié qu'au premier tour, il n'avait obtenu que 20 % des suffrages exprimés, le résultat le plus faible, presque humiliant, d'un président sortant de la Ve République.

Il fallait s'empresser d'en rire avant que d'en pleurer. Avec son talent sarcastique habituel, et cette manière inimitable de révéler la parodie consumériste derrière les emballements moralisateurs de notre époque, Philippe Muray brocarda cette « quinzaine de la haine ». Il ne perdait rien pour attendre. Son tour viendrait. Le sien et celui des autres. La République désormais sauvée, on se devait de traquer les coupables. Les socialistes revanchards s'en prirent d'abord aux médias, et en particulier à TF1. La grande chaîne de télévision fut fustigée pour avoir « mis en scène » de nombreux faits divers pendant la campagne électorale ; on lui reprocha surtout l'histoire de « Papy Voise », ce pauvre vieux volé et torturé à son domicile par une bande de jeunes malfrats, dont la tragique mésaventure fut inlassablement relatée à quelques jours de ce maudit 21 avril.

Mais la gauche n'insista pas. Le « sentiment d'insécurité » que les élites bien-pensantes aimaient à vitupérer était partagé par l'électorat populaire de gauche ; et TF1 était trop puissant pour demeurer ostracisé.

On chercha des coupables plus faibles. À l'automne de cette année 2002, fut publié un petit libelle aux Éditions du Seuil. Le titre était impérieux, voire comminatoire : *Le Rappel à l'ordre. Enquête sur les nouveaux réactionnaires.* Le nom de l'auteur, Daniel Lindenberg, était inconnu du grand public. Mais son opuscule fut promu comme un événement majeur pour le pays ; fit la une du journal *Le Monde* ! Le Columbo de l'antifascisme avait déniché dans leur tanière les coupables du 21 avril : ces « intellectuels » qui, depuis quelques années, avaient dénoncé « la culture de masse, Mai 68, le féminisme, l'antiracisme, l'islam ». Ils venaient initialement de la gauche, mais étaient accusés d'avoir passé en contrebande – en leur donnant l'onction de légitimité de la gauche – d'anciens thèmes classiques de la droite, qui recensait depuis longtemps les effets pervers de la démocratie, de l'égalitarisme, du droit-de-l'hommisme, du pédagogisme, du féminisme, etc.

Le texte était bref, superficiel, sans grand talent ni profondeur. La confusion intellectuelle dominait ; la mauvaise foi était spectaculaire. On avait parfois du mal à reconnaître ce qui liait des auteurs aussi dissemblables que Régis Debray, Pierre Manent, Pierre-André Taguieff, Alain Finkielkraut, Marcel Gauchet, Philippe Muray, Maurice Dantec, Michel Houellebecq, Shmuel Trigano, et d'autres. L'important était de désigner des coupables ; et de les condamner à la guillotine médiatique et morale, à la manière de Marat dans *Le Père Duchesne*, publiant des listes « d'aristocrates et d'ennemis de la Révolution ».

L'épithète « réactionnaire » se substituait à « fasciste » ; elle valait son équivalent d'opprobre.

Le « progressisme », qui avait été autrefois une subversion de l'ordre établi, était devenu l'ordre établi ; et la nouvelle monarchie absolue, plus impérieuse encore que l'originale, ne supportait aucune contestation. Les thuriféraires de Mai 68 avaient tourné en dérision ce qu'il y avait eu de plus sacré pour les siècles passés, mais ne toléraient pas qu'on tournât en dérision Mai 68.

Le monde avait alors connu une nouvelle Renaissance. Avant cette « parenthèse enchantée », la France vivait un obscur Moyen Âge raciste, xénophobe, misogyne, homophobe, où, à l'abri de lycées casernes, des professeurs tortionnaires dressaient, à coups de drill prussien, des élèves martyrisés, enrégimentés et endoctrinés.

La laïcité militante avait été une arme de guerre efficace pour arracher la robe sans couture de l'Église catholique ; mais elle ne devait pas être à nouveau employée pour désacraliser l'islam. L'obsession impérieuse du « métissage » s'était substituée à celle de la « pureté de la race ». Le féminisme était l'avenir radieux de l'Humanité qui ne pouvait être contesté que par d'infâmes et vulgaires « machos » ; et lorsque les écrits des plus grands maîtres à penser de nos progressistes, de Spinoza à Nietzsche en passant par Rousseau ou Marx, révélaient des considérations misogynes, il était de bon ton de considérer que leur clairvoyance habituelle – sur Dieu, la religion, la démocratie, le capitalisme, etc. – s'était alors égarée et soumise – et seulement sur ce sujet-là – aux préjugés de leur époque !

Les règlements de comptes pullulaient. Lindenberg n'hésita pas à dénoncer ces intellectuels juifs qui avaient commis l'impardonnable crime de « virer à droite ». Non sans finesse, il avait noté que la création et l'édification d'Israël avaient acclimaté les milieux juifs de la Diaspora aux nécessités et aux contraintes d'un État-nation, et répandu parmi les plus farouches zélotes d'Israël les soucis, frayeurs et exigences des anciens hérauts du nationalisme français, comme Maurras ou Barrès. Mais cette intuition juste, qui était un tourment et une contradiction majeure chez certains intellectuels juifs parisiens, tournait avec Lindenberg en une ode victimaire à ces pauvres Palestiniens ou jeunes banlieusards issus de l'immigration, et en un accès soudain de « complotisme » dont il accusait ses adversaires, regrettant que « les Juifs viennent grossir les bataillons de la nouvelle offensive maurrassienne ».

On avait parfois l'impression que l'auteur avait été commis d'office, envoyé en mission, sans tout saisir des enjeux réels de son offensive ; qu'il écrivait cette curiosité littéraire d'un pamphlet modéré. Pierre Rosanvallon le lui avait commandé pour la collection qu'il dirigeait aux Éditions du Seuil : « La République des idées ». Ce mandarin considérable avait eu son heure de gloire médiatico-politique à la fin des années 1980 lorsqu'il devint, on l'a dit, le secrétaire général de la fondation Saint-Simon, qui célébrait alors, au nom de la « République du centre », les noces de la droite libérale et de la gauche antitotalitaire. Dix ans plus tard, le maître avait senti le vent tourner. La mondialisation, chérie à ses débuts par cet intellectuel « de gauche » et ses pairs, devenait moins engageante. Il lui fallait se démarquer de ses anciens engouements sans se déjuger. Il joua la naïveté, la confiance prise en défaut ; dans son nid qu'il croyait pur de la « gauche antitotalitaire », se dissimulaient des réactionnaires fieffés qu'il avait le devoir de dénoncer. Il avait chargé Lindenberg de les exécuter comme Voltaire, jadis, instrumentalisait l'abbé Morellet contre ses ennemis philosophes : « Allez, mords-les. » Le crime se voulait silencieux. Rosanvallon dissout la fondation Saint-Simon, désormais marque d'infamie de son passé libéral sur sa tunique de gauche qu'il souhaitait immaculée. Il conta à des journalistes complices combien sa sensibilité de « gôche » avait souffert en ces temps-là, reniant même son ancien maître, François Furet, à qui il devait pourtant en partie sa carrière académique.

Ulcéré, Ran Halévi, qui avait lui aussi accompli son brillant parcours universitaire sous la tutelle bienveillante du grand historien, s'étrangla : « C'est la première fois que je vois quelqu'un rompre avec les morts ! »

Ces batailles picrocholines firent quelques ronds dans l'eau de la fontaine Saint-Michel. On s'empoigna, on s'enfiévra, on rompit. Il resta ce mot « réactionnaire » qui devint l'insulte suprême du débat intellectuel et politique parisien, quand des « progressistes » voudront dénoncer une réalité qui leur déplaisait. C'était un passage de témoin : fasciste avait fait son temps depuis Staline ; réactionnaire reprenait du service. Le XXe siècle était clos ; le XIXe revenait en force.

Lindenberg retournerait bientôt à l'anonymat. Il avait connu la gloire éphémère d'un Ravaillac, exalté manipulé par des grands qui lui demeurèrent à jamais inconnus, assassin d'Henri IV pour une cause qui le mystifiait, dans un conflit qui le dépassait.

2003

14 février 2003

Le képi de De Gaulle
sur la tête d'Aristide Briand

Ce fut le jour qu'il attendait depuis sa prime enfance ; le jour de son entrée dans l'Histoire ; le jour où ce Narcisse flamboyant put enfin contempler dans son miroir une image digne de l'idée qu'il s'était faite de lui-même et de son destin. Il ne s'était pas trompé. Les Français lui en surent gré. Ce cher et vieux pays avait encore besoin de vibrer avec de grands mots, de grandes épopées. On écrivit des articles, des livres contant les moindres détails de la geste ; une bande dessinée sarcastique et admirative à la fois lui fut consacrée ; un film, enfin, fut tiré de la BD. Même les gens de gauche lui tressaient des louanges ; même les rares Français approuvant la guerre américaine en Irak louèrent sa hauteur de vue et l'élégance de son panache. Dominique de Villepin resterait à jamais l'homme du discours devant le Conseil de sécurité de l'ONU, le 14 février 2003. On diffusa en boucle sur les chaînes de télévision, et dans les rétrospectives innombrables ensuite, ses derniers mots : « Et c'est un vieux pays, la France, d'un vieux continent comme le mien, l'Europe, qui vous le dit aujourd'hui, qui a connu les guerres, l'occupation, la barbarie... » Et les applaudissements – fait unique au Conseil de sécurité de l'ONU – qui crépitent. Villepin était entré dans l'Histoire et Chirac avait sauvé son quinquennat de la vacuité et de l'oubli.

Gaullien ! L'adjectif lui fut spontanément et unanimement accolé. Gaullien : un Français se dressait face à l'Amérique arrogante et menaçante. Gaullien : la diplomatie française constituait un front avec l'Allemagne et la Russie, dans une « Europe de l'Atlantique à l'Oural », et coalisait des pays d'Afrique, d'Asie et d'Amérique du Sud *« la mano en la mano »*. Gaullien : le verbe flamboyant, jusqu'au physique de mousquetaire de Villepin. Gaullien : l'homme qui dit non.

À part ceux de l'exorde final, personne ne fit attention aux mots. Ils n'étaient pourtant pas à négliger. Le texte était structuré autour de la poursuite des inspections par des experts de l'ONU des sites où se fabriquait la supposée bombe atomique irakienne. Villepin ne contestait pas le droit de l'ONU d'interdire à l'Irak de fabriquer sa bombe ; il ne délégitimait même pas une éventuelle intervention militaire ; il voulait la remettre à plus tard. Il s'efforçait de démontrer que « la poursuite du processus d'inspection [ne] serait [pas] une sorte de manœuvre de retardement visant à empêcher une intervention militaire ».

C'était un texte de diplomate. Il était empli à tous les coins de phrase d'éloges de « la Communauté internationale, son unité, sa légitimité, sa vertu », et du « temple » des Nations Unies. On se souvient que le général de Gaulle brocardait le « machin » onusien, à qui il interdisait de se mêler des affaires algériennes. Quand le général de Gaulle réclama la paix au Vietnam, lors de son célèbre discours de Phnom Penh, il ne le fit pas comme porte-voix d'une « communauté internationale », dont il savait, lui, qu'elle était une fumisterie, un mythe inventé par les idéalistes, les naïfs, et utilisé par les cyniques. De Gaulle était un émule de Machiavel et Richelieu : il ne connaissait que les rapports entre États, les souverainetés nationales et la Realpolitik. Il ignorait les régimes, et appelait l'URSS la Russie, pour bien montrer que sa couleur idéologique de l'instant s'inclinerait un jour ou l'autre devant sa millénaire identité nationale. Il ne faisait

pas la morale au nom des droits de l'homme. La présence
de la France au Conseil de sécurité n'impliquait pas pour
lui une responsabilité particulière au sein de la « communauté internationale », mais le retour *in extremis* – et dont
il connaissait mieux que personne l'aspect inespéré, voire
usurpé – de la France, après sa déroute de mai-juin 1940
dans le club restreint des Grands de ce monde. Dans son
Bloc-notes, François Mauriac avait alors décrit avec une rare
finesse la souffrance, la douleur suprême qui avait été la
sienne, et celle du Général, de constater que la France
n'avait pas été invitée au partage du monde opéré à Yalta
entre Russes, Américains et Britanniques, alors que notre
pays avait toujours été présent, même après son ultime
défaite napoléonienne, dans ces marchandages décisifs entre
maîtres du monde.

Villepin n'ignorait rien de tout cela. Sa révérence onu-
sienne était en partie une tactique pour enfermer les Américains dans leurs contradictions, eux qui n'ont de cesse
d'utiliser le droit international quand ça les arrange (et gêne
leurs rivaux ou partenaires) et de s'en affranchir quand il
corsète leur souveraineté. Mais pas seulement. Il y avait, dans
la trame du discours de notre ministre des Affaires étrangères, une inspiration pacifiste non jouée. Depuis les deux
guerres mondiales, la guerre était devenue un tabou en
France et dans tout le continent européen. On était persuadé en Europe (et seulement là) que l'avenir appartenait
au droit, aux normes et au marché. Le canon était désuet,
condamné à rouiller dans les poubelles de l'Histoire. Dans
le jargon bruxellois, on dit que le *soft power* supplante le
hard power.
C'est devenu la règle entre pays européens qui se sont
tant fait la guerre pendant des siècles ; et avec ce zeste
d'arrogance qui leur reste, les Européens sont convaincus
qu'ils continuent d'être l'avenir du monde. Derrière la posture gaullienne, le discours de Villepin était imprégné d'une
pensée briandiste : la guerre est un mal en soi ; la paix,
toujours préférable. Dans chacun des effets de manche

villepinesques, on entendait l'écho des célèbres « Guerre à la guerre », et « Arrière les canons » d'Aristide Briand.

Le pacifisme profond imprégnant ce texte répétait que la guerre ne peut qu'infecter une plaie davantage qu'elle ne la cautérise. Dans l'affaire irakienne, les Français avaient mille fois raison ; même les Américains en conviennent dix ans plus tard : la guerre ramena l'Irak à l'âge de pierre, donna le pouvoir à la majorité chiite, et donc au voisin iranien, contempteur acharné du grand Satan américain, avant de déclencher, *in fine*, la révolte des djihadistes sunnites, qui déchirèrent ce qui restait des frontières et des États-nations hérités de la colonisation franco-anglaise.

L'envolée ultime de Villepin exaltant « le vieux pays et le vieux continent » répondait de prime abord à l'insulte de Donald Rumsfeld, ministre de George Bush, qui avait rangé avec mépris France et Allemagne dans une « vieille Europe » craintive et lâche, pour mieux glorifier la « jeune Europe » des pays comme la Pologne ou l'Espagne qui, avec le traditionnel allié britannique, s'étaient rangés derrière leur nouveau protecteur américain. Mais Villepin faisait aussi référence aux deux guerres mondiales, à ses horreurs et à ses malheurs que les Européens avaient juré de conjurer à tout prix, et qui avaient accouché en France, et plus encore en Allemagne, d'un pacifisme devenu existentiel et inexpugnable.

Le discours de Villepin survint à un moment de bascule historique au sein du Quai d'Orsay : les vieilles générations gaullistes s'effaçaient ; les jeunes pousses kouchnerisées débarquaient en masse. Villepin se situait au point d'équilibre entre la nostalgie gaullienne de la France qui affrontait l'Amérique au nom de la résistance du plus emblématique des États-nations à un Empire devenu « hyperpuissance », et un millénarisme postchrétien qui conduira notre pays, au nom de la religion des droits de l'homme et de l'ingérence humanitaire, dans le giron impérial de l'Amérique.

Bientôt, Sarkozy ramènerait notre armée dans les organisations intégrées de l'OTAN ; sous sa direction, puis celle de son successeur socialiste, François Hollande, la France deviendrait le dernier bastion d'un néoconservatisme belliqueux, intervenant – ou poussant à l'intervention militaire – au nom de la lutte contre le terrorisme, de la guerre aux tyrans et de la protection des populations civiles : Libye, Iran, Syrie. On serait alors fort loin des principes gaulliens de respect des souverainetés et des indépendances nationales. On verrait même – paradoxe suprême – notre pays – sous Sarkozy puis sous Hollande – s'agacer – sous les applaudissements élogieux des derniers néoconservateurs américains – des contorsions pacifistes d'un Obama qui estimera, lui, que la défense des intérêts américains nécessitait une utilisation plus précautionneuse de la force armée.

Les postures gaulliennes d'un Villepin et d'un Chirac furent vite effacées, n'étant pas soutenues, comme au temps du Général, par une approche solide des enjeux de la Realpolitik ; ne restèrent que les accents pacifistes et internationalistes d'un discours demeuré à jamais dans les mémoires, mais que leurs successeurs retournèrent comme un gant en faveur d'un bellicisme humanitariste et droit-de-l'hommiste. Comme dans la bande dessinée consacrée à sa gloire, les mots de Villepin s'étaient envolés en bulles avec les portes qui claquent, laissant leur auteur agité de mouvements saccadés, spasmodiques, faisant des moulinets dans l'air, parlant en vain dans le vide.

28 mai 2003

N'est pas Bonaparte qui veut

C'était l'un des innombrables dossiers légués par ses prédécesseurs socialistes. Une drôle d'idée, un brin paradoxale, de Jean-Pierre Chevènement que d'« organiser » la religion musulmane au nom d'un républicanisme sourcilleux, dont il était devenu au fil des ans l'incarnation vibrante et talentueuse. Nicolas Sarkozy aurait pu se démarquer de son prédécesseur socialiste en expliquant que ce temps-là était révolu ; faire assaut de républicanisme, de libéralisme, de modernisme ; rejeter les méthodes désuètes du Concordat pour exalter la liberté religieuse : après tout, ne s'apprêtait-on pas à célébrer en grande pompe le centenaire de la loi de 1905 de séparation des Églises et de l'État ? L'islam aurait pu, sur ce modèle, vivre sa vie en toute indépendance.

Sarkozy mit pourtant ses pas dans ceux de Chevènement. On lui expliqua qu'avant lui, Pierre Joxe et Charles Pasqua avaient eu la même ambition. On lui décrivit par le détail le modèle indépassable de Bonaparte ressuscitant un exotique Sanhédrin, qui ne s'était plus réuni depuis l'Antiquité, pour forger le Consistoire israélite de France.

Il ne déplaisait pas à Sarkozy de montrer qu'il n'avait pas seulement hérité de l'Empereur la petite taille et le regard bleu. Il mit le tricorne sur sa tête. Les dignitaires de l'islam réclamaient eux aussi leur jouet consistorial, à l'instar de ces Juifs qu'on leur présentait en modèle d'intégration depuis des années. Le désir mimétique, ce mélange confus d'admiration, de jalousie et de haine, fonctionnait à plein régime. Mais ils avaient eu le temps d'entrapercevoir que la « puissance des Juifs » avait eu dans un passé lointain quelque contrepartie plus désagréable. Lorsque Chevènement occupait la place Beauvau, il avait exigé d'eux des modifications de leur dogme, afin qu'il s'adaptât aux mentalités françaises, sur l'égalité entre hommes et femmes ou la laïcité. Les négociations avaient été âpres ; les musulmans divisés et querelleurs ; les plus jusqu'au-boutistes menaçaient de sortir leur tapis de prière sur la place Beauvau, sous l'œil des caméras du monde entier. Les fonctionnaires du ministère de l'Intérieur craignirent jusqu'au bout ce sacrilège laïque, mais le ministre résista. Il avait en particulier focalisé son offensive sur l'apostasie. Tout musulman qui se convertit à une autre religion est, selon le Coran, condamné à mort. Chevènement voulut obtenir l'abolition de cette menace. Les discussions furent rugueuses.

Chevènement, cultivé et féru d'histoire, appliquait en toute connaissance de cause les méthodes concordataires de l'Empereur, qui avait de même multiplié questions et exigences à l'endroit de son prestigieux Sanhédrin.

Il obtint à l'arraché un engagement. Les musulmans signèrent une déclaration de principes qui faisait référence entre autres à la Convention européenne de sauvegarde des droits de l'homme et des libertés fondamentales, du 4 novembre 1950. Or, comme le souligne avec fierté l'ancien ministre de l'Intérieur dans son livre *Défis républicains*[1], « cette convention mentionne expressément le droit de tout homme à changer de religion ».

Chevènement faisait contre mauvaise fortune bon cœur. Il n'ignorait pas que cette référence juridique elliptique avait été une concession bien mince. Mais il n'avait rien de mieux à se mettre sous la dent. Ses interlocuteurs avaient joué finement. L'islam autorise tous les croyants en position de faiblesse à « manger dans la main qu'ils ne peuvent mordre » ; à user de dissimulation et de rouerie : la fameuse *takyat*. Ils n'eurent aucun mal à obtenir du successeur du rigoriste Chevènement qu'il mît à la poubelle les conclusions de l'accord avec son prédécesseur.

Sarkozy ne fut pas lui non plus mécontent de faire table rase du passé.

Il désirait plaire à ses interlocuteurs. C'était l'époque où il préparait déjà sa campagne présidentielle de 2007 et rêvait d'agréger derrière lui un électorat musulman, qui aurait été séduit par son discours libéral et multiculturel, à l'américaine, qu'il opposait alors au ringardisme laïcard et franchouillard de Chirac.

Nicolas Sarkozy était aussi le produit de son époque, de sa génération. Il avait été adolescent au cours de ces années 1970 qui avaient exalté un individualisme forcené et l'admiration naïve et souvent ignorante pour le *melting-pot* américain. « Dans toutes les victoires d'Alexandre, il y a Aristote », disait de Gaulle. Dans toutes les décisions du Premier Consul Bonaparte, on trouvait l'écho de ses lectures de jeunesse de Voltaire et Rousseau. Dans les choix, ou les contradictions de Sarkozy, il y a souvent Mai 68.

---

1. Fayard, 2004.

Certains conseillers de Sarkozy cachèrent mal leur désapprobation et leur frustration, voire leur colère. Ils avaient compris, eux, que Chevènement avait eu raison, que l'apostasie était cruciale. Elle soulevait la question de la liberté religieuse. Si un musulman est libre de changer de religion, d'abandonner l'islam, sa décision autonome supplante celle du groupe. Parce que, citoyen français, le musulman conquiert alors des droits que l'islam ne lui reconnaît pas. Musulman signifie en arabe : soumis à Dieu ; l'individu est donc soumis à la Communauté des croyants : l'Oumma. Cette « nation musulmane » s'impose à l'individu, mais aussi aux nations où le musulman pourrait être appelé à séjourner. Cette sujétion de l'individu à la communauté à travers Dieu est forte dans l'islam ; beaucoup plus encore que dans le christianisme qui a hérité des Grecs la notion de « personne » ; et beaucoup plus même que dans le judaïsme, qui a fécondé la rigidité du dogme par la discussion incessante, la fameuse « disputation ». Quand Dieu demande à Abraham d'annoncer à ses habitants la destruction des villes de Sodome et Gomorrhe, la Torah conte l'interminable négociation que le patriarche engage avec Dieu (« Et s'il y a cent sages dans la ville, la détruiras-tu ? Et s'il y en a quatre-vingt-dix, quatre-vingt, soixante-dix… », etc.). Le même récit par le Coran est ramené à une phrase lapidaire : « Et Abraham se soumit à Dieu. » Le Coran le rappelle d'ailleurs aux malentendants : « Ceux qui discutent et qui disputent sont dans l'erreur. Seule la soumission est indiscutable. » Le Coran reproche aux Juifs d'avoir discuté : « Nous avons donné le Livre à Moïse, mais ce Livre a été l'objet de discussions. »

Certains rappellent qu'*islam* a aussi la même racine en arabe que *salam* : la paix. C'est indéniable. Tout homme va en paix s'il est soumis à Dieu. S'il est musulman. Sinon, les musulmans lui font la guerre.

C'est l'habileté linguistique originelle du prophète Mahomet. Sa révélation était la dernière, et n'entraînait qu'un retour au strict monothéisme juif, dépouillé de ses transgressions chrétiennes (un homme fils de Dieu et l'amour subvertissant la Loi) ; mais Mahomet renversa l'ordre chronologique (la révélation islamique est antérieure aux deux autres) et fit de sa faiblesse une force par un tour de passe-passe sémantique : *muslim* signifie à la fois soumis à Dieu et musulman. Abraham, Moïse et Jésus étaient soumis à Dieu ; ils étaient donc musulmans. Les juifs et les chrétiens refusaient de se convertir à l'islam ; ils avaient donc trahi l'enseignement de Moïse et de Jésus !

Dans ces conditions, la conversion d'un musulman au judaïsme ou au christianisme ne peut pas ne pas être considérée comme une offense à Mahomet. Elle rend vaine la sémantique subtile autour de *muslim*. Dans son livre *Islam, phobie, culpabilité*[1], le psychanalyste Daniel Sibony développe avec brio cette analyse, expliquant ainsi les innombrables anathèmes qu'on retrouve dans le Coran contre les juifs et les chrétiens, traités de « pervers, injustes, dissimulateurs, menteurs », « maudits par Dieu à cause de leur incrédulité », « transformés en porcs et singes par Dieu qui les a maudits ». Bref, des juifs et des chrétiens à « combattre » sans répit. (L'arabophone Sibony rappelle alors que si la traduction française du Coran a choisi le mot « combattre », elle aurait pu aussi prendre le terme « tuer », puisque le mot en arabe pour « combattez-les », *qatilou*, a la même racine que « tuer ».)

De nombreux arabisants distingués du Quai d'Orsay auraient pu révéler ces nuances subtiles à leurs collègues de la place Beauvau. Deux siècles plus tôt, Bonaparte aurait exigé des docteurs de l'islam qu'ils annulent ces insultes, malédictions et menaces proférées à l'encontre des compatriotes chrétiens et juifs de leurs ouailles. Il y avait dans le Coran d'autres sentences plus amicales qu'il aurait mises en valeur, selon le distinguo classique, en terre d'islam, entre le message de Médine et celui de La Mecque.

Pour Daniel Sibony, ceux qu'on qualifie d'« intégristes » rappellent à leurs coreligionnaires la parole divine dans

---

1. Odile Jacob, 2013.

toute sa rigueur ; on devrait plutôt les appeler « littéralistes » ; lorsqu'ils passent à l'acte, agressent ou tuent un « chien ou un cochon d'infidèle », ils sont pris, selon notre psychanalyste, d'une « pulsion textuelle ».

Dans son célèbre *Tristes tropiques*, paru en 1955[1], Claude Lévi-Strauss faisait déjà la même analyse désillusionnée sur l'islam : « Grande religion qui se fonde moins sur l'evidence d'une révélation que sur l'impuissance à nouer des liens au dehors. En face de la bienveillance universelle du bouddhisme, du désir chrétien du dialogue, l'intolérance musulmane adopte une forme inconsciente chez ceux qui s'en rendent coupables ; car s'ils ne cherchent pas toujours, de façon brutale, à amener autrui à partager leur vérité, ils sont pourtant (et c'est plus grave) incapables de supporter l'existence d'autrui comme autrui. Le seul moyen pour eux de se mettre à l'abri du doute et de l'humiliation consiste dans la "néantisation" d'autrui, considéré comme témoin d'une autre foi et d'une autre conduite. La fraternité islamique est la converse d'une exclusive contre les infidèles qui ne peut pas s'avouer puisque, en se reconnaissant comme telle, elle équivaudrait à les reconnaître eux-mêmes comme existants [...]. L'islam se développe selon une orientation masculine. En enfermant les femmes, il verrouille l'accès au sein maternel : du monde des femmes, l'homme a fait un monde clos. Par ce moyen, sans doute, il espère aussi gagner la quiétude ; mais il la gage sur des exclusions : celle des femmes hors de la vie sociale et celle des infidèles hors de la communauté spirituelle. »

Avec le questionnaire au Sanhédrin, Napoléon avait pour objectif de « dénationaliser » le judaïsme pour agréger les citoyens israélites au peuple français. L'objectif fut atteint. Sarkozy n'a pas compris ou n'a pas voulu réaliser la même opération avec les musulmans. Il devait franciser l'islam, comme Napoléon avait francisé le judaïsme, pour éloigner le spectre de l'islamisation de la France. Il a échoué faute

---

1. Éditions Plon.

d'avoir saisi l'enjeu historique, par manque de culture ou de constance. Mais peut-être n'était-ce plus possible. Les négociateurs de l'État avaient conçu un nouveau Consistoire ; les hiérarques musulmans rêvaient d'un nouveau CRIF. Le modèle était pareillement juif, mais ce n'était pas le même. Ceux-ci fantasmaient un lobby communautaire, relais auprès de la France de leurs divers pays d'origines ; ceux-là imaginaient pouvoir encore renvoyer la « religion musulmane » dans le royaume du privé, sous le contrôle bienveillant mais strict de l'État laïque. Sarkozy mélangeait les deux modèles dans une confusion intellectuelle qui lui est coutumière, et dans son souci constant de tout précipiter, de forcer les réticences et le destin, qu'il appelle « volontarisme politique ».

Avec la création du Conseil français du culte musulman, il a donné à l'islam la protection d'une religion d'État, sans aucune contrepartie. L'islam cumule ainsi les avantages du Concordat et de la loi de 1905. Il bénéficie d'un financement public de ses mosquées (à peine dissimulé sous un mince cache-sexe d'établissements soi-disant culturels) tout en conservant intacts ses textes et ses dogmes.

Après ce loupé historique, les sujets de querelles s'accumuleront : polémiques autour du port du voile à l'école, débats autour de l'identité française, exigences islamiques à l'hôpital, à l'école, dans l'entreprise, dans les cantines des établissements scolaires ou pénitentiaires ; ou au sujet de l'interdiction des minarets par les Suisses. « En islam, tout est politique », disait l'imam Khomeini. Ces conflits révélaient l'affrontement inéluctable ente le Code civil et le Coran, entre les deux normes, entre les deux dogmes. Entre deux histoires, deux traditions, deux récits des origines, deux imaginaires, deux types de héros, de paysages, de rues. Deux civilisations sur un même territoire.

Dans une conférence, le directeur du Centre islamique de Genève, Hani Ramadan – petit-fils du fondateur égyptien de la confrérie islamiste des Frères musulmans et frère aîné de Tarik Ramadan, qui faisait alors une percée médiatique remarquable, devenant dans l'Hexagone le mentor d'une jeunesse banlieusarde en voie de réislamisation – rejetait l'idée de réduire l'islam à « une simple croyance sans politique ou à un culte sans comportement » . « L'islam est une organisation complète qui englobe tous les aspects de la vie. C'est à la fois un État et une nation, un gouvernement et une communauté, une morale et une force, ou encore le pardon et la justice. L'islam est en même temps une culture et une juridiction, une science et une magistrature, une matière et une ressource, ou encore un gain et une richesse. »

Les débats publics français approchaient cette question fondamentale de biais, avec de mauvais angles et de mauvais arguments : la liberté des femmes, la laïcité, etc. Ce n'était pas le cœur du sujet. Dans son fameux texte, sans cesse repris mais compris partiellement, « Qu'est-ce qu'une nation ? »[1], Ernest Renan récuse bien sûr la conception allemande fondée sur l'héritage, le sang, la langue, et prône une adhésion personnelle et volontaire, le fameux « plébiscite de tous les jours ». Mais ce plébiscite, et on l'oublie toujours, repose sur « la possession en commun d'un riche legs de souvenirs ; la volonté de continuer à faire valoir l'héritage qu'on a reçu indivis ».

La France n'a pas reçu l'héritage de La Mecque et de Saladin, mais celui de Descartes et de Pascal. « Ce riche legs de souvenirs » ne peut s'étendre et se dilater à l'infini dans un délire de toute-puissance.

Comme il ne suffit pas d'être de petite taille, d'avoir les yeux bleus, d'être hypermnésique et de dégager une formidable énergie, pour s'appeler Bonaparte.

1. Conférence de 1887.

1er novembre 2003

Jean-Claude Trichet ou le triomphe romain de l'oligarchie impériale

Les villes qui recevaient sa visite officielle étaient bouclées ; mais il ne s'en apercevait pas. Les vitres noires de sa limousine étaient blindées ; mais il n'y prêtait pas attention. Une dizaine de motards l'escortaient ; mais il ne les voyait plus. Son mandat était de huit ans, alors même que celui du président de la République française avait été réduit de sept à cinq ans ; mais il n'était responsable devant rien ni personne, aucun Parlement ni aucun peuple. Il avait conservé d'un père poète le goût des mots et des vers ; mais son usage immodéré des graphiques et des chiffres rappelait qu'il était un membre éminent de la technocratie. Ses chemises à rayures bleues, avec col et poignets blancs, étaient à la mode des années 1970 ; mais il n'en avait cure. Il était toujours d'une courtoisie extrême ; mais ses colères froides avaient le tranchant d'une épée. Jean-Claude Trichet avait transporté dans son Eurotower qui se dresse dans le ciel gris de Francfort, à la manière d'une cathédrale gothique, les allures monarchiques de la haute administration française. Il fut l'ultime souverain d'un continent européen qui avait aboli la souveraineté au nom de la paix. Il fut à la fois l'empereur Charlemagne et le dernier chef d'État français.

Il aurait dû entrer dans l'Histoire comme le premier gouverneur de la Banque centrale européenne. Le chancelier Helmut Kohl l'avait volontiers avalisé, tandis que le président François Mitterrand laissait à l'Allemand le choix du siège. Un accord de dupes dont les Français sont les spécialistes qui privilégient les places (nombreuses et richement dotées) de leur technostructure dans les grands organismes internationaux sur toute autre considération nationale. Mais l'audace irrévérencieuse d'un « petit juge », Jean-Pierre Zanotto – qui avait mis en examen Jean-Claude Trichet en 1998 pour son rôle, en tant que directeur du Trésor puis gouverneur de la Banque de France, dans le « maquillage » des comptes du Crédit lyonnais – avait retardé son sacre. La « Régence » avait été assurée par un Hollandais sympathique et gaffeur, Wim Duisenberg, qui n'avait pas compris que sa « débonnaireté », comme disait Saint-Simon à propos du duc d'Orléans, ne s'accordait pas avec la puissance inédite de son rôle.

En 2003, après avoir bénéficié d'un non-lieu, Jean-Claude Trichet put rentrer enfin en triomphateur à Francfort. Le premier mot public du nouveau gouverneur de la Banque centrale européenne se révéla d'une concision admirable, qui rendait un hommage posthume à l'éducation traditionnelle des élites françaises : « *I'm not French.* » Un acte d'allégeance linguistico-idéologique à la fois à la finance anglo-saxonne et à l'ordo-libéralisme germanique. On songe au mot sarcastique de Christopher Soames, ancien vice-président britannique de la Commission européenne : « Dans une organisation internationale, il faut toujours mettre un Français, car ils sont les seuls à ne pas défendre les intérêts de leur pays[1]. »

Jean-Claude Trichet aurait repoussé avec hauteur cette ironie malveillante. Il était convaincu de défendre les intérêts supérieurs de la France. Il l'avait montré lors de la grande crise des monnaies de 1992. Alors, c'est lui qui, en tant que gouverneur de la Banque de France, avait résisté aux assauts du fameux spéculateur Georges Soros. Trichet, c'était Joffre sur la Marne et Pétain à Verdun. Mais cette fois, il gagna non grâce aux taxis ou au courage des poilus, mais grâce au soutien *in extremis* de la Bundesbank. Trichet avait conquis là ses galons de gouverneur de la future Banque centrale européenne, dont l'indépendance avait été la clause essentielle du traité de Maastricht ratifié à la même époque.

---

1. Cité par Philippe de Saint-Robert dans *Le Secret des jours*, Jean-Claude Lattès, 1995.

Les centaines de milliers de chômeurs (jusqu'à un million, selon certains économistes) mis sur le carreau par la récession effroyable de 1992-1993 étaient tenus par un Jean-Claude Trichet pour quantité négligeable, à l'instar des innombrables poilus sacrifiés par les galonnés dans les grandes offensives de la guerre de 1914. La désinflation compétitive demeurait à ses yeux la seule manière pour la France de devenir enfin une économie concurrentielle, selon l'exclusif modèle allemand ; et d'en finir avec la « politique de facilité » des « dévaluations compétitives ». Les cigales françaises devaient se transformer en fourmis germaniques.

Trichet avait ainsi sauvé dans la tourmente financière le destin de la future monnaie européenne et l'entrée sans tache – loin de l'infamie attachée aux « pays du Club Med » – de la France dans son cénacle sacré ; il avait assuré – accessoirement ? – son adoubement par les Allemands comme gouverneur de la Banque centrale européenne. Il rejetait avec hauteur, voire mépris, l'idée qu'il avait alors bien servi les intérêts de l'industrie allemande, comme on repousse, agacé, les assauts d'une mouche dans la nuit tropicale.

Trichet était l'incarnation la plus accomplie de cette haute fonction publique française, qui portait depuis les années 1960 l'idéal d'une politique publique menée au nom de la rationalité et de l'expertise, loin des passions démocratiques et de la démagogie politicienne.

Cet aréopage brillant de conseillers d'État, inspecteurs des Finances, sortis de la « botte » de l'ENA, avait renoué ainsi avec les projets récurrents de substituer « l'administration des choses » au « gouvernement des hommes », fondant le pouvoir sur « la raison » et « l'objectivité » des saint-simoniens sous Napoléon III, ou de la « synarchie » dans les années 1930. Le paradoxe est que cet idéal s'épanouit (après un premier essor sous Vichy, avec les fameux « cyclistes » polytechniciens ou normaliens comme Pierre Pucheu) grâce à l'autorité du général de Gaulle et aux institutions de la Vᵉ République, établies par le grand homme pour restaurer la grandeur de la France. Mais, une fois débarrassé de la tutelle ombrageuse « du Vieux », nos hiérarques transférèrent leur idéal à l'échelle européenne, qui leur paraissait plus adaptée au vaste monde que le dérisoire « petit Hexagone », mais aussi à la haute idée que cette « aristocratie » se faisait de sa valeur.

Ce furent ainsi des juges français, ou en tout cas s'exprimant dans un français impeccable, qui portèrent les premiers assauts de la Cour de justice des communautés européennes, siégeant au Luxembourg, contre la souveraineté juridique nationale, au nom du « fédéralisme juridique » (arrêts Van Gend en Loos du 5 février 1963 et Costa c. Enel du 15 juillet 1964).

Ce furent pour l'essentiel des technocrates français qui mirent en place, au cours de la même période, l'organisation de la Commission européenne de Bruxelles.

Ces hommes, souvent d'une haute culture, fondaient leur action sur l'idéal d'une Europe unie, mélange d'Empire romain et de pacifisme prophétique entre Kant et Victor Hugo. Ils retrouvaient aussi, souvent sans s'en douter, les réflexes et les ambitions des conseillers d'État de trente ans, envoyés par Napoléon dans toute l'Europe pour gouverner et moderniser – aux normes françaises : code civil et administration efficace et non corrompue – les royaumes alliés de l'Empire français.

À l'époque, l'Empereur jugeait que ces jeunes gens brillants oubliaient un peu trop les intérêts de « l'ancienne France », comme on disait alors, au bénéfice de leurs populations d'adoption. La construction d'une route entre Hambourg et Milan leur paraissait bien plus utile aux intérêts de l'Europe impériale qu'une route entre Bordeaux et Toulouse. Ils contestaient les effets d'un Blocus continental qui nuisait aux intérêts des commerçants hollandais plus encore qu'aux Bretons. Napoléon leur envoyait alors des missives comminatoires. Il détrôna le roi Louis – qui les couvrait – et ordonna le rattachement direct des Pays-Bas à l'Empire français.

Cent cinquante ans plus tard, de Gaulle avait remplacé Bonaparte, mais le conflit relevait du même registre. De Gaulle refusa de mettre la haute juridiction française sous la tutelle du juge européen ; par la politique de la chaise vide, en 1965, et l'adoption en janvier 1966 du compromis de Luxembourg consacrant la prééminence des « intérêts nationaux », il mit un coup d'arrêt à la montée en puissance de la Commission. Coup d'arrêt provisoire.

Lorsque vingt ans plus tard, Margaret Thatcher rejoua la grande scène gaullienne, on s'en débarrassa avec un gros chèque (« *I want my money back* ») ; l'Angleterre n'avait pas la position centrale de la France dans l'Union.

Surtout, la machine oligarchique européenne s'était convertie à l'idéologie néolibérale que les conservateurs britanniques avaient introduite sur le continent européen. « *More market, more rules* », le slogan de cette construction judiciaire et bureaucratique rejoignait le célèbre « *There is no alternative* » (« TINA ») de Maggie ; les Britanniques firent la part des choses avec leur pragmatisme légendaire. Les premiers, ils comprirent que la Cour de justice privilégierait le droit anglo-saxon au profit de son ancestral rival romain et napoléonien ; le foisonnement des lobbies autour de la Commission de Bruxelles permettrait le développement du « business », au risque de la « corruption », qu'ils regardaient cyniquement comme un mal nécessaire. La Commission de Bruxelles et les conservateurs britanniques parlaient la même langue : l'anglais ; le moins d'État et la concurrence libre et non faussée des uns rejoignait « la société n'existe pas » et la dérégulation des amis de Margaret Thatcher. Les conservateurs britanniques comme les libéraux de la Commission avaient oublié et renié l'enseignement de leur père commun, Disraeli : « Je préfère la liberté dont nous jouissons au libéralisme qu'ils promettent et préfère aux droits de l'homme les droits des Anglais. » Leur convergence concomitante n'était pas inéluctable, mais, déboulant par surprise, elle ravagea la construction fragile d'une Europe rhénane édifiée par Mitterrand, Delors et Kohl.

Ce fut à Bruxelles, ou au Luxembourg, puis enfin à Francfort, que les technocrates français avaient, dès les années 1960, rencontré leurs collègues allemands et italiens. Ceux-ci avaient souvent connu de près les régimes autoritaires d'avant-guerre. Ils en avaient tiré des leçons contrastées, de la nécessité jalouse de respecter le droit au mépris des politiques qui peuvent emporter par leur démesure tout un continent dans la guerre et la ruine. Ils étaient des juristes et des économistes de haut niveau. Des *Doktor* et des *Dottore*, les meilleurs représentants de leurs bourgeoisies respectives, qu'ils incarnaient avec leurs qualités et leurs défauts, leur histoire et leurs limites. La bourgeoisie italienne du Nord n'avait jamais eu la tête nationale, trop liée à ses cités d'origine, et aux maîtres impériaux que connut la botte, Espagnols, Autrichiens, et Français, comme le montre Stendhal dans *La Chartreuse de Parme* ; trop européens en quelque sorte, non par idéologie, mais par héritage de l'Histoire depuis l'Empire romain. La bourgeoisie allemande, à l'inverse, avait eu le cœur trop national ; son adhésion au nationalisme bismarckien, wilhelmien, puis enfin hitlérien, avait conduit l'Allemagne et l'Europe tout entière à la désolation. Pour toutes ces raisons, les *Doktor* germaniques et les *Dottore* transalpins rejoignirent nos technocrates français dans un même souci de fonder leur puissance encore dans les limbes sur un modèle de contre-pouvoir libéral et aristocratique.

Au fur et à mesure des élargissements, l'Union européenne recruta ses hauts dignitaires sur ce même patron germano-italien.

82 % des membres et anciens membres du directoire de la BCE, depuis sa création, étaient docteurs en économie. Les juges et anciens juges de la Cour de justice furent à 55 % docteurs en droit. Et beaucoup des parlementaires européens sont titulaires du même diplôme prestigieux entre tous dans les traditions universitaires européennes.

L'Europe installait la dictature des docteurs. La tyrannie postdémocratique des bureaux prophétisée par Hannah Arendt.

Au fil des ans, un jeu de rôle se mit en place : les chefs de gouvernement mettaient en scène leurs conflits au cours de « sommets européens » médiatisés, défendant leurs « intérêts nationaux » ; mais derrière la scène de ce théâtre, le vrai pouvoir instaurait les règles et des normes qui s'imposaient à tous.

Le jargon employé par nos discrètes éminences (on disserte sans fin sur des « non-papiers », des points A et des faux points B, on approuve des Two-Pack, des Coreper I et II, des REV 2, des réseaux Antici, Nicolaïdis ou Mertens...), où le ridicule et l'emphase rappellent le Trissotin de Molière, est une manière avérée de se protéger des regards médiatiques et populaires indiscrets. Ils ne risquent pourtant pas grand-chose, la plupart des grands médias européens (à l'exception des tabloïds anglais) étant voués corps et âme au grand œuvre européiste.

Peu à peu, le pouvoir de l'oligarchie européenne retrouvait les caractères fondamentaux des despotes éclairés du XVIIIᵉ siècle : le secret, le mystère même ; une légitimité inaccessible au commun des mortels ; « une souveraineté complète dans l'interprétation de leur mandat ; une prétention à l'objectivité scientifique de leurs diagnostics et de leurs verdicts ; une certaine idée de leur indépendance conçue comme la mise à distance des intérêts sociaux et politiques en présence[1] ».

L'Union européenne s'organisait autour du Droit et du Marché. Son inspiration philosophique était un libéralisme de haute volée, tiré de l'œuvre de Montesquieu ou de Locke qui, luttant à l'époque contre les abus des monarchies absolues, s'efforçaient d'ériger des contre-pouvoirs, afin de protéger la liberté des individus. Mais ce noble héritage des penseurs libéraux fut complété et dévoyé par une nouvelle religion qui émergea sur le continent européen (et lui seul) après la Seconde Guerre mondiale, un universalisme inspiré de son modèle chrétien, mais sans le dogme, car coupé de ses racines religieuses, un millénarisme postchrétien concomitant de la baisse de la pratique religieuse, porté au départ par les élites démocrates-chrétiennes qui ont fait l'Europe, et devenu la religion des droits de l'homme de toutes les élites européennes. « Ce postchristianisme est aujourd'hui un millénarisme dévot de l'universel, très hostile à la souveraineté des nations européennes. C'est lui qui inspire la

---

1. Antoine Vauchez, *Démocratiser l'Europe*, Le Seuil, 2014.

construction européenne. C'est lui qui vide les institutions démocratiques de leur contenu politique. C'est lui qui prône sur le mode universel l'amour de l'autre poussé jusqu'au mépris de soi[1]. »

Et c'est lui qui, en inscrivant sa philosophie universaliste dans un enchevêtrement de règles et de normes juridiques – alors que le message de Jésus-Christ était dédié au monde de l'au-delà, mais pas au monde terrestre –, donnait un pouvoir totalitaire à une oligarchie européenne qui se parait des atours flatteurs du contre-pouvoir.

Cour, Commission, BCE, chaque organisme avait ses méthodes, mais toutes eurent le même but et le même résultat.

La Commission utilisa l'Agenda de l'édification du « marché unique », lancé par Jacques Delors à partir de 1984, pour imposer son idéologie de la concurrence libre et non faussée à des États qui durent renoncer à leurs prérogatives, et furent condamnés à des manœuvres de retardement pour défendre leurs législations, leurs services publics et leurs champions industriels nationaux. Le commissaire européen à la concurrence avait droit de vie ou de mort sur les grandes entreprises ; l'« abus de position dominante » – jugé par rapport au marché européen et non au marché mondial – leur valait condamnation sans grâce ni délai. C'est ainsi que la France perdit Péchiney ! Commissaire européen à la concurrence, Joaquin Almunia a décidé qu'il ne verrait qu'une seule fois les patrons des entreprises concernés par son auguste jugement. Louis XIV à Versailles était plus complaisant. Les États ne pouvaient pas non plus réguler leur flot d'immigrés. Si un chef de gouvernement insistait, il était traité de « nazi » par la commissaire à la justice, aux droits humains et à la citoyenneté, Viviane Reding.

La Cour de justice européenne les privait, par des décisions répétées, de tout moyen policier et judiciaire de renvoyer les innombrables clandestins, au nom des droits de l'homme et de la liberté de circulation ; et démolissait en

---

1. Jean-Louis Harouel, *Revenir à la nation*, J.C. Godefroy, 2013.

silence les droits du travail nationaux en faisant primer la libre prestation des services à l'intérieur de l'Union sur le droit de grève, ou la liberté d'établissement des entreprises sur les conventions collectives nationales.

Arrivée la dernière, la Banque centrale européenne était le joyau de la couronne oligarchique. Maastricht lui avait donné le poste de pilotage de l'économie européenne. Son indépendance sacralisée par le traité, et dans les Constitutions de chacun des États membres de la zone euro, était la marque de sa souveraineté absolue. Les Européens, à rebours des Américains, des Japonais, des Britanniques, sans parler des Chinois, considéraient que la monnaie et la finance étaient des choses trop sérieuses pour être laissées aux peuples et aux gouvernements. La BCE récupéra des pouvoirs régaliens majeurs, qui revenaient aux rois depuis la nuit des temps : émission de la monnaie, supervision des banques, pouvoir de les sanctionner, et de les sauver ; et même, depuis la crise de 2010, financement des États, pourtant interdit par ses statuts.

Avec la supervision bancaire, érigée dans le cadre de l'union bancaire définie en 2013, la BCE règne sur l'Europe.

Cette oligarchie n'est élue par personne, et n'a de comptes à rendre à aucun peuple. Ses membres sont désignés par des chefs de gouvernement, qui se retrouvent devant des électeurs de plus en plus conscients de la vacuité de leur pouvoir. On renoue avec les antiques traditions du Saint Empire romain germanique, quand les princes-électeurs élisaient leur Empereur.

Le gouverneur de la Banque centrale européenne est le fonctionnaire le mieux payé d'Europe. En 2013, son salaire s'élevait à 31 177 euros par mois, soit 374 124 euros par an. Le président de la Commission n'est pas beaucoup plus mal loti avec 321 238 euros par an. Le secrétaire général de l'ONU touche une rémunération inférieure de 27 % à celle du gouverneur de la BCE. Les salaires de la chancelière allemande et du président de la République française sont inférieurs de 21 % et 30 % à celui d'un commissaire européen. Une différence qui en dit long. Qu'on le veuille ou non, l'argent est dans nos sociétés l'étalon suprême des hiérarchies sociales et symboliques.

Pendant quelques années, notre oligarchie et ses relais médiatiques défendirent la fiction d'une simple délégation de souveraineté à des organes techniques qui l'exerçaient sous le magistère bienveillant des autorités légitimes démocratiquement. Le masque tomba lors de la crise de l'euro de 2010 déclenchée par la dette grecque. Alors, on comprit pour la première fois que le Parlement grec avait dû adopter sans amendements le paquet de mesures fiscales, budgétaires et sociales décidées par la « troïka » BCE-FMI-Commission. Depuis le traité de Lisbonne (ratifié en 2009), les États avaient déjà moins de prise sur ces institutions indépendantes, au nom de la « dépolitisation » d'institutions « techniques ». Mais à partir de 2010, afin de « sauver l'euro », on détruisit les dernières précautions, dernières pudeurs, et on mit sous tutelle budgétaire de la Commission les Parlements nationaux ; et sous l'autorité de la BCE, toutes les banques européennes au nom de l'union bancaire.

Les dernières illusions étaient dissipées. Le voile tombait. Les yeux se dessillaient. Le juge, le commissaire, le banquier dirigeaient l'Europe.

Au fil des ans, face aux résistances et aux échecs, le millénarisme postchrétien des droits de l'homme et du marché devint la religion de l'Union ; l'« administration des choses » devint prédication ; le droit devint dogme ; la raison supérieure devint foi. L'oligarchie devint théocratie. Bruxelles et Francfort devinrent la nouvelle Rome. Même le rêve du grand soir fédéral paraissait un modèle de loyauté démocratique, anachronique. Nos éminences furent les Christophe Colomb de l'Europe : en partant pour les États-Unis d'Europe, ils découvrirent la Rome des Césars et des Papes. Le commissaire, le juge et le banquier revêtirent la pourpre des cardinaux. Ils s'en trouvèrent fort bien et célébrèrent sans rire en 2013 l'« année de la citoyenneté européenne ».

Jean-Claude Trichet n'était plus alors gouverneur de la Banque centrale. Il avait laissé son trône à un Italien retors, une sorte de cardinal Mazarin de la Finance : Mario Draghi.

Un brillant diplômé du MIT et d'Harvard ; mais aussi un ancien de Goldman Sachs, cette puissante et sulfureuse banque d'affaires américaine, qui avait permis au gouvernement grec de dissimuler à l'Union européenne l'énorme déficit de ses finances publiques, dont la révélation bien des années après l'entrée de la Grèce dans la monnaie unique fut à l'origine de la crise qui faillit emporter l'euro en 2010.

Jean-Claude Trichet connaissait le sort de tous les rois et empereurs qui ne maîtrisent pas le choix de leurs héritiers. Dans son livre, *L'Empereur illicite de l'Europe*[1], l'ancien haut fonctionnaire Jean-François Bouchard conte comment Jean-Claude Trichet, invité d'une émission consacrée à Goldman Sachs sur une chaîne de télévision française, fut un jour interrogé :

« Que pensez-vous des liens qui existent entre la banque Goldman Sachs et votre successeur Mario Draghi ?

– Euh… un instant… je réfléchis.. Je ne m'attendais pas à votre question… Coupez la caméra, je vous prie ! »

Et l'auteur d'ajouter, sarcastique : « Trichet l'inébranlable est déstabilisé. Lui, le maître de la communication maîtrisée, bafouille lamentablement. »

Depuis cette mésaventure, Trichet évite les caméras de télévision. Il préfère courir les conférences, multiplier les postes honorifiques dans les grandes organisations internationales, souvent bien rémunérés, délivrer ses sages conseils, défendre son action passée, inciter la France « aux réformes indispensables qu'elle a trop tardé à mettre en œuvre », et chanter la gloire de l'euro, « immense réussite ». Il y côtoie ses anciens collègues, qui furent comme lui gouverneurs des Banques centrales américaine, japonaise ou britannique. Comment se résoudre à n'être plus rien quand on a été tout ? Il trouve sans doute la réponse à cette question existentielle chez ses chers poètes, dont Léopold Sedar Senghor, ami de son père, lui avait fait découvrir les œuvres quand il était enfant. En relisant tel ou tel vers, songe-t-il alors peut-être, mélancolique, au

----

1. Max Milo, 2014.

destin d'un Charles Quint, maître d'un Empire sur lequel
« le soleil ne se couchait jamais », retiré dans un couvent,
pour attendre la mort et méditer sur les limites de la puissance et la médiocrité des hommes.

2005

La France des trois jeunesses

C'était toujours la même histoire ; mais ce n'était déjà plus tout à fait la même. Le 27 octobre 2005, deux adolescents, Zyed Benna et Bouna Traoré, fuient devant une anodine ronde de police, sans que l'on sache s'ils voulaient dissimuler le produit d'un larcin quelconque, ou s'ils craignaient des « embrouilles avec les keufs » qui les auraient mis en retard pour le repas familial du ramadan. Dans leur précipitation, ils se réfugient dans un transformateur EDF, et meurent électrocutés. L'émotion gagne bientôt leur cité de Clichy-sous-Bois. Insultes, colère, voitures brûlées, mais aussi bus, écoles, gymnases. La routine. Mais les nuits d'émeute succèdent aux nuits d'émeute, dans une folle sarabande qui ne semble jamais cesser : cocktails Molotov, plaques d'égouts, machines à laver jetés du haut des immeubles, tout est bon pour chasser « l'envahisseur » casqué de la police française. C'est à la fois un jeu, une téléréalité, une jacquerie. Une guérilla urbaine où les jeunes combattants frappent, puis rentrent dans la foule, anonymes. Très vite, Clichy-sous-Bois fait école. Les forces de l'ordre ne savent plus où donner du casque. Jusqu'à 200 communes participent à ces nuits de fureur et d'ivresse. C'est une grande partie de la France des banlieues qui montre à la fois sa colère et sa force. Les images de télévision leur servent de modèles à imiter, internet et les réseaux sociaux, de moyens de liaison. Pas d'organisateurs, pas de représentants, pas de mots d'ordre, pas de revendication, d'idéologie ni de parti. La seule joie de détruire et de se battre. Cette « émotion » dura trois semaines. Jamais, depuis les premières émeutes urbaines de la fin des années 1970, on n'avait connu pareille simultanéité, sur un temps aussi long. Les images retransmises chaque soir au journal télévisé provoquèrent un effet de sidération sur la population française, et sur les médias du monde entier.

La « banlieue » était à feu – mais pas à sang ; le reste de la France vaquait à ses occupations traditionnelles. Elle n'éprouvait envers les émeutiers ni sympathie ni solidarité ; rien qu'une vague incompréhension mêlée d'effroi. L'absence de solidarité fut d'ailleurs le maître mot de ce mouvement, chaque cité embrasée demeurant jusqu'au bout dans sa logique territoriale de maîtrise de son quartier, de sa résidence, de son bloc d'immeubles.

Seule l'extrême gauche et certains artistes médiatiques manifestèrent un soutien bruyant et compassionnel. Dans les mois qui suivirent, les trotskistes de Krivine et Besancenot tentèrent d'être le levain de cette pâte révolutionnaire ; ils poussèrent les feux de l'antisionisme pour mieux séduire les « frères » banlieusards des Palestiniens , firent mine de ne pas entendre les « mort aux Juifs » criés dans leurs manifestations ; mais la sauce ne prit jamais entre les jeunes « rebeu » à l'identité musulmane farouche et les vieux gauchos qui préféraient aux *hadith* de Mahomet les mélopées anars de Brassens et Léo Ferré ; entre les jeunes filles voilées et les anciennes féministes qui avaient jadis jeté leurs soutiens-gorge aux orties.

Toute la classe politico-médiatique cria haro sur le baudet Sarkozy pour sa phrase prononcée, quelques jours avant la mort des deux adolescents fuyards, sur la dalle d'Argenteuil : « Vous en avez assez de toute cette racaille ? On va vous en débarrasser. » Ses adversaires, et surtout ses « amis », crurent un moment que cette rodomontade, si médiatisée, serait celle de trop. Le président Chirac et le Premier ministre

Villepin laissèrent leur ministre de l'Intérieur en première ligne ; un « mort » malencontreux parmi les émeutiers aurait ruiné les chances présidentielles de l'ambitieux.

Il n'en fut rien. Les rodomontades sarkozystes étaient alors encore crédibles ; seul ce « roi fainéant » de Chirac, croyait-on, l'empêchait d'être efficace.

Le pied de Sarkozy ne glissa pas dans le sang d'un Malik Oussekine. Il s'en fallut d'un rien. Le 31 octobre, une grenade de gaz lacrymogène tomba devant la mosquée de Clichy, avivant encore la fureur des émeutiers contre cette « offense faite à l'islam ». La police française, stoïque et organisée, ploya sous le choc, mais ne commit aucune imprudence ni exaction. La culture française du maintien de l'ordre fit alors admirer sa différence avec des Anglo-saxons qui sortent plus spontanément leur arme. Leurs histoires ne sont pas les mêmes : ce n'est qu'après la Seconde Guerre mondiale que les CRS ont remplacé une armée qui n'avait jamais hésité à « tirer dans le tas ».

Mais la police française est conçue pour les affrontements dans le Quartier latin ; pas pour la guérilla dans des grands ensembles. Elle ne peut tenir des quartiers entiers ; ne peut pas non plus appréhender des émeutiers qui, aussitôt leur cocktail Molotov lancé, se noient dans la foule des badauds rigolards, le plus souvent mineurs. Qui arrêter ? Qui viser ? Sur qui tirer ?

Quand Chirac et Villepin comprirent qu'il n'y aurait pas de bavure tragique, et que sa fermeté verbale avait rendu populaire leur ennemi juré, ils surenchérirent en établissant, le 8 novembre, l'état d'urgence dans vingt-cinq départements, au moment même où l'intensité du mouvement diminuait. Certains esprits caustiques firent remarquer que la loi de 1955 sur l'état d'urgence avait servi lors de la guerre d'Algérie. D'autres, plus politiques, comprirent que Nicolas Sarkozy était sans doute devenu président de la République au cours de cet automne tumultueux.

On dénombra 10 000 véhicules incendiés, 300 bâtiments publics calcinés, des écoles vandalisées et des maisons associatives pillées, 130 policiers et émeutiers blessés,

2 700 personnes placées en garde à vue. Les dégâts furent estimés à plus de 200 millions d'euros.

Dans les mois qui suivirent, au cours d'innombrables émissions de télévision, colloques, conférences, les experts, sociologues, commentateurs, politiques de gauche, communièrent dans la thèse devenue vite doxa officielle – et impérieuse – de la « révolte sociale ». Ils tentèrent, les uns après les autres, de donner un « sens politique » à une rébellion qui n'en avait émis aucun. Le romantisme révolutionnaire français s'y donna à plein. Les lacunes de la « République » furent dénoncées à profusion. Les souvenirs de la colonisation furent convoqués à l'éternel procès de la France. Pourtant, d'autres enfants de l'immigration (portugais ou chinois) ne s'étaient pas agrégés aux émeutiers, tandis que d'autres produits de la « coloniale » (indochinoise) n'avaient pas rejoint les rangs de leurs « frères » arabo-africains.

Nos interprètes autoproclamés de la révolte s'efforcèrent de relier ces trois semaines d'émeutes aux manifestations qui avaient eu lieu quelques mois plus tôt contre la loi Fillon de réforme universitaire, et celles qui, quelques mois plus tard, en 2006, auront la peau du CPE, une sorte de Smic jeunes instauré à la hussarde par Dominique de Villepin, avant que le président Chirac ne renonce à l'application d'une loi déjà... promulguée.

Il y avait en effet un lien, mais ce ne fut pas celui qu'ils théorisaient et espéraient.

Lors des manifestations contre la loi Fillon, en mars 2005, une jeunesse des écoles, issue de la petite-bourgeoisie, où les filles tenaient le premier rôle mis en scène par des médias enthousiastes, fut agressée et dépouillée par des hordes de garçons venus des banlieues – ceux-là mêmes qui défendront la mémoire de leurs deux camarades électrocutés de Clichy-sous-Bois – dans un mélange de mépris sarcastique et de haine pour ces « bolos » incapables de se défendre.

Quand Villepin instaura le CPE, il désirait réduire le chômage massif des jeunes des banlieues (40 % des garçons) sans qualification, pour qui un Smic trop élevé au regard

de leur faible productivité constitue un obstacle à
l'embauche. Mais c'est la jeunesse diplômée des écoles qui
se révolta, tandis que celle de la banlieue resta coite, indif-
férente.

Ces deux jeunesses-là sont connues, reconnues, médiati-
sées. Elles sont les produits des métropoles mondialisées.
Elles sont – toutes deux – des privilégiées, car vivant dans
les lieux majeurs de production et d'échanges, là où il y a
emplois (dans les services) et richesses (y compris illégales).
Elles sont à la fois complices et ennemies, la première étant
une proie de choix pour la seconde. La jeunesse diplômée
des centres-ville fait profession d'antiracisme et de tolérance
à l'égard des minorités ; victime désignée et d'avance com-
préhensive, atteinte d'une sorte de syndrome de Stockholm,
comme si elle tenait le rôle du gibier féminin face au chasseur viril. La jeunesse dorée est fascinée par celle des banlieues, à qui elle emprunte, dans un mimétisme classique,
codes vestimentaires et langagiers ; et achète sa drogue. Dans
le film *Entre les murs* (Palme d'or à Cannes, tiré d'un livre
de François Bégaudeau), on relevait l'incapacité des professeurs – pourtant pétris comme l'auteur du livre d'une empa-
thie bien-pensante pour ces populations « discriminées » –
à transmettre la langue et la culture françaises à des élèves
qui la rejettent avec horreur. De son côté, la jeunesse dorée
des écoles, encouragée par les parents et par les institutions
scolaires, ne rêve que d'études à Londres, New York, Singapour ou Montréal. Ce refus de l'appartenance française est
sans doute le lien majeur entre ces deux jeunesses que tout
sépare par ailleurs ; la première fuit un territoire national
que la seconde investit.

Mais une troisième jeunesse vit ignorée de tous dans
l'ombre des deux autres : celle souvent éloignée des grands
centres urbains, issue de la classe populaire française qui
cumule formation modeste, stages et petits boulots, se sent
de plus en plus étrangère dans son propre pays, méprisée
par les élites médiatiques, ignorée par les élites universitaires
qui ne déploient pas de « discrimination positive » en sa
faveur, et par les élites économiques qui préfèrent délocaliser « son » emploi à l'étranger. Cette jeunesse de « petit

blanc » rumine sa mise à l'écart symbolique. Elle vit dans son corps même – dents, peau, poids – les ravages de la prolétarisation. Elle a du mal à séduire les filles qui lui préfèrent le bagout de la jeunesse des écoles, ou même la virilité ostentatoire des « racailles » de banlieue. Souvent électeurs du FN, ces jeunes prolétaires dissimulent de moins en moins leur haine des « Arabes » et des élites ; crient « On est chez nous », dans les meetings de Marine Le Pen. Longtemps, la France issue de la Révolution a craint et subi l'affrontement des « deux jeunesses », issues des deux écoles, la catho et la laïque. Notre avenir nous annonce un triangle infernal paré de tous les dangers, sans que l'on sache comment il s'écrira.

Deux ans plus tard, on crut que tout recommençait. À Villiers-le-Bel, encore deux adolescents qui mouraient ; leur moto avait percuté une voiture de patrouille, alors qu'ils ne portaient pas le casque réglementaire. Mais la révolte resta cette fois circonscrite à Villiers-le-Bel. Comme une émeute traditionnelle. En revanche, pour la première fois, les émeutiers sortirent fusils de chasse et fusils à pompe, n'hésitant pas à viser les forces de l'ordre. Un policier perdit un œil ; un autre, un testicule. La police ne répliqua point. Les ordres des officiers étaient formels. Personne ne céda à l'envie de tirer. Il s'en fallut parfois d'un souffle. On ne sait s'il faut admirer le sang-froid des policiers qui évita un carnage, ou le signe donné aux émeutiers que tout était permis. En 1871, Thiers envoya les troupes versaillaises massacrer les communards, dans le but d'extirper la fièvre révolutionnaire qui saisissait Paris depuis 1789. Louis XVI perdit son trône parce qu'il n'osa pas faire tirer sur la foule le 5 octobre 1789, sur les femmes qui vinrent le chercher en son château, pour le ramener quasi prisonnier aux Tuileries. Le député « monarchien » Mounier, désespéré et sentant que l'Histoire avait basculé, brocarda alors avec amertume le roi et sa « nonlonté ». Après Villiers-le-Bel, beaucoup de policiers qui avaient essuyé le feu émeutier sans ciller eurent la pénible sensation que la République n'était plus que l'ombre d'elle-même ; qu'elle avait renoncé au « monopole de la violence légitime » ; qu'elle était désormais plus proche de Louis XVI que de Monsieur Thiers.

Quelques années plus tard, le jeudi 18 juillet 2013, à Trappes, des policiers tentent de verbaliser une jeune femme qui porte un *niqab*, voile intégral interdit par une législation récente ; le mari s'interpose, s'en prend à un policier. « On n'est pas à Kaboul », aurait lancé ce dernier. Dès le jeudi soir, de nombreux jeunes s'agitent. « Quand j'entends qu'un semblable a eu des ennuis à cause de son appartenance religieuse, ça ne me laisse pas indifférent », raconte un habitant à la journaliste du *Monde* dépêchée sur place. Le vendredi, après la prière à la mosquée, on ne parle que de Cassandra et de son mari Michaël. La mosquée est tenue de longue date par les salafistes qui enseignent un islam rigoriste et littéraliste. Au fil du temps, les jeunes y sont de plus en plus nombreux, de plus en plus assidus. Il fait chaud et le jeûne du ramadan est parfois pénible. Une vingtaine de jeunes gens quittent la mosquée pour le commissariat où ils exigent la libération de leurs « frères ». Les policiers les renvoient sans aménité. Le ton monte. Les esprits s'échauffent. Le soir, 150 personnes – de Trappes, mais aussi des communes avoisinantes – se pressent devant le commissariat. Beaucoup de jeunes sont vêtus en *kamis*, la tenue blanche traditionnelle du prophète. Une rangée de policiers en tenue antiémeute leur fait face. Un mortier de feu d'artifice fuse, atterrissant aux pieds des forces de l'ordre. On crie jusqu'à s'époumoner : *« Allah Akbar. »* Des armes de poing sont arborées. Comme un avertissement sans frais.

Michaël, le mari de la femme voilée, est un converti, et son épouse, Cassandra, une Antillaise de 23 ans convertie à l'islam depuis ses 15 ans. Tout ça fait d'excellents musulmans zélés. C'est la fin d'une évolution démographique commencée à la fin des années 1970. Les banlieues françaises sont désormais homogènes ethniquement et religieusement : les classes populaires « blanches » ont quasiment disparu ; le cinéaste Alexandre Arcady (présentant son film *24 jours* qui retrace le meurtre d'Ilan Halimi à l'émission « On n'est

502 LE SUICIDE FRANÇAIS

pas couché » du samedi 26 avril 2014) confiait, encore aba-
sourdi : « Savez-vous – je l'ai entendu dire par un responsable académique de la Seine-Saint-Denis – que dans les
écoles publiques de ce département, il n'y a plus un seul
élève de confession juive ? Plus un seul ! Ils sont obligés
d'aller dans les écoles privées. » L'islamisation des banlieues
françaises est totale ou presque. L'assimilation, l'intégration,
la mise en conformité au sein de ces quartiers exigent désormais d'être un musulman comme les autres. L'islam est
l'horizon identitaire indépassable de ces populations. Un
islam bricolé, un islam mythifié, un islam simplifié par internet peut-être, mais un islam qui aspire à devenir leur identifiant politique. En 2007, déjà, certains ont évoqué des
« émeutes de ramadan », mais les militants islamistes n'y
avaient pris aucune part. La vie de ces derniers dans les banlieues françaises est rythmée par les relations ambivalentes
qu'ils entretiennent avec les caïds de la drogue, à la fois
complices – les trafiquants n'hésitent jamais à alimenter la
cause tandis que certains dignitaires religieux pardonnent
les exactions commises à l'encontre des « infidèles » – et ten-
dues lorsque la morale islamique contredit les nécessités du
business. Les caïds sont les patrons de nombreuses cités, ils
déterminent la loi et l'appliquent aux contrevenants (y compris par condamnation à mort), et se substituent aux services
publics et à l'action sociale, tandis que l'islam sculpte le paysage, mental et moral, mais aussi vestimentaire, sexuel, commercial.

Trappes a bénéficié du plan Borloo de rénovation urbaine
pour un montant de 350 millions d'euros. Les barres HLM
ont été abattues ; des immeubles pimpants de trois étages
et des rues arborées les ont remplacés. Le chômage y est
important (17 % de la population), mais moins que dans la
commune voisine de Chanteloup-les-Vignes (25 %). En
2011, Trappes a reçu le premier prix des villes fleuries. Mais
la population est restée la même. Il y a quelques années
encore, une troupe de théâtre local, dirigée avec un enthousiasme inaltérable par Alain Degois, dit « Papy », pouvait
révéler un Jamel Debbouze, un Omar Sy, ou une Sophia

Aram. Peu à peu, la mosquée fédère et rassemble la jeunesse de la ville. Trappes est aussi la preuve que la loi républicaine peine à s'appliquer dans des territoires où l'énorme majorité de la population n'accepte pas qu'elle soit en contradiction avec une loi religieuse qui la surplombe.

« La présence ostensible du salafisme – favorisée par l'accoutrement spécifique des adeptes – est un symptôme nouveau et fulgurant. Elle exprime une rupture en valeurs avec la société française, une volonté de la subvertir moralement et juridiquement qu'il serait illusoire de dissimuler et qui pose des questions essentielles[1]. »

La dernière étape – encore lointaine ? – sera-t-elle la fédération politique de ces mouvements spontanés et disparates ? Un an après l'alarme de Trappes, l'islam était assez enraciné et puissant pour envoyer des centaines de jeunes « français » se battre en Syrie au nom du *djihad*. Comme la pointe émergée d'un iceberg banlieusard grandi dans la haine du roman national français, en voie de lente sécession.

2 décembre 2005

Austerlitz, connais pas !

Rien. On connaît le célèbre mot laconique retrouvé dans le journal de Louis XVI au 14 juillet 1789. L'historiographie républicaine s'est beaucoup gaussée de ce mot, qui ne concernait pourtant que la chasse royale du jour. Rien. À la date du 2 décembre 2005, la Vᵉ République a écrit en lettres majuscules, à l'encre rouge, souligné trois fois pour qu'on ne s'y méprenne pas : RIEN. Il ne s'est rien passé deux siècles plus tôt, au 2 décembre 1805, rien sur un obscur champ de patates, pas loin de Prague, rien entre trois Empires aujourd'hui ensevelis. Pas la moindre commémoration officielle, pas même la grande exposition qu'avait prévue le musée de l'Armée, qui devait « tourner » dans toute l'Europe, à la gloire des aigles

---

1. Gilles Kepel, *Passion française. La voix des cités*, Gallimard, 2014.

impériales. « Austerlitz, connais pas », ont répondu en chœur les autorités suprêmes, comme s'il s'agissait d'une défaite honteuse à effacer de la mémoire collective. Austerlitz est pire qu'une défaite, c'est une victoire de la France. « On ne célèbre pas une victoire sur nos amis européens », fut-il assené en guise d'argument décisif. « Le président Chirac déteste Napoléon », murmura-t-on d'un air entendu à ceux qui osaient insister. « Le Premier ministre est en province », fut-il répondu à ceux qui espéraient encore en un Dominique de Villepin qui se piquait pourtant d'être un historien de la geste napoléonienne.

Tous aux abris. La traditionnelle commémoration de l'école militaire de Saint-Cyr – avec prise d'armes à la colonne Vendôme, dont le bronze est celui des canons ennemis pris à Austerlitz ! – fut transformée et dénaturée en une « Journée de rencontre Nation-Défense », où l'on prit soin de ne jamais prononcer le nom d'Austerlitz. Aucun représentant du gouvernement ne fut envoyé à Slavkov, en République tchèque, où 3 000 « reconstituteurs » magnifiquement parés rejouèrent une fois encore la charge de Murat sur le plateau de Pratzen, pour la plus grande joie d'un public populaire évalué à 50 000 personnes.

On entrevit pourtant, un court instant, dans la soirée du 1er décembre, un ministre de la Défense déposer une gerbe au tertre de Zuran (où Napoléon dirigeait la bataille et où a été érigé un monument français), puis assister au dîner qui se tint au château d'Austerlitz. Ce dîner était organisé par la fondation de Gaulle et son président, l'ancien résistant, ministre du général de Gaulle et président du Conseil constitutionnel Yves Guéna, avait beaucoup insisté pour que notre ministre, en route vers les Émirats, condescendît à une petite escale en République tchèque.

Depuis, Michèle Alliot-Marie se vante d'avoir été présente au bicentenaire de la bataille, comme si elle avait fait alors preuve d'une audace, d'une témérité, d'un courage ineffables.

Il est vrai que l'ambiance à Paris n'avait rien à voir avec celle qui régnait un siècle plus tôt, en 1905, lorsque, en pleine ferveur patriotique, on célébra le génie militaire d'un Empereur qui, espérait-on alors bien à tort, inspirerait ses lointains successeurs dans la guerre qui menaçait déjà. En cette fin d'année 2005, en revanche, un pamphlet grotesque, empli d'un délire victimaire paranoïaque, avait grimé Napoléon en Hitler, parce qu'il avait rétabli l'esclavage dans les colonies d'outre-Atlantique. Le climat du chiraquisme finissant était à la repentance. On y sacrifia Napoléon avec empressement. Les hostilités avaient débuté dès l'année précédente. Un des fidèles grognards de Chirac, Jean-Louis Debré, alors président de l'Assemblée nationale, réussit le prodige, dans un discours d'une vingtaine de minutes, de commémorer le bicentenaire du Code civil sans prononcer le nom de Napoléon. Lorsque la Fondation Napoléon avait sollicité la location de la cathédrale Notre-Dame pour y rejouer la messe du sacre, le cardinal Lustiger avait refusé hautement : Son Éminence « détestait Napoléon ».

Quelques semaines plus tôt, les Anglais nous avaient pourtant donné un exemple que nous admirâmes pour mieux nous en détourner. Le 21 octobre, la bataille de Trafalgar fut célébrée par une magnifique parade navale. Les autorités françaises y avaient envoyé de fort bonne grâce le sous-marin nucléaire *Charles de Gaulle* et une digne escorte. Le musée de la Marine anglaise avait organisé une exposition « Nelson-Napoléon » à laquelle les institutions françaises (Louvre, Versailles, musée de l'Armée, etc.) prêtèrent leur concours : une manière perfide d'humilier les Français sans avoir l'air d'y toucher, que d'opposer – sur un pied d'égalité – l'illustre marin mais soudard Nelson, et l'empereur des Français ! Le hasard à l'humour très *british* voulut que le vernissage de l'exposition eût lieu le jour même où Londres – battant Paris sur le fil – fut désignée pour organiser les Jeux olympiques de 2012 ; l'annonce fut célébrée par des cris de joie britanniques et des tapes ironiquement amicales sur les dos français.

Ce fiasco – au sens sexuel de Stendhal – fut analysé comme l'expression la plus aboutie de la « haine de soi »

française. Cette analyse à l'origine iconoclaste et mal pensante
que François Furet attribuait à la bourgeoisie postrévolu-
tionnaire devint trop vite banalité. Cette « haine de soi
française » est d'ailleurs un peu différente de son modèle,
la haine de soi juive du XIXᵉ siècle, car elle affecte davantage
le passé de notre pays. Nos élites bien-pensantes détestent
ce que fut la France, et ne font que mépriser ce qu'elle est
aujourd'hui. Nos bien-pensants haïssent et vilipendent leurs
parents et ancêtres, mais ils s'aiment et s'estiment beaucoup.
Napoléon est honni car il incarne jusqu'à la caricature ce
que fut notre pays, et fit sa grandeur – la gloire de ses armes.
Dans les ouvrages scolaires d'Histoire, pour collégiens ou
lycéens, ses batailles innombrables ne sont même pas men-
tionnées. Les seules parfois retenues sont ses défaites,
Leipzig parce qu'elle forgea la nation allemande, Waterloo
parce qu'elle fonda l'hégémonie anglaise. On ne veut retenir
de Napoléon que le Code civil, les préfets, la Banque de
France. Son œuvre pacifique. C'est la guerre qui rebute. Et
derrière lui, l'Homme. Guerre, Homme, Patrie, trinité diabolisée de notre temps.

À travers le monde, d'innombrables *aficionados* commu-
nient pourtant dans le culte de l'Empereur. Ses batailles sont
sans cesse étudiées dans les jeux de rôles. Comme l'avait
tout de suite compris Balzac, et tous les grands écrivains du
XIXᵉ siècle, même les plus critiques comme Tolstoï, Bonaparte incarne l'homme de la modernité qui, débarrassé des
anciens liens, va au bout de son destin, quitte à se brûler
les ailes à la manière d'Icare. Bonaparte achève l'ère des
grands conquérants du passé, Alexandre et César, et annonce
celle des *self-made-men* de la société industrielle, de Ford à
Bill Gates. Il est toujours le plus grand « professeur d'énergie » cher à Barrès, mais on le cache et on l'interdit aux
jeunes Français.

Derrière Jacques Chirac, les élites, de droite comme de
gauche, veulent croire que Napoléon reste détesté en
Europe, comme il l'était – et encore pas partout – en 1812.
Elles sont convaincues que l'éloge de l'Empereur par la
France est interprété comme le reliquat d'une arrogance
du coq gaulois, qu'elles jugent au mieux ridicule, au pire

infâme. Elles estiment que l'Europe ne sera édifiée que sur le reniement de la grandeur de la France.

Dans un pamphlet publié en 2014[1], Lionel Jospin dénoncera l'héritage néfaste laissé par l'Empereur. À ses yeux, Napoléon est coupable d'avoir détruit la Révolution par le coup d'État du 18 brumaire et, par ses guerres incessantes et sa soif de conquête, d'avoir fait le lit de l'hégémonie britannique au XIXe siècle. Or, la réalité historique est à l'opposé de cette conviction de l'ancien Premier ministre socialiste. Bonaparte a sauvé la Révolution, menacée de mort par la déliquescence corrompue du Directoire et un coup d'État monarchiste qui aurait ramené Louis XVIII. Il a consolidé ses idéaux d'égalité et de mérite dans le Code civil, que ne pourra plus remettre en cause la Restauration. Comme l'avait compris Karl Marx, il a parachevé l'avènement de la bourgeoisie en garantissant la vente des biens nationaux. L'étoile de l'Angleterre s'était levée un siècle plus tôt, à la fin des guerres de Louis XIV, et celle de la France avait pâli à l'issue du traité de Paris de 1763, lorsque Louis XV abandonna le Canada et l'Inde. « Que perd la France ? demanda Michelet. Rien, sinon le monde. » Les guerres de la Révolution et de l'Empire furent l'ultime effort de la France – qui laissa le pays exsangue – pour reprendre son rang de maître de l'Europe. Après avoir financé les guerres contre Louis XIV, la City avait payé les coalitions qui vinrent à bout de « l'Ogre ». Napoléon fut le seul Français qui combattit la finance, les armes à la main. L'affrontement entre la France de Napoléon et l'Angleterre de Pitt fut celui des deux conceptions de la modernité démocratique qui s'annonçait, le modèle libéral et inégalitaire de l'Angleterre opposé au modèle étatiste et égalitaire de la France. Dans cette affaire, les vieilles monarchies européennes, condamnées par l'Histoire – elles mettront un siècle à mourir –, hésitèrent entre les deux camps, passant de l'un à l'autre, avec des habiletés matoises de chat, avant de se rallier au panache d'Albion. Pour Stendhal, Napoléon fut coupable de

---

1. *Le Mal napoléonien*, Le Seuil.

508   LE SUICIDE FRANÇAIS

les avoir laissées vivre au lieu de les achever ; d'avoir même essayé vainement d'obtenir d'elles ce « droit de bourgeoisie » que Talleyrand le poussait à solliciter.

Nos politiques tressent d'unanimes louanges à Talleyrand et rejettent Napoléon avec horreur, même lorsqu'ils avouent admirer Bonaparte, établissant un distinguo qu'ils croient subtil, alors qu'il signe leur inculture historique.

À la décharge de Lionel Jospin, son vainqueur de la présidentielle de 2002, Jacques Chirac ne pensait pas autrement que lui. Nos deux champions de la droite et de la gauche étaient bien ces bourgeois louis-philippards envieux de la puissance économique de l'Angleterre, étrangers à la grandeur de la France et à son génie propre.

C'est d'ailleurs Louis-Philippe qui fit ramener les cendres de Napoléon aux Invalides. Dans son sublime *Choses vues*, Victor Hugo décrivait le décalage entre la ferveur populaire (les survivants de la Grande Armée dormant aux pieds de son cercueil) et la froideur hautaine des élites du régime. Déjà.

Cette histoire-là n'est plus enseignée ; et n'est même plus audible par les oreilles contemporaines. La commémoration de la bataille d'Austerlitz aurait indiqué que notre pays était encore capable de l'entendre ; et qu'il avait encore la volonté de poursuivre son existence, de persévérer dans son essence ; que la France était encore vivante, et non un cadavre à la renverse.

Le 18 juin 2015, nous fêterons Waterloo avec reconnaissance et gratitude.

2007

Voir Lisbonne et mourir

C'était pendant la campagne présidentielle de 2007. On taquinait Alain Minc sur le lyrisme patriotique de son ami Sarkozy, que lui soufflait, jour après jour, discours après discours, son « nègre » gaulliste Henri Guaino ; mais le chantre de la « mondialisation heureuse » ne se laissa pas démonter, et écrasa l'ironie sous un cynisme d'airain : « Guaino, on s'en moque, c'est pour la galerie ; l'important, c'est le mini-traité simplifié. »

Alain Minc se trompe plus souvent qu'il ne le croit ; mais moins que ses contempteurs ne le prétendent. Il avait pointé le cœur de la campagne du candidat Sarkozy, auquel nul n'avait prêté attention. Il faut dire que son ami Nicolas avait tout fait pour le dissimuler. Il avait exalté ses origines de « petit Français au sang mêlé », convoqué Jaurès et Blum au grand dam de la gauche, et fait miroiter aux classes populaires un attirant « travailler plus pour gagner plus ».

Quand il était interrogé sur l'Europe, Sarkozy expliquait qu'il voulait « réconcilier la France du oui et la France du non » ; et ferait adopter par le Parlement un « mini-traité simplifié » pour remplacer le traité de Constitution européenne qui avait été repoussé par référendum deux ans plus tôt. Il ne s'appesantissait guère sur la question, et personne – journalistes, soutiens, adversaires – ne l'y contraignit.

Le référendum de 2005 avait été un immense traumatisme pour les élites françaises. Le président de la République et sa majorité parlementaire (Jacques Chirac et l'UMP) et le principal parti d'opposition (les militants du parti socialiste avaient voté oui à 55 % le 2 décembre 2004 par un référendum interne après une campagne spectaculaire et fort médiatisée), la quasi-totalité des grands patrons, éditorialistes, journaux, radios, télévisions, économistes, intellectuels, Églises et franc-maçonneries, syndicats (même le patron de la CGT) avaient fait une campagne ardente pour le oui. Les partisans du non n'avaient plus ni l'ardeur ni l'aura de ceux de 1992. Le Front national (et la droite demeurée souverainiste) et la gauche « noniste » (Chevènement, mais aussi Mélenchon, une partie du PS et des verts, les trotskistes avec Besancenot en tête de gondole médiatique) s'ignoraient. Les uns dénonçaient l'inscription du néolibéralisme dans le marbre constitutionnel, tandis que les autres rejetaient l'érection d'une Europe fédérale. La gauche noniste réussit à orienter les débats sur la directive Bolkenstein déréglementant les services publics, et sur l'arrivée massive de travailleurs venus de l'Est – le fameux « plombier polonais » à coûts faibles. Laurent Fabius fut traité d'infâme tacticien « traître à sa classe » parce qu'il se rangea, en fin de campagne, dans le camp du non. Les sondages initiaux prédisaient une victoire écrasante du oui.

Le 29 mai 2005, le traité de Constitution européenne fut repoussé par 54,68 % des suffrages exprimés. Les classes populaires (ouvriers, employés, et même les fonctionnaires socialistes qui avaient approuvé Maastricht quinze ans plus tôt) avaient voté non, tandis que les cadres supérieurs, les étudiants et les retraités étaient restés fidèles à la construction européenne. Huit jours plus tard, les Hollandais appuyaient les Français en refusant le même texte à plus de 60 % des suffrages. Le Traité constitutionnel européen (TCE) était enterré, alors même que huit pays européens l'avaient déjà ratifié.

Pendant la campagne présidentielle, le candidat Sarkozy rendit une visite fort médiatisée dans le fief auvergnat de Valéry Giscard d'Estaing, qui l'adouba avec enthousiasme.

Quelques années auparavant, l'ancien président avait dirigé les travaux de la Convention européenne, regroupant des parlementaires venus des 27 pays de l'Union, qui avait été chargée de rédiger la nouvelle Constitution européenne. Le texte avait été adopté à Rome, le 29 octobre 2004, à l'unanimité.

Giscard en était faraud. Il se plaisait à vanter la qualité littéraire de son texte, sa clarté, sa limpidité, sa lisibilité. Sa hauteur de vue. Giscard était content de Valéry. « Dans mon discours introductif, mon appel à "faire rêver d'Europe" a déclenché une salve d'applaudissements spontanés, et lors de la séance finale de signature du texte dans l'hémicycle, l'émotion était perceptible et faisait penser au serment du Jeu de paume de 1789. » Il se voyait déjà un nouveau Washington donnant naissance aux États-Unis d'Europe. Il avait pris soin d'affecter tous les attributs fédéraux à sa chère « Europe-puissance » : un président du Conseil européen ; un ministre des Affaires étrangères de l'Union (Giscard se moquait des Britanniques qui avaient exigé l'appellation « néocoloniale » de « haut représentant ») ; et un Parlement européen doté des compétences d'un véritable Parlement. Un drapeau, un hymne, une devise. Des « lois », et non plus des « directives » et des « règlements ».

Le « non malheureux des Français au référendum de 2005 » avait été un drame personnel pour Giscard, qui avait sans doute ravivé, chez ce sentimental celé sous une froideur rationaliste, les souffrances inconsolables de sa défaite de 1981. « Son problème, c'est le peuple », avait raillé, cruel, de Gaulle. Le peuple se révélait la malédiction de Giscard. Son tourment éternel. Et voilà qu'un jeune prétendant à sa lointaine succession, qui lui ressemblait beaucoup plus que les apparences ne le laissaient accroire, lui offrait une revanche inespérée. Mais une fois leur forfait accompli de conserve, Giscard ne manqua pas de s'en moquer avec une ironie mêlée d'admiration : « L'expression "traité simplifié" était habile. C'était un produit de la société médiatique, dans laquelle le mot remplace l'analyse du contenu. » Jean Pierre Chevènement avait été plus acerbe, mais pas moins sarcastique, quand il évoqua « un maxi-traité compliqué ».

Entre grands communicants, Giscard et Sarkozy s'étaient compris.

Le 13 décembre 2007, les pays européens signaient le traité institutionnel « modificatif » de Lisbonne. En février 2008, l'Assemblée nationale autorisait le président de la République à ratifier le traité de Lisbonne, par 336 voix contre 52 et 22 abstentions. Les députés de l'UMP avaient mêlé leurs voix à celles du parti socialiste. Seuls 9 députés de droite avaient voté contre, de même que 25 députés socialistes. Le Sénat ne tarda pas à suivre les députés.

Le 1er décembre 2009, le traité de Lisbonne entrait en vigueur dans l'ensemble de l'Union européenne.

L'entreprise de mystification avait été habilement menée. Le texte constitutionnel repoussé par le peuple français avait été démantibulé comme une vieille poupée ; mais peu de morceaux avaient été mis à la poubelle, seuls les plus voyants, les symboles, l'hymne européen de Beethoven, joué en toute occasion, ou le drapeau européen, arboré de gré ou de force sur tous les édifices publics, et que Nicolas Sarkozy exposa, à côté du tricolore, lors de chacune de ses interventions publiques, jusqu'à sa photographie officielle. Les lois redevinrent des directives et des règlements. Pour le reste, l'ensemble du texte fut déconstruit, découpé en morceaux, concassé, éparpillé façon puzzle, par des juristes à l'habileté byzantine, qui recollèrent ensuite les morceaux disparates en les dissimulant, par voie d'amendements aux deux anciens traités de Rome (1957) et de Maastricht (1992). L'expression « concurrence libre et non faussée », qui figurait à l'article 2 du projet, fut ainsi retirée à la demande de Nicolas Sarkozy, mais reprise à la requête des Britanniques dans un protocole numéro 6 annexé au traité qui stipule que « le marché intérieur, tel qu'il est défini à l'article 3 du traité, comprend un système garantissant que la concurrence n'est pas faussée ». De même pour le principe de supériorité du droit communautaire sur le droit national, dont le texte de référence demeura inchangé dans le traité. Ou encore l'article 27 réitérant que l'OTAN demeurait pour les pays membres le cadre de leur défense.

Le traité de Lisbonne se présentait comme un catalogue d'amendements aux traités précédents. Il était devenu illisible par les citoyens à la grande fureur de Giscard, Maupassant frustré, mais au grand soulagement des élites technocratiques bruxelloises.

Ce fut l'immense paradoxe en guise d'apothéose européiste : l'échec des États-Unis d'Europe avait redonné le pouvoir à l'oligarchie technocratique européenne. Les institutions bruxelloises, agacées par l'ingérence intempestive des parlementaires et des politiques, ne furent pas mécontentes de reprendre la main par un retour au langage qu'elles maîtrisaient et aux procédures qu'elles dominaient.

Tous, politiques et technocrates, se le tinrent pour dit. Le référendum fut rangé au rayon des accessoires surannés. A-t-on idée d'utiliser le rouet ? Quand ces balourds de Suisses en organisèrent – sur les mosquées avec minarets ou sur la restriction de l'entrée des étrangers –, les institutions européennes et les gouvernements les tancèrent. Depuis quelque temps déjà, le référendum était regardé par nos sages hiérarques comme un objet dangereux – une espèce de bombe à ne pas mettre entre toutes les mains. On disait : « Les électeurs ne répondent jamais à la question posée. » Le peuple ne pouvait résoudre des problématiques aussi complexes. Il était animé par des passions démocratiques et nationalistes incoercibles et mauvaises. N'oublions pas que le peuple allemand avait choisi démocratiquement Adolf Hitler. Le peuple redevenait ce mineur à vie, ce vagabond sans domicile fixe, ce domestique dépendant de ses humeurs et de ses rancœurs. Le suffrage censitaire était rétabli.

Dès 1992, le oui mince des Français au traité de Maastricht avait été validé aussitôt ; mais les Danois, ayant voté non, avaient été invités à revoter l'année suivante. Les Irlandais dirent non au traité de Nice de 2001 ; ils durent recommencer à voter jusqu'à ce qu'ils fissent le bon choix. En 2010, le Premier ministre grec proposa un référendum sur la sortie de l'euro ; Nicolas Sarkozy et Angela Merkel le contraignirent à y renoncer, puis à démissionner.

Pendant la campagne électorale pour le référendum français sur le traité constitutionnel de 2005, un des principaux hiérarques européens, alors président de l'Eurogroupe, le Luxembourgeois Jean-Claude Juncker, apprécié des journalistes pour son ironie acerbe, avait prévenu avec une franchise rigolarde mâtinée de cynisme : « Si c'est oui, nous dirons : donc on poursuit ; si c'est non, nous dirons : on continue. »

Le glas sonnait pour la souveraineté populaire ; quinze ans seulement après qu'on eut célébré avec le traité de Maastricht la mort de la souveraineté nationale. La querelle entre les deux souverainetés avait occupé les meilleurs esprits de la Révolution et du XIXe siècle : la souveraineté populaire prônée par Rousseau et les jacobins, adeptes du mandat impératif et du référendum ; la souveraineté nationale, défendue par les modérés, qui entendaient promouvoir la représentation parlementaire contre les « passions populaires », avant que le général de Gaulle ne les réconciliât dans la Constitution de la Ve République : « La souveraineté nationale appartient au peuple qui l'exerce par ses représentants et par la voie du référendum. » Il n'avait pas cependant imaginé que la querelle reprendrait, dans le cadre du régime qu'il avait instauré, et sous l'instigation de ce président de la République dont il avait imposé l'élection au suffrage universel afin qu'il prît « la France en charge », ni que les élites européistes se serviraient de la complaisance des parlementaires pour réussir leur « coup d'État », leur « putsch », leur « pronunciamento », aurait-il clamé à son habitude, contre le peuple français. Mais peut-être de Gaulle, imprégné jusqu'à la moelle par l'Histoire de France, s'en était-il douté : n'est-ce pas le Sénat – comblé d'honneurs par Napoléon – qui avait prononcé la déchéance de ce dernier en 1814 ? Et la majorité de Front populaire qui avait voté les pleins pouvoirs au maréchal Pétain en juillet 1940 ? Nicolas Sarkozy serait le bras armé de la revanche des élites sur le peuple ; le « Monsieur Thiers » de cette Commune symbolique. Son « mini-traité simplifié » se révéla une manœuvre de contournement aussi habile que la sortie de Paris des « troupes versaillaises ».

Ce fut sans doute pour conjurer ce sort funeste que le général de Gaulle avait démissionné en 1969, aussitôt après qu'il eut été désavoué par un référendum – alors même qu'il disposait d'une majorité écrasante à l'Assemblée nationale – pour affirmer une dernière fois l'esprit des institutions : lui, président de la République, et homme providentiel, ne se considérait que comme le fondé de pouvoir d'un souverain encore plus imposant, le peuple français, s'exprimant en majesté. Le résultat du référendum ne souffrait à ses yeux aucune contestation. Mais l'ultime précaution gaullienne se révéla vaine. Le souverain peuple avait vécu. L'Europe aristocratique d'hier et l'oligarchie technocratique d'aujourd'hui tenaient enfin leur revanche sur ces incorrigibles Français.

Et depuis...

De Gaulle a échoué. Quarante ans après sa mort, son chef-d'œuvre est en ruine. Il avait rétabli la souveraineté de la France, en la fondant sur la souveraineté du peuple. Depuis 1992, la France a abandonné sa souveraineté nationale au profit d'un monstre bureaucratique bruxellois, dont on peine à saisir les bienfaits. Depuis 2007, pour complaire à cet « Empire sans impérialisme », sa classe politique quasi unanime a expédié la souveraineté populaire dans les poubelles de l'Histoire, en déchiquetant la tunique sans couture du référendum que le général de Gaulle avait instauré pour imposer la volonté du peuple à tous « les notables et notoires » qui avaient l'habitude séculaire de la confisquer.

Le peuple a compris la leçon. Le peuple boude. Le peuple ne vote plus. Le peuple s'est de lui-même mis en dissidence, en réserve de la République.

De Gaulle avait aussi cru régler une question vieille de cent cinquante-neuf ans en remettant la tête du roi guillotiné en 1793 sur les épaules du président de la République. Il avait donné corps à la fulgurante formule de Péguy : « La République une et indivisible, c'est notre Royaume de France. » Il avait séparé le président de la République, « en charge de l'essentiel », et le Premier ministre, afin de donner réalité à la distinction subtile de l'inspirateur des *Cahiers de la Quinzaine*, entre mystique et politique Mais cette distinction s'est révélée, au fil du temps et de ses successeurs, de plus en plus inopérante, comme si les présidents de la République, surtout depuis l'instauration du quinquennat, ne pouvaient plus être autre chose que des premiers ministres ; comme si la société, lessivée par quarante ans d'égalitarisme et d'individualisme, ne pouvait plus produire une race d'hommes qui pût habiter le type du « père de la nation ». Les Français vivent toujours dans « le reflet du prince », comme disait Anatole France, mais personne ne l'incarne plus.

Nous vivons dans une ère carnavalesque. Nicolas Sarkozy fut un Bonaparte de carnaval ; François Hollande est un Mitterrand de carnaval et Manuel Valls, un Clemenceau de carnaval. La Ve République est devenue la République radicale en pire. En ce temps-là, les Clemenceau, Jaurès, Waldeck-Rousseau, Poincaré, Briand etc. avaient encore de la tenue, de l'allure, du caractère, mais les institutions les entravaient et les étouffaient. Aujourd'hui, seules les institutions, comme le corset des femmes d'antan, maintiennent droit nos molles éminences. Chirac dissimulait sous un physique de hussard une prudence matoise de notable rad-soc. Sarkozy masquait par une agitation tourbillonnante et un autoritarisme nombriliste une crainte irraisonnée de la rue et une sensibilité d'adolescent. Hollande cache derrière un humour potache un cynisme d'airain et une main de velours qui tremble dans son gant de fer

La plupart de nos élites ont renoncé. Nos élites politiques ont abandonné la souveraineté et l'indépendance nationale au nom de leur grand projet européen. Nos élites économiques trahissent les intérêts de la France au nom de la mondialisation et de la nécessaire internationalisation. Plus de la moitié des entreprises du CAC 40 appartient à des fonds étrangers. La France industrielle n'appartient plus à la France. Le CAC 40 n'a plus accueilli de nouvelles entreprises depuis vingt ans. Les patrons quittent l'Hexagone, suivent ou précèdent leurs enfants qui font leurs études à Londres, New York, Montréal, Los Angeles, installent les sièges sociaux de leurs sociétés en Angleterre, aux Pays-Bas, en Amérique, à Singapour ou à Shanghai, comme si leur croissance future ne dépendait que des pays émergents, comme si leur croissance passée ne devait rien au cher et vieux pays.

Nos élites médiatiques justifient et exaltent ce grand renoncement, admonestent et traquent les rares rebelles, et déversent un flot continu de « moraline » culpabilisante sur l'esprit public.

Leur objectif commun est d'arrimer la France à un ensemble occidental qui se liguera face à la nouvelle menace venue de l'Est, en particulier de la Chine. Le traité de libre-échange transatlantique a pour but, aux dires mêmes des négociateurs américains, d'édifier « une OTAN commerciale ». Cet accord soumettrait l'économie européenne aux normes sanitaires, techniques, environnementales, juridiques, culturelles des États-Unis ; il sonnerait le glas définitif d'une Europe cohérente et indépendante.

Les élites françaises ont renoncé à dominer l'Europe, et le reste du continent refuse désormais toute hégémonie, même culturelle ou idéologique de la « Grande Nation » défunte. Mais cette conjonction de refus entraîne le projet européen à sa perte. Comme si la mort de l'Europe française entraînait toute l'Europe dans sa chute. C'est ce qu'avait bien vu l'historien Pierre Gaxotte : « L'Europe a existé. Elle est derrière nous. C'était une communauté de civilisation et cette civilisation était française. »

Les Français ont longtemps cru (au cours des années 1960, ils avaient encore raison) que l'Europe serait la France en grand. Ils commencent à comprendre, amers, que l'Europe sera l'Allemagne en grand. Le fameux slogan européiste, « Plus fort ensemble », a désormais le fumet cruel d'une antiphrase : l'Europe est devenue un vaste champ de bataille économique, de concurrence, de compétition, de rivalité. La conjonction historique de la réunification allemande, de l'élargissement de l'Union et de la monnaie unique a permis à l'Allemagne de transformer tout le continent en une vaste plate-forme au service de son modèle mercantiliste. L'industrie allemande intègre des composants venus de toute l'Europe (et si nécessaire du reste du monde) avant d'y ajouter son savoir-faire si renommé. Cette « industrie de bazar », efficace et organisée, en a fait la première puissance exportatrice du monde. Comme l'avaient prédit de nombreux économistes, la monnaie unique renforce la polarisation industrielle autour d'un cœur rhénan et d'une périphérie au destin tragique de Mezzogiorno. La France se situe pour l'essentiel dans cette périphérie. La monnaie unique avait été conçue par François Mitterrand pour soustraire aux Allemands réunifiés leur « bombe atomique » : le mark. Les Allemands utilisèrent la corde qui devait les ligoter pour étrangler les industries françaises et italiennes qui ne pouvaient plus s'arracher à leur étreinte mortelle par des dévaluations compétitives. La supériorité allemande est telle que la France ne pourra plus échapper à sa vassalisation. Un siècle après le début de la Première Guerre mondiale, nous entérinons le plan des dirigeants allemands conçu par Guillaume II qui prévoyait déjà l'unification continentale autour de l'hégémon germanique. Pour échapper à ce destin funeste, la France devrait se débarrasser de l'euro, et pousser ses dernières entreprises nationales à nouer des alliances extra-européennes, pour prendre à revers la puissance germanique, et retisser la trame de son capitalisme d'État qui a fait, qu'on le veuille ou non, les rares périodes de l'Histoire où le pays connut un réel dynamisme économique : le second Empire et les Trente Glorieuses. Le succès ne serait pas assuré, les risques immenses, la tâche énorme ; mais nos élites politiques et économiques la refusent par principe. Pour la plupart, elles ne croient plus en la capacité de la France d'assumer son destin de nation souveraine. La diabolisation du nazisme a rendu paradoxalement douce et tolérable la domination d'une Allemagne démocratique.

On nous somme chaque matin de nous soumettre à la sacrosainte « réforme ». Cet exorde modernisateur n'est pas toujours illégitime ni infondé ; mais il bute sur un obstacle majeur : quoi que disent « sachants » et « experts », le peuple n'a plus confiance. En brisant les tables de la souveraineté, nos gouvernants ont aboli leur pacte millénaire avec le peuple français. La politique est devenue un cadavre qui, tels les chevaliers du Tasse, marche encore alors qu'elle est morte. Les dirigeants anglais, eux, parlent de « modernisation ». Le mot réforme résonne curieusement dans les esprits français, où il évoque le souvenir du schisme protestant, des guerres de Religion, de « Paris vaut bien une messe », et de la victoire finale de la

« Contre-Réforme ». En nous appelant à la « réforme », nos « bons maîtres » ne se contentent pas d'améliorer notre compé titivité économique, ou d'instaurer un dialogue social plus fruc- tueux, ils nous rééduquent, nous convertissent. Nos dirigeants sont devenus des prêtres. Ils ne gouvernent plus, ils prêchent. « Il y a une répartition des rôles. La gauche nous surveille de près, comme il convient pour un peuple qu'elle estime dange- reusement porté au racisme et à la xénophobie. La droite nous menace sans cesse des réformes décisives qui nous mettront enfin au travail, puisque apparemment nous sommes de grands paresseux. Finalement, droite ou gauche, ils sont moins nos représentants et gouvernants que les gardiens de notre vertu[1]. »

Ils brandissent la « contrainte extérieure » comme une épée dans nos reins ; et l'Europe comme un graal qui se gagne par d'innombrables sacrifices. Ils se lamentent : la France est irréformable ; elle préfère la Révolution aux réformes, et sinon, elle coupe la tête au roi ! Depuis quarante ans, la litanie des « réformes » a déjà euthanasié les paysans, les petits com- merçants et les ouvriers. Au profit des groupes agroalimen- taires, des grandes surfaces, des banquiers, des patrons du CAC 40, des ouvriers chinois et des dirigeants de Volkswagen. Ceux qui ont survécu à l'hécatombe ne veulent pas mourir. Cette hantise les rend méchants et hargneux. Les taxis, les pharmaciens, les cheminots, les notaires, les employés se bat- tent comme les poilus à Verdun. Nos élites, qui viennent pour la plupart de la haute fonction publique, et ont bénéficié des avantages du système mandarinal à la française, veulent impo- ser le modèle anglo-saxon du « *struggle for life* » à toute la population, sauf à eux-mêmes. C'est protestantisme égalitaire pour la piétaille, mais pompe vaticane pour les cardinaux. Pourquoi les intérêts catégoriels des chauffeurs de taxis seraient-ils illégitimes et les intérêts catégoriels des patrons de banques intouchables ?

Parlons chaque matin de réforme, il en restera toujours quelque chose. Au moins, le peuple, culpabilisé, saura qu'il est dans l'erreur ; se tiendra à carreau.

---

1. Pierre Manent, *Le Figaro*, 18 janvier 2014.

Mais quelle vérité, quelle réforme, quel modèle ? Modèle allemand, anglais, américain, japonais, suédois, danois, finlandais ? Nos élites piochent au hasard, sans craindre les contradictions. Un jour, on nous dit qu'il faut devenir compétitifs comme les Allemands, mais les Allemands ferment leurs grands magasins dès le samedi après-midi. Un autre jour, on nous dit qu'il faut exporter comme les Japonais, mais les Japonais n'ont pas de grande surface, beaucoup de paysans et pas d'immigrés. On nous dit qu'on instaurera la flexi-sécurité à la danoise, la finance à l'anglaise, le référendum à la suisse, la pénalisation des clients des prostituées à la suédoise, la réduction des déficits à la canadienne, la baisse des impôts a l'italienne, le sauvetage de notre industrie automobile à l'amé ricaine, et même sans le dire, la baisse des salaires à l'espagnole. Mais nos modèles eux-mêmes changent de modèle. On prétend supprimer le SMIC quand les Allemands l'instaurent, on développe la discrimination positive au moment où les Américains l'abolissent ; on rêve de grandes régions quand les Espagnols s'en mordent les doigts.

Nous ne sommes pas irréformables ; nous sommes incohérents. Trop de modèles tuent le modèle. Et trop de remèdes tuent le malade. C'est le but inavoué. N'importe quoi plutôt que le modèle français, d'un côté l'État qui dirige, et la liberté individuelle comme moteur. Notre modèle colberto-bonaparto-gaullien serait dépassé, désuet, obsolète, ringard. Tyrannique et liberticide. Et pour tout dire moralement abject.

Est-ce à dire qu'il ne faudrait rien changer ? Non, bien sûr ; mais ce n'est pas le propos de ce livre, on l'aura bien compris. Avant de réformer, il faut s'entendre sur le diagnostic. Or, sur ce point, depuis quarante ans, gauche et droite jouent à se mentir. À nous mentir. Sans doute parce que gauche et droite ont également renoncé. La France fait une fin, comme les viveurs dans Balzac épousaient une riche héritière sur le tard. La France s'aligne. La France se couche.

La droite trahit la France au nom de la mondialisation ; la gauche trahit la France au nom de la République. La droite a abandonné l'État au nom du libéralisme ; la gauche a abandonné la nation au nom de l'universalisme. La droite a trahi le peuple au nom du CAC 40 ; la gauche a trahi le peuple au nom des minorités. La droite a trahi le peuple au nom de la liberté ; cette liberté mal comprise qui opprime le faible et renforce le fort ; cette liberté dévoyée qui contraint la laïcité à se parer de l'épithète « positive » pour se rendre acceptable aux yeux de tous les lobbies communautaires. La gauche a trahi le peuple au nom de l'égalité. L'égalité entre les parents et les enfants qui tue l'éducation ; entre les professeurs et les élèves qui tue l'école ; l'égalité entre Français et étrangers qui tue la nation.

Mai 68 aura été à la République gaullienne ce que 1789 fut à la monarchie capétienne : le grand dissolvant. Les mots qu'utilisait Ernest Renan pour le tremblement de terre de 1789 valent encore pour 1968 : « La France était une grande société d'actionnaires formée par un spéculateur de premier ordre, la maison capétienne. Les actionnaires ont cru pouvoir se passer de chefs, et puis continuer seuls les affaires. Cela ira bien, tant que les affaires seront bonnes ; mais les affaires devenant mauvaises, il y aura des demandes de liquidation. » Mais si 1789 avait été une révolution du peuple contre le monarque et les aristocraties nobiliaires et cléricales, Mai 68 fut une révolution de la société contre le peuple.

Le peuple se rebelle, mais peut-être trop tard. Il lutte contre l'ultime destruction de sa civilisation, gréco-romaine et judéo-chrétienne, mais ses armes sont des épées de bois. Il se rue aux expositions sur les impressionnistes, et reste indifférent aux beautés cachées d'un art contemporain qui ne séduit que le snobisme des milliardaires. Il n'écoute que des reprises aseptisées des « tubes » des années 1960 et 1970. Il érige *Les Tontons flingueurs* en « film culte », et chante les louanges de Louis de Funès, dont la franchouillardise spasmodique se voit désormais rehaussée, aux yeux des critiques de gauche qui le méprisaient de son vivant, par ses origines espagnoles. Il dédaigne la plupart des films français, alourdis par un politiquement correct de plomb, mais fait un triomphe aux rares audacieux qui exaltent les valeurs aristocratiques d'hier (*Les Visiteurs*), le Paris d'hier (*Amélie Poulain*), l'école d'hier (*Les Choristes*), la classe ouvrière d'hier (*Les Ch'tis*), la solidarité d'hier (*Intouchables*) et l'intégration d'hier (*Qu'est-ce qu'on a fait au bon Dieu ?*). À chaque fois, la

presse de gauche crie au scandale, à la ringardise, à la xénophobie, au racisme, à la France rance ; mais prêche dans le
désert. À chaque fois, les salles sont remplies par des spectateurs enthousiastes qui viennent voir sur pellicule une
France qui n'existe plus, la France d'avant.

Dans les années 1970, les films qui avaient un grand succès
populaire dénonçaient, déconstruisaient, et détruisaient l'ordre
établi ; ceux qui remplissent les salles quarante ans plus tard
ont la nostalgie de cet ordre établi qui n'existe plus. Les
œuvres des années 1970 étaient d'ailleurs d'une qualité bien
supérieure à leurs lointaines rivales. Comme s'il fallait plus de
talent pour détruire que pour se souvenir. Comme si le monde
d'hier – avec ses rigidités et ses contraintes, son patriarcat et
ses tabous – produisait une énergie et une vitalité, une créativité que le monde d'aujourd'hui, celui de l'extrême liberté
individuelle et du divertissement, de l'indifférenciation fémi-
nisée, ne forge plus. Comme si la liberté débridée des années
1970 avait tourné au catéchisme étriqué des années 2000. Il y
a quarante ans, un ordre ancien, patriarcal, paysan et catholique n'était plus, tandis que le nouvel ordre, urbain, matriar-
cal, antiraciste, n'était pas encore. Profitant de l'intervalle,
s'ébroua une révolte jubilatoire et iconoclaste, mais qui devint
en quelques décennies un pouvoir pesant, suspicieux, morali-
sateur, totalitaire. Le jeune rebelle de *L'Éducation sentimentale*
a vieilli en Monsieur Homais, cynique, pontifiant et vindicatif.

Dès qu'il en a l'occasion, le peuple prend la rue quitte à
subir le mépris d'airain d'une gauche qui n'a pas compris les
nouvelles conditions de l'éternelle lutte des classes – « bonnets
rouges » bretons coupables de mêler dans une même protestation ouvriers et petits patrons, victimes communes du nouvel ordre mondial, ou manifestants contre le « mariage pour
tous », coupables d'« homophobie » parce qu'ils défendent
avec une véhémence le plus souvent tranquille la famille traditionnelle. Au cinéma, dans les expositions ou dans la rue,
c'est un même mouvement authentiquement réactionnaire
qui secoue le peuple français.

Le triangle infernal forgé dans la foulée de Mai 68 entre
État, peuple et société, branle de toutes parts. L'État est affai-

bli, impuissant à protéger le peuple, mais encore capable de le punir pour ses prétendues transgressions. Le peuple est remonté contre la postmodernité et se soude autour du slogan diabolisé « C'était mieux avant », mais n'a pas de projection politique majoritaire. La société règne encore. Elle est composée de toutes ces associations humanitaristes, ces lobbies antiracistes, gays, féministes, communautaristes, qui vivent de subventions publiques distribuées par un État aboulique et clientéliste, tous ces médias bien-pensants, tous ces technocrates, intellocrates, médiacrates, sociologues, démographes, économistes, qui prétendent encore faire l'opinion à coups de leçons de morale et de statistiques arrangées, élaborent au sein d'innombrables commissions pédagogiques les programmes scolaires, rédigent les rapports sur la meilleure façon de « faire de l'en commun pour faire France » (*sic*). Pour eux, la cohérence culturelle qu'avait su conserver notre peuple, en dépit d'une importante immigration depuis le XIXe siècle, est suspecte ; l'exigence de l'assimilation, xénophobe ; l'attachement à notre histoire, nos grands hommes, notre roman national, la preuve de notre arrogance raciste. Tout doit être détruit, piétiné, saccagé. Le multiculturalisme américain doit nous servir de nouveau modèle, même s'il vient de l'esclavage et a longtemps flirté avec l'apartheid de fait.

La société a vaincu : elle a asservi l'État en le ligotant, et désintégré le peuple en le privant de sa mémoire nationale par la déculturation, tout en brisant son unité par l'immigration. Elle règne sur un chaos. On connaît la phrase célèbre de l'historien Marc Bloch : « Il est deux catégories de Français qui ne comprendront jamais l'Histoire de France : ceux qui refusent de vibrer au souvenir du sacre de Reims ; ceux qui lisent sans émotion le récit de la fête de la Fédération. » Que dirait aujourd'hui l'auteur accablé de *L'Étrange Défaite* de ces millions de Français, jeunes en particulier, qui par ignorance ou rejet, ne vibrent ni pour l'un, ni pour l'autre événement ?

Nous conjuguons un mai 1940 économique, et une guerre de Religion en gestation, le tout parsemé de frondes récurrentes contre un État brocardé, méprisé, vilipendé, mais dont on garde au fond du cœur une douloureuse nostalgie pour sa grandeur passée. Notre Histoire hante même ceux qui ne la connaissent plus. Le royaume des Francs est né, à la chute de l'Empire romain, de l'alliance des conquérants germains et des élites gallo-romaines, qui se solidarisèrent ensuite contre les hordes venues de l'est, du sud (Arabes) et du nord (Vikings). C'est dans ce combat homérique qui faillit les engloutir, que les populations « franques » prirent conscience de leur spécificité chrétienne et romaine. Toute l'Europe connut alors le même acte de naissance mouvementé. C'est par ailleurs dans le feu rougeoyant des guerres de Religion du XVIᵉ siècle que nos élites intellectuelles et politiques forgèrent les principes de la souveraineté, afin d'imposer la loi pacificatrice de l'État à des dogmes religieux qui ensanglantaient le pays ; notre Léviathan se para des fastes de la monarchie absolue avec la dynastie des Bourbons ; la France imposa ce modèle à toute l'Europe avec le traité de Westphalie de 1648. C'est cet héritage millénaire que nous avons bazardé en quarante ans. Nous avons aboli les frontières ; nous avons renoncé à notre souveraineté ; nos élites politiques ont interdit à l'Europe de se référer à « ses racines chrétiennes ». Cette triple apostasie a détruit le pacte millénaire de la France avec son Histoire ; ce dépouillement volontaire, ce suicide prémédité ramènent les orages que nous avions jadis détournés, grandes invasions et guerres de Religion.

L'avenir de notre cher Hexagone se situe entre un vaste parc d'attractions touristiques et des forteresses islamiques, entre Disneyland et le Kosovo. L'État n'est plus qu'une coquille vide qui n'a conservé que ses pires travers gaulliens (l'arrogance des élites), sans en avoir la remarquable efficacité. Il faudrait la poigne d'un Colbert ou d'un Pompidou pour que notre industrie perdue renaisse de ses cendres. Il faudrait un implacable Richelieu combattant sans relâche « l'État dans l'État » et les « partis de l'étranger » pour abattre les La Rochelle islamiques qui s'édifient sur tout le territoire ; mais nous cédons devant l'ennemi intérieur que nous laissons prospérer, et nous pactisons avec les puissances étrangères qui les alimentent de leurs subsides et de leur

propagande religieuse – les princes arabes du Golfe ont rem
placé le duc de Buckingham, et nous les recevons les bras
ouverts et le regard brillant, comme des Anne d'Autriche
énamourées.

L'idéologie de la mondialisation, antiraciste et multiculturaliste, sera au XXIᵉ siècle ce que le nationalisme fut au
XIXᵉ siècle et le totalitarisme au XXᵉ siècle, un progressisme
messianique fauteur de guerres ; on aura transféré la guerre
entre nations à la guerre à l'intérieur des nations. Ce sera
l'alliance du « doux commerce » et de la guerre civile.

C'est l'ensemble de l'Occident qui subit ce gigantesque
déménagement du monde, entre perte des repères, des
identités et des certitudes. Mais la France souffre davantage
que les autres. Elle avait pris l'habitude depuis le XVIIᵉ siècle
et, plus encore, depuis la Révolution française, d'imposer
ses idées, ses foucades mêmes, sa vision du monde et sa langue, à un univers pâmé devant tant de merveilles. Non seulement elle n'y parvient plus, mais elle se voit contrainte
d'ingurgiter des valeurs et des mœurs aux antipodes de ce
qu'elle a édifié au fil des siècles. Marcel Gauchet a bien
résumé notre malheur : « Notre héritage fait de nous des
inadaptés par rapport à un monde qui dévalorise ce que
nous sommes portés spontanément à valoriser, et qui porte
au premier plan ce que nous regardions de haut. »

La France se meurt, la France est morte.

Nos élites politiques, économiques, administratives, médiatiques, intellectuelles, artistiques crachent sur sa tombe et pié-
tinent son cadavre fumant. Elles en tirent gratification sociale
et financière. Toutes observent, goguenardes et faussement
affectées, la France qu'on abat ; et écrivent d'un air las et
dédaigneux, « les dernières pages de l'Histoire de France ».

Remerciements

Je remercie Olivier Rubinstein, Lise Boëll, Julien Colliat et mon ami Jacques.

Table

TABLE												533

1993-2008 :
« LES PÈRES ONT MANGÉ DES RAISINS TROP VERTS ;
LES DENTS DES ENFANTS ONT ÉTÉ AGACÉES. »

Crédits et sources

DU MÊME AUTEUR

ESSAIS

Balladur, immobile à grands pas, Grasset, 1995.
Le Livre noir de la droite, Grasset et Fasquelle, 1998.
Le Coup d'État des juges, Grasset et Fasquelle, 1998.
Une certaine idée de la France , Collectif, France-Empire, 1998.
Les Rats de garde, en collaboration avec Patrick Poivre d'Arvor,
    Stock, 2000.
L'Homme qui ne s'aimait pas, Balland, 2002.
Le Premier Sexe, Denoël, 2006.
Mélancolie française, Fayard/Denoël, 2010.
Z comme Zemmour, Le Cherche Midi, 2011.
Le Bûcher des Vaniteux, Albin Michel, 2012.
Le Bûcher des Vaniteux 2, Albin Michel, 2013.

ROMANS

Le Dandy rouge, Plon, 1999.
L'Autre, Denoël, 2004.
Petit frère, Denoël, 2008.

Composition Nord Compo
Impression CPI Bussière en novembre 2014
à Saint-Amand-Montrond (Cher)
Éditions Albin Michel
22, rue Huyghens, 75014 Paris
www.albin-michel.fr

ISBN : 978-2-226-25475-7
N° d'édition : 20199/12. – N° d'impression : 2013128.
Dépôt légal : octobre 2014.
Imprimé en France.